本 秀紀
＝編

愛敬浩二
伊藤雅康
植松健一
植村勝慶
大河内美紀
塚田哲之
本 秀紀
＝著

憲法講義

［ 第 3 版 ］

日本評論社

世界がぜんたい幸福にならないうちは個人の幸福はあり得ない

宮沢賢治『農民芸術概論綱要』

初版へのはしがき

　本書は、大学の法学部で開講される専門科目「憲法」のテキストとして編まれた。分担執筆ではあるが、全体として一貫した内容になるように、何度も編集会議を開き、基本的なコンセプトから細部の表現に至るまで検討を重ねてきた。テキスト執筆を呼びかけた本が形のうえで編者となっているが、実質的には7人の著者による共同執筆といってよい。

　本書の特徴は序章で述べたので、詳しくはそちらを参照していただきたいが、憲法解釈の概説を中心にしつつも、歴史的文脈における問題の位置づけや、憲法構造に照らした日本の現実の分析などにも、できるだけ言及することを心がけた。その際、司法過程での憲法運用にとどまらず、民主政過程において憲法がはたすべき役割をも重視した。あまたある憲法テキストのなかで、本書がなにがしかの存在意義をもつとすれば、その点にあろう。

　本書出版のきっかけは、日本評論社編集部の柴田英輔さんとの個人的な会話であった。柴田さんの粘り強い叱咤激励がなかったら、本書は日の目を見なかったであろう。記して感謝の意を表したい。

2015年3月

本　秀紀

憲法講義
目次

序章　憲法の世界へようこそ──本書の特徴と使い方…001
　「憲法」をめぐるふたつのイメージ？…001
　憲法解釈の基礎アイテム…002
　本書の特徴…004
　本書の使い方…006

第1部　総論

第1章　憲法というものの考え方…008

1　憲法とは何か…008
2　近代立憲主義というコンセプト…010
3　憲法の特質…011
　(1)最高法規性…012／(2)対公権力性…012／(3)硬性憲法…013
4　個人主義と「公共」…015
5　憲法を実現するのは誰か──「国民の不断の努力」の意味…018

第2章　歴史と比較のなかの憲法…021

第1節　近代国民国家の形成と立憲主義…021
1　中世立憲主義と近代立憲主義…021
2　近代国民国家の形成と主権論…022

第2節　近代市民革命と近代立憲主義…023
1　近代市民革命の憲法・政治思想…023
2　近代市民革命と近代憲法の成立…025
　(1)近代市民革命の憲法史的意義…025／(2)イギリス…025／(3)アメリカ…026／(4)フランス…027
3　近代立憲主義の諸原理…028
　(1)国民主権と「国民代表」…028／(2)人一般の権利としての人権（自然権として

の人権)…029／(3)議会主義の統治機構——イギリスとフランス…030／(4)厳格な権力分立と違憲審査制——アメリカ…031／(5)軍事に対する立憲的統制…032
- 4 ドイツ市民革命の挫折と「外見的立憲主義」…032
  (1)「二つの近代化」と憲法原理——意義と問題点…032／(2)ドイツ…033

第3節 近代立憲主義の現代的変容…034
- 1 近代立憲主義の危機と対応…034
- 2 現代憲法の特徴…035
  (1)積極国家(社会国家)の形成…035／(2)議会主義の変容と行政国家の形成…036／(3)人権の裁判的保障の普遍化…037／(4)立憲平和主義への志向…038
- 3 立憲主義のグローバル化と危機…039

第3章 日本の憲法…041

第1節 大日本帝国憲法…041
- 1 大日本帝国憲法の制定…041
- 2 大日本帝国憲法の内容…042
  (1)天皇主権…042／(2)権力集中制…043／(3)臣民の権利…045
- 3 大日本帝国憲法の運用…045
  (1)大正デモクラシー…045／(2)天皇機関説事件…046／(3)治安維持法…046

第2節 日本国憲法の成立…047
- 1 日本国憲法の成立経緯…047
  (1)敗戦と憲法改正の動き…047／(2) GHQ による憲法草案の提示…049／(3)新たな政府案の作成…050／(4)帝国議会の審議…050
- 2 日本国憲法成立の法的評価…051
  (1)憲法は「押しつけ」か？…051／(2)占領下での憲法の成立をどうみるか？…052／(3)改正か制定か…052

第3節 日本国憲法の展開…054
- 1 占領から独立へ(1945年〜1952年)…054
  (1)日本の民主化…054／(2)占領政策の転換(いわゆる「逆コース」)…054／(3)講和をめぐる対立と旧安保条約の締結…055
- 2 1950年代の改憲動向から安保闘争へ(1952年〜1960年)…055
  (1)治安法制の再編…055／(2)保安隊から自衛隊へ…056／(3)復古的改憲の挫折…056／(4)安保闘争…057
- 3 高度経済成長から経済大国へ(1960年〜1988年)…057

(1)「復古的」憲法改正から「解釈改憲」へ…057／(2)安保体制の変容…057／(3)憲法の定着をめぐる相剋——革新自治体と公害問題と司法反動…058／(4)80年代改憲論…059

4 「グローバル化」のなかの改憲論議（1989年〜現在）…059
(1)「国際貢献」のための自衛隊海外派遣と改憲論議…059／(2)政権主導の改憲論議とその挫折…060

第4章　国民主権と象徴天皇制度…062

第1節　国民主権…062

1　主権概念の成立と歴史…062
(1)主権とは何か…062／(2)「国家の主権」と「国家における主権」…063／(3)君主主権から国民主権へ…063

2　「国民主権」の意味と歴史…064
(1)「ナシオン主権」vs.「プープル主権」…064／(2)主権と代表の歴史的展開…065

3　日本国憲法の主権原理…067
(1)日本国憲法における主権…067／(2)日本国憲法における「国民主権」——「ナシオン主権」か、「プープル主権」か…068／(3)主権論のこんにち的意義…069

第2節　象徴天皇制度…071

1　主権原理の転換と象徴天皇制度…072

2　天皇の地位…073
(1)「象徴」の地位…073／(2)天皇は元首または君主か？…075／(3)「皇位」の継承…076

3　天皇の権能…078
(1)国事行為…078／(2)天皇の「公的行為」は認められるか？…081

4　皇室経済とそのコントロール…083

5　象徴天皇制度をめぐる諸問題…083
(1)皇室報道をめぐる「菊タブー」…083／(2)代替わりと政教分離…084／(3)元号・日の丸・君が代…085／(4)叙勲と「国民の祝日」…086

第5章　非軍事平和主義…089

第1節　日本国憲法の平和主義の特質…089

1　主権規定の後進性と先駆性——日本史的文脈から…089

2　非軍事平和主義の先駆性——世界史的文脈から…091
第2節　**憲法9条の解釈と運用**…093
　　1　「再軍備」と政府解釈の変遷…093
　　　(1)「軍備なき自衛権」論…093／(2)「戦力＝近代戦争遂行能力」論…094／(3)「戦力に至らざる自衛力」論…095
　　2　日米安保体制の法構造…096
　　　(1)日米安保体制の成立——「占領」から「駐留」へ…096／(2)日米安保体制の基本構造——アメリカとの「集団的自衛」体制…097／(3)日米安保体制の展開——「極東安保」から「アジア太平洋安保」へ…098
　　3　学説の状況…100
　　　(1)9条解釈論…100／(2)「自衛権」解釈…101
　　4　平和的生存権——「人権としての平和」…104
　　5　裁判所の対応…107
　　　(1)安保条約裁判…107／(2)自衛隊裁判…109
第3節　**1990年代以降の軍事的展開と憲法**…112
　　1　冷戦終結と国連の「活性化」…112
　　2　「日米同盟」のグローバル化と法整備——「アジア太平洋安保」から「グローバル安保」へ…114
　　3　「有事法制」整備の意味…116
　　4　第二次安倍政権による新展開…117
　　　(1)「積極的平和主義」にもとづく諸政策の転換…117／(2)閣議決定による集団的自衛権の行使容認…118／(3)「安保法制」の制定…119
　　5　非軍事平和主義の普遍性と現実性…122

| 第6章 | 憲法の保障と変動…126 |

第1節　**憲法の保障**…126
　　1　憲法保障とは何か…126
　　2　日本国憲法の定める憲法保障…126
　　　(1)憲法尊重擁護義務…126／(2)硬性憲法…128／(3)その他…128
　　3　抵抗権…128
　　　(1)抵抗権…128／(2)市民的不服従…129
第2節　**非常状況と憲法**…130
第3節　**憲法の変動**…134

1 憲法の改正…134
 (1)憲法改正とは…134／(2)日本国憲法と憲法改正…134
2 憲法改正の限界…136
3 憲法変遷…138

第2部 統治の仕組み──各論(1)

第1章 統治の基本構造…142

1 議会主義と権力分立…142
 (1)「権力分立」概念の歴史性…142／(2)統治構造の類型論──その1：立法機関と行政機関…144／(3)日本国憲法の場合…145
2 「政治部門」と「司法部門」──権力の構成と抑制…146
 (1)統治構造の類型論──その2：裁判機関の位置づけ…146／(2)国民主権 vs. 違憲審査制？…147／(3)日本国憲法の場合…149

第2章 政治部門…151

第1節 民主政の全体像…151
第2節 国民代表と政党民主政…157

1 日本国憲法における「代表」…157
 (1)代表民主制と政党民主政…157／(2)「代表」の「積極的規範意味」と「禁止的規範意味」…158
2 政党民主政と法…160
 (1)憲法と政党…160／(2)政党に対する法的規律…166／(3)政党移籍による議員失職制度の合憲性…174／(4)日本における政党法制の機能と政党民主政の現状…175

第3節 政治参加の権利と制度…177

1 請願権…177
2 国家賠償請求権…179
 (1)法的性格…179／(2)17条の内容…180／(3)法律による具体化──国家賠償法…180／(4)国家賠償請求訴訟の「参加」としての意味…181
3 選挙権と選挙制度…182
 (1)「公務員の選定・罷免権」の意義…182／(2)選挙権・被選挙権…184／(3)選挙制度…191

第4節 議院内閣制…207

1. 議院内閣制というコンセプト…207
   (1)議院内閣制の本質と歴史的展開…207／(2)「国会中心」構想 vs.「内閣中心」構想…209

2. 国会…212
   (1)国権の最高機関としての国会…212／(2)「唯一の立法機関」としての国会…214／(3)国会の構成と活動…219／(4)議員の地位…228

3. 内閣…231
   (1)内閣が行使する「行政権」の意味…231／(2)内閣と内閣総理大臣（首相）…233／(3)行政各部…239／(4)内閣の対国会責任…240／(5)内閣不信任決議と衆議院解散…241

第5節 財政…245

1. 財政国会中心主義と財政民主主義…245
   (1)憲法史における財政…245／(2)財政国会中心主義と財政民主主義…246

2. 租税法律主義…248
   (1)租税…248／(2)課税要件法定主義…248

3. 予算…249
   (1)予算に関する諸原則と枠組み…249／(2)予算の法的性格…250／(3)予算案の修正…251／(4)予備費…251

4. 財政の事後的な監督…252
   (1)決算…252／(2)会計検査院…252／(3)国会と国民への財政状況報告…252

5. 公金の支出・利用の制限…253

第6節 地方自治…255

1. 地方自治の本旨――なぜ「地方自治」が重要なのか…255
   (1)地方自治保障の沿革と現代的意義…255／(2)日本における地方自治の展開…257／(3)地方自治保障の憲法的説明…260

2. 住民自治…261
   (1)住民の直接請求…261／(2)住民投票…261／(3)地方特別法（95条）…262／(4)住民訴訟…263

3. 自治体の組織構造…264
   (1)地方公共団体…264／(2)自治体の多層構造…265／(3)長と議会の二元的代表制…265

4. 自治体の権能…267
   (1)自治体の事務…267／(2)自治体の自主立法権（条例制定権）…268

第3章　司法部門…271

第1節　司法権…271

1　裁判を受ける権利…271

(1)意義…271／(2)対審手続…272／(3)裁判の公開…273

2　「司法」の概念…274

(1)「司法」の概念と帰属…274／(2)法律上の争訟／事件性の要件…275／(3)司法権の限界…276

3　裁判所の組織と権限…279

(1)裁判所の組織…279／(2)下級裁判所の裁判官…280／(3)最高裁判所…281／(4)司法への国民参加…285

4　司法権の独立…286

(1)司法権の独立の意義…286／(2)裁判官の職権行使の独立…287／(3)裁判官の身分保障…288

第2節　違憲審査制度…291

1　違憲審査制度の型…291

(1)違憲審査制度のひろがり…291／(2)違憲審査制度のふたつの型とその接近傾向…292

2　日本国憲法のもとでの違憲審査制度…293

(1)違憲審査の型…293／(2)違憲審査の対象…294

3　違憲審査のプロセス…296

(1)訴訟要件…296／(2)憲法判断の手法…297／(3)事実認定…299／(4)違憲審査の手法…300／(5)効果…303

4　日本における違憲審査の現状…305

(1)司法積極主義と司法消極主義…305／(2)最高裁の判例の傾向と展望…305

第3部　権利の保障──各論(2)

第1章　人権総論…308

第1節　人権とは何か（人権の観念）…308

1　人権の歴史…308

(1)人権の生成と発展…308／(2)日本における人権の歴史…308／(3)人権の現代的発展と国際化…309

2 憲法で「人権」を保障することの意義…309

(1)人権・憲法上の権利・基本的人権…309／(2)「憲法で保障する」ことの意義…310

3 人権の観念をめぐる問題…311

(1)量的拡張説 vs.質的限定説…311／(2)人権主体としての「強い個人」像？…312

第2節 基本的人権の保障と日本国憲法第3章の構成…312

1 人権規定…312

(1)総則・包括的権利規定…312／(2)人権の種類と類型…315

2 人権制約事由としての「公共の福祉」…315

3 憲法上の義務？…317

4 制度的保障…317

第3節 人権の享有主体…318

1 国民…318

2 外国人…319

(1)入国の自由…320／(2)政治的自由…321／(3)プライバシー…321／(4)参政権…322／(5)社会権…323

3 法人・団体…324

(1)法人に認められる人権の種類および範囲…325／(2)法人の人権と自然人の人権との調整…325

4 特定の属性をもつ人々の人権？…326

第4節 人権の妥当範囲…327

1 私人間効力…327

(1)なぜ「私人間効力」論か…327／(2)学説…328／(3)判例…329

2 特別な法律関係…330

(1)特別権力関係論…330／(2)公務員…330／(3)被収容関係…331

第2章 平等…333

1 平等の観念…333

(1)近代憲法における自由と平等…333／(2)形式的平等と実質的平等…334／(3)機会の平等と結果の平等…335

2 憲法規定とその解釈…336

(1)憲法規定…336／(2)「法の下に」平等の意味…337／(3)法の下に「平等」の意味…338／(4)合理性の判断と違憲審査基準…339／(5)14条1項後段列挙事由の解釈…342

3　平等に関する裁判例…348
　　　　(1)尊属殺重罰規定違憲判決…348／(2)国籍法違憲判決…349／(3)性的マイノリティ…350

第3章　精神的自由…352

第1節　思想・良心の自由…353
　　1　思想・良心の自由保障の意義…353
　　2　保障の内容…354
　　　(1)保障対象——「思想及び良心」の意味…354／(2)「侵してはならない」の意味…355／(3)内心に反する行為の強制…356
　　3　思想・良心の自由に関する具体的問題…357
　　　(1)特定思想の有無に基づく不利益処遇…357／(2)内心に反する意思表示…359／(3)内心に反する行為の強制——日の丸・君が代強制問題…359

第2節　信教の自由と政教分離原則…363
　　1　信教の自由保障の意義…363
　　　(1)歴史…363／(2)「宗教」の定義…365
　　2　信教の自由の内容と限界…366
　　　(1)保障の内容…366／(2)信教の自由の制約…368
　　3　政教分離原則…370
　　　(1)意義と形態…370／(2)法的性格…371／(3)政教分離の内容・限界と判断基準…372／(4)政教分離に関する裁判例…377
　　4　信教の自由と政教分離との「衝突」？…381

第3節　表現の自由…383
　　1　表現の自由保障の意義…384
　　　(1)歴史…384／(2)表現の自由の原理論／基礎づけ…384
　　2　保障の範囲…386
　　　(1)表現内容の拡大…386／(2)表現媒体の拡大…386／(3)情報収集－情報発信－情報受領という過程の保障…390
　　3　表現の自由の制約…394
　　　(1)表現の自由規制の類型…394／(2)違憲審査の枠組みと審査基準…397／(3)政府言論／公権力による給付…401
　　4　表現の自由をめぐる具体的問題…403
　　　(1)政治的表現…403／(2)性表現…411／(3)名誉・プライバシー保護との調整…414／

　　　　　　(4)営利的言論…415／(5)差別的表現…416

　　5　集会の自由…419
　　　　(1)保障の意義…419／(2)集会の自由の制約…420

　　6　結社の自由…424
　　　　(1)保障の意義と内容…424／(2)結社の自由の制約…425

　　7　通信の秘密…426
　　　　(1)保障の意義…426／(2)通信の秘密の制約…427

第4節　学問の自由…428
　　1　学問の自由…429
　　　　(1)保障の意義…429／(2)保障の内容…431／(3)学問の自由の制約…434

　　2　大学の自治…435
　　　　(1)意義と内容…435／(2)大学の自治の制約…437

第4章　経済的自由…440

第1節　職業の自由…440
　　1　「職業」の意味…440
　　2　職業の自由の内容…441
　　3　営業の自由は憲法で保障されるか？…441
　　4　職業の自由を憲法で保障する理由…442
　　5　職業活動に対する規制の種類…443
　　　　(1)選択・参入に対する規制…443／(2)態様等に対する規制…443
　　6　職業活動に対する規制の目的…444
　　　　(1)規制の目的が問われる理由…444／(2)消極目的と積極目的…445／(3)目的二分論の妥当性…446
　　7　規制緩和…447

第2節　財産権…450
　　1　29条の構造…450
　　2　財産権保障の内容…451
　　3　財産権の種類と規制…451
　　　　(1)財産権の内容は「法律で」これを定める…451／(2)財産権の内容は「公共の福祉に適合するやうに」これを定める…452
　　4　損失補償…453
　　　　(1)「賠償」と「補償」…453／(2)補償の対象…454／(3)補償の程度…455／(4)憲法に

　　　　　　基づく直接請求？…456
第3節　**居住、移転、外国移住、国籍離脱の自由**…458
　　1　居住・移転の自由…458
　　2　外国移住・国籍離脱の自由…459
　　　　⑴外国移住の自由・海外渡航の自由…459／⑵国籍離脱の自由…460

第5章	人身の自由と適正手続の保障…461

第1節　**人身の自由の意義**…461
　　1　人身の自由の歴史と現在…461
　　2　人身の自由の考え方…462
　　3　奴隷的拘束からの自由・苦役からの自由…462
第2節　**適正手続の保障**…463
　　1　憲法31条の意義…463
　　2　適正手続の内容…463
　　　　⑴手続の適正…463／⑵実体の適正…463
　　3　行政手続と憲法31条…464
第3節　**令状主義**…465
　　1　逮捕と令状主義…465
　　　　⑴令状主義の原則…465／⑵緊急逮捕の合憲性…465
　　2　捜索・押収と令状主義…466
　　　　⑴憲法35条の意義…466／⑵犯罪捜査のための通信傍受と令状主義…467
　　3　行政手続と令状主義…467
第4節　**その他の刑事手続上の権利**…468
　　1　不当な抑留・拘禁に対する保障…468
　　2　自白の強要からの自由…468
　　　　⑴自白と冤罪…468／⑵自己負罪拒否特権の意義…469／⑶自白の証拠能力・証拠価値の制限…469
　　3　公平な裁判所の迅速な公開裁判を受ける権利…470
　　　　⑴公平な裁判所・迅速な裁判…470／⑵公開裁判…471
　　4　証人審問権と弁護人依頼権…471
　　　　⑴証人審問権…471／⑵弁護人依頼権…472
　　5　拷問・残虐刑の禁止…472
　　　　⑴拷問の禁止…472／⑵残虐な刑罰の禁止…472

凡例

[法令]

＊法令の略称は、以下のとおりとする。

＊日本国憲法と大日本帝国憲法は、原則として条文数のみ表記する。略記する場合には前者は「憲法」とする。

安保条約	日本国とアメリカ合衆国との間の相互協力及び安全保障条約	重要土地等調査・利用規制法	重要施設周辺及び国境離島等における土地等の利用状況の調査及び利用の規制等に関する法律
家事	家事事件手続法		
感染症法	感染症の予防及び感染症の患者に対する医療に関する法律	人権宣言	フランス人権宣言
		政党法人格付与法	政党交付金の交付を受ける政党等に対する法人格の付与に関する法律
行審法	行政不服審査法		
行訴法	行政事件訴訟法	地教行法	地方教育行政の組織及び運営に関する法律
行手法	行政手続法		
均等法	雇用の分野における男女の均等な機会及び待遇の確保等に関する法律（男女雇用機会均等法）	地公	地方公務員法
		地自	地方自治法
		典範	皇室典範
		特定商取引法	特定商取引に関する法律
刑	刑法	特定秘密保護法	特定秘密の保護に関する法律
刑事施設	刑事収容施設及び被収容者等の処遇に関する法律		
		独禁	私的独占の禁止及び公正取引の確保に関する法律
刑訴	刑事訴訟法		
憲章	国連憲章	内閣	内閣法
憲法改正手続法	日本国憲法の改正手続に関する法律	入管法	出入国管理及び難民認定法
		パート有期法	短時間労働者及び有期雇用労働者の雇用管理の改善等に関する法律
皇経	皇室経済法		
皇室典範特例法	天皇の退位等に関する皇室典範特例法	非訟	非訟事件手続法
		風営法	風俗営業等の規制及び業務の適正化等に関する法律
公選	公職選挙法		
公労法	地方公営企業等の労働関係に関する法律	プロバイダ責任制限法	特定電気通信役務提供者の損害賠償責任の制限及び発信者情報の開示に関する法律の一部を改正する法律
国際人権規約B規約	市民的及び政治的権利に関する国際規約		
国事代行	国事行為の臨時代行に関する法律	ヘイトスピーチ解消法	本邦外出身者に対する不当な差別的言動の解消に向けた取組の推進に関する法律
国賠法	国家賠償法		
国会	国会法		
国旗国歌法	国旗及び国歌に関する法律	民	民法
国公	国家公務員法	民訴	民事訴訟法
裁	裁判所法	民執	民事執行法
裁判員法	裁判員の参加する刑事裁判に関する法律	民保	民事保全法
		労基法	労働基準法
自衛隊	自衛隊法	労組法	労働組合法
借地借家	借地借家法		

[判例・裁判例]

＊判例と裁判例は、以下のように略記した。

例：最大判1973・4・25

＊大法廷による判断の場合のみ、年月日の前を「最大」と表記し、小法廷による判断の場合は年月日の前を「最」と表記する。

＊判例あるいは裁判例を示す際の略記は、以下のとおりとする。

最判（決）	最高裁判所判決（決定）	東高民時報	東京高等裁判所判決時報（民事）
高判（決）	高等裁判所判決（決定）	下刑	下級裁判所刑事裁判例集
地判（決）	地方裁判所判決（決定）	判時	判例時報
民集	最高裁判所民事判例集	裁時	裁判所時報
集民	最高裁判所裁判集民事編	判タ	判例タイムズ
刑集	最高裁判所刑事判例集	判自	判例地方自治
行集	行政事件裁判例集	家月	家庭裁判月報
高民	高等裁判所民事判例集	訟月	訟務月報

＊掲載誌は、本文中では表記せず、判例索引に掲載した。

＊有名な判例または裁判例は、出典の後に〔　〕で事件名を表記した。

[その他]

＊本文中の参照は、冒頭に「→」を入れ、次に参照先の部・章・節（同じ部・章・節については略）そして小見出し番号を示し、参照先の冒頭頁を示した。

例：（→第2部2章4節1(2)・196頁）

＊本文中で言及した人名の読み方や外国語表記、生没年を知りたい場合は、索引の該当箇所を参照のこと。

＊事項索引中、複数頁が挙げられている項目のうち主要な説明箇所を示すことが学習上便宜なものについては、該当頁をゴシック体にした。

執筆者一覧

※編者

愛敬浩二　（あいきょう・こうじ）早稲田大学教授
……第1部第2章、第3部第4章第3節、第5章

伊藤雅康　（いとう・まさやす）　札幌学院大学教授
……第2部第2章第3節2、第3部第4章第1節、第2節、第6章第1節

植松健一　（うえまつ・けんいち）立命館大学教授
……第2部第2章第4節2・3、第5節、第6節

植村勝慶　（うえむら・かつよし）國學院大學教授
……第1部第3章、第4章第2節

大河内美紀（おおこうち・みのり）名古屋大学教授
……第1部第6章、第2部第3章第2節、第3部第1章、第6章第2節、第3節

塚田哲之　（つかだ・のりゆき）　神戸学院大学教授
……第2部第3章第1節、第3部第2章、第3章

※本　秀紀　（もと・ひでのり）　　名古屋大学教授
……序章、第1部第1章、第4章第1節、第5章、第2部第1章、第2章第1節、第2節、第3節1・3、第4節1

序章 憲法の世界へようこそ
——本書の特徴と使い方

「憲法」をめぐるふたつのイメージ？

　憲法学とはどんな学問だろうか。とりあえず、法学部の専門科目の「憲法」といえば、日本国憲法の解釈論がメインとなるのが普通だろう。解釈論とは、簡単にいえば、条文の意味内容を明らかにすることである。たとえば、表現の自由を保障する憲法21条はこういう内容であって、条文上は何の留保もついていないけれど、絶対無制約というわけではなく、それじゃあどういう場合に制約が許されて（合憲）、どういう場合に許されないのか（違憲）というと……といった具合。ただ、それにしても、21条1項は、「集会、結社及び言論、出版その他一切の表現の自由は、これを保障する。」との一文のみで、あまりにシンプルすぎる。この条文から、「合憲と違憲の境目を見極めよ」といわれても、ほとんど何の手がかりもないではないか。ここでまず初学者はつまずく。憲法ってのは、要するに、自分の主義主張を法律の衣をまとって言いたいように言う、そういう科目なのではないか。それじゃ、憲法解釈が「神学論争」とか「神々の争い」といわれるのも無理はない。何といっても、「勝ち負け」の判定基準が論者の主観によるのだから、と。

　一方、ここで挫折しないで勉強を進めた学生は、「だからこそ、憲法解釈にはルールってもんがあるのだよ」と悟る。どうやら、合憲か違憲かを判断する際のモノサシとして「違憲審査基準」なるものがあって、権利の性質や制約の仕方によって、使うべきモノサシが変わるらしい。なので、ある程度のパターンを頭に入れたうえで、事例ごとにモノサシを選んで、あとはそれを当てはめれば、正しい答えにたどり着くというわけだ。「客観的な判定基準がない」などというのは、勉強不足の初学者による戯言でしかない、と。

たしかに、憲法解釈の結論を左右するのは、結局のところ論者の主観的立場次第であるとか、だからそれを少しでも「客観化」するために審査基準が必要だというのは、どちらもある意味では正しい。しかし、法というものが社会的紛争を解決する手段である以上、憲法に限らず、法の解釈が各当事者にとって有利になるように展開されるのは当たり前であって、それを法的思考の作法に従って、もっともらしく見せるのが「解釈」と呼ばれる営みである。他方、具体的な紛争は、それぞれ事情が異なると同時に、紛争当事者によって望ましい帰結も異なるのだから、出来合いのモノサシを機械的に当てはめたところで、「正しい答え」なんぞが導かれるわけではない。

憲法解釈の基礎アイテム

では、どうしたらよいのか。実は、憲法の条文解釈を支えるいろいろなアイテムがあって、世にいう「憲法学者」たちは、条文解釈だけでなく、その向こうに広がるさまざまな分野を研究している。たとえば、憲法史や比較憲法。日本国憲法の97条を読むと、「この憲法が日本国民に保障する基本的人権は、人類の多年にわたる自由獲得の努力の成果」だと書いてある。先ほどふれた表現の自由も、日本のみならず、世界各国の憲法とその運用の歴史のなかで生まれ、鍛え上げられてきたものなのだ。だから、憲法解釈の際に、なぜ表現の自由なんてものが保障されるに至ったのかという歴史的前提は無視できないし、各国で同じように、または違ったかたちで展開されてきた表現の自由をめぐる問題に対して、憲法がどのように活用されてきたのかを知ることは、たいへん参考になる（→第１部２章・21頁）。

それから、憲法思想や憲法理論と呼ばれる分野もある。憲法には、表現の自由をはじめとして、さまざまな「自由」が定められているが、たとえば、そもそも「自由とはいったい何か」とか、「なぜ自由が保障されなければならないか」といった根本問題を考える学問のことである。あるいは、憲法で「自由」が保障されているのは、それを制約し侵害する「国家」なるものが存在するからである。そうすると、「国家」は何のために存在するのか、その本質や機能は何かということが問題となる。これらは、個々

の条文を解釈するうえで直接の根拠となるわけではないが、その大前提をなすものといえる(→第1部2章2節1・23頁)。本書も、基本は憲法解釈を扱うので、歴史や比較や思想や理論を一つひとつ説き明かすことはできないが、解釈の歴史的前提となる憲法史を重視し、また、個々の解釈にあたっても、それを支える理論的前提にも可能なかぎりふれることにしたい。

　もうひとつ大切なことは、憲法もひとつの法である以上、社会的紛争を解決するために存在するのだから、憲法をめぐる現実の諸問題をよく知ることである。たとえば、民法で問題となる社会的紛争といえば、お金の貸し借りだったり、離婚や相続の問題だったりと、身近とはいえないまでも、それなりにイメージしやすい。刑法についても、殺人罪や傷害罪など、日々のニュースで聞かない日はないだろう。これに対し、憲法の場合は、表現の自由が侵害されるといわれても、ちょっとピンとこないかもしれない。世界に残存する独裁国家や戦前の大日本帝国時代ならいざ知らず、現在の日本において表現の自由が侵害されるなんて、そんなことがあるのだろうか。あるいは、憲法の一分野である統治の仕組みを理解するためには、日本政治の歴史と現実についての知識が欠かせない。たとえば、憲法理念にかなった選挙制度を考える場合、日本の選挙制度の変遷を知るのは当然として、それが現実にどのように機能し、日本の民主主義にとってどのような「功罪」があるのかを理解することも重要である。はたまた、平和主義の意義を理解するには、それを生み出した日本の歴史や、日本を取り巻く安全保障環境への洞察が不可欠の前提となる。これらは、憲法が単なるお題目ではなく、国家の法である以上当然のことであるにもかかわらず、限られた授業時間で無味乾燥な(?)条文解釈を勉強していると忘れがちになる。そこで、本書では、適宜コラム欄を設けて、学習の一助とした。これをきっかけにして、歴史や現実を自分でどんどん学んでほしい。

　憲法は、「身近でない」ということのほかに、あるいはそれとかかわって、ちょっと厄介な特徴をもっている。先ほど、憲法には自由が保障されていて、それを侵害するのは国家だと書いた。初学者が「憲法はピンとこない」と感じる理由は、「身近でない」のに加えて、この国家なるものがイメージしにくいということもあるだろう。お金の貸し借りや殺人の場合のように、具体的存在としての人同士がかかわり合うのとは違い、国家は目で見ることができない抽象的な「存在」である。その国家は法律をつく

って、人々に強制する権力をもつが、この強制は、場合によっては自由への抑圧となる。たとえば、公職選挙法はさまざまな選挙運動を規制している。その一部が表現の自由を侵害するから憲法違反ということになれば、国家は違憲とされた部分を改めなければならない。つまり、憲法が自由を保障するということは、国家の権力の行使に歯止めをかけるということにほかならない。よく、憲法のこの「反権力」的な性格をとらえて、「憲法は政治的だからなじめない」という人がいるが、「反権力」的なのは、憲法という法がもっている本来的な性格であって、憲法学（や憲法教員）が「政治的」だからではない。そうであれば、現実の国家活動に対して「批判的」な目線を向けることは当然であり、そこにこそ憲法と憲法学の存在意義がある（→第1部1章・8頁）。

　……なんてことをいわれても、やっぱり憲法は自分には縁遠い。表現の自由といったって、ネット上で「つぶやく」くらいで、国家から抑圧されるような「過激な」言論活動なんて自分には関係ないし、沖縄に米軍基地が集中していて地元では批判が大きいというのは知ってるけど、自分が被害を受けているわけじゃないから、あまり関心がない……。たしかに、ある程度民主化された国においては、国民全体が国家権力に直接抑圧されるという事態は想定できず、人権を侵害されるのは常に「少数者」である。だから、自分が当事者でないかぎり、人権を侵害された人々の痛みに想像力が及ばなければ、人権を保障する憲法の意味についてもなかなか理解できないかもしれない。憲法を勉強するのであれば、ひとまず、当事者の声に耳を傾け、その痛みを想像するところから始めることをお勧めしたい。現に存在する法律や行政実務では救われない――そんなとき、最後の拠り所となるのが憲法なのである。

本書の特徴

　本書は、すでに述べた憲法をめぐる歴史や現実の重視に加えて、次のような特徴をもっている。

　通例、授業科目としての「憲法」は、（呼び名はともかく）「人権」と「統治機構」の2大分野に区分されるが、本書は、それを前提としつつも、相互の連関にも気を配っている。憲法の目的が人権の保障にあり、統治機

構はそれを実現するための手段であるというのはその通りだとしても、通例は、「統治は手段にすぎない」というニュアンスであるのに対し、本書の立場は、実現する手段がともなってこそ、目的としての人権保障も果たされうるというものである。とりわけ、一般には、人権保障の実現手段として、もっぱら裁判所による違憲審査に重点がおかれるが、本書は、民主政の過程をも重視する。というのは、一方で、憲法理念の実現にとって裁判所にできることは限りがあり、それゆえ民主政の過程を通じて人権保障を実現する必要もあるからであり、他方で、「民主政の過程を通じて」といっても、国民意思の国政への反映を実現することはなかなか困難であり、理論的に検討すべき課題が山積しているからである。

これに加えて、「人権」と「統治」の2大分野は、截然と区別されるものではなく、（表現の自由を含む）政治過程への参加の権利がよりよく保障されることによって民主政がより民主的なものになり、その結果、さまざまな「人権」もよりよく保障されるという連関も意識されている。こうした姿勢は、第3部「権利の保障」に先だって、第2部「統治の仕組み」をおき、政治参加の権利を、それを実現する制度とセットにして第2部のなかに組み込んだ本書の構成にも表れている。

また、こうした特徴は、憲法で保障されるべき理念の理解の仕方にもかかわっている。憲法を、自由の保障を中心にとらえ、国家をもっぱら自由に対する抑圧者と考えるのであれば、自由保障の砦は独立した裁判所となり、民主政過程はこれを抑圧する側となる。これに対し本書は、こんにち、自由の保障のみでは、人は平和のうちに人間らしく自分らしい生活を営むことはできないと考える。日本国憲法が「平和的生存権」や「社会権」を保障したのはそのためであり、これらを現実のものとするためには、政治過程に国民の意思を反映することが重要になる。もちろん、日本の場合、「独立した裁判所」による違憲審査を通じた人権保障も拡充すべきだが、国家権力の一翼を担う裁判所が、ただそれだけで文字通りの人権保障機能を果たせるとは思われない。人権を侵害された当事者の痛みに共感する人々による裁判運動や国民運動と、人権を抑圧しようとする国家権力とのせめぎ合いのなかで、憲法の予定する裁判所の人権保障機能が果たされる条件が開かれるのである。

さらに、以上のことは、憲法をめぐる時代状況についての認識にもかか

わっている。こんにち、グローバル化した世界にあって、日本もその影響を大きく受けている。たとえば、経済政策ひとつをとっても、世界経済や国際金融の動きを抜きにして日本一国で進路を定めることはできないし、安全保障についても同様である。憲法との関係でいえば、憲法25条に定められた社会保障の充実や9条の平和主義が実現する条件も、世界規模の格差と国内の格差社会化を生み出すグローバル資本主義に対するコントロールに依存しており、日本国内における自由の抑圧も、その多くはこうした構造と無関係ではない。憲法解釈を基本的な守備範囲とする本書は、このような憲法の機能条件をそれ自体として扱えるわけではないが、それを念頭において執筆されている。学習にあたっては、国際関係論や政治学・経済学・社会学などの隣接諸領域にも、目を配ってほしい。

本書の使い方

　本書は、学習の便宜を考慮して、各項目（章または節）の冒頭にキーワードを（登場順に）掲げ（本文中では、初出時および重要な箇所をゴシック体で強調してある）、その項目の要約をおくとともに、項目末尾に設問（「考えてみよう」）と参考文献（「Further Readings」）を載せている。まずは冒頭の要約で学習の目標をつかんだうえで、本文をひと通り読んでみよう。いきなり全部理解できるはずはないから、わからないところや疑問に思った箇所はチェックしておくとよい（授業の際に注意深く聞き、それでもわからなければ、教員に質問してみよう）。そのあと設問を考えることで、本文の内容を再整理しつつ、重要論点について思考を掘り下げることができるように工夫されている。応用問題や発展的な論点は、「＊」付きの小本文で解説しているので、それにも挑戦してみよう。他の箇所に関連説明がある事項については、参照先を明記してあるから（→に注目。詳細は、凡例［その他］・xix 頁を参照）、それをたどっていくと、どの論点とどの論点が相互に関連しているのか、深く理解できる。さらに、気になった問題やテーマがあれば、参考文献をひもとくことで、憲法学の奥深さを味わう旅に出ることだって可能だ。

　憲法を、日本が抱える現実の諸問題を解決するツールとして使いこなすために、本書を足がかりにして学習を深めていってほしい。

第1部 総論

第1章 憲法というものの考え方

キーワード 固有の意味の憲法、近代的意味の憲法、立憲的意味の憲法、実質的意味の憲法、形式的意味の憲法、硬性憲法、近代憲法、個人の尊重、近代立憲主義、形式的最高法規性、実質的最高法規性、軟性憲法、個人主義、授権規範、制限規範

　本章では、憲法を学ぶ前提として、そもそも憲法とはいったい何か、なぜ憲法などというものが存在するのかを学習する。それをふまえて、現在の日本がおかれた具体的状況のなかで、日本国憲法がもっている意味について考えてみよう。

1　憲法とは何か

　「憲法」という言葉は、constitution（英語・仏語）や Verfassung（独語）といった西洋語の翻訳語である。とはいえ、たとえば英語の辞書で constitution を引いても、「憲法」という訳語が出てくるのは後ろの方で、まず最初に「構成・組織・構造」といった意味が書かれている。つまり、constitution とは、国の基本的な成り立ちや組織（統治構造）のことをさす。そこで、江戸時代末期以降しばらくは、「国憲」とか「国制」といった訳語が充てられていた。これが大日本帝国憲法制定（1889年）前後の頃から、「憲法」という言葉が定着していく。日本語（漢語）としては、「憲」も「法」も「おきて・のり・規範」を意味するから、「憲法」という訳語は、現に存在する国家の基本体制（国制）という意味をこえて、統治制度の構造と作用について定めた法規範をさす。西洋語でも、実態としての constitution（政治的な憲法概念）に対して、実態をそれに従わせることを命じる「法規範」（規範的な憲法概念）としての性質を明瞭に表す場合は、constitutional law（英）、droit constitutionnel（仏）、Verfassungsrecht（独）といった言葉が用いられる。

＊「政治的な憲法概念」と「規範的な憲法概念」
　日本の憲法学では、通例「憲法」といえば、「規範的な憲法概念」をさす。後にみる立憲主義の定義からすれば、憲法によって国家権力を規律するところにこそ憲法の存在意義があるわけだから、現にある実態としての統治構造を表わす「政治的な憲法概念」では意味がなく、「規範的な憲法概念」こそが「憲法」にふさわしいように思われる。ましてや、現にある実態が、自由で民主的な憲法秩序からほど遠いと（少なくとも憲法研究者からは）了解されている日本では、なおさらである。ただし、「規範的な憲法概念」が現実を正す規範として機能しない場合、それは画に描いた餅にならざるをえず、「政治的な憲法概念」をベースに、それをよりよい憲法秩序に改良していく方が、地に足が着いた態度だと評価することもできる。いずれにせよ、規範的な憲法だけをみていたのでは、その国の constitution の実態は把握できない。Constitution の規範と実態、その両者を視野に入れつつ、相互関係もふまえて、「憲法」をめぐる現象を考察することが必要である。

　「国の基本的な成り立ち」という意味での「憲法」は、その定義上論理必然的に、およそ国家のあるところには必ず存在している。これを「**固有の意味の憲法**」といい、そのかぎりでは、どのような内容をもつ憲法かは問題とならない。ただし、私たちがこんにち「国家」と呼んでいるものは、地球上の至る所に、ずっと昔から存在していたわけではない。通例「国家」は、領域・人民・集権的権力の三要素から成ると説明されるが、集権的権力をもつ統治団体が成立したのは西欧「近代」においてである（→第2章1節2・22頁）。これに対応して、「憲法」という概念も、歴史的に（または実態に即して）考えると、そのような「国家」に対する授権と統制の基本法として成立した（→第2章2節2・25頁）。そのことを端的に表しているのは、「フランス人権宣言」（1789年）の16条である（→第2章2節2(4)・27頁）。同条の「権利の保障が確保されず、権力の分立が定められていないすべての社会は、憲法をもたない」という文言によれば、「権利の保障」と「権力の分立」という二要素を含むものだけが「憲法」の名にふさわしいということになる（→第2部1章1(1)・142頁）。このように、国民の権利保障を目的とし、そのために国家の権力行使を統制する基本法を「**近代的意味の憲法（または立憲的意味の憲法）**」という。

＊「実質的意味の憲法」と「形式的意味の憲法」
　「憲法」概念は、その実質に注目して考えるか、形式に注目して考えるかによって、意味が異なる。前者の「**実質的意味の憲法**」はさらに、その「実質」を国家の構造一般ととらえれば、「**固有の意味の憲法**」になり、人権保障のために国家権力にしばりをかけるという特定の内容を「実質」に読み込めば、「**近代的意味の憲法**」になる。後者の「**形式的意味の憲法**」も何をもって「形式」とみるかによって意味が変わり、その指標としてたとえば、成文憲法かそうでないか、成典憲法かそうでないか、**硬性憲法**（→3(3)・13頁）かそうでないか、といったものがある。本文で述べたように、歴史的にみれば、「憲法」は「近代的意味の憲法」として生まれてきたにもかかわらず、なぜ形式に注目する「憲法」概念が存在するのだろうか。それは、近代的意味の憲法をもてなかった19世紀ドイツ（→第2章2節4・32頁）において、**近代憲法**（→2・10頁）を基準にすれば憲法とは呼べない「憲法」を、君主の統治を基礎づけるものとして正統化する必要があったからである。

2　近代立憲主義というコンセプト

　つい先ほど、「近代的意味の憲法（または立憲的意味の憲法）」と書いたが、正確にいうと、「または」で結ばれたふたつの「憲法」は必ず合致するわけではない。身分制秩序に基礎をおき、集権的権力がいまだ成立していない中世ヨーロッパにおいて、権利保障のために「権力」にしばりをかける法という観念は、すでに成立していた。これを中世立憲主義という。そのかぎりで、中世ヨーロッパにおいても「立憲的意味の憲法」は存在し、しかしそれは「近代的意味の憲法」ではなかったということができる。立憲的意味の憲法が同時に近代的意味の憲法となるためには、絶対王政を経て集権的権力＝主権国家が成立し、近代市民革命により身分制秩序から解放された個人が人権の主体として国家と対峙するという歴史の一階梯を要した（→第2章1節・21頁）。

　ここにおいて、憲法が前提とする社会が、身分制秩序に基づいて編成されたものから、個人の意思に基づくそれへと転換を遂げたのであり、それはこんにちの憲法学にとって、たいへん重要な意味をもつ。すなわち、世の中の成り立ち、あるべき姿が、神の教えや国王の思し召しによってではなく、個人の意思と権利の保障によって基礎づけられることとなったのである（この転換を支えた憲法思想について、→第2章2節1・23頁）。

こうして、かけがえのない**個人の尊重**を中核的価値とし、そのためにさまざまな自由や権利を保障するとともに公権力を統制する「憲法」という法規範がかたちづくられることになる(この考え方を**近代立憲主義**という)。憲法がもつこのような歴史的意義をふまえると、いろいろな憲法の定義や分類法を並列的に整理して憶えるよりも、近代的意味の憲法(**近代憲法**)を軸に憲法の意義を理解したうえで、他の概念との関係を整理した方が本質的把握に資することがわかる。こうした視点からは、こんにちの国家においては、いかに「憲法」という名の法規範をもっていようと、その内容が近代的意味の憲法の定義に合致していなければ、その国家は「憲法をもたない」ということになる。逆に、こんにち──「憲法」という名で呼ばれているかどうかはともかく──「憲法」の位置づけをもつ法が存在しない国家が想定しにくい以上、形だけ「憲法」が存在していることの意味は乏しい。

> ＊「憲法」概念のこんにち的問題
> 　こんにちでは、とりわけ1990年前後の「体制移行」にともなって、とりあえず「近代的意味の憲法」を移植した国々も少なくない（ある意味で、日本国憲法がそのはしりだったといえるかもしれない）。それらの国々では、近代憲法の理念を脇に置いたまま、国益実現（市場経済秩序への参入）の観点から「グローバル・スタンダード」としての憲法を採り入れるという傾向が強く、せっかくつくられた「立派な」憲法が機能する前提条件が欠けている。こうなると、形だけの「憲法」はもとより、「近代的意味の憲法」が法規範として存在しているだけでも十分ではなく、本文からさらに進んで、実態において「近代的意味の憲法」が（どの程度）機能しているかという視点が重要になる。
> ＊本文では、近代立憲主義を、国民の人権を保障するために国家権力を憲法で統制することと書いたが、「立憲主義」や憲法の目的にはさまざまな理解がある。たとえば、憲法の役割を、多様な考え方を抱く人々の公平な共存をはかるために、公共空間と私的領域を区分することと考えたり、あるいは、民主主義を成り立たせるために、民主主義で決めてはならないことをあらかじめ決めておくこととらえたり、はたまた、そもそも憲法は、実現されるべき価値ではなく、多元主義的な統治の手続を定めたものといった理解までいろいろである。

3　憲法の特質

　「憲法」を「近代的意味の憲法」として理解することにより、以下のよ

うな特質が導かれる。

(1) 最高法規性

　一般に憲法は最高法規であるといわれるが、それはなぜであろうか。「日本国憲法98条1項にそう書いてあるからだ」というのは、ひとつの答えだろう。そこには、「最高法規」の具体的意味として、憲法の条項に反する法律、命令、その他の国家の行為は無効だと書かれている。これにより、憲法を頂点とする一国の法秩序（憲法→法律→命令→具体的な行政の行為）を整合的に確保することが可能となる（憲法と条約の関係は、→第2部3章2節2(2)・294頁）。このように、形式的効力の点で国法秩序において最高位にあることを**形式的最高法規性**という。

　しかし、もしも98条1項の条文がなかったら、日本において憲法は最高法規ではないのだろうか。あるいは、なぜ98条1項は、憲法を最高法規だと定めているのだろうか。またそもそも、「オレは最高だぜ！」と言ってみたところで、その最高性は基礎づけられるものだろうか。たとえば皇室典範が自らの最高法規性をうたったとして、憲法をはじめ他の法令はこれに従わなければならないのか。「いや、憲法だけは特別なのだ」という回答は答えになるだろうか。では、なぜ憲法だけが特別で最高なのか。

　それは、本章2でみた憲法の存在意義を思い起こしてみればわかるだろう。憲法の目的は、個人の尊重を基礎とする国民の人権保障である。もしも、憲法が最高法規ではなく、他の法令がそれと矛盾衝突するかたちで存在しうるとしたらどうだろう。憲法が保障しようとする究極の価値理念である人権保障が実現できなくなってしまう。まさにこの人権保障という目的を貫徹するためにこそ憲法は最高法規でなければならないのである。これを**実質的最高法規性**と呼ぶ。日本国憲法は、97条で基本的人権の永久不可侵性を確認することで、自らの実質的最高法規性を基礎づけている（97条が「最高法規」の章の冒頭、98条の直前に置かれているのは、偶然ではない）。

(2) 対公権力性

　(1)の最高法規性を担保する具体的制度として、日本国憲法は、違憲審査制（81条）（→第2部1章2・146頁、第2部3章2節・291頁）とともに、公務員の憲法尊重擁護義務（99条）（→第6章1節2(1)・126頁）を定めている。

99条の条文を見ると、「憲法を尊重し擁護する義務を負ふ」のは「天皇又は摂政及び国務大臣、国会議員、裁判官その他の公務員」となっていて、国民は含まれていない。これは、うっかりミスで、あるいは入るのが当然だから書かれていないのではなく、意図的に除外されているとこんにちでは理解されている。このことも、憲法の存在意義に照らしてみれば、その趣旨がよくわかるだろう。つまり、権力が集中された国家権力の存立を前提にして、個人の人権を保障するために権力行使を統制しようというのが近代立憲主義のコンセプトである。そうであれば当然に、憲法が規律する名宛人は公権力、具体的には、国家と地方公共団体ということになる。これに対し、国民は権利行使の主体であって、憲法を尊重擁護する憲法上の義務は存在しない（憲法に定められた国民の「義務」について、→第3部1章2節3・317頁）。

＊**対公権力性の揺らぎ？**
　対公権力性は憲法の本質的要素であるが、現代に入り、ふたつの方向から変容がみられる。ひとつは、大企業などの「社会的権力」が登場し、個人の人権を侵害するに至ったため、これに（憲法を根拠として）なんらかのかたちで統制をかけなくてよいか、という問題が生じている（→第3部1章4節1・327頁）。もうひとつは、戦後(西)ドイツに典型的にみられるように、自由で民主主義的な体制を悪用して政権奪取とともにこれを破壊したナチスの経験から、憲法秩序に敵対する勢力をあらかじめ排除すべく、国民に対しても「憲法忠誠」を義務づける体制が登場したことである（→第2章3節2(3)・37頁）。

(3)　硬性憲法

　日本国憲法は96条で自らの改正手続を定めており、それによれば、衆参両院で総議員の3分の2以上の賛成により改正案を発議し、それを国民投票にかけて過半数が賛成したとき初めて、憲法改正が成立する（→第6章3節1・134頁、同2・136頁）。一般の法律が、各院で過半数の賛成により可決された場合に成立することを考えると（56条・59条。既存の法律を改廃する場合も同様）、憲法改正は成立のためのハードルがより高いことになる。このように、法律に比して改正の成立要件が厳格になっている憲法を**硬性憲法**と呼ぶ（→第6章1節2(2)・128頁）。

　近代憲法は、日本国憲法に限らず、硬性憲法であることが多い。それは

なぜだろうか。ここでも、憲法の存在意義から考えてみよう。すでに述べたように、憲法とは、国民の権利を保障するために公権力にしばりをかける法規範である。さて、あなたが公権力担当者だったとして、これから行おうとする新規立法が憲法に違反する疑いが強い場合、どうするだろうか。もしも憲法の改正要件が法律と同じ（つまりは単純過半数の賛成で改正可能）だったとしたら（そのような憲法を**軟性憲法**と呼ぶ）、新規立法が可能なら、憲法改正も可能ということになる。憲法の方を変えてしまえば、違憲の誹りを受けずにすむとあらば、当該立法に合わせて憲法を変えるという選択肢を採るのが自然だろう。このように国会の多数派に基礎をおく公権力担当者が欲したときに憲法を変えられるとすると、人権保障という目的のために公権力にしばりをかけるという憲法の趣旨は無意味になってしまう。だから、近代憲法は、その存在意義からして当然に──程度の差はあれ──硬性憲法となっているのである。

＊ただし、これは理論的な筋道の話であって、実際の憲法が必ずそうだというわけではない。典型的なのは、立憲主義の母国イギリスの「憲法」で、イギリスでは、日本国憲法のようなまとまった憲法典が存在せず、統治の基本を定めた議会制定法と重要な慣行を「憲法」と観念する「不文憲法」の国である。したがって、あらかじめ定められた憲法で国家権力をしばることにもならないし、形式上は、議会制定法は通常の改廃手続によって変更可能であり、慣行は改廃手続自体が定まっていない（軟性憲法）。ただし、だからといって実際に変えやすいかというと、そうとも限らず、憲法上の慣行がその国の人々の確信となっている場合は、硬性憲法の手続に則って条文を改正するより、かえって変更が困難なこともありうる。これに対し、一般意思の表明が重視されるフランスでは、法律が憲法院によって違憲とされると、憲法の方を改正してリヴェンジを図るというパターンが多い。これは一見すると、「反立憲主義」的なように思えるが、（制度化された）憲法制定権力としての国民が最終決定権をもつという確信が国民に共有されていれば、主権者意思に基づく憲法秩序のダイナミックな運用と考えることもできる。ひるがえって日本の場合は、比較的ハードな硬性憲法をもちつつ、そのハードルが越えられないとみるや、権力担当者の側が憲法の解釈を変更して憲法の実質的内容を変えてしまうという事態が進行している。こうなると、憲法の存在意義はどこにあるのだろうか。

4　個人主義と「公共」

　これまでの記述からもうかがえるように、日本国憲法で中核的な位置をしめる条文は、近代立憲主義の論理からすれば、**個人の尊重**を定めた13条ということになる。かけがえのない個性をもった存在だからこそ人は誰もが等しく尊重されなければならず、したがって「生命、自由及び幸福追求に対する国民の権利」が「国政の上で、最大の尊重を必要とする」ことになる（13条）。これに基づいて日本国憲法は、第3章でさまざまな自由や権利を保障し、それを現実のものとするために統治の仕組みがどのようでなければならないかを第4章以下で定めている。

　ところが、日本国憲法のように、個人の尊重を明文で定める憲法は一般的とはいえない。それは、他の立憲主義国家において個人の尊重がどうでもよいことだからではなく、逆に当然の前提となっていて「書くまでもない」からである。それではなぜ日本国憲法が個人の尊重を明文で定めたかというと、戦前の大日本帝国憲法のもとでは、そもそも「個人」という観念そのものが成立する余地はなく、天皇の臣下たる「臣民」は、天皇制国家の法秩序の枠内でのみ、「権利」や「自由」を付与されたにすぎなかった。そのため、天皇制国家にとって不都合な言論は、「治安維持法」などにより容赦なく弾圧され、多くの人々の――言論のみならず――命までもが犠牲となった（→第3章1節3(3)・46頁）。

　そのような歴史をふまえて、日本国憲法は、近代立憲主義に立つ憲法であれば当然の前提であるはずの「個人の尊重」を、あえて明文で規定したのである。したがって、日本の場合は、「個人の尊重」が憲法には書かれたけれども、そのような観念も実態もないところから出発せざるをえなかった。その意味では、「日本国憲法が『個人主義』を採用したために、日本には〝自己中〟な人間ばかりがはびこってしまった」という――主には権力担当者周辺から発信される――嘆きも、個人主義に対する自然な誤解といえるだろう。

　それでは、どこが誤解なのか。上の嘆きの前提にあるのは、個人（の自由）と「公共」（の秩序）は対立するという観念である。個人を優先するのか、「公共」を優先するのか、どちらかふたつにひとつという発想に立っている。「個人主義」とは、他人を顧みず自分のことのみを優先する「主

義」であるかのごとくであるが、本来はそうではない。なぜ個人が尊重されなければならないかというと、「好き勝手にやること」自体が尊いからではない。人はみな、感性も考え方も違っていることを前提にして、どの生き方が素晴らしいかは誰にも決められない、ましてや公権力が「これが正しい生き方ですよ」と決めてはならないということである。優劣を決められないからこそ各人の個性は尊重されるべきだとすると、尊重されるべき存在は自分だけではなく、すべての人が——みんな同じだからではなく、みんな違っているから——等しく尊重されなければならないことになる。憲法の拠って立つ個人主義とはそういう考え方であって、自己中心主義（利己主義）とは違う、というより真逆である。

　個人から出発するとなれば、そもそも公権力なんてない方が、各人が自己が善いと考える生き方を追求——13条の言葉を使えば「幸福追求」——できるのではないだろうか。たしかに、お互いの「幸福追求」がぶつかり合うことなく予定調和でうまくいくならよいが、人の利害は往々にして衝突し合うから、誰かが調整する必要が出てくる。いや、調整するくらいですめばまだよいが、「お金が無くて大変だから人の物を盗んでやろう」とか、「あいつは憎くて仕方がないから殺してしまえ」なんてことになったら、すべての人が等しく尊重される世の中など夢のまた夢である。そう考えると、各人の欲求や利害を調整したり、場合によっては、他人の「幸福追求」を阻害する者に制裁を加えたりすることが必要になるが、調整や制裁は誰がするのが適切だろうか。近代国家にあっては、神や王の権威に頼るわけにはいかない。あらかじめ答えが決まっているわけでもないから、「みんなで決める」しかない。そこで、各人の「幸福追求」を確保するために、公権力を民主的に編成することが必要になる。

　＊以上は、憲法学上、社会契約論（→第2章2節1・23頁）、国民主権（→第4章1節・62頁）、公共の福祉（→第3部1章2節2・315頁）と呼ばれる概念を（ひとまず）平易に解説したものである。詳しくは、各項目で学習する。

　ところがややこしいのは、民主的に編成されたはずの公権力たる国家が、その所期の目的をきちんと果たしてくれるとは限らないことである。理屈のうえでは、国家は、国民が自分たちの人権を確保するために自ら創設し

た政治的公共体であるはずなのに、現実の権力担当者は往々にして権力を濫用しがちであり、国民の人権——とりわけ国家権力に批判的な言論活動——を制約することで、自らの権力基盤を安定的たらしめようとする。そこで、あらかじめ憲法という最高法規をつくっておいて、公権力をしばる必要が出てくるのである。

＊こうした国民と国家権力との緊張関係を前提とした憲法の役割について、アメリカ独立宣言の起草者ジェファーソンはつぎのように述べている。「信頼は、どこでも専制の親である。自由な政府は信頼ではなく猜疑にもとづいて建設される。われわれが権力を託さなければならない人々を制約的な憲法によって拘束するのは、信頼ではなく、猜疑に由来する」(1798年「ケンタッキー州議会決議」)。なお、人権保障のために公権力を編成するのも、その公権力をしばる憲法を制定するのも「国民」であるが、論理的には、後者は「憲法制定権力」としての国民であり (→第6章3節2・136頁)、前者は (後者の国民によってつくられた) 憲法に基づいて権限を行使する主権者としての国民である (→第4章1節・62頁)。さらに、それでも憲法のしばりが効かない場合は、国民は「抵抗権」を行使できるとされている (→第6章1節3・128頁)。

「憲法で公権力をしばる」という表現は、法学的には、「憲法は**授権規範**であると同時に**制限規範**でもある」と言い表すことができる。**授権規範**とは、公権力担当者にその権限行使の根拠を与える規範ということであり、**制限規範**とは、公権力の行使を規律し、制限する規範ということである。制限規範は、一般には、権力行使に歯止めをかけて国民の自由を確保することに主眼がおかれるが、現代国家にあっては、それだけにとどまらず、すべての国民が人間らしい生活を送れるよう積極的施策を義務づけることも憲法の役割である (→第3部6章1節・476頁)。

＊こうした人権保障のために権力を構成しつつ統制するという憲法の性格から、統治分野と人権分野では、異なった解釈態度が導かれる。統治分野では、原則として、公権力機関は憲法が授権していないことはしてはならないのに対し、人権分野では、憲法が明示していない権利であっても、人としての生存に不可欠のものであるなら、解釈により導き出すことができる。その意味で、「安全保障分野での国際協力について憲法9条は何も規定していないので、自衛隊の海外派遣を法律で定めればよい」という主張も、「憲法が制定されてから70年

近くも経つのだから、新しい人権を保障するために憲法を改正しなければならない」という主張も、憲法の性格と存在意義を理解しないものといえる（→第5章・89頁、第3部6章3節・515頁）。

5 憲法を実現するのは誰か
　　――「国民の不断の努力」の意味

　これまで、憲法とは、国民の人権を保障するために公権力にしばりをかけるものだと説明してきた。とはいえ、憲法それ自体が意思をもって何かアクションをするわけではない。ならば、どのようにして憲法（つまりその目的たる人権保障）は現実のものとなるのか。

　日本国憲法の12条は、「この憲法が国民に保障する自由及び権利は、国民の不断の努力によつて、これを保持しなければならない」と定める。すでに述べた憲法の性格からして、この条文は、国民に対して法的義務を課すものではないが、憲法が想定する国家・社会を実現するうえで、なくてはならない重要な視角を表している。ひとつは、直接的なレベルで、自己の憲法上の権利が侵害された場合、権利救済を求めて裁判所に訴え出ることで、人権保障という憲法の目的を国家に実施させるという道である。人権侵害されても泣き寝入りでは、憲法など画に描いた餅でしかない。「権利のための闘争」があってはじめて、憲法の存在意義が輝く。ただし、裁判所も国家の一機関である以上、裁判の舞台だけで違憲判決を勝ち獲るのは難しい。権利を侵害された当事者を支援する裁判運動や、これを支持する国民世論が存在してこそ、こうした人権生成プロセスは促進される。

　ふたつには、憲法を実現するのは裁判だけではない。裁判で争えることには限界があるし（→第2部3章・271頁、第3部・307頁）、仮に勝訴できたとしても、事後的救済がメインなので、すでに起きた人権侵害が消え去るわけではない。また、人権保障の前提となる国の仕組み自体（裁判制度、国会制度、選挙制度など）を、裁判で改めることはできない。そこで、民主政の過程に国民が参加し、憲法上の権利を具体化する立法を制定させたり、裁判制度をより実効的なものに改めさせたりすることが必要となる。

　3つ目として、憲法が想定する自由で民主的な社会の成立基盤を、国民が積極的に支えることも重要である。自由で民主的な社会は、それを支持する国民の合意によって支えられている。これを破壊するのは、それほど

難しいことではない。たとえば、自分の気に入らない言論を暴力で封じ込める風潮が広まれば、かりに実行者に刑罰が科せられたとしても、「物言えば唇寒し」で萎縮効果が強まるのは間違いない。あるいは、生の暴力でなくても、気に入らない言動をした人物やその関係者に有形無形の圧力をかけるような行為が見過ごされれば、自由や民主主義の基礎は掘り崩されてしまうだろう。こうした事態に主体的に立ち向かうよう、憲法は国民に「不断の努力」を求めている。

＊憲法にしばられる側の権力担当者が（建前はともかく、本音の部分では）憲法の存在を疎ましく思うのは、ある意味当然のことである。だからこそ、「国民の不断の努力」が必要になるわけだが、国家権力というのは、まさに（人権保障のために）公権力に権力を独占させるという論理と現実のゆえに、相当に手強い。たとえば、警察（場合によっては「軍隊」）という実力組織を使って国民の活動を監視し、必要に応じて（表現内容が国家にとって不都合だからという理由ではなく）「公共の安全・秩序の維持」などの名目で取り締まることもできるし、裁判所をコントロールしたり、メディアを統制して情報を操作したり、教育に介入して国民意識を創り上げることもできる。これらはみな憲法に違反する疑いが濃いが、結局のところ、その憲法は国民が駆動させる以外にない。国政に関する情報をあまねく開示させることを前提に、不当な権力行使に対する監視と批判を、広範な国民がつながりながら繰り広げていくしか、憲法を実現する道はないのである。

コラム
近代立憲主義のコンセプトにもとる「改憲」構想

2012年4月27日に発表された自民党の「日本国憲法改正草案」は、多くの点で近代憲法の理念に反している。たとえば、①国民に憲法尊重義務を課し、②時々の多数派が改憲を発議できるようにハードルを下げ、③13条の「個人としての尊重」を「人としての尊重」に変え、④「公共の福祉」を「公益及び公の秩序」に変更し、⑤「公益及び公の秩序を害することを目的とした」表現活動や結社を禁止し、⑥現行97条を全面削除している。①〜⑥がいかなる意味で近代憲法の理念に反しているのか、本文の叙述を参考にしながら考えてほしいが、「憲法」といえば当然に「近代的意味の憲法」のことと考える憲法学からすれば、これは日本国憲法の改憲案ではなく、日本国憲法を憲法ではない（国民を律する）規範に改変しようとする案だ、ということになる。

> **考えてみよう**
>
> 1…「憲法」とは何か。「固有の意味の憲法」と「近代的意味の憲法」をそれぞれ説明したうえで、それらと「実質的意味の憲法」・「形式的意味の憲法」という分類法との関係を考えよ。
> 2…イギリスには、日本における日本国憲法のような憲法典が存在しない。イギリスは「憲法」をもっているといえるか。第1部2章を参照しつつ、さまざまな「憲法」の概念ごとに検討せよ。
> 3…憲法の目的（存在意義）とそこから導かれる特徴について整理したうえで、現在の日本の問題状況について論評せよ。

Further Readings

・愛敬浩二『立憲主義の復権と憲法理論』（日本評論社、2012年）：日本の憲法学の動向を「立憲主義の復権」という視点から論じる。J・ロックの立憲主義思想を再検討する同『近代立憲主義思想の原像』（法律文化社、2003年）も参照。
・樋口陽一『抑止力としての憲法』（岩波書店、2017年）：「立憲主義」にこだわり、「個人」と「公共」の連関と緊張を追究し続けてきた著者の到達点。歴史と比較の視座から、現在の憲法問題を考える手がかりを提供する。同『リベラル・デモクラシーの現在』（岩波新書、2019年）も参照。
・R・v・イェーリング（村上淳一訳）『権利のための闘争』（岩波文庫、1982年）：権利のために闘うことの意義を説く古典的名著。訳者による『「権利のための闘争」を読む』（岩波セミナーブックス、1983年）も参照に値する。

第2章　歴史と比較のなかの憲法

キーワード	人一般の権利としての人権、国家と個人の二極構造、議会主義、法律による人権保障、人権の裁判的保障

　本章では、日本国憲法を学習する前提として、「近代的意味の憲法」をより深く理解するため、英米独仏を中心に比較憲法史を学習する。憲法の授業で学ぶ概念や理論は、抽象的でわかりにくい場合もあるが、各国憲法史の具体的文脈に位置づけて学習すれば、理解は容易かつ正確になる。

第1節　近代国民国家の形成と立憲主義

1　中世立憲主義と近代立憲主義

　立憲主義を「法による権力の制約」と理解するのであれば、立憲主義は近代に固有のものではない。イギリスのジョン王が封建諸侯（バロン）との間で、「古来の自由」を確認するものとして結んだマグナ・カルタ（1215年）は、中世立憲主義の典型である。13世紀イギリスの法律家ブラクトンの「国王は何びとのもとにあるべきではないが、神と法のもとにあるべきである」という「法の支配」論も、中世立憲主義の思想の表明といえる。では、中世立憲主義と近代立憲主義の違いはどこにあるのか。
　中世立憲主義は、封建制のもとでの現実の権力分立状況を前提にしている。国王は一方で教皇権力と対立し、世俗の領域では封建諸侯が国王の中央集権化に抵抗した。そのため、国王の権力は主権的権力ではなかった。なぜなら、主権の属性である対外的独立性（教皇との関係）も、対内的最高性（封建諸侯との関係）も不確かなものであったからである。また、中世社会においては、諸団体組織（都市・修道院・大学・ギルド等）がそれぞれの特権の保障を国王に対して要求した（たとえば、マグナ・カルタは「ロ

ンドン市の特権」を確認している)。中世の自由は身分的特権の集積にほかならず、そこには、**人一般の権利としての人権**という観念は存在しなかった。

　他方、近代立憲主義は、近代国民国家の形成、すなわち、①領域国家の形成と領域内における権力の集中（主権概念の成立）と、②身分制からの個人の解放（「人一般」という観念の成立）を前提にしている（この対抗関係を**国家と個人の二極構造**と呼ぶ）。近代立憲主義は、身分制的・団体的保護から自由になった諸個人の自由・権利を、主権的権力へと転換した国家権力から保護しようとするプロジェクトである。中世立憲主義のように現実の権力分立状況に頼ることが難しいからこそ、議会制民主主義による国政への民意の反映や、権力分立による国家権力の制約等の問題を、制度論・規範論のレベルで自覚的に議論する必要性が高まったのである。

2　近代国民国家の形成と主権論

　ルター、カルバンによる宗教改革は、ローマ教会を頂点とする一元的支配体制を動揺させ、宗教紛争（カトリックとプロテスタントの対立）の火種となった。なぜなら、国王Aがカトリックで、貴族Bがプロテスタントの場合、BにとってAは「異教徒」であり、BはAの命令に従う義務はなく、実力で抵抗することが正当化されるからである（16世紀フランスの「暴君放伐論＝モナルコマキ」の思想）。そこで、宗教紛争から超越した権力の確立とその理論化が課題とされたのである。主権概念を理論化することで、この課題に応えたのがフランスの思想家ボダンであった。

　対外的独立（ローマ教会からの独立）と対内的最高性（封建諸侯・自治都市等に対する優越性の獲得）を達成したのは、絶対王政であった。離婚問題を契機としてローマ教会の普遍的支配から離脱し、議会制定法である「国王至上法」(1534年)によってイギリス国教会を設立したヘンリー8世が、イギリス絶対王政の始祖として語られるのも、そのためである。しかし、絶対王政はなお、身分制的社会編成原理を基礎におくものであったため（権力の正統性の根拠は、国王という「身分」にある）、権力の集中度を絶対的なものにすることができなかった。この事実を如実に示しているのが、ボダンの主権論である。ボダンの主権論において、国王は神法と自然法の制約のもとにあり、王位継承法など彼の権限の基礎となる王国基本法に違

背することは許されなかった。なぜなら、国王が王位継承の順番を変更できるのであれば、複数の王位継承者の間で紛争が生じ、国家は内乱状態となって、国王の絶対的権力も失われるからである。

　国家権力が真の意味で「主権」と呼ぶにふさわしいものになるためには、国家構造の問題としては、封建諸侯や自治都市などの身分制的中間団体を破壊して国家と個人の二極構造を作り出し、国家が「公」を独占することが必要である。「人一般」としての自由で平等な個人の集積（→国民）が国家権力の究極の正統性の根拠とされてはじめて（→国民主権）、近代国民国家（nation state）は成立し、「主権」としての国家権力が現れるのである。この課題を典型的なかたちで実現したのがフランス革命であった。そして、この論理を明快に提示した思想家が、ルソーである。一般意思の十全な表明を可能にするために中間団体の排除が必要と述べたルソーは、社会契約によって各人が譲り渡す能力・財産・自由の範囲を決定するのは主権者だと論じて、主権者の権力の絶対無制約性を弁証した。

第2節　近代市民革命と近代立憲主義

1　近代市民革命の憲法・政治思想

　「人一般としての個人」の集積としての国民が、国家権力の正統性の根拠となるという考え方を、政治思想のレベルで明らかにしたのが社会契約論である。社会契約論とは、国家の存在しない「自然状態」において、自然権の主体として自由・平等な諸個人が、自然状態の不便を解決して自らの自然権をよりよく保障するために、相互に契約（社会契約）を結び、政治社会を形成するという論理である。

　ホッブズは主著『リヴァイアサン』（1651年）で、自然状態において諸個人は自由・平等であるが、人間は自己保存の欲求と将来を予測する能力をもつことから、自然状態は「万人の万人に対する闘争」に陥るので、人々は平和と秩序を確保するため、自己保存の自然権とその手段を放棄し、その権利を最高・絶対・唯一・不可分の主権者に委ねる社会契約を結ぶという議論を展開した。ホッブズの議論の革新性は、①社会契約の主体を「人一般としての個人」としたこと、②自然法の解釈権（何が正義かを決定

する究極的な権限）を単独の主権者に委ねたことにある。②の論理によって、「絶対無制約の主権」という観念が成立したのである。

　ホッブズとは異なり、社会契約論を制限政府の正当化に用いたのがロックである。ロックは名誉革命の時期に公刊された『統治二論』（1690年。ただし、執筆は約10年前の排斥法案闘争〔1681-1682〕の頃と理解するのが現在の定説である）において、諸個人は生来的に生命・自由・財産（ロックはこれらの諸権利を property と呼ぶが、人間にとって固有〔proper〕な権利という意味なので、「財産権」と訳すのは正しくない）をもっているが、自然状態ではプロパティの保障が不確実なので、そのより確実な保障のため、人々は社会契約を結んで政治社会を形成し、その契約に基づいて政府を設立し、各自の自然権執行権を政府に信託すると論じた。そしてもし、政府が人々の信託に違反した場合、人々は政府を変更する権利(抵抗権)をもつと主張した。ロックの思想は、アメリカ独立革命(1776年)やフランス革命（1789年）に対して大きな影響を与えた。

　ルソーは、私有財産の成立が富と貧困、支配と隷属等の不平等を発生させ、その不平等を維持するために国家が成立したという歴史観をもっていた（『人間不平等起源論』1755年）。『社会契約論』（1762年）においてルソーは、諸個人が社会契約を結んで自然権を共同体に全面的に譲渡し、政治社会・主権者を創出するべきと論じた。個人は政治社会の一員となることで自然的自由を失うが、「一般意思」としての法律に基づく市民的自由を獲得する。自然権の名のもとに進行する不自由・不平等の拡大を、人民の意思（＝一般意思）の表明（＝法律）によって抑止することで、個人の自由・平等を回復しようとするのがルソーの思想である。よって、彼の思想を全体主義の起源に位置づけるのは不当であろう。また、社会契約により生まれる主権は、人民の一般意思を表すものでなければならず、譲渡も代表することもできないと論じて、人民主権に基づく直接民主主義を正当化した。

　ルソーの思想はフランス革命（とくに1793年憲法）に決定的な影響を与えたほか、現代の民主主義理論に対してはもちろんのこと、日本国憲法の主権原理に関する解釈論に対しても重要な影響を及ぼしている（→第4章1節3・67頁）。

2 近代市民革命と近代憲法の成立

(1) 近代市民革命の憲法史的意義

近代市民革命の歴史的意義とは、政治的・経済的な実力を得た市民階層（ブルジョアジー）が、絶対王政を打破して、政治面においては、国民主権、基本的人権の保障、権力分立を基本原理とする政治秩序を構築する一方、経済面においては、資本主義的発展のための基盤を整備した点にある。

たとえば、戦後日本の社会科学全般に大きな影響を与えた比較経済史学（大塚久雄・高橋幸八郎）によれば、「市民革命＝ブルジョア革命」の社会経済的課題は、封建的土地所有の廃棄と初期独占の廃棄にあるとされた。なお、近年の歴史学では、比較経済史学や唯物史観（マルクス主義）の経済還元論的な市民革命理解はさまざまなかたちで批判されており、各国の近代憲法史を、「下からの革命 vs. 上からの改革」等の図式に押し込めるのは妥当ではない（→4・32頁）。ただし、憲法原理・憲法現象を社会経済史と関係づけて理解する問題意識は重要である。

宗教対立の深刻化もまた、近代市民革命と近代立憲主義の形成を促した。宗派間の悲惨な対立・抗争を抑止するため、宗教対立を超越した世俗的な絶対的権力を正当化しても（ボダン、ホッブズ）、国王や多数派が自己の信仰に基づく政策を強行すれば、宗教的少数派は、当該国家から離脱するか（メイフラワー号でアメリカに渡ったピルグリム・ファーザーズ）、抵抗するしかない（ピューリタン革命）。宗教紛争を抑止して国民統合を図るためには、国家権力が各人の信仰に介入しない政治制度の構築が必要である。信教の自由という問題が、近代立憲主義の形成にとって決定的な意味をもったといわれるのは、そのためである（→第3部3章2節1・363頁）。

(2) イギリス

チャールズ1世の強権政治と強制公債に対抗するため、エドワード・クックの指導のもと、「古来の自由・権利」と「法の支配」を要求する「権利の請願」（1628年）を議会が採択したが、国王は請願を認めたものの、1629年に国王大権によって議会を解散し、それから11年間、議会を召集せずに専制政治を行った。1640年4月に召集された議会（短期議会）は3週間で解散させられたが、同年11月に召集された議会（長期議会）において国王

と議会の対立は激化し、1642年1月に内乱に突入した（ピューリタン革命）。1649年にチャールズ1世が処刑され、クロムウェルのもとでの「共和政イングランド」が成立する（1653年以降は護国卿として独裁を行う）。クロムウェルの死後、王政が復古するが（1660年）、カトリック教の解禁とフランス型絶対王政の導入を疑われたジェームズ2世は、議会によって王位から排除された（名誉革命。1688年）。

名誉革命の結果、「国会における国王」の主権（国会主権）が確立され、近代議会制への基礎が固められた。議会の制定した「権利章典」（1689年）を承認するかたちで、オレンジ公ウィリアムとメアリが共同君主として即位した。権利章典はイギリス臣民の「古来の自由と権利」の名のもと、議会の同意なしの法律の停止、金銭の徴収、常備軍の募集・維持等を禁止する一方、請願権、自由な選挙、議会での自由な討論、陪審裁判などを保障している。また、王位継承法は裁判官の身分保障を規定した（1701年）。

(3) アメリカ

北米大陸に17世紀初頭から形成されたイギリスの13の植民地は、イギリスが7年戦争（1754〜63年）の戦費をまかなうために行ったさまざまな課税に対して、「代表なくして課税なし」と反発した。1775年に武力衝突が発生すると、1776年7月4日、13の植民地の代表から成る大陸会議は「独立宣言」を採択して、イギリスから独立した。ジェファーソンが起草した独立宣言は、「すべての人は平等に造られ、造物主によって一定の奪うことのできない権利を与えられ、その中には生命、自由および幸福の追求が含まれる」ことは、「自明の真理である」とした。ここに、**人一般の権利としての人権**という近代的な人権観念が成立したことになる。また、独立宣言は政府の専制に対する人民の抵抗権を正当化するものであった。

独立後、植民地間の連合関係を制度化するため、連合規約が採択され（1777年。1781年発効）、連合会議が設置されたが、その権限は弱く（課税権や通商規制権がない）、さまざまな問題が生じたため、1787年、連合会議はフィラデルフィアに連邦体制を再検討する特別の会議（憲法制定会議）を招集した。憲法制定会議では、強力な中央政府の樹立をめざす「フェデラリスト」（商工業の発展を重視）と、それに反対する「アンチ・フェデラリスト」（地方分権を重視。農本主義の立場）が対立した。結局、前者の主張

に基づく新憲法案が採択され（1787年9月）、各州の憲法会議での討議を経て、1788年6月、9州の承認を得て発効した。合衆国憲法は前文で、「われら合衆国の人民は……われらとわれらの子孫の上に自由の恵沢を確保する目的をもって……この憲法を制定し確立する」と宣言しており、人民が自由のよりよい保障を確保するため、厳格な権力分立を盛り込んだ硬性憲法を制定した最初の例となった。

当初の合衆国憲法は、統治機構に関する定めが中心であり、権利章典を含んでいなかったが、1791年に最初の憲法修正として権利章典が追加され、信教・言論・出版・集会の自由と請願権、人民の武装権、人身の自由・刑事手続上の諸権利、陪審裁判を受ける権利等の保障が明文化された。

＊合衆国憲法と奴隷制

合衆国憲法は、奴隷制を維持する南部諸州（奴隷州）と奴隷制を廃止した北部諸州（自由州）の妥協の産物という側面も有しており、奴隷を自由人の「5分の3」として計算する規定（1条2節3項。下院の議席と直接税は人口比で各州に配分されるので、黒人奴隷を母数となる人口に含めるか否かで、北部と南部が対立したため）や奴隷の引渡しに関する規定（4条2節3項）が存在した。合衆国憲法が看板どおりに「自由の法」となるためには、19世紀の南北戦争と20世紀の公民権運動を必要としたことにも、注意が必要である。

(4) フランス

強固な絶対王政（アンシャン・レジーム）を確立したフランスでも、度重なる対英戦争の結果、財政破綻が生じ、国王ルイ16世は175年ぶりに三部会（聖職者・貴族・平民〔第三身分〕から成る身分制議会）を召集した（1789年5月）。国王と対立した第三身分部会は「国民議会」と称し、国王の議場閉鎖に対抗して、憲法制定まで解散しないとの誓いを立てた（テニスコートの誓い。6月20日）。シェイエス『第三身分とは何か』(1789年)は、「第三身分とは何か。すべてである」と論じて身分制議会の原理を否定し、国民代表機関として国民議会を正当化する一方、「憲法をつくる権力」（憲法制定権力）と「憲法によってつくられた権限」を区別し、憲法制定権力は国民にのみ帰属することを論証した。

パリ民衆によるバスティーユ襲撃（7月14日）等の政治状況を背景として、国民議会は封建的特権廃止を議決し（8月4日）、さらに憲法典と一体

のものとして、「人および市民の権利宣言」を採択した（8月26日。以下、「人権宣言」と呼ぶ）。人権宣言は、①人間の生来的な自由と平等（1条）、②政治的結合の目的は各人の自然権（自由・所有・安全・圧制への抵抗）の保全にあること（2条）、③「あらゆる主権の淵源は、本来的に国民にある」（3条）ことを宣言し、④「権利の保障が確保されず、権力の分立が定められていないすべての社会は、憲法をもたない」（16条）として、近代的意味の憲法という考え方を定式化した。なお、同業組合の廃止と営業の自由を定めたル・シャプリエ法（1791年6月）は、中間団体を排除して**国家と個人の二極構造**を作り出したフランス革命の法思想の表れとして注目される（宗教団体・株式会社・弁護士会・大学等も廃止された）。

　国民議会が制定した1791年憲法は、「主権は、単一・不可分・不可譲で時効によって消滅しない。主権は国民（nation）に属する」と定めて、主権を抽象的・観念的な「国民＝ナシオン」（国籍保有者の総体）に帰属させることにより、国民代表制（純粋代表制）、制限選挙、立憲君主制のもとでの三権分立制を採用した。しかし、1791年憲法は1周年を迎える前に崩壊し、1792年9月に新憲法の制定を目的とする「国民公会」が男子普通選挙によって選出されると、王政廃止が宣言された（9月21日）。国王ルイ16世の処刑など(1793年1月)、革命が急進化するなかでジャコバン派による1793年憲法草案が作成され、国民公会での議決を経て全国で人民投票に付託されたうえ可決成立した（1793年7月。ただし、施行はされなかった）。1793年憲法は、「市民の総体」としての「人民＝プープル（peuple）」に主権が存することを宣言し、直接民主主義的原理（立法過程への人民の関与や人民投票の制度化）、男子普通選挙制、立法府への権力集中制を採用した。1791年憲法の「国民（ナシオン）主権」と1793年憲法の「人民（プープル）主権」の対抗関係は、日本国憲法の国民主権原理を解釈する際にも、重要な論点のひとつとなっている（→第4章1節・62頁）。

3　近代立憲主義の諸原理

(1)　国民主権と「国民代表」

　「国政のありかたを最終的に決定するのは国民である」とする国民主権の考え方が、憲法の基本原理となった。国民主権の原理が明快に定式化さ

れ（人権宣言3条）、深刻な政治的争点となったのがフランスであった（ナシオン主権とプープル主権）。ただし、18世紀イギリスの「純粋代表」（バーク）や1791年フランス憲法の「ナシオン主権」にみられるとおり、議会は現実の国民意思を反映すべきものとは考えられておらず、国民主権は概ね、正統性の原理にとどまっていた。名誉革命以降のイギリスでは、憲法上の原理としては国会主権が確立したため、国民主権の原理は明確化されなかったが、選挙権の拡大にともなって、国政は国民の意思に従って運営されるべきとの考え方が強まった。「法的主権は国会にあるが、政治的主権は選挙民にある」というダイシーの言葉は、この事情を表すものである。フランスでも、第三共和制のもとで、「純粋代表」に代わる「半代表」の理論が提唱されるに至った（→第2部2章2節・156頁）。

(2) **人一般の権利としての人権（自然権としての人権）**

　アメリカ独立宣言やフランス人権宣言に示されたとおり、憲法によって保障される自由・権利は、人間の生来的な自由・権利（＝自然権）であり、国家の目的は、それらの人権を保障することにある。ところで、当初の合衆国憲法は権利章典を含んでいなかったことは前述したが、このことをもって、人権保障の軽視と考えるのは短絡的である。**人一般の権利としての人権**は個人が生来的に有する「前国家的権利」であり、権利章典の有無にかかわらず、各人に保障されるべきものだからだ。この理屈を示しているのが、「この憲法に一定の権利を列挙したことをもって、人民の保有する他の諸権利を否定しまたは軽視したものと解釈してはならない」と定める合衆国憲法第9修正である。

　しかし、人一般の権利としての人権として実際に保障されたのは、「有産者（ブルジョアジー）・男性・白人」の自由・権利であり、「労働者（プロレタリアート）・女性・先住民」は人権の主体から排除されていた。人権宣言が、所有権を「神聖かつ不可侵の権利」（17条）としたのは、その階級的性格の反映である。「女性および女性市民の権利宣言」（1791年）を発したオランプ・ド・グージュが、「女性は処刑台にのぼる権利があるとともに、演壇にのぼる権利がある」と述べたのは、両性を人権と市民権の主体として認めるべきという考え方を挑発的に提起するためであった。

(3) 議会主義の統治機構——イギリスとフランス

　イギリスでは1714年、ドイツのハノーヴァーより王位についたジョージ１世はイギリス政治への関心が弱く、英語を理解しないこともあって閣議に出席せず、それが慣行化された結果、国王に代わって内閣を統率する首相の地位と内閣の独立性が漸次、確立された。最初の首相と呼ばれるウォルポールは21年間（1721～42年）、政権を担当したが（ただし、「首相（Prime Minister）」の称号が公式に用いられるのは19世紀以降）、庶民院の信任を失ったと判断した際、国王の信任がつづいていたにもかかわらず、職を辞して引退した。この事件以降、内閣が国王と庶民院の両方の信任に基づいて活動する二元主義型の議院内閣制の運用が徐々に確立された。議院内閣制に関する均衡本質説が前提とする「古典的なイギリス型」とは、この時期の制度に当てはまる。1832年の第１次選挙法改正の際、庶民院でウィッグ党が多数なのにトーリー党のウェリントン公に組閣させようとした国王の意図が通らず、ウィッグ党のグレー内閣が維持された事件は、内閣が議会の信任だけに依存する一元主義型議院内閣制の確立の画期とされる。

　フランスでは、普仏戦争（1870～71年）での敗北の結果、第二帝政が崩壊し、臨時政府によって共和制が宣せられたが、選挙の結果、王党派が議会の多数派を占めたため、王制復古が追求された。しかし、王党派の二潮流（ブルボン家とオルレアン家）の間での調整がつかなかったため、当面の妥協策として大統領制を採用する憲法が制定された（第三共和制憲法。1875年）。王党派のマクマオン元帥が初代大統領に就任したが、1876年の下院選挙で共和派が勝利した。下院の共和派に支持された首相（ジェール・シモン）が大統領と対立して辞職すると（1877年５月）、大統領は王党派の首相（ド・ブローイ）を任命したが、下院で不信任決議を受けたので、大統領が下院を解散したところ、選挙で共和派が多数を維持した。そのため、大統領は共和派の首相（デュフォール）を任命した。この事件をきっかけとして、議会解散権の行使は「共和制に対する反逆」との見方が広まったため、第三共和制のもとで歴代の大統領は解散権を行使することができず、憲法の解散権規定は死文化した。この時期のフランスの議院内閣制の運用を前提にしているのが、責任本質説である。

　このように、近代立憲主義の原理を典型的に確立したとされる19世紀の英・仏の憲法制度は、モンテスキュー流の三権分立ではなく、**議会主義**

（議会中心主義）の統治構造を採用していた。よって、近代憲法の基本原理は、厳格な三権分立ではなく、議会（立法権）による行政権の制約にあると考えるべきである。英・仏の議会主義は人権保障の場面では、**法律による人権保障**というかたちで定式化された。イギリスの国会主権の原理やフランスの「一般意思としての法律」（人権宣言6条）という考え方は、裁判所を含めて他の国家機関が、議会制定法の違憲性を審査することを許さなかった。近代憲法における人権保障の方法の典型は法律による人権保障であったこと、これらの二国において**人権の裁判的保障**のシステムの導入・確立が遅れたことに注目しておこう（→第3節2(3)・37-38頁）。

(4) **厳格な権力分立と違憲審査制——アメリカ**

　英・仏の憲法にみられる、議会主義の統治構造と法律による人権保障を近代憲法の典型とみる場合、アメリカ合衆国憲法は、①厳格な権力分立と②違憲審査制を採用した点において、非典型的なものと評価できる。

　①について合衆国憲法は、立法・行政・司法の三権の分立と抑制・均衡の制度を定めている。たとえば、連邦議会と行政府は人的にも厳格に分離されている（連邦議会議員と連邦公務員の兼職禁止）。大統領には法案提出権も議会解散権もない一方、議会も大統領に対する不信任決議を行う権限はない。他方、大統領が法律案に対する拒否権をもつ一方、上院は弾劾裁判によって大統領を解職する権限や、大統領が行う条約の締結や最高裁判所裁判官の任命等について「助言と承認」を与える権限を有する。②について違憲審査制は、合衆国憲法に明文で規定されているわけではないが、マーベリー判決（1803年）以降、判例法として確立された。

＊19世紀アメリカの違憲審査制
マーベリー判決の後、連邦最高裁が違憲審査権を行使したのは、北部諸州（自由州）と南部諸州（奴隷州）の政治的妥協であるミズーリ互譲法（1820年。北緯36度30分を自由州と奴隷州の境界として設定した法律）を財産権の侵害であるとして違憲無効としたドレッド・スコット判決(1857年)である。また、南北戦争を経て、奴隷制廃止と黒人の人権保障について定める再建修正（第13～15修正）が成立すると、連邦最高裁は、「ステート・アクション」の法理を編み出して、民間施設における人種分離を容認し（シヴィル・ライツ判決。1883年）、鉄道等における人種分離を要求する州法についても、「分離すれども平等」の

法理を編み出して正当化した（プレッシー判決。1896年）。19世紀において違憲審査権の行使は必ずしも活発とはいえなかったこと、連邦最高裁は黒人奴隷制や人種差別を温存する方向で判決を出す傾向があったことに注意したい。

(5) **軍事に対する立憲的統制**

近代立憲主義の核心が権力の抑制である以上、戦争の抑止と軍隊の統制は、近代憲法史の当初から最大の憲法問題であった。たとえば、イギリスの権利章典は平時における国会の承認なき常備軍の徴集・維持を違法とし、フランスの1791年憲法は「フランス国民は、征服の目的でいかなる戦争を企てることも放棄し、いかなる人民の自由に対してもその武力を決して行使しない」（第6編1条）と定めていた。アメリカ合衆国憲法も、私有地での軍隊の営舎を制限する規定をおいている（第3修正）。

4 ドイツ市民革命の挫折と「外見的立憲主義」

(1) **「二つの近代化」と憲法原理──意義と問題点**

日本の戦後憲法学において、近代市民革命の有無や構造との関係で、各国憲法の特性がかたちづくられるとの考え方が有力であった。この考え方によれば、「近代市民革命＝下からの革命」を経験した国々（イギリス・フランス）では、近代立憲主義の諸原理を具体化した憲法が制定・形成される一方、近代市民革命を経験せず、先進資本主義国からの外圧に対抗して「上からの改革」が実行された国々（ドイツ・日本）では、近代立憲主義の諸原理が形骸化した「外見的立憲主義」の憲法が制定・形成されると説明される。外見的立憲主義とは、近代立憲主義を外見上採用しながら、実際にはその趣旨を否定する政治原理や統治形態のことをいう。人権分野においては、人一般の権利としての人権という観念を認めず、「法律の留保」による権利保障の方式を採用し、統治機構の分野では、君主の権力を議会のコントロールから防衛するために権力分立を制度化する。プロイセン憲法（1850年）、ドイツ帝国憲法（1871年）、そして大日本帝国憲法（1889年）がその例とされる（日本については、→第3章1節・41頁）。

ただし、近年の歴史学においては、歴史的発展の断絶面よりも連続面を重視する傾向が強くなった結果、市民革命は体制変革の画期としての、産

業革命は経済成長のスパートの画期としての重要性が相対化してきている。そのため、各国に固有な法思想や法伝統、あるいは、憲法制定時の政治的条件等を考慮することなく、「二つの近代化」路線との関係でのみ、ドイツや日本の不徹底な立憲主義の制度・運用を評価することは、過度の単純化となるおそれがある点にも注意が必要である。

＊「法の支配」と「法治主義」
中世以来のイギリスの「法の支配」の観念は市民革命の前夜、国王の専制支配に対抗して再定式化され（1628年の権利の請願）、名誉革命によって国会主権が確定すると、恣意的な権力行使(特に行政権)の抑制と裁判所による権利保障を重視する法原理として定着した。アメリカの違憲審査制は「法の支配」の原理を具体化するものといえる。他方、ドイツの「法治国家（Rechtsstaat）」論は絶対主義的な官僚制国家に対抗するものとして、「法律による行政」の原理を確立したが、一定の行政活動に法律の根拠を求めることに主眼があり、法律の内容的正当性を問うものではなかった（形式的法治主義）。しかし、ナチズムの体験を経た第二次世界大戦後のドイツでは、立法権を含むすべての国家権力を拘束する基本権を憲法裁判所によって保障する制度が導入され、「実質的法治主義」の原理が確立された。よってこんにちでは、「法の支配」と「法治主義」を峻別し、前者の優位性を自明視することは必ずしも妥当ではない。

(2) ドイツ

フランス二月革命（1848年）がドイツに波及した三月革命の結果、統一ドイツをめざす自由主義的なフランクフルト憲法（ドイツ・ライヒ憲法）が制定された（1849年）。しかし、統一ドイツの立憲君主に予定されていたプロイセン国王が、自由主義的憲法のもとで「ドイツ人の皇帝」となることを拒絶したため、この憲法は三月革命の挫折と運命を共にした。その後、ドイツ統一は、普墺戦争（1866年）と普仏戦争（1870年）に勝利したプロイセンの軍事力によって達成された（1871年）。また、英・仏の先進資本主義との競争に打ち勝つため、「上からの近代化」が推進された。

プロイセン憲法（1850年）は、国王の権力を「神の恩寵」によるものとし、立法権は国王と議会が共同行使するものとされ、国王は無限定の法律案拒否権をもっていた。行政権は国王に属し、大臣の任免権も国王大権によるものとされた。また、国民の権利は、「人権」ではなく、「プロイセン人の権利」として「法律の留保」に服した。1871年のドイツ帝国憲法（ビ

スマルク憲法）は、ドイツを君主制諸邦からなる連邦国家として編成した。ライヒの統治機構としては、直接・普通・平等・秘密選挙（男子のみ）によるライヒ議会が設立されたが、君主制下の各邦の代表で構成される連邦参議院が優位を占めていた。また、国民の権利保障は、ライヒ法律と各邦の憲法に委ねられた。以上のとおり、ドイツの立憲主義は、①国民主権、②人権保障、③権力制約（特に行政権の制約）という近代立憲主義の原理を形骸化させた「外見的立憲主義」と称すべきものであった。

第3節　近代立憲主義の現代的変容

1　近代立憲主義の危機と対応

　19世紀のイギリス・フランスで確立した近代憲法は、国家の役割を限定する「消極国家」観のもと、議会主義と自由放任主義（国家からの自由）を主な内容とするものであった。しかし、資本主義の高度化にともなって資本家と労働者の階級対立が深刻な社会問題となり、社会主義・共産主義が有力な思想潮流となるに至った。一方、普通選挙制の確立は、労働者の利害を代表する議員を誕生させ、制限選挙のもとで一定の階級的同質性を維持してきた議会に対して、先鋭的な対立をもち込むことになった。

　この「近代立憲主義の危機」に対して概ね、3つの対応があった。第1の対応は、資本主義憲法の枠内で社会的不平等を是正し（社会国家・福祉国家）、19世紀型の議会中心主義とは別のかたちで、国政への民意の反映と各人の人権保障を確保しようとするものである。第2の対応は、社会主義憲法への移行である。そして、第3の対応は、近代立憲主義の否定に至るファシズム憲法へと移行する流れである。「外見的立憲主義」の憲法を経て、ドイツと日本は第3の対応を選択したが、第二次世界大戦での敗戦によってその体制は崩壊した。次項では、第1の対応の特徴を概説する。

＊社会主義憲法の経験
「人間疎外」を構造的に生み出す資本主義体制を否定することで、「近代立憲主義の危機」に対応しようとしたのが、社会主義憲法であった。1917年のロシア革命は、私有財産の否定、あらゆる形態の搾取の廃絶、社会主義的な社会経済

関係の創出を宣言した。ソ連・東欧型社会主義憲法の原型となったソヴィエト社会主義共和国連邦憲法（スターリン憲法。1936年）は、統治機構では権力分立を否定し（ソヴィエトへの権力集中）、人権保障では物質的裏付けをもった市民的自由が保障されたが、実際には、共産党独裁のもとで市民的・政治的自由の抑圧が行われた。1970年代以降、社会主義国の国家管理・統制型の経済の停滞が明らかになり、1980年代の「新冷戦」の時代における軍事費膨張の影響もあって、ゴルバチョフによるペレストロイカの試みを経て、1991年にソ連は崩壊した。社会主義憲法という試みは「失敗」に終わったわけだが、その「試み」が、資本主義憲法の自己変革を促した事実を軽視するべきではない。

2　現代憲法の特徴

　資本主義憲法の枠内で、「近代立憲主義の危機」に対応した憲法を便宜上、「現代憲法」と呼ぶ。その特徴は、次の4点にある。①積極国家（社会国家）の形成、②議会主義の変容と行政国家の形成、③人権の裁判的保障の普遍化、④立憲平和主義への志向、である。

(1)　積極国家（社会国家）の形成

　資本主義が不可避的に生み出す社会経済的不平等の是正を目的として、国家が「消極国家」であることを止め、経済的自由の制約（労働時間規制や最低賃金制度）や社会権の保障といった領域で、積極的な役割を担うようになった。このような国家のありかたを「積極国家・社会国家」という。このような社会国家理念を体系的に取り込んだ最初の憲法が、ドイツのワイマール憲法であった（1919年）。社会国家理念は、「フランスは社会的共和国である」としたフランス第四共和制憲法（1946年）、「イタリアは勤労に基礎をおく民主的共和国」と規定したイタリア共和国憲法（1948年）、「民主的かつ社会的な連邦国家」を標榜するドイツ連邦共和国基本法（1949年）、そして、日本国憲法でも採用された。

　イギリスでは第二次世界大戦中、「自由社会における完全雇用」を構想するベヴァリッジ報告書が作成され、戦後の再建を担当した労働党によって推進された。「ゆりかごから墓場まで」と称されたイギリスの福祉国家政策は、1980年代のサッチャー政権による徹底的な破壊に至るまで保守党さえも受け入れていた戦後イギリス政治のコンセンサスであった。アメリ

カでは労働時間規制を違憲と判断したロックナー判決(1905年)以降、連邦最高裁が社会経済立法を違憲無効とする時代が続いたが、世界恐慌（1929年）に対応するため、国民の圧倒的支持を背景にしてF・D・ローズベルト大統領が実施したニュー・ディール政策を前にして、連邦最高裁は譲歩し、判例変更を行って、経済的自由規制に対しては緩やかな審査を、精神的自由規制に対しては厳格な審査を行うようになった（「二重の基準」の成立→第2部3章2節3・302頁）。1980年代に新自由主義の思潮が優勢になるまで、イギリスやアメリカにおいても社会国家理念は立法政策のレベルで受容されていた。

(2) **議会主義の変容と行政国家の形成**

近代憲法の**議会主義**は当初、「国民代表」なる観念によって、個々の議員を選挙民の意思から独立させるものであった（純粋代表・命令委任の禁止）。しかし、資本主義の進展にともなう社会的矛盾の激化を背景とする普通選挙の要求の高揚とそれへの対応としての選挙権の拡大の結果、議会は現実の民意を国政に忠実に反映すべきと考えられるようになった（半代表制）。普通選挙制度の普及によって政治参加の権利を得た労働者は自らの階級的利益を国政に反映させるべく、従来の名望家の間の緩やかな党派的結合とは異なる組織性の強い大衆政党を結成し、議会内に地歩を固める（イギリスの労働党がその例）。それに対抗するかたちで従来の政党も組織を強化し、近代政党への脱皮を図った（イギリスの保守党がその例）。

政党規律が強まり、党首の地位が高まると、小選挙区制のもとでの選挙は、次の首相を誰にするかを争う場となった。一方、実在する多様な民意を国政に反映させるため、比例代表制を採用すれば、選挙における政党の重要性は高まる。以上のとおり、政党が国家意思の形成に事実上主導的な役割を演ずる「政党国家」の現象が生じている（→第2部2章2節・156頁）。

積極国家・社会国家の要請にともない、行政活動の役割が飛躍的に増大し、政策の形成・実施の両方の場面での官僚の専門技術性への依存度も高まった。これを「行政国家」化現象という。また、近代憲法における権力分立の要諦は、行政権の行使を立法権(議会)によって抑制する点にあったが、組織政党が行政権と議会を同時に掌握することによって、権力分立は形骸化し、議会に対する行政権の優位という逆転現象が生じた。この現象

を所与の前提として、行政の長の選択に対する民意の反映の制度化を試みる議論もあるが（首相公選制論や「国民内閣制」論）、現実の民意の多様性を真摯に受け止めるのであれば、議会に対する民意の反映の実質化と、行政活動に対する議会の統制能力の強化（オンブズ・パーソン制度など）という観点からの改革が重要となる（→第2部2章4節1・207頁）。

(3) 人権の裁判的保障の普遍化

近代憲法の典型は、英・仏の議会主義であり、アメリカの違憲審査制は非典型的なものであった。しかし、第二次世界大戦後の各国における違憲審査制の導入ないし活性化は、「違憲審査制革命」（マウロ・カペレッティ）と呼ばれるほどのものだった。1989年の東欧社会主義体制の崩壊以降、**人権の裁判的保障**というシステムは普遍化しており、違憲審査制（憲法裁判所）を立憲主義の核心と考える憲法観が広がりつつある。

アメリカの連邦最高裁はアール・ウォーレンが長官になると、リベラルな価値を体現する司法積極主義へと舵を切った。その代表例が、公立学校における人種別学を違憲無効としたブラウン判決(1954年)である。また、世論を二分する妊娠中絶の是非という問題についても、連邦最高裁はプライバシー権に基づき一定の範囲で妊娠中絶の自由を認めた（ロー判決。1973年）。アメリカの憲法判例の法理は、日本の憲法学説にも積極的に導入されている（名誉毀損における「現実の悪意」の法理や、政教分離に関する「レモン・テスト」など→第3部3章2節3・375頁）。

一方、ワイマール共和国の崩壊とナチズムを経験したドイツは戦後、憲法を「憲法の敵」から防衛するため、公権力のみならず私人にも、憲法上の基本価値である「自由な民主的基本秩序」を防衛する義務を課し、それを裁判的保障によって確保する仕組みをつくった。この「憲法忠誠」確保の制度として連邦憲法裁判所が機能した例が、ネオ・ナチ政党の社会主義国家党(1952年)とドイツ共産党(1956年)を違憲とした判決である。しかし、「憲法訴願」（「憲法異議」とも訳される。基本権侵害を主張する各人の申立てを審査する制度）の導入と活性化の結果、連邦憲法裁判所は基本権保障機関としての性格を強めてきており、アメリカの違憲審査制との「合一化の傾向」も論じられるようになっている（→第2部3章2節1・291頁）。

人権の裁判的保障の制度化に消極的であった英・仏でも、変化が生じて

いる。イギリスは、ヨーロッパ人権条約上の権利を国内法化するかたちで、1998年人権法を制定した。同法のもとで裁判所は法律を可能なかぎりヨーロッパ人権条約上の権利と適合的に解釈することが要求されるが（3条）、それができない場合には不適合宣言を出すことができる（4条）。不適合宣言は法律を無効とするものではないが、国務大臣に不適合性を除去するための立法修正権限を与える点で一定の法的効果がある。フランスでは1971年以降、人権保障との関係で憲法院が事前審査型の抽象的規範統制を行ってきたが（法律の審査は、議会で採決されてから大統領の審署を得て発効するまでの間のみ）、2008年憲法改正により、コンセイユ・デタと破棄院からの移送決定によって事後的に法律の審査を行うことが可能になった（フランス第五共和制憲法61条の1）。

(4) 立憲平和主義への志向

二度の世界大戦への反省は、戦争違法化への国際的潮流を生み出した。戦車・毒ガス・航空機に象徴される軍事技術の発達を背景として、未曾有の犠牲者を出した第一次世界大戦の惨状をふまえ、1919年の国際連盟規約、1928年の不戦条約と戦争違法化は着実に進展し、第二次世界大戦後の国際連合憲章は加盟国の個別的な武力行使を原則として禁止した（2条4項）。ただし、国連憲章は「武力による平和の維持回復」という考え方に立ち、限定的にせよ加盟国の自衛権に基づく武力行使を容認している点において（51条）、日本国憲法とは本質的に異なった安全保障観を採用している。

また、各国の憲法にも、平和主義の憲法的保障への志向を読み取ることができる。20世紀以降、侵略戦争の防止や禁止を定める憲法としては、1931年スペイン憲法、1935年フィリピン憲法、1946年フランス第四共和制憲法、1947年ビルマ憲法、1947年イタリア共和国憲法、1949年ドイツ連邦共和国基本法、1987年大韓民国憲法などがある。ほかにも、国際紛争を解決する手段としての戦争を放棄し、国際協調を明示する国（ポルトガル、ハンガリー等）、中立政策を明示する国（スイス、オーストリア等）、核兵器等の禁止を明示する国（ベラウ、フィリピン、コロンビア等）がある。また、コスタリカ憲法は常備軍の禁止を定めている（12条）。同規定は、大陸協定の要請と「国民の防衛」のための軍隊の保持を認めているが、実際には現在まで50年以上の間、軍隊は設置されていない。

以上のとおり、日本国憲法の非軍事平和主義は、立憲主義憲法史において画期的な意義をもつが、決して突然変異的なものでも、孤立的事例でもないことを、確認しておくことは大切である（→第５章・89頁）。

3　立憲主義のグローバル化と危機

　現代憲法の４つの特徴は（→２・35頁）、第二次世界大戦後の西欧諸国において、各国の事情に応じた多様性をもちつつも、普遍的な民主主義の原理・制度として具体化されてきた。社会主義に対抗して自らの優越性を主張した戦後西欧の民主主義を「自由民主主義＝リベラル・デモクラシー」と呼ぶ。ここでいう「リベラル（Liberal）」とは、「国家からの自由」を平板に追求するのではなく、社会国家（福祉国家）の観点から市場経済に対する政府規制を広く認める一方、人々の精神活動に対する国家の干渉を極力抑制しようとする政治理念・政策原理のことであり、憲法学では、違憲審査における二重の基準論（→第２部３章２節３(4)・300頁）というかたちで具体化されている。

　社会主義体制崩壊以降の人権の裁判的保障の広がりに注目して、「立憲主義のグローバル化」を楽観的に歓迎する議論もあった。しかし、この時期は同時に、市場経済の急速なグローバル化の下で国内外の経済格差が拡大し、貧困問題が深刻化した時代であったことにも注意が必要である。このような政治的・経済的変動を理論的に支えた思想・政策が「新自由主義」である。1980年代のイギリス・サッチャー政権やアメリカ・レーガン政権を震源地として、新自由主義は世界各地に広がっていき、その影響は政策レベルに止まらず、憲法のあり方にまで及んだ。日本でも「新自由主義改革」が進められた結果、格差社会が問題となった。

　国内外の経済格差の深刻化は、社会的不満の矛先を移民・外国人・宗教的少数派などに向けて、情緒的・感情的な支持を獲得する政治手法（ポピュリズム）を台頭させた。2016年イギリスのＥＵ離脱レファレンダムにおける離脱派の主張や、アメリカのトランプ大統領の政治手法がその代表例である。「人民」の名の下で「政治的エリート」を攻撃するポピュリズムは、政治家や官僚による政治的妥協や裁判官による人権保障など、リベラル・デモクラシーに特徴的な政治手法を激しく批判する。2020年のアメリ

カ大統領選で問題になったとおり、利害・価値観の異なる他者との対話・妥協を拒絶し、自らの信条や信念に反する事実を「フェイク・ニュース」と断定して直接行動に出る場合もあり、ポピュリズムの台頭により立憲主義が危機にあるとの評価が広がりつつある。

ただし、ポピュリズムの温床となっている国内外の深刻な経済格差を是正するためには、民主政の過程の強化が必要不可欠であり、立憲主義の観点から民主主義の要求を抑え込むことで、現在の困難な諸課題を解決できるわけではない（→序章・6頁）。現存するポピュリズムの問題性を明らかにしつつ、民主主義の可能性を追求し続ける必要がある。本書の特徴である「非制度的公共圏」などに関する議論は、そのような問題意識の表れである（→第2部2章1節・151頁）。

考えてみよう

1 … 中世立憲主義と近代立憲主義の間の決定的な違いは何か。その違いを学ぶことは、日本国憲法を学習するうえで有用か。
2 … 「法律による人権保障」（イギリス・フランス）と、「法律の留保」（ドイツ）はいずれも、個人の権利・自由の保障を議会制定法に委ねるものである。それにもかかわらず、両者の差異を重視すべきなのはなぜか。
3 … 「近代立憲主義の危機」はなぜ生じたのか。その危機を克服するため、どのような憲法的対応がありうるのか。人権保障と統治機構のそれぞれの領域について考えなさい。

Further Readings

・樋口陽一『比較憲法〔全訂第3版〕』（青林書院、1992年）：日本を代表する比較憲法学者が自らの学説を体系的に示した古典的著作であり、本章の説明も同書を参考にしている。「立憲主義のグローバル化と危機」との関係では、同氏の近著『リベラル・デモクラシーの現在』（岩波新書、2019年）が必読である。
・辻村みよ子『比較憲法〔第3版〕』（岩波書店、2018年）：日本国憲法の理解を深める観点から、主に英米独仏の憲法について最新動向まで解説した労作。
・初宿正典・辻村みよ子編『新解説世界憲法集〔第5版〕』（三省堂、2020年）：各国の憲法や関連する主要法令の条文を調べるのに役立つ。各国ごとに比較憲法研究の専門家による解説があり、参考になる。
・馬場哲・小野塚知二編『西洋経済史学』（東京大学出版会、2001年）：比較経済史学の研究成果を批判的に継承しつつ、現在の西洋経済史学の研究動向を整理したもの。比較憲法研究の観点からも、大いに参考になる。

第3章 日本の憲法

キーワード：外見的立憲主義、天皇主権、統帥権の独立、法律の留保、治安維持法、国体の護持、安保闘争、格差社会

　本章では、大日本帝国憲法の内容と運用を垣間見ることにより、大日本帝国憲法の「失敗」をふまえて、日本国憲法に期待された歴史的課題とは何であったのかを考えるとともに、日本国憲法の成立とその後をふりかえり、日本国憲法が戦後政治史のなかでどのような意味をもってきたのかを考えよう。

第1節　大日本帝国憲法

1　大日本帝国憲法の制定

　幕末に締結された欧米諸国との通商条約は、日本に関税自主権がなく、外国人に対する裁判権がない（治外法権）という不平等なものであった。これらの条約改正のため、近代国家として憲法をはじめとする法整備が急務であった。加えて自由民権運動も高まりをみせ、人民の側からの民選議院設立と憲法制定の要求が出され、多くの私擬憲法もつくられた（たとえば、抵抗権・革命権を認めていた植木枝盛の「東洋大日本国国憲按」など）。そのようななかで、大日本帝国憲法は、士族・豪族・農民らの下からの要求を具現化するものとしてではなく、政府の主導の近代国家整備の一環として制定された。それゆえに、一見すると立憲主義の外観を有しながらも、実際には「王政復古」の政治的理念に基づいた前近代的な特徴を色濃く残し、権利の保障と権力分立は不十分であった（**外見的立憲主義**）。

　憲法制定の動きは、1876年に元老院に対し憲法草案の起草を命じる勅語が発せられたことに始まる。1880年、元老院は「日本国憲按」を成案として

提出したが、当時の政府の受け入れるところとならなかった。明治政府は、一方では、国会開設の急進派であった大隈重信を政府から追い出し（いわゆる明治14年政変）、他方では、国会開設の詔（1881年）を出し、1890年の「国会」の開設を約束するとともに、憲法を天皇自ら裁定し公布するとする欽定憲法の方針を示し、政府主導で憲法制定を行う方向性を確認した。

1882年、憲法調査のために伊藤博文がヨーロッパに派遣された。伊藤は、帰国後に井上毅、伊東巳代治、金子堅太郎の協力を得て、憲法起草に着手し、成案を1888年4月に奏上した。枢密院で審議されたのちに、大日本帝国憲法は、1889年2月11日に発布され、1890年11月29日に施行された。

2　大日本帝国憲法の内容

(1)　天皇主権

大日本帝国憲法の基本原理は、**天皇主権**であった。「主権」という言葉それ自体は使われていないが、天皇に政治の権威が由来し、天皇が統治権を行使する主体であり、天皇が対外的に国家を代表するとされ、「主権」の3つの意味（→第4章1節(1)・62頁）において、天皇は「主権」を有していたといえる。具体的には、1条は「大日本帝国ハ万世一系ノ天皇之ヲ統治ス」とし、3条は「天皇ハ神聖ニシテ侵スヘカラス」とし、さらに、4条は「天皇ハ国ノ元首ニシテ統治権ヲ総攬ス」と定めていた。「攬」とは、「手中に収める」ことを意味し、したがって「統治権ヲ総攬ス」とは「統治の権限をすべて手中に収めている」ことを意味する。外国に対して国家を代表する「元首」とされた天皇は、「戦ヲ宣シ和ヲ講シ及諸般ノ条約ヲ締結ス」（13条）とされた。

このような天皇主権を正当化したのが、「憲法発布勅語」にいう「祖宗ニ承クルノ大権」を天皇が有しているという論理であり、記紀の皇孫降臨の神話に基づいていた。このように天皇による統治の正当性は憲法によって与えられたのではなくて、天皇による統治の正当性が先行し、それを確認するものとして大日本帝国憲法が位置づけられた。また、大日本帝国憲法は、当時の統治機構すべてについて定めていたわけではなく、元老や内大臣などのいわば憲法外の機関も存在し、内閣なども直接には言及されず、枢密院も諮詢機関としての位置づけが言及されるのみであった。

天皇主権の考え方は、改正手続にも貫徹していた。73条1項は、「将来此ノ憲法ノ条項ヲ改正スルノ必要アルトキハ勅命ヲ以テ議案ヲ帝国議会ノ議ニ付スヘシ」と定めていた。
　なお、皇室典範は、大日本帝国憲法と並ぶ法典とされた。皇室自律主義に基づき、その改正に帝国議会の協賛を経る必要はなかった（74条1項）。

(2)　権力集中制

　統治機構は、統治権を総攬する天皇を諸機関が補佐するという建前であった。天皇が統治を「此ノ憲法ノ条規ニ依リ」（4条）行うとし、立法にあたっては帝国議会が「協賛」（5条）し、行政権の行使については、「国務各大臣」が「輔弼」（55条1項）するものとされ、そして、「司法権ハ天皇ノ名ニ於テ法律ニ依リ裁判所之ヲ行フ」（57条1項）とされた。

　ⅰ）帝国議会

　帝国議会は、貴族院と衆議院から構成され、対等とされた（33条）。貴族院は、「皇族華族及勅任セラレタル議員」（34条）からなり、衆議院は、選挙によったが（35条）、当初は制限選挙制であった。1889年の衆議院議員選挙法では、選挙権者を25歳以上の男性で直接国税15円以上を納付する者に限り、有権者総数は人口の1.1％にすぎなかった。その後、徐々に選挙権の範囲は拡大し（1900年に直接国税10円以上を納付する者まで拡大し、1919年には直接国税3円以上を納付する者に拡大された）、1925年の普通選挙制の導入により、25歳以上の男性すべてに選挙権が与えられた。しかし、戦前において女性に選挙権が認められることはなかった。

　帝国議会の権限は、法律の制定への「協賛」（37条）であったが、天皇は、緊急の必要があるときに法律に代わる勅令を発する権限（緊急勅令、8条）や法律から独立した命令を発する権限（独立命令、9条）を有しており、立法の点で限られ、また宣戦と講和および条約の締結（13条）も天皇の大権とされるなど、国政に対する統制の点でも限られていた。

　ⅱ）国務大臣

　憲法上「内閣」の文言はなく、内閣は憲法上の存在ではなかった。国務大臣は、内閣として帝国議会に連帯して責任を負うわけではなく、個々に天皇に対し責任を負うとされた。内閣官制（1889年12月24日公布）2条は、内閣総理大臣が「各大臣ノ首班トシテ機務ヲ奏宣シ旨ヲ承ケテ行政各部ノ

統一ヲ保持ス」と定め、同輩中の首席として内閣をとりまとめることが期待されるにとどまった。また、輔弼の範囲には軍事と宮中のことが含まれないなどの重大な限界があった。

　11条は、「天皇ハ陸海軍ヲ統帥ス」と定め、軍事に関する指揮命令権は天皇が保持することを明記したが、この権限の行使に関しては、内閣の「輔弼」が及ばず、参謀本部や海軍軍令部が直接天皇に助言するという慣習が成立した。これを**統帥権の独立**という。これが、陸軍海軍大臣の現役武官大臣制と相まって、軍部が政治全体へと影響力を拡大することを可能とした。20条は兵役の義務を定め、1882年の軍人勅諭は「軍人は忠節を尽すを本分とすへし」とし、天皇の軍隊の精神的支柱となった。軍事への統制も近代憲法の不可欠な内容であるが、大日本帝国憲法にはそれが欠落していた。

　大臣がいかなる者から選出されるかについて憲法上規定はなかった。当初は、藩閥出身の政治家や官僚から構成されていた（いわゆる「超然内閣制」）。しかし、庶民の政治的な要望の高まりを受けて、政党の力が強くなると、それを無視しては政治の運営が立ち行かなくなり、政党出身者あるいは官僚から政党へ鞍替えした人たちが内閣を構成するようになる（「政党内閣制」）。大正デモクラシーの時期には、政党内閣制が原則的な内閣のありようとなった。

　ⅲ）裁判所

　裁判所については、「司法権ハ天皇ノ名ニ於テ法律ニ依リ裁判所之ヲ行フ」（57条1項）とされ、1890年、裁判所構成法が制定され、大審院を頂点に控訴院、地方裁判所および区裁判所が設置された。大審院は、もともと、1875年、司法省裁判所に代わって東京に設置され、司法行政を行う司法省と司法権を行使する大審院とに区分され成立したものであった。裁判官の身分保障（58条）が定められ、一定の司法権の独立が認められていたが、現在とは異なり、裁判官は司法省のもとにおかれ、その独立性は限定されていた。なお、大津事件に際し、大逆罪の適用を主張する内閣に対して、大審院長児島惟謙が司法部内の意見をまとめ、通常謀殺未遂罪が適用されたことは、政府からの司法部の独立を守ったものとして高く評価されているが、司法部内における独立性の観点からは疑問がある（→第2部3章1節4(1)・286頁）。

行政事件については、通常の裁判所とは別に行政裁判所が設置されていた（61条）。行政裁判所は、第一審にして終審として、東京にひとつ設置されたのみで、所管事項については列記主義が採用され、国民の権利救済の点において不十分であった。

(3) 臣民の権利

大日本帝国憲法の権利は、天皇が恩恵的に付与する「臣民」の権利にとどまり、人間の固有の権利ではなかった。また、その内容は質量ともに不十分なものであるだけではなく、保障方式も**「法律の留保」**であり、法律に基づけば、個人の権利・自由に対して制限ができた。そして、その「法律」は、37条に「凡テ法律ハ帝国議会ノ協賛ヲ経ルヲ要ス」とされていたが、貴族院は、皇族、華族および勅任議員（34条）からなり、衆議院も、民選であるとはいえ長らく制限選挙制のもとにあったので、十分に民主的であるといえず、実際に、治安維持法をはじめとする人権抑圧立法が成立することとなるのである。

3　大日本帝国憲法の運用

大日本帝国憲法がどのように運用されたのかについて代表的なトピックスだけをとりあげておきたい。

(1) 大正デモクラシー

大日本帝国憲法は超然内閣制を想定していたものの、藩閥、軍閥、官僚の政治に対して、民衆の政治的要求の高まりに応じて、政党も影響力を高めていった。たとえば1912年12月に陸軍が二個師団増設を要求し、受け入れられないとわかると陸相は辞職し、第二次西園寺内閣は総辞職した。このような陸軍と長州閥の強引な要求に対する反発から、憲政擁護会が組織され、犬養毅や尾崎行雄らを中心として、運動を展開した（第一次護憲運動）。ここでいう護憲（憲政擁護）運動は、当時においては、藩閥勢力や官僚勢力に対抗して、衆議院の力を伸ばそうとする運動をさす。結果として、成立したばかりの第三次桂内閣は総辞職することとなる（いわゆる「大正政変」）。その後の内閣は政党色を強めるが、1918年に原敬を首班とする本

格的な政党内閣が誕生して以降、1932年まで衆議院において多数派が内閣を組織するという慣行が断続的に続いた（「政党内閣制」）。当時、これを「憲政の常道」と呼んだ。加藤友三郎内閣、山本権兵衛内閣そして清浦圭吾内閣と非政党内閣が続き、憲政会、政友会、革新倶楽部による第2次護憲運動が起こり、1925年の普通選挙制の導入をもたらした。

　これは、大日本帝国憲法のもとにおいても、民主的政治運営が可能となることを示すものであった。しかし、政党内閣制は、1930年代における軍部の台頭によって終わりを告げる。「大正デモクラシー」と呼ばれる時期においても、社会運動、労働運動に対して、さかんに弾圧が行われ、治安維持法も普通選挙制と「抱き合わせ」であったことには注意が必要である。

(2)　天皇機関説事件

　東京帝国大学の憲法を担当した美濃部達吉は、国家を法人格をもつひとつの団体とみなし、主権は国家そのものに帰属するのであり、天皇はこの団体の最高機関としてその国家意思の形成に参加するとする「国家法人説」をとった。大正デモクラシー以前は、穂積八束の天皇主権説が「天皇ハ国ヲ統治スル主権者ナリ、皇位ハ国家主権ノ存スル所ナリ」と主張し有力であった。穂積の跡を継いだ上杉慎吉と美濃部の1912年の論争以降学界では美濃部説が有力となり、大正デモクラシーを支える考え方となった。しかし、1935年、美濃部説は「天皇機関説」と呼ばれ、軍部や右翼の攻撃にあい、著作は発禁となり、政府も「国体明徴声明」で公式に否定し、美濃部は貴族院議員を辞した。この事件は、滝川事件（第3部3章4節1(1)＊・429頁）とともに、戦前における「学問の自由」の欠如を示す事例である。

(3)　治安維持法

　23条は、「日本臣民ハ法律ニ依ルニ非スシテ逮捕監禁審問処罰ヲ受クルコトナシ」と規定しており、罪刑法定主義を定めていた。しかし、実際には、人身の自由を不当に制限する多くの法律が制定され、さらに形式上否定されていた「拷問」も頻繁に行われた。

　そのような人権抑圧的な法律の中で代表的なものが**治安維持法**（1925年）であった。これは、「国体ヲ変革スルコト」や「私有財産制度ヲ否認

スルコト」を目的とする結社への加入などを懲役刑等で処罰するとしたものであり、共産主義者とされた者のみならず、自由主義者や戦争に反対する人たちへの弾圧に利用され、犠牲となり死亡した人は、1682人にのぼった。同法が、一定の考え方を国家として禁止したことにより、近代国家が原則として承認する「複数の考え方や思想」という自由主義思想の大前提が否定され、国民全体を、戦時体制において国民動員の精神的な袋小路へと追い込む役割を果たしたのである。

第2節　日本国憲法の成立

1　日本国憲法の成立経緯

(1)　敗戦と憲法改正の動き

　1945年7月26日にポツダム宣言が発表され、28日鈴木貫太郎首相はポツダム宣言を「黙殺」すると発表した。その後、8月6日には広島に、9日には長崎に原爆が投下された。日本は、14日ポツダム宣言を受諾し、日本の敗戦が決まる。

　ポツダム宣言受諾に際し、日本の戦争指導者が危惧したのは、「**国体の護持**」（＝天皇制の維持）ができるかどうかであった。ポツダム宣言中には「日本国政府ハ日本国国民ノ間ニ於ケル民主主義的傾向ノ復活強化ニ対スル一切ノ障礙ヲ除去スベシ言論、宗教及思想ノ自由並ニ基本的人権ノ尊重ハ確立セラルベシ」とあり、これが「国体の護持」と両立しえないのではないかと懸念されたのである。そこで、8月10日に日本政府は、この「宣言ハ天皇ノ国家統治ノ大権ヲ変更スルノ要求ヲ包含シ居ラザルコトノ了解ノ下ニ受諾ス」との申し入れを行った。それに対して連合国は「日本国政府からの通報に関する、われらの立場は次のとおりである。降伏の時から、天皇および日本国政府の国家統治の権限は、降伏条項の実施のため必要と認められる措置を執る連合国最高司令官の従属の下に置かれるものとする。（中略）／日本国の最終的な政治形態は、ポツダム宣言にしたがい、日本国国民が自由に表明する意思により決定されなければならないものとする」と回答したのである。当時の日本政府は、ポツダム宣言を受諾しても「国体の護持」が可能であると判断し、受諾を決定した。15日には、「終戦の

詔勅」の玉音放送が全国に流され、国民が敗戦の事実を知ることとなる。
　こうして敗戦から、1952年4月28日に「日本国との平和条約」が発効するまで、日本は、アメリカ軍を中心とする連合国の占領下におかれた。この間いわゆる間接統治方式が用いられ、連合国最高司令官の命令を国内で実施するために、大日本帝国憲法8条に基づいて、1945年9月20日に「政府ハポツダム宣言ノ受諾ニ伴ヒ連合国最高司令官ノ為ス要求ニ係ル事項ヲ実施スル為特ニ必要アル場合ニ於テハ命令ヲ以テ所要ノ定ヲ為シ及必要ナル罰則ヲ設クルコトヲ得」とする緊急勅令542号「ポツダム宣言ノ受諾ニ伴ヒ発スル命令ニ関スル件」（いわゆる「ポツダム緊急勅令」という）が公布・施行された。
　日本の民主化は、連合国最高司令官総司令部（GHQ）からの指令により矢継早に進められた。1945年10月4日の連合国最高司令官の「自由の指令」（正式名は「政治的・民事的・宗教的自由に対する制限の撤廃に関する覚書」である）は、一切の思想犯・政治犯の釈放を指令し、特高警察の廃止と国防保安法や治安維持法などの廃止を求めた。さらに、教育改革を求める「日本の教育制度に関する覚書」、財閥解体を求める「持株会社の解体に関する覚書」、皇室財産の凍結を含む「戦時利得の除去および国家財政の再編成に関する覚書」、不在地主制を解体し自作農創設を求める「農地改革に関する覚書」、神道指令（正式名は「国家神道、神社神道ニ対スル政府ノ保証、支援、保全及監督並ニ弘布ノ廃止ニ関スル件」である）なども出された。12月末には、はじめて婦人参政権を認める衆議院議員選挙法の改正が行われ、公務員にストライキ権を認める労働組合法も制定された。1946年2月2日に公職追放令が制定され、各界の戦争協力者が職場を追われた。戦争犯罪人である日本の指導者を処罰する極東軍事裁判は、東条英機らが訴追され、1946年5月3日から始まり、1948年11月4日から12日に、7人らの絞首刑を含む判決の言渡しが行われ、12月23日に死刑が執行された。
　憲法改正の動きは、東久邇宮内閣に副総理格の無任所大臣として入閣していた近衛文麿と連合国最高司令官マッカーサーとの1945年10月4日の会談に始まる。この日、近衛がマッカーサーを訪問し、憲法改正の示唆を受けた。しかし、同日に発せられた「自由の指令」によって、東久邇宮内閣が総辞職に追い込まれ、大臣の地位を失った近衛は、11日に内大臣府御用掛に任命され、その立場で、憲法改正作業を継続するが、11月1日GHQ

は、「近衛の憲法改正作業には関知せず」と発表する。11月22日に近衛は「改正要綱」を天皇に上奏し、24日に内大臣府は廃止される。近衛は、12月6日に戦犯容疑者となり、16日に自宅で服毒自殺した。この結果、近衛の憲法改正作業は実を結ぶことなく、終わった。

10月9日に成立した幣原内閣は、13日に憲法問題調査委員会の設置を決定し（松本烝治国務大臣を委員長とする）、25日に発足した。この委員会は、大日本帝国憲法を基本的に維持しつつ、若干の修正を加える方向で検討をしていた。その点を明確にしたのが、12月8日の帝国議会における松本の説明であり、①天皇の統治権総覧の堅持、②議会議決権の拡充、③国務大臣の議会に対する責任の拡大、④人民の自由・権利の保護強化の4つで、「松本四原則」として知られている。翌1946年1月26日に、この委員会での検討は終わり、閣議にかけられ、2月8日にGHQに「憲法改正要綱」と説明書を提出した。

なお、この政府の改正検討作業とならんで、民間でも憲法改正の検討が進められた。たとえば、政党では、共産党、自由党、進歩党、社会党が改正案を示し、GHQ案の作成に影響を与えたとされる憲法研究会の「憲法草案要綱」も発表された。

(2) GHQによる憲法草案の提示

1946年2月13日に、日本政府は、さきに提出した「憲法改正要綱」に対するGHQの検討結果を聞くために出向いたところ、GHQが作成した憲法草案を渡され、政府の代表は驚愕した。少しさかのぼること2月1日に、毎日新聞が「憲法問題調査委員会試案」をスクープし、「あまりに保守的、現状維持的」と批判した。このような政府案の現状をみてとったマッカーサーは、政府の改正作業を急がせるとともに方向転換を促すため、3日には、GHQ民政局のメンバーにマッカーサー三原則（①天皇制度の存続、②戦争の放棄、③封建制度の廃止と英国型の予算制度の採用）に基づく憲法案の作成を指示していたのである。その作業に参加したベアテ・シロタは、男女平等や家族の保護に関する多くの草案を作成したが、最終案にはほとんど採用されなかった。

マッカーサーが具体案を示してまでも憲法改正を急がせた理由は、占領政策を監督する上級機関が設置されたことにある。1945年12月27日に、米

英ソ三国外相会議は、極東委員会と対日理事会の設置を決定した。その結果、1946年2月26日に、極東委員会がワシントンにて第一回会合を開催し、4月5日に、対日理事会が東京において第一回会合を開催する予定となった。これらの委員会が実質的な活動を始める前に、アメリカから見てふさわしいと考える憲法改正の既成事実をつくる必要があり、その最も効果的な手段が、具体的な草案の提示であった。

(3) 新たな政府案の作成

GHQの憲法草案を受け取った日本政府の代表は、2月19日に閣議に報告し、22日の閣議でマッカーサー草案に沿って憲法を改正する方針を確認する。こうして、日本政府は、GHQの憲法草案をたたき台としてGHQと秘密裡に交渉をしながら、新たな日本政府の憲法改正案を作成することとなる。1946年3月6日、政府は「憲法改正草案要綱」を勅語・首相談話とともに発表し、これに対し、マッカーサーは支持を表明したのである。

(4) 帝国議会の審議

4月10日に、第22回衆議院議員総選挙が行われ、17日に政府は、「帝国憲法改正草案」を発表した。22日に幣原内閣が総辞職し、5月16日に第90回帝国議会が召集され、22日に第一次吉田内閣が成立した。

6月8日に枢密院が「憲法改正草案」を可決し、25日に「改正案」が衆議院本会議へ上程され、28日に帝国憲法改正特別委員会（委員長：芦田均）へ「改正案」を付託した。7月1日に帝国憲法改正特別委員会は「改正案」の審議を開始し、25日に共同修正案を作成するため、芦田小委員会が設置され、8月20日まで審議（非公開）を行い、21日の帝国憲法改正特別委員会で共同修正案が承認された。24日に憲法改正案が衆議院本会議で修正可決され、貴族院へ送付された。10月6日に憲法改正案が貴族院で修正可決され、衆議院に回付され、7日に衆議院が貴族院の修正案に同意した。

帝国議会で最も議論がされたのが、「国体」（＝天皇制）が変更されたかどうかという点であった。政府は、国民の心構え、心の問題として、「国体」の変更はなかったと主張しつづけた。これと関連するが、現行の「主権の存する日本国民の総意」も、当初の政府案では、「国民至高の総意」とされており、主権の所在が曖昧にされていた。「日本国民たる要件は、

法律でこれを定める。」(10条) は当初の政府案になく、十分な議論もなく採択された。議会を通じて生存権の主張が社会党を中心として強く出され、同党から出された修正案は、のちの憲法25条となった。憲法9条の戦争の放棄条項における芦田修正や文民規定の挿入もなされた (→第5章2節3 (1)・100頁、第2部2章4節3(2)vii・236頁)。

10月11日に政府は憲法改正案を閣議で決定、枢密院に諮問手続をとり、29日に枢密院が憲法改正案を可決し、11月3日に日本国憲法が公布された。1947年4月20日に第1回参議院議員選挙、25日に日本国憲法下で最初の衆議院議員総選挙が行われ、1947年5月3日に日本国憲法が施行された。

2　日本国憲法成立の法的評価

(1)　憲法は「押しつけ」か？

「押しつけ憲法論」は、2月13日にGHQ案が示されたときに、「天皇の身柄を保障することはできない」と「威嚇」されたことを押しつけの根拠としてあげる。しかし、GHQ側からのこの「天皇の身体」発言は、極東軍事裁判の開始を間近に控え、天皇の戦争責任が問題になっていた状況を説明したものとするのが素直な理解であろう。極東軍事裁判は、1946年1月19日に極東国際軍事裁判所条例が定められ、起訴は4月29日に行われ、5月3日より審理が開始した。2月のこの時期は、連合国内において天皇を起訴するかどうかが問題となっていた時期であり、マッカーサーやアメリカ政府の一部は、日本の占領統治において天皇の存在を有効であると判断しており、その存続を意図していた。すなわち、GHQ案は、天皇から政治的・宗教的・軍事的権威と権限をすべて奪い去ることで、その危険性を除去し、存続の可能性を追求したひとつの選択肢であったのである。それゆえにこそ、当時の日本政府は、「国体の護持」を最優先として、この改正案を受け入れたのである。

むしろ、当時の政府に「威嚇的」効果をもったのは、最高司令官自らがこの案を日本国民に示すことを示唆した点であったろう。1945年秋から発表され始めた政党や民間の憲法改正案は政府案よりも大幅な改正を志向しており、2月1日の毎日新聞のスクープに対する一般の否定的な反応からすれば、政府の保守的な立場は国民に積極的に支持されているとは言い難

い状況であった。

　天皇制の存続を危うくする選択をとりえず、また、国民とともに、GHQ案に対して反対するという選択肢も取れなかった日本政府に憲法草案が「押しつけられた」といえよう。しかし、そもそも当時の日本政府は、国民の意見を十分にふまえて憲法案を作成するという発想を欠いており、時代にふさわしい憲法案を作成する能力を欠いていたのである。

(2)　占領下での憲法の成立をどうみるか？
　敗戦後の占領された状態という、国家としての独立性を欠いた状態で新たな憲法を成立させることに問題はないのか。他国に占領され一国としての自主的・自律的な政治決定を行うことができないという側面もあろう。ただ、当時の日本は、敗戦し、ポツダム宣言のもとで「自由で民主的な国家」になることがいわば国際公約とされた時期であった。法的にも、休戦条約であるポツダム宣言の履行を求められるべき立場にあり、それに沿って憲法を改正する義務があったといえるであろう。

　占領下の憲法改正は、ハーグ陸戦法規慣例に関する条約（1907年署名、10年発効、11年批准）43条により無効であると主張されることがある。第二次世界大戦参戦国がすべてこの条約に参加しておらず、この条約の適用があるかどうかは国際法上疑問であり、たとえ適用されるとしても、43条は「国の権力が事実上占領者の手に移りたる上は、占領者は絶対の支障なきかぎり、被占領者の現行法律を尊重して、なるべく公共の秩序および生活を回復確保するため施し得べき一切の手段を尽くすべし」と定め、「交戦中の占領」に適用され、休戦条約ができた場合には、それが優先的に適用される。ポツダム宣言こそがその休戦条約である。したがって、この条約による憲法無効論は説得力を欠くといえよう。

(3)　改正か制定か
　「上諭」には、「朕は、…帝国憲法第73条による帝国議会の議決を経た帝国憲法の改正を裁可し、ここにこれを公布せしめる」とあり、形式的には、日本国憲法が大日本帝国憲法の「改正」として成立したことになっている。これを法的にどうみるべきであろうか。

　この字句通りに理解する考え方は、憲法改正無限界説を前提にして、国

民主権を定める日本国憲法も、大日本帝国憲法73条の定める改正手続による憲法改正であるとする（佐々木惣一）。しかし、通説は、憲法改正限界説に立ったうえで、形式的には「改正」であるとしても実質的には新たな憲法の「制定」であるとみる（→第6章3節2・136頁）。たとえば、ポツダム宣言受諾を契機として、新たな「根本規範」が国民に憲法制定権力を付与し、日本国憲法はこれに基づいて制定されたとする説（清宮四郎）や、日本政府は、「日本の最終的な政治形態は、ポツダム宣言のいうところにしたがい、日本国民の自由に表明される意志によって定めるべき」とする回答を諒承したうえで、ポツダム宣言を受諾したが、そのとき、神権主義から国民主権主義への「革命」が生じ、日本国憲法はこの事実を前提として、前文で「日本国民は、…この憲法を確定する」と規定したとする説（宮沢俊義の「8月革命説」）がある。

　憲法改正無限界説に立てば、改正手続に従えばいかなる内容の改正も可能であるとするのであるから、一応の説明としては成り立つであろう。しかし、この考え方は、日本国憲法の正当性の根拠を大日本帝国憲法に求めるものである点に注意を要し、さらに大日本帝国憲法それ自体の正当性をさかのぼって問題にすべきであるという批判を呼ぶことになるはずである。また、無限界説が限界説を批判するように、一体何が改正の具体的な限界であるのかを論じることについて難点があるとしても、天皇主権から国民主権への変化は明らかであるといえるから、それを「改正」で説明してしまうことは、その原理的転換を覆い隠す効果をもつことになる。

　憲法改正限界説に立ったうえで、ポツダム宣言の受諾を根拠に憲法制定の正当性を論じる通説は、天皇は、ポツダム宣言を受け入れるという行為を通じて、自らの主権を放棄し、国内体制の根本的な転換をもたらすことができるという前提に立つか、ポツダム宣言という休戦条約の国際法が、主権の所在の変更を含む国内法的効力を有すると考えなければならないことになるはずである。

　これに対し、憲法の正当性を国内法に求めるべきであるという考え方もありえよう。このような発想に立てば、国民主権を基本原則とする「日本国憲法」の正当性は、まさに国民自身がそれをつくり上げたかどうかにかかっていると考えることになろう。政党や民間において数多くの憲法改正議論が存在し、それらを前提とし、1946年4月に衆議院議員選挙が行われ、

さらに、第90回帝国議会の慎重な審議と重要な修正を経て憲法が成立したことは、国民による憲法「制定」のひとつのありうる形であるとみなしうるであろう。しかし、戦争直後の生活が苦しく食糧事情が悪いなかで、国民が憲法について十分に議論を積み重ね、その結果として憲法ができたとするのは無理があるかもしれない。ただ、国民が十分に議論してその意見が憲法制定に生かされなかった責任は、保守的な憲法案しかつくれなかった当時の政府や極東委員会・対日理事会の「介入」を危惧して憲法改正を急がせたGHQにあったともいえる。したがって、国内法から憲法の正当性を考える立場からすれば、このような不十分さを克服し、憲法を自らのものとするプロセスこそが重視されることになるはずである。

第3節　日本国憲法の展開

1　占領から独立へ（1945年～1952年）

(1)　日本の民主化

　農地改革や公職追放などの諸改革に加えて、日本国憲法の成立にともなう法改正も多く行われた。皇室典範は、「国会の議決した」法律として全面改正された。議院法に代わる国会法をはじめとして、内閣法、裁判所法、地方自治法など統治機構に関する法律が制定された。個人の尊厳と両性の平等にふさわしく民法が改正され、妻の無能力の規定が削除され、親族編・相続編では「家」制度が廃止され、家督相続を改めて遺産相続とされた。刑法の姦通罪、不敬罪なども廃止された。戦前の教育勅語に基づく国家主義教育を否定し、「教育を受ける権利」にふさわしい教育理念を打ち立てた教育基本法は、学校教育法とともに、1947年3月に公布・施行され、翌4月から六・三制の新学期がスタートした。

(2)　占領政策の転換（いわゆる「逆コース」）

　アメリカは、当初、中国大陸と朝鮮半島を対ソ連に対する「反共」軍事防衛ラインと考えていたが、冷戦が激化し、中華人民共和国と朝鮮民主主義人民共和国の成立が避け難くなるにつれ、日本を「全体主義の防壁」（1948年1月のアメリカ陸軍長官ロイヤルの演説）と位置づけ、占領政策を転

換しはじめた。たとえばGHQからの指示により、1948年7月には、公務員労働者の争議権・ストライキ権が剥奪されるとともに、政治的行為が禁止された。1950年6月の朝鮮戦争の勃発直後には、警察予備隊が発足し、公務員・マスコミ・基幹産業の労働者の多数が「共産主義者またはその同調者」として職場を追われるレッド・パージが行われた。

(3) 講和をめぐる対立と旧安保条約の締結

　日本の独立は、「日本国との平和条約」（締結1951年9月8日、発効1952年4月28日）によって果たされたが、多くの問題点があった。第1に、この条約の基本的性格は、「単独講和」（＝「片面講和」）であり、第二次世界大戦で戦ったすべての国々との平和条約ではなかった。これにより日本は冷戦構造のなかで「西側陣営」に位置づけられ、この時点で平和条約を締結できなかった国々との平和条約の締結は、その後の日本外交の課題となる（中国との間では1978年に日中平和友好条約が締結され、当時のソ連＝現在のロシアとの間ではいまだに締結されておらず、北方領土問題も未解決のままである）。第2に、日本の領土がすべて独立したわけではなかった。沖縄や小笠原諸島は、「合衆国を唯一の施政権者とする信託統治制度のもとにおく」とされつつも、アメリカによる直接統治が続き、1968年に小笠原諸島が、1972年に沖縄がようやく返還された。そして、第3に、法的には独立したが軍事的には、半占領状態が継続した。平和条約6条(a)但書は、外国軍隊の駐留を認め、同時に締結された旧日米安全保障条約（締結1951年9月8日、発効1952年4月28日）により、日本がアメリカに軍事基地提供義務を負った。

2　1950年代の改憲動向から安保闘争へ（1952年～1960年）

(1) 治安法制の再編

　占領中の1949年に制定された団体等規制令は、1952年の破壊活動防止法に形を変え、「暴力主義的破壊活動」を行う団体に対して行政による解散命令を可能とした。治安維持法の再来として国民の強い反対を招き、制定されたものの、4件の起訴はいずれも無罪で確定するなど、同法の運用を大きく制約することとなった。1953年のスト規制法は、電気事業・石炭鉱

業における争議行為を規制するものであった。1954年の教育二法は、日教組を中心とする当時の教育労働者の選挙運動や平和教育をターゲットにし、同年の警察法改正は、警察機構の中央集権化を図るものであった。

(2) 保安隊から自衛隊へ

1952年10月に警察予備隊を改編して保安隊が発足した。1954年3月に日米相互防衛援助協定が結ばれ、日本は「自国の防衛力の増強」という義務を負うことになった。これを受け同年6月に自衛隊法と防衛庁設置法が成立し、翌7月に陸上自衛隊・海上自衛隊・航空自衛隊とその管理・運営を行う防衛庁が発足した。

(3) 復古的改憲の挫折

この時期は、憲法改正が声高に叫ばれた。たとえば、自由党の「日本国憲法改正案要綱」(1954年11月)は、天皇元首化、国事行為の拡大、軍隊の設置、非常事態の宣言や軍事特別裁判所に関する規定の導入、人権制限の明記、血族的共同体の尊重、子の扶養・親への孝、国防・遵法・国家忠誠の義務など、きわめて復古的な内容のものであった。1954年12月に政権の座についた民主党の鳩山一郎(首相在任：1954年12月～1956年12月)は、憲法改正を政権課題とし、国政選挙でも正面から掲げた。1955年2月の衆議院議員総選挙では、与党の民主党184議席に保守系の自由党112議席を加えても3分の2以上になることはできず、それに対し憲法改正反対派は、左派社会党89議席に、右派社会党67議席となり、3分の1を超える議席を確保した。左派社会党の躍進は、1955年10月の社会党の統一をもたらし、これに対し民主党と自由党が「保守合同」(1955年11月)し、「現行憲法の自主的改正」を党是として自由民主党が成立した。自由民主党と社会党からなる擬似的二大政党制は、憲法改正と憲法改正反対の政治的対抗と重なり合うこととなった。次の国政選挙である1956年7月の参議院議員選挙では、自由民主党61議席に対して社会党49議席となり、憲法改正反対派が再び3分の1以上を確保し、憲法改正は遠のいた。

1956年6月には、憲法調査会法が成立し、内閣のもとに憲法調査会を設置し、「日本国憲法に検討を加え、関係諸問題を調査審議」することとされ、1957年から1964年まで活動し、改憲をめぐる意見の分岐を示す最終報

告書を提出した。

(4) 安保闘争

　1957年6月の岸・アイゼンハワー共同声明で安保改定が明らかにされて以降、その是非は国民の間で問題とされていたが、1959年3月社会党、共産党や総評その他の団体が安保条約改定阻止国民会議を結成し、全国的な反対運動を展開した。1960年1月、岸信介首相がワシントンで、条約に調印した。国会による条約締結の承認は、5月19日深夜、警察隊が野党議員を実力で排除するなか、衆議院で自民党の単独採決で強行された。これがさらに反発を招き、国会議事堂へのデモ総数は最高時で30数万人にのぼった。しかし、1ヶ月後に自然成立し（憲法61条参照）、6月23日に日米両国政府代表が批准書を交換し発効した。改定阻止はなされなかったが、岸内閣は7月に総辞職した。

3　高度経済成長から経済大国へ（1960年～1988年）

(1)　「復古的」憲法改正から「解釈改憲」へ

　この時期、安保闘争に示された国民の反対運動の大きさを教訓に、自由民主党は、「復古的」憲法改正路線から「解釈改憲」路線へと転換し、経済成長路線をとった。1960年7月に登場した池田内閣は、「国民所得倍増計画」を掲げ、経済による国民統合をめざした。職場においては三井三池闘争（1960年1月）に象徴されるような労使対決型の労働運動から、労使協調する企業内組合を要素とする労働運動が優勢となり、いわゆる「企業社会」化が進み、国家による福祉の不十分さを企業の福利厚生が補うという構造ができあがる。1973年から74年の二度のオイルショック以降は、いわゆる「安定成長期」と言われるが、企業は一層の「合理化」で乗り切り、労使協調路線が一層推し進められることとなる。80年代に大企業が海外進出を図り、「日本的経営」が礼賛されたが、その実態は企業内での労働強化であり、この頃から「過労死」問題が顕在化した。

(2)　安保体制の変容

　この時期、日米安保体制は、アメリカがベトナム戦争を遂行するための

後方支援体制として機能し、とくに沖縄は後方支援基地としての役割を果たしていた。ベトナム戦争の激化は、平和運動と沖縄返還運動の高揚をもたらし、1972年5月に沖縄はようやく日本に返還された。ベトナム戦争は、1975年4月のサイゴン陥落により終結した。

　ベトナム戦争終結後、アメリカはその経済の相対的な低下により、日本に対し一層の軍事的な負担を求めて、「日米防衛協力のための指針（いわゆる「ガイドライン」）が日米間で締結され、有事立法論議も起こった。これに対して、国民の平和への危機意識の高まりもあり、非核三原則（1967年）や武器輸出三原則（1976年）、防衛費GNP1％枠の閣議決定（1976年）など、憲法の平和主義の理念に適合的な政策の確立もみられた。

(3)　憲法の定着をめぐる相剋——革新自治体と公害問題と司法反動

　急速な工業化・都市化は、公害の多発など生活環境の破壊、都市の過密化と農村の過疎化・荒廃などの問題も引き起こした。産業保護政策中心の国政に対し、都市のさまざまな問題を解決するために、人々の期待は、身近な地方自治体に寄せられ、いわゆる「革新自治体」が誕生し、京都府・大阪府・東京都などで社会党と共産党を中心とする革新陣営が支える首長が当選し、都市問題や公害問題に積極的に取り組んだ。四大公害裁判では公害を垂れ流した企業の責任が認められ、大阪空港公害訴訟では、「環境権」が主張された。

　このように国民生活の都市化と生活水準の一定の向上は、国民に権利意識の向上をもたらした。「人間裁判」とも呼ばれた「朝日訴訟」（1957年8月提訴、1967年の最高裁判決で終結）は、経済成長にともない企業が業績をあげるにもかかわらず国民生活が豊かにならない怒りゆえに、多くの国民の支持を得た。安保闘争をはじめとして国民が自らの意思を示すデモ行進に対しても、最高裁はこれらを規制する公安条例に対して合憲判断を繰り返した（たとえば、東京都公安条例事件）。これらに、裁判闘争への国民の支持と、それに十分に応じることのない裁判所の動向がみてとれる。「司法の反動化」といわれる事態はそのことを端的に示した出来事であった。1966年の全逓東京中郵最高裁判決は、公務員も憲法28条の争議権保障を受けその制限は必要最小限度にとどまるとし、この立場は、1969年の地方公務員に関する都教組事件および全司法仙台事件の最高裁判決でも踏襲され

た。これに対して自由民主党からは「偏向裁判」批判が相次ぐとともに、最高裁判事の任命を通じて、人事構成に変化がみられ、1973年の全農林警職法事件最高裁判決において、再び公務員の争議権が全面的に否認された。加えて、憲法の理念を重視する下級裁判官に圧力が加えられ、判例統一を図るための会合が行われるなど、官僚的な統制が行われた。

(4) 80年代改憲論

80年代に入ると、憲法改正論は再び高まりをみせる。70年代後半からのアメリカからの日米軍事協力の強化要求に応じる必要性と、海外に進出する大企業が増え、大国意識の高まりのもと、憲法9条の改正に焦点を当てた憲法改正の主張がみられた。「戦後政治の総決算」を掲げた中曽根康弘内閣（1982年11月～1987年11月）は、安保闘争以降の自由民主党がとってきた経済成長路線と利益誘導政治を再編成し、新自由主義路線をとり福祉を切り捨て、軍事力増大による国際社会における地位向上をめざした。しかし、国民の抵抗は強く、憲法改正に対する国民の支持が高まらなかった。

4 「グローバル化」のなかの改憲論議 (1989年～現在)

(1) 「国際貢献」のための自衛隊海外派遣と改憲論議

1989年11月にベルリンの壁が崩壊し、12月に米ソ首脳がマルタ会談で冷戦終結を宣言し、平和が到来するかに思えた。だが実際には、冷戦後の世界では、多様な民族や文化の対立が顕在化し、武力紛争やテロ行為が多発した。これに対し、日本政府は、「国際貢献」の名目で、国連平和維持活動（PKO）やテロへの対応措置などの自衛隊の海外派遣を実施し、「アジア太平洋地域の安定」のために米軍との一体的な行動を可能とする体制の整備を追求してきた（→第5章3節・113頁）。

しかし、自衛隊の海外展開は、憲法9条により、非軍事的な側面に制約されてきた。そこで、1990年代から、政治家やマスメディアのなかで、この制約を突破するために、憲法9条を改正するべきであるという明文改憲論が高まりをみせた。たとえば1994年11月、読売新聞社は、「自衛のための組織」を保持し、それを「平和の維持及び促進並びに人道的支援の活動」に提供することを明記する改正案を発表した。また、2000年1月国会

には「日本国憲法について広範かつ総合的に調査を行う」ために、憲法調査会が設置され、2005年4月報告書を提出した。その後、同年10月に自民党結党50周年を機に発表された自由民主党の「新憲法草案」は、「自衛軍」を保持し、「国際社会の平和と安全を確保するために国際的に協調して行われる活動」等に参加することを明記していた。これらの動きは、国民の改憲への警戒感を高め、「九条の会」等の市民運動の高揚をもたらした。

(2) 政権主導の改憲論議とその挫折

2006年9月の小泉純一郎首相の退陣を受けて登場した安倍晋三内閣（第一次）は、「戦後レジームからの脱却」を掲げ、明文改憲に並々ならぬ意欲を示し、2007年5月、憲法改正手続法（内容と問題点について、→第6章3節1(2)＊・135頁）の制定にこぎつけた。しかし、これにともなう強引な国会運営がむしろ政党間の亀裂を生み、自身の健康問題から同年9月に突然退陣するとともに、改憲論議は頓挫した。

2000年代には、「グローバル化への対応」を名目に、雇用分野での規制緩和が推し進められ、企業によるリストラ、労働条件の悪化、非正規雇用の増大がもたらされ、企業の業績向上にもかかわらず、雇用者の生活条件は一向に改善されなかった。このような**格差社会**が進む中で、国民の期待を受けて、2009年8月の衆議院総選挙で、民主党政権が誕生した。しかし、長年にわたる自民党政治の負の遺産を一挙に清算することは難しく、加えて、民主党の政策実行能力の欠如により、2012年12月の衆議院総選挙では、民主党が大敗し、自民党が再び政権に復帰し、第二次安倍内閣が成立した。

安倍内閣は、「アベノミクス」という名の景気浮上策を前面に掲げつつも、再び憲法改正への執念を露わにした。自民党は、野党時代の2012年4月、「日本国憲法改正草案」を発表し、国防軍を保持し、「国際社会の平和と安全を確保するために国際的に協調して行われる活動」へ参加することを明記していた（→第1章のコラム・19頁）。安倍首相は、就任後、直ちに第9条を改正することが困難であるとみるや、憲法96条が定める国会の憲法改正発議要件である「総議員の3分の2」を「総議員の過半数」とする憲法改正手続の緩和を主張した。しかし、改憲論者からも「姑息」との評価がなされ、支持は広がらなかった。そこで、安倍首相は、憲法解釈を変更するという手法をとり、2014年7月に、集団的自衛権の行使を可能とす

る政府見解を閣議で決定し（→第5章2節3(2)・101頁）、それを具体化する安保法制の整備を行った（→第5章3節4(3)・119頁）。

2017年5月3日に、安倍首相は、自民党内の議論さえ経ずに唐突に、9条1項・2項を残しつつ自衛隊を明文で書き込むことを提案し、改憲論議を推し進めようとしたが、加計問題・森友問題で公文書の隠蔽と改竄が明らかになり、むしろ改憲論議が停滞した。

2020年春から新型コロナウイルス感染症が拡大し政府の迅速な対応が求められる中、8月28日、安倍首相は再び辞職を表明し、9月には憲法改正への意欲を引き継ぐ菅内閣が成立したが、拙いコロナ対応で支持率が低下し、2021年10月31日の衆議院総選挙を前に、岸田政権へと交代した。選挙の結果、岸田政権が続投し、改憲に意欲的な維新の会が躍進したこともあり、岸田首相は改憲論議に積極的な姿勢を示している。

考えてみよう

1…大日本帝国憲法と日本国憲法を比べると、どのような違いがみられるか。主権、統治機構、権利の保障ごとに整理してみよう。
2…日本国憲法の成立について「押しつけ憲法」であるとする批判があるが、それはどのように評価されるべきか。
3…戦後の日本において憲法改正論には、どのような政治的な背景があったのか。1950年代後半、1980年、現在に分けて考えてみよう。

Further Readings
・家永三郎『歴史のなかの憲法(上)(下)』（東京大学出版会、1977年）：明治維新から1970年代まで、人々はどのような憲法を求め、制定された憲法はどのような特徴がありどのように運用されたのかを明らかにする。
・古関彰一『日本国憲法の誕生〔増補改訂版〕』（岩波現代文庫、2017年）：日本国憲法成立の際の日本政府内の動きやGHQとの交渉過程などを明らかにする。
・渡辺治『戦後史のなかの安倍改憲』（新日本出版社、2018年）：戦後の改憲の挑戦が何度も市民に阻まれ9条が日本の軍事化の壁となってきたこと、自衛隊明記をめざす安倍改憲はその壁を突破することをめざしており、自衛隊が明記されれば憲法全体と自衛隊が変質すると指摘する。同『安倍政権の終焉と新自由主義政治、改憲のゆくえ』（旬報社、2020年）は、その続編。

第4章 国民主権と象徴天皇制度

第1節	国民主権
キーワード	君主主権、国民主権、国家主権、ナシオン主権、プープル主権、全国民の代表、命令委任、純粋代表制、半代表制、社会学的代表、半直接制、国家法人説

　本節では、主権概念の成立過程と特質をふまえ、国民主権および国民代表の意味と歴史的展開を学習する。そのうえで、日本国憲法における主権原理の意義について、こんにち的状況も勘案しつつ考えてみよう。

1　主権概念の成立と歴史

(1)　主権とは何か

　主権という観念は、ヨーロッパにおいて近代的な統一国家が誕生する過程で成立した。中世においては、ローマ法王と神聖ローマ皇帝が聖・俗の支配権を有していたが、16〜17世紀にかけて、封建諸侯・領主の中で力をつけた者が、対外的にはローマ教会から独立し、対内的には他の封建諸侯を抑えて自らに権力を集中した。こうして、対外的・対内的に独立至高の権力をもつ君主を頂点とし、各民族ないし国民を基本単位とする国民国家（nation state）が形成されていった。これを画期に、「世界」は対等・独立の主権国家群から構成されるようになり、国際（inter-national）関係が成立することとなる（ウェストファリア体制）。こうした主権概念の確立に理論的基礎づけを与えたのはボダンであった。ボダンは、主権を絶対的かつ永続的な国家権力と位置づけ、その中に、立法、外交、人事、裁判、忠誠服従、貨幣鋳造、課税等の諸権力が含まれると説いた（→第2章1節2・22頁）。

　このような主権概念の成立過程に、その重要な属性が表れている。つま

り、主権というのは、それまでの既存秩序に対抗し、それを担う新たな主体が異なる秩序を打ち立てる際に、自己の正統性を弁証するために主張されるのである（対抗的・抗議的概念としての主権）。

> **＊絶対王政の過渡的性格**
> 　絶対王政は、それ自体としては、君主の強権によって市民の権利を抑圧する体制であったが、そのもとで「権力の集中」が行われて主権国家が成立したことにより、国民主権と人権保障を柱とする近代市民革命～近代憲法誕生の歴史的前提がつくられた（→第2章1節2・22頁）。

同時に、こうした主権概念の成立過程は、その多義性をも表している。主権には一般に、①国家権力（国家がもつ統治権＝立法権、貨幣鋳造権、裁判権などの総体）そのものをさす用語法、②対内的な最高性と対外的な独立性という国家（権力）の性格をさす用語法、③国政を最終的に決定する権威・力（＝国家内部での最高意思の所在）をさす用語法があるといわれる。たとえば、「日本の主権が及ぶ範囲は、北海道・本州……である」（ポツダム宣言8項参照）という場合の「主権」は①の意味で用いられ、憲法前文第3段落の「いづれの国家も……自国の主権を維持し……」の「主権」は②、憲法第1条の「天皇……の地位は、主権の存する日本国民の総意に基く」の「主権」は③に当たる。

(2)　「国家の主権」と「国家における主権」

　上記からわかるように、主権には対外的側面と対内的側面があり、それはコインの表と裏の関係にある。この両側面は、「国家の主権」（＝対外的）と「国家における主権」（＝対内的）という言葉で言い表すことが可能であり、「国家における主権」主体の意思が対外的に「国家の主権」主体（＝国家）の意思として表明されることになる。

(3)　君主主権から国民主権へ

　主権概念は君主が国家権力を掌握することによって成立したので、その時点で「国家における主権」は君主にあった（**君主主権**）。権力集中化の担い手としての君主の主権というかたちで、対外的側面と対内的側面は人

格的に統一されていたといえる。近代市民革命は、君主と市民階級の間の主権的な権力の争奪戦として展開され、前者から後者へと権力の担い手が移行した結果、君主主権は**国民主権**へと転じた（同時に、市民革命によって身分制秩序が破壊され、国家と個人の二極構造が創出されたことにともない、主権を有する近代国民国家が完成されたことにつき、→第２章１節２・22頁）。

これにより、主権概念の対外的側面と対内的側面は分裂し、「国家の主権」は、市民革命を周辺君主国の干渉から防御する**国家主権**として表れ、「国家における主権」は、君主に代わる国家権力の担い手の所在を示す「国民主権」として観念されることとなった。「の」と「における」が君主の一身において統合されていた君主主権とは異なり、両者が分裂した「国民主権」においては、「国民」とは一体誰であり、その「国民」が「主権」をもっているとはいかなる意味なのかが争われることとなる（→２・64頁）。ただし他方で、上記(2)で述べたように、国家主権と国民主権は本来、表裏一体の観念であるから、両者は統一的に把握される必要がある。

＊フランスでは「国民主権」は「souveraineté nationale」と表記するが、これは同時に「国家主権」という意味でもある。たとえば、フランス第五共和制憲法３条１項は「souveraineté nationale は人民に帰属し、人民は、その代表者を通じて、および人民投票の方法によって、主権を行使する」と規定しているが、この「souveraineté nationale」を「国民主権」と訳すと、意味がわからなくなってしまう（これは「nation の主権」という意味で、nation は「国家」と「(集合体としての) 国民」を表す両義的な言葉である）。他方、現在の日本においては、日米安保体制のもとで国家主権が蹂躙されており（→第５章２節２・96頁）、この状態をそのままにして国民主権を論じるのはナンセンスである。現在の日本は、国家主権が制約されていることにより、国民主権が十全に発揮される前提が欠けているといえよう。

２ 「国民主権」の意味と歴史

(1) 「ナシオン主権」vs.「プープル主権」

上記の通り、「国民主権」で「主権が国民に帰属する」という場合、「国民」とは誰で「帰属する」とはいかなる意味かが問題となる。この争点が最も先鋭化したのはフランス革命期であり、まさに権力の担い手をめぐっ

て「主権」シンボルの争奪戦が行われた。日本の憲法学が、「国民主権」の概念に関してフランス憲法史を参照するのは、その意味で相応の理由がある。それは、「**ナシオン（nation）主権**」と「**プープル（peuple）主権**」の闘いであり、それぞれの原理に従って実定憲法がつくられたという意味でも典型的といえる（→第2章2節2(4)・27頁）。

　ⅰ）ナシオン主権

　「**ナシオン主権**」とは、抽象的・観念的でそれ自身では意思能力のない単数のnation（国民）に主権が帰属するとする考え方である。ナシオンは実在せず、それ自体として意思をもたないので、国家権力を行使することができない。そのため、現実の意思決定とその実行は「国民代表」に委ねられることとなり、主権者「国民」自らが国家権力を行使する直接民主制は、原理的に否定される。代表選出にあたって普通選挙は要請されず、代表は「**全国民の代表**」であって、部分でしかない選挙民の意思には拘束されず、「**命令委任**（mandat impératif）」は禁止された（こうした代表のあり方を「**純粋代表**」と呼ぶ）。実際に、フランス1791年憲法は「主権はnationに属する」と規定し、立法府と国王を代表者とする代表民主制を採用した。選挙権は「教養と財産」を有する「能動的市民」に制限され、国民代表の独立・無答責、議員の免責特権が定められた。

　ⅱ）プープル主権

　これに対し、「**プープル主権**」とは、具体的な意思能力ある社会契約参加者（市民citoyenの総体としての人民peuple）に主権が帰属するという考え方であり、実在するpeupleは自らが主権を行使する。このため、統治の原理は直接民主制となり、代表は物理的理由によってのみ正統化されうる。代表の選出法は普通選挙制でなければならず、代表は選出母体の意思に拘束される（命令委任）。実際に、1793年憲法は、「主権はpeupleに属する」、「主権者であるpeupleはフランス市民の総体である」と規定して、「プープル主権」を宣明した。また、「peupleが法律を議決する」として直接民主主義的な原理を承認するとともに、21歳以上の男性普通選挙制を採用し、立法府への権力集中制や立法に関する人民拒否制度を定めた。

(2)　**主権と代表の歴史的展開**

　「ナシオン主権」と「プープル主権」の対抗は、権力の編成原理をめぐ

るせめぎ合いの表れであり、歴史的文脈とそれぞれの担い手に注目する必要がある。91年憲法の担い手は有産市民層であり、一方で君主や特権階級の専制を否定したが、他方で一般民衆の政治参加も排除した。93年憲法は、中・下層ブルジョアジーを支持層とするモンターニュ派が中心になって制定され、一般民衆の政治参加を保障した。市民革命期においては、前者の「ナシオン主権」が定着し（93年憲法は施行されなかった）、国民主権は、国家権力の淵源が国民に由来するという建前を意味するにとどまった。ただし、身分の別によらず「国民」一般を主権主体とした歴史的意義は大きく、身分ごとの命令委任を否定した**純粋代表制**も、「国民」一般というフィクションが成り立ちえたかぎりでは、積極的な意味をもつものであった。

　しかし、19世紀後半、資本主義の展開にともなう国民の間の利害分裂とともに、「国民」一般あるいは「全国民の代表」という観念のイデオロギー性が顕わになった。「プープル主権」論は、「ナシオン主権」に対抗し、労働者や下層市民層による政治参加と普通選挙制の実現をめざす運動として推進され、それにともなって、国民代表は選出母体（有権者）の意思に（法的にではなく）事実上拘束されるとする**半代表制**が成立した。また、この国民の間の利害分裂という状況は、政党民主政の展開を必然的なものとした（→第2部2章2節2(1)ⅰ・159頁）。国民各層の利害に基づく政治的意思を国政へと媒介するものとして政党制が機能し、国民意思はおおよそ各政党への支持の分布図というかたちで表れるようになった。そのため、代表の民意からの独立ではなく、民意の可能なかぎりの反映を旨とする半代表制段階にあっては、議会の構成が国民の間の意思分布と事実上合致していることが求められるようになる（「民意の縮図」としての議会）。こういう代表観を**社会学的代表**と呼ぶ（→第2部2章2節1(1)・157頁）。

　さらに、20世紀に入り、国民投票制やリコール制などの直接民主主義的な制度が憲法に定められるようになってきた。この段階を特別に「**半直接制**」と呼ぶことがある。

　このように、国民主権と国民代表制の歴史的展開をみると、国民の意思とは関係なく代表者が独立して国政にあたることが良しとされた純粋な代表民主制から、事実上、民意が国政へと反映されることが要請されるようになってきたことがわかる。ただし、こんにちの民主政のありかたについては、代表民主制と直接民主制、それぞれに対する評価の違いにより、基

本的なとらえ方と具体的な制度の是非が異なりうる。「プープル主権」流の考え方を基礎に、本来は直接民主制が望ましいけれども、現代の広域国家においては物理的に困難なので、便宜上間接民主制（代表民主制）を採っているにすぎないと考えれば、代表民主制を補完するさまざまな制度的・非制度的工夫が必要になる。これに対し、代表民主制には、国民が直接決定を下すのに比して、固有の優位性があると考えると、民意の国政への反映を基本としつつも、場面によっては、代表者が民意から独立して行動することを積極的に評価するという民主政観も成り立ちうる（→第2部2章1節・151頁、同2節1・157頁）。いずれにせよ、国民が主権者であるということを、単なる建前に終わらせるのではなく、実質化しようとするのであれば、「イギリスの人民は自由だと思っているが、それは大間違いだ。彼らが自由なのは、議員を選挙する間だけのことで、議員が選ばれるやいなや、イギリス人は奴隷となり、無に帰してしまう」と述べたルソーの警句に、常に立ち返る必要があろう。

＊外見的立憲主義の道を歩んだ19世紀ドイツでは（→第2章2節4・32頁）、「国家における主権」の場面で、主権が君主にあるか国民にあるかを曖昧にし、法人としての国家に主権が属するという「国家主権」論が唱えられた。イェリネックに代表される**国家法人説**は、外見的立憲主義を継受した大日本帝国憲法下の学説に大きな影響を与えた（→第3章1節3⑵・46頁）。

3 日本国憲法の主権原理

⑴ 日本国憲法における主権

　日本国憲法には、主権にかかわる語が4つ出てくる。最初から順に並べると、①前文第1段落「主権が国民に存することを宣言し……」、②前文第3段落「自国の主権を維持し、他国と対等関係に立とうとする各国の……」、③1条「主権の存する日本国民の総意に基く」、④9条1項「国権の発動たる戦争と……」である。このうち、②と④が国家主権に関係し、①と③が国民主権に当たる（④の「国権」は「国家の主権」という意味で、英語では sovereign right of the nation と表記する）。

　これらの条文から、日本国憲法の制定によって、天皇主権から国民主権

への転換が起こり（ただし、③の制定経緯については、→第3章2節1(4)・50頁）、9条1項が同2項と相まって、国家主権の発動の仕方を——他の国家とは異なり——非軍事的なものに限定していることがわかる（→第5章1節1・89頁）。

(2) 日本国憲法における「国民主権」
——「ナシオン主権」か、「プープル主権」か

　上記**2**に照らして、日本国憲法における「国民主権」の性格を考えるには、他の条文も含めて、憲法の全体構造を検討する必要がある。まず、国民主権と密接に関係する代表概念に関して、憲法43条1項が、衆参両院の議員につき、「全国民を代表する」と規定している点が重要である。この「全国民の代表」という観念は、歴史的には「部分代表」の否定や「純粋代表」と結びつくため、「ナシオン主権」に親和的といえる。また、51条は議員の免責特権を定めており、これも代表が選出母体からの責任追及を免れうるという意味で、「ナシオン主権」になじみやすい。

　これに対し、15条3項は普通選挙を規定し、同1項は公務員の選定罷免権を「国民固有の権利」と定めている（→第2部2章3節3(1)・181頁）。これらはいずれも、国民と代表との間の意思の一致を確保する手段となりうるので、「プープル主権」に適合的である。さらに、日本国憲法は、憲法改正（96条1項）や特定の地方公共団体のみに適用される特別法（95条）の成立要件に、国民の直接投票を組み込んでおり、直接民主主義的制度を重視する「プープル主権」への傾斜がみられる（最高裁判所裁判官の国民審査制度〔79条2項〜4項〕も同様である）。

　このように、「ナシオン主権」なのか「プープル主権」なのかという観点から、日本国憲法の条文だけをみると、なんともどっちつかずの感があるが、**2**(2)の歴史的展開をふまえるならば、少なくとも純粋なかたちでの「ナシオン主権」（純粋代表制）ではなく、事実上の「民意の国政への反映」を求める半代表制の段階にあるとみてよいだろう（上記直接民主主義的制度の評価次第では「半直接制」とみることも可能である）。こうした概念史に基づく一般的評価（この場合「半代表制」または「半直接制」という認定）は、憲法解釈をする際の理論的基礎づけとして重要であるが、そこから直ちに具体的な解釈論的帰結が導かれるわけではなく、個々の条文に即した解釈

作業が別途必要になる。その際、とりわけ、「半代表制」とは本来(ましてや「半直接制」とは一層)なじみにくい「全国民の代表」や議員の免責特権について、そうした古典的概念がなおも規定されていることの意味を吟味しなければならない(「全国民の代表」については、→第2部2章2節1(2)・158頁。議員の免責特権については、→同4節2(4)ⅱ)・227頁)。

＊同じくフランスの主権論史を基礎にしつつ、その理解と日本への参照態度をめぐり、1970年代に「杉原・樋口論争」が生まれた。権力の民主化を志向する杉原泰雄は、主権を権力そのものの帰属の問題ととらえ、主権の担い手を重視した。これに対し樋口陽一は、主権を権力の正当性の所在(建前)の問題としてとらえ、解釈論の場面では主権観念の使用を「凍結」することを提唱した。この対立の背景には、現在の憲法秩序を過渡的なものと考え、主権主体の権力行使によってそれを変革するのか(杉原)、いったん成立した立憲主義秩序を前提に、権力の実体と国民の分裂を所与のものとするのか(樋口)という実践的立場選択の違いがある。本書では、正当性の契機だけでなく、国民自身が主権を行使することをベースにして、できうるかぎり国民の意思と国家の意思とが合致するような民主政のプロセスを構想する(→(3)・69頁)。

(3) 主権論のこんにち的意義

　16世紀に主権国家が成立する過程で、主権が対外的・対内的に独立・至高のものであることは重要な意味をもっていたし(→1(1)・62頁)、その後も、独立性・最高性は主権の属性とされてきた。しかし、国際関係が緊密になるにつれて、たとえば安全保障分野で、国連による集団安全保障の枠組みが設けられたり(軍事主権の相対化→第5章1節2・91頁)、国際的な人権保障の仕組みが整えられたりして(→第3部1章1節1(3)・309頁)、国家主権の絶対性が相対化されてきている。地域統合が進むヨーロッパ連合(EU)においては、国境管理や通貨発行といった国家主権のコア部分までもが国際組織に委譲されている。対内的にも、各国で進む地方分権の流れは、国家権力の最高性を相対化しつつある(→第2部2章6節1(1)ⅱ)・255頁)。

　こうした時代状況の変化に加え、20世紀末から加速するグローバル化・ボーダーレス化の波を受けて(→第2章3節3・39頁)、日本の憲法学においても、主権を重視する立場の時代遅れを指摘する学説(「主権黄昏」論)

が主張された。それ以前から、主権概念を用いることへの実践的疑問に基づく「主権凍結」論（→(2)＊・69頁）のほか、主権概念を用いた大上段の議論は憲法解釈論には不向きだとする「主権まさかり」論などが存在し、さらには、主権という多義的な概念を用いるのではなく、民主主義概念を前提に具体的な制度論に組み換えるべきだという議論も登場した。これらの「主権抹殺」論に対し、「プープル主権」論をベースにしつつ、主権者の多様性を織り込むために、「プープル」を構成する個々の「市民」の主権的権利に着目する「市民主権」論が精力的に応戦している。

　それでは、こんにち、憲法学において主権を論ずる意味はどこにあるのだろうか。ここでは、①「国家の主権」と②「国家における主権」のふたつの側面から考えてみよう。①のレベルでは、たしかに、主権国家の独立性が揺らいでいるのには理由がある。安全保障にせよ、人権保障にせよ、こんにちでは、国内問題にとどまらない国際社会の関心事として、内政不干渉原則の例外を成している。国家主権を盾にして、国際社会の平和と安全を脅かしたり、自国民の人権を蹂躙したりすることは、許されてはならない。しかし他方で、世界がさまざまな分野で依然として均質とはいえない以上、主権国家にはなおも固有の存在意義がある。たとえば、グローバル化した世界市場は、多国籍企業やその利益と結びついた大国の利害に沿った「グローバル・スタンダード」を、中小国に押しつけがちである。これに抗して、その国に適した国民経済を発展させ、また国民の社会権を保障するのは、主権国家の役割であり、その際の抵抗線は**国家主権**の論理である。

　②のレベルでも、主権概念は、それを担うべき主体を想定し、その主体による既存秩序の変革をめざせばこそ、その有用性があるのであって（→1(1)・62頁）、1970年代とは異なり、もはや「自由民主主義体制」以外の秩序は想定し難く、現実にも、その「自由で民主主義的な憲法秩序」が日本社会に一定程度定着してきたとみれば、わざわざそれを引っ繰り返すべく主権概念を振りかざす必要はないと考えるのも、自然な流れといえよう（その定着しつつある立憲的秩序が、「国民主権」を旗印に改変されようとする政治情勢であってみれば、なおのことである）。加えて、仮に現存秩序の変更を志向するとしても、こんにちの日本社会の多様性を前提とするならば、かつての「ナシオン主権」と「プープル主権」の対抗にみられたような、

いわば一枚岩の担い手を想定することは困難である。

　しかし、それでも、グローバル化という名で大国の利害が優先され、それにも関連して、憲法の価値の実現を妨げる秩序が存在する以上（→序章・1頁）、これに全体として抗するために主権概念はなお有用と考えるのが、本書の立場である。ただし、主権者が一枚岩ではない以上、「主権者の決定」というロジックは、現実にはそうでないものをそうであるかのごとく言いくるめる道具と化す危険性がある。したがって、主権者に内在する多様性を前提としつつ、それゆえ、あらかじめ明確な輪郭と内容をもたない主権者意思に沿って国政が運営されるためには、いかなる政治的プロセスが必要なのか、言い換えれば、主権者の自律的決定と呼ぶにふさわしい意思形成プロセスの条件をいかにして整えるかが、民主政論の課題となる（→第2部2章1～4節・151頁）。

考えてみよう

1…国民主権原理と国民代表制の論理と歴史的展開を整理しなさい。
2…日本国憲法の「国民主権」は、どのように理解すべきか。
3…こんにち「主権」を語ることに意味はあるか？　あるとしたらどのような意味か。日本の状況を念頭において考えてみよう。

Further Readings

・長谷川正安『国家の自衛権と国民の自衛権』（勁草書房、1970年）：主権概念の歴史的意義を理論的に考察し、国家主権と国民主権の統一的把握を説く。
・杉原泰雄『国民主権と国民代表制』（有斐閣、1983年）：フランス憲法史をふまえ、自説への批判に応答しながら、重厚な国民主権・国民代表制論を展開する。「主権論のチャンピオン」たる著者の到達点を味わってほしい。
・樋口陽一『近代立憲主義と現代国家』（勁草書房、1973年）：杉原主権論に対峙して、主権概念を権力の（実体ではなく）正当性の所在の問題としてとらえる。両説をじかに対比して、憲法学の両雄による知的対決を堪能してほしい。

第2節	象徴天皇制度
キーワード	象徴、世襲、国事行為、公的行為、元号、君が代・日の丸

　本節では、国民主権のもとで、象徴天皇制度はどのように位置づけられ、

どのような問題があるのかを学び、国民主権と象徴天皇制度がはらむ緊張関係について考えよう。

1 主権原理の転換と象徴天皇制度

　戦前の天皇主権から戦後の国民主権への原理的転換にもかかわらず、占領政策の円滑な遂行を望むGHQの意向と「国体の護持」に固執する当時の政治的支配層の思惑もあり、天皇制度は形を変えつつも残存した（→第3章2節2(1)・51頁）。天皇の地位は、「主権の存する日本国民の総意に基く」（1条）とされ、一見して国民主権の原理が貫徹されているかのようにみえる。しかし、特定の国家機関の担当者が民主的にではなく、「世襲」（2条）で選ばれ、国民主権が貫徹しているとは言い難い。このような原理的な緊張関係をはらんでいる象徴天皇制度をどのようにみるべきであろうか。

　この点について、主権原理の転換を重視し、可能なかぎり基本原理に忠実に従い異質な部分の極小化を図るべきであるという立場は、戦前戦後の断絶性を重視し、「天皇」という名称は同じでも、まったく新しい地位と役割を創設したと考える（(a)創設規定説）。それに対し、主権原理の転換にもかかわらず、戦前戦後の継続性を重視し、大日本帝国憲法の天皇のうち、象徴たる地位だけを消極的に残したものであるとする立場（(b)宣言的規定説）が通説とされてきた。

　両説の理論的な対立点は、戦前戦後の天皇の象徴性の有無である。(a)によれば、**象徴**という地位は日本国憲法によって新たに創設されたものであるが、(b)によれば、大日本帝国憲法における天皇もまた象徴的な機能を有していたとされ、統治権は奪われても象徴としての機能は継続しているとみるのである。この点について、(a)からは、戦前の天皇が象徴的機能を有していたかは疑問であり、たとえ象徴的機能を有したとしても「統治権を総攬」する天皇の「象徴」性と、政治的な権能を一切もたない天皇の「象徴」性はまったく異なると批判される。

　また両説の現実的な対立点は、天皇をめぐる戦前の慣行を復活・維持する動きに対する評価の違いである。(b)はこれらをある程度憲法上許容できると考えるが、(a)は、憲法から乖離した運用として厳しく批判すること

なる。

＊「天皇制」という言い回しは、当初、戦前の日本共産党の1932年の綱領的文書（いわゆる「32年テーゼ」）などにおいて、打倒すべき当時の支配体制の総体をさすものとして用いられた。それゆえに一部ではこの表現を避ける傾向もある。ここでは、支配の「体制（system）」としてのそれではなく、日本国憲法上のひとつの「制度」(institution) であることを明確にするために「象徴天皇制」を避け、「象徴天皇制度」という表現を用いる。

2　天皇の地位

(1)　「象徴」の地位

ⅰ）「象徴」の意味

象徴とは、「抽象的・無形的なものをあらわすところの具体的・有形的なもの」である。たとえば「ハトは、平和の象徴である。」といわれる。ハトが平和の象徴であることが実験や論証の対象となるわけではなく、感性の問題にすぎない。たとえ「ハトは、平和の象徴である。」と法律で定めたとしても、それを個々の人間に強制することは許されないし、現実には不可能である。これと同じく、天皇を象徴と定めることは、そのように思うことを強制することまで意味するわけではない。

しかし、「天皇」が「象徴」であることの法的効果については、争いがある。「象徴」は、いわばその地位の名称であって、それからいかなる法的効果や権限も引き出すことはできないとする立場に対し、「象徴」としてふさわしい取扱いが認められるべきであり、「象徴」であることそれ自体を根拠として「象徴としての行為」として憲法上認められるべきものがあるとする立場がある。後者の立場は、憲法上明示的に定められた「**国事行為**」以外の**公的行為**（→ 3⑵・81頁）を承認するべきであるとし、また、つぎに述べるように、職務外においても一般国民と異なった取扱いを肯定する傾向にある。

ⅱ）天皇の刑事責任・民事責任

国事行為の臨時代行を委任された皇族と摂政は、その在任中、訴追されないが、そのために訴追の権利は害されない（国事代行6条・典範21条）。

これを根拠に、天皇はつねに「在任中」であることから、刑事責任を問うことはできないとする立場がある。それに対し、これらの規定は、法律で便宜的に創設された制約にすぎず、このような制約が必ずしも憲法上求められるわけではなく立法政策上の選択の問題にすぎないという立場もある。

民事責任が問われるためには、民事裁判権が及ぶことが前提となる。この点について、最高裁判所は、「天皇は日本国の象徴であり日本国民統合の象徴であることにかんがみ、天皇には民事裁判権が及ばない」と述べ、「象徴である」ことから、特段の理由づけもなく結論を導いており（最判1989・11・20）、学説からの批判が強い。大日本帝国憲法下においては、国有財産とは別の皇室財産を明確化することが必要であり、民事訴訟の当事者としての地位が認められた（戦前の皇室財産令2条参照）。しかし、日本国憲法下ではその必要はないので、民事裁判権が及ぶとしたうえで、一般国民とは異なった取扱いが必要かどうかが論じられるべきであろう。

ⅲ）象徴毀損罪は可能か

戦前には「不敬罪」をはじめとする「皇室に対する罪」（刑法第2編第1章73条～76条）があったが、1947年に削除された。これらの規定の保護法益は、天皇および皇室の安泰と尊厳を維持することとされ、天皇制に対する批判を封じる法的規制手段として用いられた。

戦後も、象徴であることを根拠にこれと類似の規定を設けることを求める動きもあり、これを肯定する見解もある。しかし、一般人としての名誉毀損とは別に、象徴としての地位に基づいて特別な処罰規定を求めることは、国家活動に対する一切の自由な批判を認める日本国憲法のもとでは許容されないと批判されることとなろう。

ⅳ）「天皇」の人権

理念的な出発点として天皇に人権主体性を認めることがのぞましいとしても、現に存在する多くの制約を承認すればかえって人権の制約を安易に肯定してしまうことにつながる。それゆえに、そもそも天皇の世襲制は身分制の「飛び地」であり、そこには人類普遍の人権の論理が当てはまらないという議論がなされている。あるいは、そもそも天皇制度は、すべての人が平等であるという人権の論理と鋭く対立する封建的なものであり、そのような歴史的対抗をふまえるのであれば、安易に人権の論理を天皇自身に及ぼすべきではないという指摘もなされている。

それに対し、もし天皇の人権享有主体性を認めるとすれば、公私の区別を明確化にしたうえで「象徴」という地位からくる人権の制約が私的領域に安易に及ぶことのないように厳密に検討するという立場をとることとなる。たとえば選挙権については、多くの学説が否定するが、天皇が「象徴」であるのは、天皇の公の職務についていうのであって、天皇が国民の一人として選挙権をもつこととは矛盾するものではないとする見解もある。

　これらの対立の背景には、「天皇」にまつわるさまざまな例外的取扱いについての戦略が伏在している。「飛び地」を際立たせることで、むしろ普遍的なものを浮かび上がらせ、その緊張感を明らかにしようとするのか、それとも、「飛び地」を承認することがその自己増殖を肯定することにならないように、普遍的なものの浸透を図り、「飛び地」を極小化する営みを大切にするのかの違いである。

(2)　天皇は元首または君主か？

　従来から象徴天皇が元首であるか否かが論じられてきた。一般的には、元首の定義次第で答えが異なるとされている。元首を「対外的に日本を代表する権限を有する国家機関」であると定義すれば、天皇にはそのような実質的な権限がないので、元首ではない((c)元首性否定説)。それとは異なり、「形式的・儀式的であっても外交文書の宛名となる立場にある機関」を元首と定義すれば、天皇は、国事行為として、大使・公使の信任状の認証（7条5号）を行うので、元首である((d)元首性肯定説)。しかし、(c)説からは、戦前の大日本帝国憲法で明確に「元首」と定められていた天皇の地位を否定することに日本国憲法の歴史的意義があり、「天皇元首化」をめざす憲法改正論が主張され、あたかも天皇が外交上対外的代表権をもっているかのごとき慣行が行われている現状では、元首であることを否定すべきであると反論される。さらに、外交関係が複雑化・多元化している現代において、そもそも元首を特定する必要はなく、元首の有無自体を論じる必要がないという立場もあろう((e)元首不要説)。

　また、従来から象徴天皇が君主であるか否かも論じられてきた。これについても、君主の定義次第で答えが異なるとされている。君主を「なんらかの実質的な国家権能を有している世襲制の独任機関」であると定義すれば、天皇にはそのような実質的な権限がなく、君主ではない((f)君主性否

定説)。それとは異なり、実質的な権限がまったくなくとも、「なんらかの形式的・儀式的な権能を有する世襲制の独任機関」を君主と定義すれば、日本国憲法上の天皇は「世襲」であり、形式的・儀礼的な「国事行為」を行うにすぎないので、君主といえる((g)君主性肯定説)。しかし、(f)説からは、「君主」であることを肯定することによって天皇の地位や権限の拡大強化がもたらされることに警戒すべきであると反論されることになる。さらに、大日本帝国憲法下での天皇制と日本国憲法下での象徴天皇制度とイギリスの国王制度がともに「立憲君主制」に分類しうるものとしてひと括りで扱われるなど、そもそも、この概念の有効性に疑問をさしはさむ余地があろう((h)君主不要説)。

⑶ 「皇位」の継承

「皇位」とは、「象徴たる天皇職」を担当する地位をいう。その継承資格は、「世襲」とされるのみで、詳細は、「国会の議決した皇室典範」に委任されている(2条)。戦前の「皇室典範」は帝国憲法と同位とされた(→第3章1節2・42頁)が、日本国憲法は、「国会の議決した」という形容を付してこれを否定し、象徴天皇制度に対する国会の民主的コントロールを確保することとした。しかし、「法律の定めるところにより」とはせずに「皇室典範」という名称を用い、戦前の権威的装いを残存させている。

現行「皇室典範」は、皇位継承資格について、①「皇統に属する男系の男子」(典範1条)、および②「皇族」(典範2条1項)としている。この限定は、憲法上の「世襲」という文言から直ちに導かれることではない。このように「皇位」の継承者を男性に限定することは憲法14条の「法の下の平等」に違反する可能性がある。これについて、(i)男性限定合憲説は、皇位の世襲制は憲法自体が承認していたものであり、憲法14条の例外であるから憲法違反を論じることはできないとする(女性も資格者とすることは立法政策の問題であるとする)。それに対し(j)男性限定違憲説は、「世襲」が必ずしも性差別を内包するとはいえないと主張する。「世襲」という要件が「法の下の平等」の例外として憲法上明示されているとしても、「世襲」要件がどこまでを例外として排除しているのかを明確にして議論する必要があろう。「世襲」という文言には、男系男子が含意されているとする少数説も存在する((k)男系男子限定要請説)。政府見解は、(i)の立場に立ち、

女性天皇を可能であるとする。

　また、憲法は皇位継承原因についてなんら規定をおいておらず、「世襲」という資格要件が継承原因を死亡に限定することを求めているとはいえない。しかし、現行「皇室典範」は、「天皇が崩じたときは、皇嗣が、直ちに即位する」（4条）と定め、生前退位を認めていない。2016年8月に、天皇自らが高齢のために象徴としての務めを果たせないとして生前退位を示唆する会見を行い、政府の有識者会議での検討と国会審議を経て、天皇の退位等に関する皇室典範特例法が制定され、2019年4月末日での前天皇の退位と5月1日の現天皇の即位が行われた。憲法論としては、退位それ自体は否定されないとしても、今回の退位制度の必要性と妥当性については多くの批判があるところである（コラム参照）。

コラム
皇室典範特例法による生前退位

　2017年6月に成立した天皇の退位等に関する皇室典範特例法は、天皇が即位以来「象徴としての公的な御活動」が高齢ゆえに困難となることを「深く案じておられること」に対する国民の共感を立法趣旨とし、特例として一代限りの退位を実現した。これに対しては、そもそも天皇の発言をきっかけとして退位議論が動き出したことは天皇が国政に影響を及ぼしたことになり象徴天皇制度の政治的中立性に反するのではないか、政府の有識者会議と衆参両院の全体会議で性急に特例退位という方向性で収束をみたことが国民的な議論としては不十分ではないか、天皇への共感を書き込むことが国民の主体的な決定という国民主権からふさわしくないのではないか、憲法上疑義のある「象徴としての公的な御活動」を前提として議論していいのか、天皇の職務遂行に困難があるとしても摂政の設置や国事行為の委任で対応できるのではないのか、などの批判がある。また、退位を認めるとしても、特例ではなくて、むしろ、恒常的な制度として導入され、退位の自由が保障されるべきであるという主張もある。

　特例法は、皇室典範の附則に、特例法が皇室典範と「一体を成すものである」と書き込むことにより、かろうじて皇位継承については皇室典範で定めたと言える体裁をとっている。しかし、本来は、皇室典範4条それ自体を改正すべきであったという批判もある。皇室典範という名称を残すべきではなかったという見地からは、この法形式の問題はさほど重要ではないということになろう。

　なお、この特例法制定の際には、「安定的な皇位継承の確保のための諸

課題、女性宮家の創設等」について政府に検討を行うように求める附帯決議がなされ、2021年3月16日に有識者会議が設置された。同年12月22日の報告では、皇位継承については「具体的に議論するには現状は機が熟しておらず、かえって皇位継承を不安定化させる」として議論を先送りし、「皇族数の確保」については①皇族女子が婚姻後も皇族の身分を保持すること、②養子縁組を可能とし皇統に属する男系男子を皇族とすること、③皇統に属する男系男子を法律で直接皇族とすること、という3つの方策につき、①と②について「具体的な制度の検討を進めていくべき」だが、それでは十分な皇族数が確保できない場合に③を検討すべきであるとした。

3 天皇の権能

(1) 国事行為

ⅰ) 国事行為の形式的・儀式的性質

天皇の権能は「この憲法の定める国事に関する行為のみ」に限定され、天皇は「国政に関する権能を有しない」（4条1項）とされる。「国事に関する行為」すなわち**国事行為**は、形式的・儀礼的なものである。この点について、旧来の通説は、国事行為は本来的には政治的権能であるが「内閣の助言と承認」に拘束される結果として天皇の裁量的判断の余地がなくなり、形式的・儀式的な行為のみが残ると説明していた（⑴結果的形式説）。それに対し、そもそも国事行為は形式的・儀式的なものであり、形式的・儀式的な行為に対してさえ「内閣の助言と承認」が必要であるとするのが憲法の趣旨であるとするのが現在の通説である（⑾本来的形式説）。憲法が「国政に関する権能を有さない」としたのは国事行為の本来の性質を規定したと読むのが素直な理解であり、現在の通説が妥当であろう。

ⅱ) 国事行為に対する「内閣の助言と承認」

「天皇の国事に関するすべての行為には、内閣の助言と承認を必要とし、内閣が、その責任を負ふ」（3条）と定められている。国事行為の是非も当然に政治的な批判の対象となるが、それについては内閣が責任を負い、天皇が責任を問われることはない。

⑴説に立てば、「内閣の助言と承認」は国事行為の実質的な内容をコントロールする手段であるとされるから、当初から形式的にすぎないものに

ついては不要とされたり、裁量の幅がきわめて小さいと説明されることとなるが、(m)説に立てば、「内閣の助言と承認」は、形式的・儀式的な行為を対象とするものであり、「内閣の助言と承認」は常に必要とされる。(m)説は、「すべての行為には、内閣の助言と承認を必要」（3条）とする文言に適合的である。

さらに「内閣の助言と承認」という文言からは、事前に内閣の「助言」が必要となり、天皇が国事行為をなしたあと事後に「承認」が必要となるように読めるが、通説は天皇に判断の余地がないことを理由に事前に一括して「内閣の助言と承認」があれば足りるとする。ただ、天皇の判断の余地がなくそれが本来のありかたであるとしても、事後的に国事行為が助言どおりに遂行されたかどうか確認する必要があるといえるから、事後の「承認」が必要とすることにも意義がないわけでない。

iii）　具体的な国事行為の内容

憲法が明示する国事行為は、以下の12ある。なお、天皇は国事行為のみを行うとされることから、国事行為を委任すること（4条2項）も国事行為に含まれることとなり、結果として13となる。

(a)　内閣総理大臣の任命　　「天皇は、国会の指名に基いて、内閣総理大臣を任命する」（6条1項）。内閣総理大臣は、国会議員の中から国会の議決で指名される（67条1項→第2部2章4節2(3)ⅱ・222頁）。この「助言と承認」を行うのは、その時点においてなおも存続する総辞職したのちの前任の内閣である（71条）。

(b)　最高裁判所長官の任命　　「天皇は、内閣の指名に基いて、最高裁判所の長たる裁判官を任命する」（6条2項）。

(c)　憲法改正、法律、政令、条約の公布　　天皇は「憲法改正、法律、政令及び条約を公布する」（7条1号）。公布とは、確定した内容について国民一般に周知することであり、この方式について明文で定める法令はなく、実務上、官報に掲載するというかたちでなされている。「条約」が「公布」されることから、憲法は「条約」を国内法の一形式として認めていると解される。

(d)　国会の召集　　天皇は「国会を召集する」（7条2号）。「召集」とは、日時と場所を定めて、国会議員に集まることを告知することである。常会、臨時会、特別会のうち、臨時会についてのみ内閣が召集を決定する

ことが明示されている（53条）。それら以外については、国会自身または内閣が召集の決定をすることができると解する余地があるが、実務上は、内閣が召集を決定するものとされている。

　(e) 衆議院の解散　　天皇は「衆議院を解散する」（7条3号）。「解散」とは、任期終了以前の段階で議員の資格を失わせて、衆議院全体としての活動を停止させることである。(l)説からすれば、この規定が内閣の解散権の根拠と説明され、(m)説からすれば、解散権の所在の根拠を本条に求めることはできないこととなる（→第2部2章4節3(5)・241頁）。

　(f) 国会議員総選挙施行の公示　　天皇は「国会議員の総選挙の施行を公示する」（7条4号）。総選挙とは、公職選挙法上衆議院議員の総選挙についてのみ用いられ、参議院については通常選挙と称されるが、ここでの「総選挙」は両者を含むものであると解されている。補欠選挙は含まれず、すべての選挙区を対象として一斉に行われる選挙のみを対象とする。

　(g) 官吏の任免等の認証　　天皇は、「国務大臣及び法律の定めるその他の官吏の任免並びに全権委任状及び大使及び公使の信任状を認証する」（7条5号）。

　(h) 恩赦の認証　　天皇は、「大赦、特赦、減刑、刑の執行の免除、復権を認証する」（7条6号）。その実質的な決定権は内閣にある（73条7号）。

　(i) 栄典の授与　　天皇は、「栄典を授与する」（7条7号）。栄典とは、特定の者に対して、その栄誉を讃えてそれを表彰することであり、地位を与えたり、賞を授与するなどのかたちがとられるが、憲法14条2項および3項から、戦前のような爵位を付与しそれを相続させるというような栄典は許されず、また、一代に限るものであっても特権をともなってはならない（→第3部2章2(5)iv・347頁）。

　(j) 外交文書の認証　　天皇は、「批准書、法律の定めるその他の外交文書を認証する」（7条8号）。「批准書」とは、条約の効力を発生させることについて国家間で合意した内容を示す書面であり、それを形式的に確認することがここでいう「認証」である。その実質的な決定は、外交関係を処理し、条約を締結する内閣にある（73条2・3号）。

　(k) 外国の大使・公使の接受　　天皇は、「外国の大使・公使を接受する」（7条9号）。「接受」とは、儀礼的に会うという事実上の行為をさし、法的な効果をともなうものではないが、実務上、外国政府からのアグレマ

ン（外交使節の任命に際し事前に得ておく相手国の同意のこと）の名宛人が天皇とされている。

(1) **儀式の挙行**　天皇は、「儀式を行ふ」（7条10号）。国の公式の行事を天皇が主催者として行うことをいう。天皇が主催者であることを必要とせず、一参加者として儀式に参加する場合も、これに含めるべきであるとする説もある。

iv) 国事行為の委任

「天皇は、法律の定めるところにより、その国事に関する行為を委任することができる」（4条2項）。この国事行為の委任もまた、国事行為であり、それゆえに、「内閣の助言と承認」が必要とされる。委任の範囲および対象者についてとくに限定はない。ここでいう「法律」として、「国事行為の臨時代行に関する法律」（1964年5月20日公布・施行）が定められている。これによれば、「精神若しくは身体の疾患又は事故あるときに」皇族に委任するとしている（国事代行2条）。また、国事行為の臨時代行を委任された皇族は、その委任の間、訴追されないが、そのために訴追の権利は害されない（国事代行6条）。実際に用いられるのは、天皇が海外旅行で不在となる場合などである。

それに比して長期にわたり天皇が職務を遂行することができない場合には、摂政がおかれる（5条）。具体的には、天皇が成年に達しないとき、および、重患又は重大な事故により天皇自らが国事行為を行うことができないと皇室会議で判断されたときである（典範16条）。摂政は、その在任中訴追されないが、そのために訴追の権利は害されない（典範21条）。

(2) **天皇の「公的行為」は認められるか？**

天皇の行為には、私的行為と国事行為があるが、しかし私たちが目にするものには、どちらかに属するとは言い難いものがある。これらは、**公的行為**と呼ばれている。もっとも早くから問題とされているものは、国会開会式における「おことば」である。そのほか、いわゆる皇室外交といわれるものや3・11後の被災地訪問活動も、単なる私的な活動とはいえない。

(n) 二行為説は、天皇の行為には、私的行為と国事行為のみしかなく、それ以外の行為は許されないとする。象徴たる地位に基づいてなんらかの行為を正当化することを否定し、あいまいな公的行為を通じて、政治的に重

要な問題について世論形成を図るなどの天皇の政治的利用を警戒する。憲法4条1項の「天皇は、この憲法の定める国事に関する行為のみを行い、国政に関する権能を有しない」を文字どおり理解する説である。

これに対し、なんらかの理由づけで、私的行為と国事行為以外になしうる行為を想定する(o)三行為説が多数説である。その根拠については、多岐に分かれる。もっとも早い時期から主張されたものとしては、(o-1)象徴行為説であり、象徴としての天皇の行為とみなされるべきものがあるとする説である。しかしながら、象徴という地位から、明示されていない行為を導き出すことについては批判が強い。(o-2)公人行為説は、公人としての儀礼的行為と認められるものがありえるとする説である。大臣や知事などがイベントの開会式でテープカットや挨拶を行うなどと同様に天皇も公人としてそれらを行うことができると説明する。大臣や知事などは実質的な権能を行使する立場であり、それらを公人という言葉を媒介として同じに扱うことには批判がある。そこで、(o-3)準国事行為説は、天皇の憲法上の行為は原則として国事行為であるが、国事行為に密接に関連する行為は、国事行為に準ずる行為として憲法上認められる、とする。

(o)説の意図は、公的行為が無限定に拡大されることを防止するとともに、公的行為についての責任を内閣に負わせる点にあるが、単に現状を追認しているだけではないかという批判がありえよう。

前天皇の言動を振り返れば、政権担当者がなしえない事柄を前天皇は「主体的に」なしえていたのではないかという評価もありえるかもしれない。東日本大震災などの被災地への訪問やサイパンなどの戦災地への訪問を精力的に行い、また、日韓共催となった「2002 FIFA ワールドカップ」に先立つ2001年12月の天皇誕生日会見では、桓武天皇の生母が百済の武寧王の子孫であると続日本紀に記されていることに言及しつつ、日韓の理解と信頼感が深まることを期待する旨を発言したり、2004年の秋の園遊会で、東京都教育委員に対して、国歌・国旗について「やはり、強制になるということではないことが望ましい」と述べることにつき、好ましい「象徴としての行為」として位置づける向きもある。

しかし、これらの天皇の「象徴としての行為」に寄せられている期待は、憲法からすれば、象徴にすぎない天皇ではなくて、主権者である国民自らが政治の営みとして実現するべき事柄ではないだろうか。

4　皇室経済とそのコントロール

　戦前の天皇と皇室が所有していた土地や財産は、すべて国に属するものとされ（88条前段）、皇室の費用は、予算に計上して国会で議決を経なければならないものとされた（同条後段）。予算に計上されている現行の皇室経費には、3種類ある。①内廷費とは、「天皇並びに皇后、太皇太后、皇太后、皇太子、皇太子妃、皇太孫、皇太孫妃及び内廷にあるその他の皇族の日常の費用その他内廷諸費にあてるもの」であり、「御手元金」となり、宮内庁が管理するわけではない（皇経4条1項。現在は3億2400万円）。②宮廷費とは、「内廷諸費以外の宮廷諸費に充てるもの」であって宮内庁が管理する（皇経5条）。天皇・皇族の職務遂行にかかる必要経費である（2021年度は、118億2816万円）。③皇族費は、「皇族としての品位保持の資に充てるために、年額により毎年支出するもの」、「皇族が初めて独立の生計を営む際に一時金額により支出するもの」、および「皇族であつた者としての品位保持の資に充てるために、皇族が皇室典範の定めるところによりその身分を離れる際に一時金額により支出するもの」である（皇経6条。2021年度の総額は、2億6932万円）。

　また、憲法8条は、「皇室に財産を譲り渡し、又は皇室が、財産を譲り受け、若しくは賜与することは、国会の議決に基かなければならない」と定め、特定の政治勢力などが、皇室と経済的に結びつき、皇室を利用し、政治に不当な影響を及ぼすことを防止することとした。

5　象徴天皇制度をめぐる諸問題

(1)　皇室報道をめぐる「菊タブー」

　「菊タブー」とは、暴力的行為を含む社会的な圧力により、マスコミなどにおいて日本の天皇・皇室に対する批判を避ける自主規制の社会現象をいう。天皇・皇室の紋章が菊であることから、比喩的にこのように言われる。表現の自由が十分に保障されなければならず、「菊タブー」は許されない。有名な例としては、『風流夢譚』事件がある。1960年に掲載された小説『風流夢譚』が不敬であるとして、右翼団体が中央公論社に撤回と陳謝を要求し、また、右翼を名乗る少年が1961年2月に中央公論社社長の嶋

中鵬二宅に押し入り、家政婦1名を殺害し、嶋中の妻に重傷を負わせた。嶋中は、その後、この小説の掲載を誤りであったとして謝罪した。裁判例としては、天皇コラージュ事件（名古屋高金沢支判2000・2・16）がある。公立美術館が、天皇の肖像を使ったコラージュ作品を不敬とする非難を受けて非公開とし売却したことにつき、作者である原告と閲覧を希望した住民がそれらの措置の違法性を争った事案である。高裁は、「管理運営上の支障を生じる蓋然性が客観的に認められる場合」には、非公開措置等が「公の施設の利用の制限についての地方自治法244条2項の『正当な理由』があるものとして許される」としたが、この判断は、「知る権利」を軽視し、公立美術館側の裁量を広く認めすぎているといえる。

(2) 代替わりと政教分離

前天皇の皇位継承儀式の一環として、1990年11月に「大嘗祭」という宗教的色彩の濃い即位儀式が行われ、公金が充てられた。1989年12月21日の「即位の礼準備委員会」は、「大嘗祭」について、「宗教上の儀式としての性格」から「国事行為として行うことは困難」であるので、「皇室行事」とするが、「皇位が世襲であることに伴う、一世に一度の極めて重要な伝統的皇位継承儀式であるから、皇位の世襲制をとる我が憲法の下においては、その儀式について国としても深い関心を持ち、その挙行を可能にする手だてを講ずることは当然」として、「大嘗祭は公的性格がある」と位置づけ、「費用を宮廷費から支出すること」を正当化した（これを受けて、1990年度予算に大嘗祭関係費用が約25億6800万円計上された）。このような説明は、第1に、憲法上の「世襲」とは単に天皇の資格要件であって、それ以外の意味はもちえないにもかかわらず、それにともなう儀式であることを強調し、曖昧な公的性格という評価を与えている点、そして、第2に、「宮廷費」は公金であるので、「宗教上の儀式としての性格」を有するとすれば、政教分離に違反すると解すべきである点で、批判されるべきである。

なお、大嘗祭訴訟（最判2002・7・11）は、知事が大嘗祭に参列した行為が憲法20条3項に違反するとして争った住民訴訟であるが、(1)大嘗祭は、7世紀以降、一時中断された時期はあるものの、皇位継承の際に通常行われてきた皇室の重要な伝統儀式である、(2)知事は、宮内庁から案内を受け、三権の長、国務大臣、各地方公共団体の代表等とともに大嘗祭の一部を構

成する悠紀殿供饌の儀に参列して拝礼したにとどまる、(3)大嘗祭への知事の参列は、地方公共団体の長という公職にある者の社会的儀礼として、天皇の即位にともなう皇室の伝統儀式に際し、日本国および日本国民統合の象徴である天皇の即位に祝意を表する目的で行われたものであるから、その目的は、天皇の即位にともなう皇室の伝統儀式に際し、日本国および日本国民統合の象徴である天皇に対する社会的儀礼を尽くすものであり、その効果も、特定の宗教に対する援助、助長、促進又は圧迫、干渉等になるようなものではなく、政教分離に違反しないとした。一部とはいえ、宗教的色彩が明らかな儀式に知事が参加することがもたらす「効果」をあまりにも過少に評価しているといえよう。

　2019年の皇位継承に伴なう儀式においても、前例が踏襲され、政教分離の観点からの疑義が払拭されず、簡素な形式で執り行う方向が模索されたものの、結局は、関連費用の総額では166億円となり、人件費の高騰などの理由で、前回と比べると約3割増え、大嘗祭関係費用のみでも27億1000万円に及ぶ。

(3) 元号・日の丸・君が代

　元号は、国王や皇帝が時間をも支配することを示すものとして政治的支配の強化のために用いられてきた。明治に入り、一世一元の制とされ、天皇の在位期間と元号が一致することとなった。戦後旧皇室典範が廃止され元号の法的根拠はなくなったが、昭和の元号は慣例として用いられつづけた。昭和天皇の高齢化にともない、元号法制化を求める動きが高まり、1979年に元号法が制定され、元号は皇位の継承があった場合に内閣が政令で定めるとされた。元号の使用を強制するものではない旨が元号法の国会審議で明確にされているが、公文書類などではあらかじめ年号での表記を指定したものが多く、間接的にせよ、強制されているのが現状である。不便さの点から元号の使用については批判が多いが、より根本的には、一人の人間の地位の変更（死亡または退位）によって時のカウントの仕方が変わることが妥当かどうか問われるべきであろう。

　「**君が代**」と「**日の丸**」も、戦前の天皇制ファシズムと強く結びつき、戦後直後は、国民の厭戦気分、GHQによる禁止措置などがあり、用いられなかった。しかし、戦後ふたたび教育統制の復活と並行して、文部省は、

通達、調査、指導の名目で、「君が代」と「日の丸」をじわじわと強制してきた。そして、ついに、「日本人としての自覚を養い国を愛する心を育てるとともにすべての国の国旗及び国歌に対して等しく敬意を表わす態度を育てる点から、国歌を掲揚し国歌を斉唱することを明確にする」とする1988年臨時教育審議会答申を受けるかたちで、1989年3月に学習指導要領が改訂され、入学式、卒業式での国歌・国旗の指導が「のぞましい」との表現から「ものとする」との表現へと改められ、1990年4月より実施に移された。「日の丸」と「君が代」については、従来、国旗・国歌であるという法律は存在せず、政府は、「日の丸」が国旗であり、「君が代」が国歌であるということは「国民的確信」に基づく「慣習法」であると説明してきた。法律というかたちで民主主義的に国民の合意を確認していないものをいかにも決まっているかのように行政の措置によって強制することについては批判が多かった。そこで、1999年に国旗国歌法が制定された。

　法律で「君が代」を国歌とし、「日の丸」を国旗と定めても、これらを国民に強制することが許されるわけではない。国歌国旗法自体も、国民にそれらの使用を強制する規定をもっておらず、単に国歌と国旗の内容を特定しているにすぎない。「君が代」と「日の丸」が戦前の天皇制ファシズムと強く結びついているがゆえに、「君が代」や「日の丸」を拒否する人は多い。それらの人々に、強制的に「国旗」掲揚・「国歌」斉唱に従わせることは、思想の自由や表現の自由を侵害すると解すべきである（→第3部3章1節3(3)・359頁）。

(4)　叙勲と「国民の祝日」

　国事行為の「栄典の授与」として、叙勲制度があるが、これについては形式的にも実質的にも問題がある。まず形式の点で問題とされるべきは、叙勲制度の根拠が「法律」で定められていないということである。大日本帝国憲法下の「位階令」や「褒章条例」等に定められているのみであり、これらは政令に準ずるものとして扱われ、必要に応じて政令により改正されて根拠法令とされている（「位階令」は1926年に勅令として制定され、「褒章条例」は1881年に太政官布告として制定され、大日本帝国憲法制定後は勅令とされた。いずれも戦後の日本国憲法の下では政令で改正され現在に至る）。憲法を直接に施行する政令は許されないとの見地から批判がある（政令を含

む行政立法について、→第2部2章4節2(2)ⅱ)・216頁)。戦後これらに代わる「栄典法」の制定が幾度か試みられたが、叙勲制度それ自体に対する反対論も根強く制定に至らず、池田勇人内閣が、いわば脱法的に、戦後直後に「一時停止」した制度を「復活」させた（1963年7月12日の閣議決定）のである。

つぎに、内容の点で問題とされるべきは、たとえば従前の「勲一等旭日大綬章」などの名称にみられるように、国民の「貢献」を序列化し、さらにそこに官尊民卑や男女差別がみられることである。そのような批判に一部応えて、2003年に制度改正が行われ、あからさまな数字による等級区分は廃止されたが、「大・中・小」や「双・単」などの表記で相変わらず序列づけされ、叙位制度もそのままであり、弥縫策にとどまる。

「国民の祝日」については、「国民の祝日に関する法律」が、祝日の意義について定めている。それらの内容を祝うことを個々の国民に強制しているとまではいえないが、日本国憲法からみて問題があるものが多い。たとえば「建国記念の日」については、それを定めること自体に加えて2月11日とすることについて反対が強い。「建国記念日」ではなく、「の」を挿入し「建国記念の日」とすることで、建国された日をさすのではなく、建国されたことそれ自体を記念する日にすぎないといえるようにしたうえで、具体的な日については政令に委ねられた（「建国記念の日となる日を定める政令」1966年政令第376号）。2月11日という日付は、1873年に定められ1948年に廃止された「紀元節」と同じであり、『日本書紀』にある神武天皇が即位したとされる日に由来するとされる。神勅に基づく戦前の天皇制を否定したうえでの象徴天皇制のもとで、建国を語るときに、そのような神話を根拠とすることは妥当とはいえない。「天皇誕生日」や、昭和天皇の誕生日を実質的に残存させるために定められた「昭和の日」も、天皇となる人物の特定個人の誕生を祝うのは、象徴天皇制の枠を踏み越え、過度に特定個人を讃えることになろう（なお、海の日も当初は7月20日であったが、それは同日が「海の記念日」であったことに由来する。「海の記念日」は、1876年、明治天皇の東北地方巡幸の際、それまでの軍艦ではなく灯台巡視の汽船「明治丸」によって航海をし、7月20日に横浜港に帰着したことにちなみ、1941年に逓信大臣村田省蔵の提唱により制定された。「文化の日」の11月3日は、1873年から1911年までは「天長節」、1927年から1947年までは「明治節」

として、明治天皇の誕生日による休日であった。「勤労感謝の日」の11月23日は、宮中行事である新嘗祭である。1873年から11月23日に固定され祭日とされた)。多くの祝日に戦前の天皇制の影が差している。「休みであれば別に理屈はどうでもいいではないか」と思うかもしれないが、それが日常生活の中で繰り返し唱えられることで自然なこととして受け入れられ、それを批判的にみる観点が失われていく危険がある。

考えてみよう

1 … 憲法1条にいう「象徴」には、どのような法的効果があると考えられるのか。それをめぐっては、どのような見解の対立があるか。
2 … 皇位継承の現行のルールには憲法上どのような問題があるのか。このルールをめぐる見解の対立はどのようなものか。
3 … 国事行為をめぐる見解の対立はどのようなものであり、それは憲法上の他の解釈論上の争点にどのような違いをもたらすのか。

Further Readings

・横田耕一『憲法と天皇制』(岩波新書、1990年)：昭和天皇が死去し、日本国憲法と象徴天皇制度の緊張感が漂う時代を背景として、象徴天皇制度について網羅的な検討を行い、天皇の権威強化の動きを批判する。
・渡辺治『戦後政治史の中の天皇制』(青木書店、1990年)：昭和天皇が1998年秋に重体に陥ったなかでの過剰な「自粛」騒動が、現代日本社会の支配構造の権威的なものに根拠をおくことを、戦後政治史の流れから明らかにする。近著として、『「平成」の天皇と現代史』(旬報社、2021年)がある。
・奥平康弘『「萬世一系」の研究(上)(下)』(岩波現代文庫、2017年)：戦前および戦後の皇位継承をめぐる法形成をていねいにあとづけて、"女帝"の可能性、"庶出の天皇"の認否および天皇の退位という3つの要素に着目して考察を行う。

第5章	非軍事平和主義
キーワード	非軍事平和主義、帝国主義戦争、国連憲章、集団安全保障、自衛権、集団的自衛権、自衛力、日米安保体制、「二つの法体系」論、日米ガイドライン、平和的生存権、人間の安全保障、統治行為論、有事法制、国家安全保障戦略、安保法制

　本章では、日本国憲法の顔ともいうべき平和主義の特質と条文の解釈を理解することにより、現在の国際情勢のなかで世界の平和と日本の安全を実現する道を考える。その際に重要なことは、これまでの歴史的経緯と現実の状況をグローバルな視点でとらえることである。軍事的手段を用いずに平和を実現しようとするところに日本国憲法の特徴を見出す本書は、これを「非軍事平和主義」と呼ぶ。

第1節　日本国憲法の平和主義の特質

1　主権規定の後進性と先駆性——日本史的文脈から

　日本国憲法の第1章と第2章は、日本における主権規定の対内的側面（第1章）と対外的側面（第2章）を表しており、前者は天皇主権から国民主権への転換を意味し、後者は、国家主権の行使にあたって武力の行使や武力による威嚇は行わないことを定めている（→第4章1節3(1)・67頁）。これを憲法制定の歴史的文脈に即して考えると、「双子」とも称される両章は分かちがたく結びついていると同時に、憲法史における位相を異にすることに注意が必要である。すなわち、制定過程における特殊事情によって、侵略戦争の要因ともなった天皇制を（主権原理の転換をともないつつも）残すこととなったため（→第3章2節・46頁、第4章2節・71頁）、同じ歴史を二度と繰り返さない制度的担保として、日本の武装解除は必然的帰結とならざるをえなかった（天皇制度と軍隊とを併有する日本国家が、被侵

略国の国民からどのようにみえるか、想像してみるがよい)。その結果、近代憲法の原理からすれば後進的とみられうる天皇制度と、逆に先駆的と考えられる非軍事平和主義とが共存することとなったのである。ここから、以下のような論点が導かれる。

　第1に、日本国憲法の非軍事平和主義について考える際には、その前提として、天皇制度が存続していることと、侵略戦争への反省として平和主義が生まれたことに留意しなければならない。つまり、天皇制度を震源地として日本の自由や民主主義が制約される土壌が残存していたり(→第4章2節5・83頁)、それともかかわって、戦争責任および戦後責任が十分に果たされていないような状況では、そもそも非軍事平和主義の是非を論ずる前提が欠けていることになる。

　第2に、日本国憲法の第2章は、憲法解釈のレベルで日本国家の権力行使を枠づけるものであると同時に、政治的には一種の国際公約の意味ももっている。被侵略国の国民にとって、二度と侵略戦争を繰り返さないという証文としての第2章＝9条は、日本が(侵略された立場からみて)安心できる存在にならないかぎり、変えてはならないものといえる(他方、日本がそのような存在になった場合には、9条を変える必要性は大きく低減することが予測される)。

　第3に、軍事的手段によらず、世界の平和と自らの安全を確保するという日本国憲法の構想は、軍事的手段を捨てることができない国際社会の現状からは、理想主義的なものにみえるかもしれないが、かつてアジア太平洋地域で暴れ回った軍国主義国家であり、かつ、自由と民主主義が根づいていない外見的立憲主義国家であった日本に、軍事力の行使を認めて大丈夫なのか、というきわめて冷徹な現実主義に裏打ちされたものといえる。

　第4に、日本国憲法の平和主義は、憲法制定時に国民から圧倒的支持をもって迎えられたと伝えられているが、その感覚は、「これで二度とあの悲惨な戦争を体験しなくてすむ」といった被害者的心情に支えられていたと思われる。アジア太平洋戦争当時、日本国民は教育と情報操作によって正しい戦争だと信じ込まされ、戦争末期に日本本土が壊滅的打撃を被ったことから、そうした心情になるのはやむをえない面もあるが、上記のような経緯からして、憲法第2章は、「日本の平和」以上に「日本からの平和」を確保するための措置であった。日本国憲法の非軍事平和主義を考えるに

あたっては、常に加害の視点を忘れてはならない。

2　非軍事平和主義の先駆性──世界史的文脈から

　国家間の紛争を戦争で「解決」してきた歴史は長い。国際法上、国際紛争解決の手段としての戦争は、国家主権発動の一形態として承認されてきた。しかし、近代の到来とともに、主権国家における憲法のレベルで、それまで君主の恣意下にあった戦争を規制する歴史も始まった。フランス1791年憲法が、征服目的の戦争の放棄と他国民の自由に対する武力行使の禁止を定めたのは、その例である（→第2章2節3(5)・32頁）。

　とはいえ、現実には、資本主義の発展とともに世界史は資源と市場の争奪戦として展開し、戦争はその手段と位置づけられた。19世紀末から20世紀初頭に帝国主義の時代に入ると、戦争技術の高度化もあいまって戦争は大規模化し、一般国民をも動員する総力戦となった。その結果、戦争の違法化と平和の確保を国際的に実現する仕組みが模索されるようになり、それまでとは質的に異なる惨禍をもたらした第一次世界大戦（1914～1918年）を契機として、1919年には国際連盟が組織され、1928年には不戦条約が締結された（→第2章3節2(4)・38頁）。

　＊パリで締結された不戦条約は、米・英・独・仏・伊・日といった当時の列強諸国が署名し（その後ソ連等も署名）、それ以降の国際法における戦争の違法化、国際紛争の平和的解決の流れをつくるうえで大きな意味をもった。その第1条は、「締約国ハ、国際紛争解決ノ為戦争ニ訴フルコトヲ非トシ、且其ノ相互関係ニ於テ国家ノ政策ノ手段トシテノ戦争ヲ抛棄スルコトヲ其ノ人民ノ名ニ於テ厳粛ニ宣言ス」と規定したが、「国際紛争解決ノ為」の戦争や「国家ノ政策ノ手段トシテノ戦争」は侵略戦争をさすものと解釈された。

　しかし、これらの試みは、国際平和を実現するための実効的な手段を欠いていたため、第二次世界大戦（1939～1945年）の勃発を防ぐことはできなかった。第二次大戦は、客観的には、先発帝国主義諸国が分割・支配していた世界秩序に対し、後発帝国主義諸国（日・独・伊の枢軸国）が資源と市場の分割を求めて戦いを挑んだ**帝国主義戦争**であったが、他方、戦争を仕掛けた側の枢軸国が全体主義国家であったため、受けて立つ連合国側に

は「反ファシズム戦争」という大義が与えられた。同大戦は、都市爆撃を含む未曾有の戦争被害を両陣営にもたらしたため、国際平和を実効的に確保することをめざして、1945年10月24日、国際連合（国連）が設立された。

国連（United Nations）は、その出自に規定されて、世界平和の実現機構としての側面と、戦勝国たる連合国（United Nations）による世界管理システムとしての側面をもっている。大戦中の同年6月26日に署名された**国連憲章**は、国際紛争を平和的に解決する原則を定める一方、連合国の主力となった五大国（米・英・仏・中・ソ）を安全保障理事会の常任理事国とし、拒否権を与えた。

国連憲章の定める国際平和実現の仕組みは、**集団安全保障**の考え方に基づいており、それまでの戦争違法化の流れをさらに進めて、戦争のみならず、武力の行使および武力による威嚇についても原則として禁止した（憲章2条4項）。国際紛争は平和的手段によって解決されなければならず（同2条3項、33条）、安保理が平和に対する脅威を認定した場合でも、まずは経済制裁等の非軍事的措置が採られる（同41条）。こうした武力行使禁止原則の例外は、国連憲章上、国連軍による軍事的措置（同42条以下）と加盟国による（個別的および集団的）**自衛権**の行使（同51条）のふたつしか認められていない。前者は、41条の非軍事的措置では不十分だと安保理が認定した場合に、安保理と加盟国群との間で結ばれる特別協定に基づいて国連軍を結成するものだが、現実には、五大国の拒否権を背景として、一度も実施されたことがない。後者は、加盟国に対して武力攻撃が発生したことを前提として、安保理が対応措置を執るまでの間、暫定的に認められる加盟国の権利であって、武力行使禁止原則に対する違法性阻却事由として位置づけられる。

＊**集団安全保障（collective security）と集団的自衛（collective self-defense）**
　集団安全保障と集団的自衛は、名前は似ているが、考え方は180度違う。集団安全保障は、すべての関係国の間で戦争や武力行使を禁止したうえで、そのルールを破った国に対して、残りの国が一致して制裁を加える仕組みで、集団的自衛は、他国への攻撃を、自国を含む国家集団への攻撃とみなして共同で防衛することをさす。前者は、関係国はルールを守るはずだという信頼のうえに成り立つが、後者は、攻撃してくるかもしれない仮想敵を前提とする。**集団的自衛権**は、集団的自衛をなす各国の権利をさすが、前者に基づく武力行使禁止

の原則に対し、米国が在外権益保護のために軍事介入する余地を確保する目的で国連憲章に盛り込んだ新しい「権利」である。実際にも、ベトナム戦争（1965〜75年）やアフガニスタン戦争（2001年）などで他国に武力攻撃をする根拠として用いられ、集団的自衛権を根拠にNATOをはじめとする軍事同盟がつくられるなど、集団安全保障と集団的自衛とは原理的に水と油の関係にあるだけでなく、大国が自らの権益を軍事力によって確保しようとする国際社会の現実のもとで、前者が後者によって浸食されていく状況にある。

　日本国憲法は、こうした国連精神を基礎としつつ、非軍事主義をさらに徹底させたものといえる。前文で、全世界の国民の平和的生存権（→本章第2節4・104頁）を確認するとともに、平和を愛する諸国民の公正と信義に信頼して自らの安全と生存を確保するという基本的な考え方を示し、それを具体化する方策として、9条で、戦争や武力の行使・武力による威嚇を放棄し（1項）、それを実現するために、戦力の不保持と交戦権の否認を定めた（2項）。1項における戦争等の放棄は、国際法の準則を国内法化したものともいえるが、2項の戦力の不保持は、他の国に例を見ない先駆的なものである。

第2節　憲法9条の解釈と運用

1　「再軍備」と政府解釈の変遷

　アジア太平洋戦争の終結にともない、日本は武装解除されたため、憲法制定後しばらくは（占領軍たる米軍の存在は別として）9条が「完全実施」されていた。しかし、アメリカの占領政策の転換とともに「再軍備」が行われ、「必要は発明の母」とばかりに、政府の9条解釈も変遷を遂げた。

(1)　「軍備なき自衛権」論

　憲法9条をめぐる憲法制定議会での最大の争点は、それが「**自衛権の放棄**」をも意味するかであった。吉田茂首相は、時として国家自衛権の否認とも受け取れる答弁を行ったが、結局、政府の確定解釈は、「自衛戦争権を含む自衛権は放棄したわけではないが、一切の戦力の保持を禁止することで結果的には自衛戦争も含む一切の戦争が不可能となる」というもので

■憲法9条運用略史

1950年	8月	警察予備隊令 →警察予備隊創設
1951年	9月	サンフランシスコ平和条約・日米安保条約調印（52年4月発効）
1952年	7月	保安庁法公布 →保安隊・警備隊発足
1954年	3月	日米相互防衛援助協定調印
	8月	自衛隊法公布 →自衛隊発足
1960年	6月	新安保条約発効
1978年	11月	日米「ガイドライン」合意
1990～91年		湾岸危機～湾岸戦争
1991年	4月	自衛隊掃海艇ペルシャ湾派遣「特例政令」
1992年	6月	PKO等協力法成立
1996年	4月	日米安保共同宣言
1997年	9月	日米「新ガイドライン」合意
1999年	5月	「周辺事態米軍支援法」等成立
2000年	12月	「周辺事態船舶検査活動法」成立
2001年	10月	「対テロ米軍支援等特措法」成立（07年11月失効）
2003年	6月	「武力攻撃事態等対処法」等「有事関連3法」成立
	7月	「イラク復興・米軍支援特措法」成立（09年7月失効）
2004年	6月	「国民保護・動員法」等「有事関連7法」成立＋3条約等承認
2006年	5月	米軍再編「最終報告」発表
	12月	自衛隊海外活動「本務」化法成立
2007年	5月	「在日米軍再編特措法」成立
2008年	1月	「新給油特措法」成立（10年1月失効）
2009年	6月	「海賊行為対処法」成立
2013年	12月	国家安全保障戦略＋新「防衛計画の大綱」
2014年	4月	武器輸出三原則を改め、「防衛装備移転三原則」に
	7月	集団的自衛権行使容認の閣議決定
2015年	4月	日米「ガイドライン」再改定
	9月	「安保法制」成立
2018年	12月	「防衛計画の大綱」改定
2020年	1月	海上自衛隊を中東海域に派遣
2022年	1月	日豪「訪問軍円滑化協定」署名

あった。これは、「軍備なき自衛権」論と呼ばれ、後にみる学界の通説（→3・100頁）と同型の論理をもつ。

(2) 「戦力＝近代戦争遂行能力」論

1950年に朝鮮戦争が始まると、占領軍＝米軍の参戦を契機に、マッカーサーは吉田首相に対して「事変・暴動等に備える治安警察隊」の創設を促す書簡を送った。これを受けて発足した警察予備隊は、9条違反の批判をかわすための苦肉の命名だったが、その実質は、戦車も含む軍事組織であった。マッカーサー三原則（→第3章2節1(2)・49頁）により9条の原型を提示したマッカーサーが、自らその実質を掘り崩すきっかけをつくった背景には、アメリカの占領政策の転換（→同3節1(2)・54頁）があった。

1952年に警察予備隊が保安隊に改組されて警備隊も発足し、「わが国の

平和と秩序を維持」（保安庁法4条）するために装備が増強されると、「軍隊ではなく警察だから合憲」論だけでは正当化しきれなくなり、9条2項で禁止された「戦力」を「近代戦争遂行に役立つ程度の装備、編成を具えるもの」とする「近代戦争遂行能力」論が登場する。すなわち、保安隊の装備編成は、近代戦争を遂行しうる程度のものではないから合憲という「論理」である。

(3) 「戦力に至らざる自衛力」論

さらに、1954年に結ばれた日米相互防衛援助協定で、日本は「自国の防衛力の増強」を義務づけられ、これを受けて同年自衛隊が発足すると、この「近代戦争遂行能力」論は再び変更を余儀なくされる。というのは、自衛隊は「我が国を防衛することを主たる任務」（自衛隊法3条）とする正真正銘の軍事組織（Self-Defense Forces＝「自衛軍」）となったが、この論では、「近代戦争」を遂行しうる実力を有することができなくなってしまうからである。そこで政府は次のような「解釈」を編み出した。すなわち、日本は、憲法9条2項により、自衛のためであれ「戦力」はもてないが、独立国である以上、自衛権をもっているので、自衛のための必要最小限度の実力（**自衛力**）を保持することは憲法に違反しない、と。この「戦力に至らざる自衛力＝合憲」論は、多少の紆余曲折を経つつも定着し、それ自体としては、こんにちまで自衛隊を合憲とする論理として維持されている。

＊「戦力に至らざる自衛力」論の登場と定着の背景には、やや複雑な政治的事情がある。自衛隊発足直後の1954年12月、吉田茂内閣が総辞職して鳩山一郎内閣が成立した。鳩山自身は、自衛隊は違憲であり、再軍備のために改憲が必要だと考えていたため、政府答弁は混乱し、9条解釈の新たな定式化が必要となった。他方、鳩山による改憲のもくろみは失敗に終わり、政権党が「解釈改憲」路線へと舵を切ったため（→第3章3節2(3)・56頁〜3(1)・57頁）、新たな定式としての「自衛力」論は、その後も命脈を保つこととなった。

「自衛力」論には、「自衛のための必要最小限度の実力」とはどの程度かという難問がつきまとう。「必要最小限度」という規定は、二重の意味で相対的である。すなわち、相手の攻撃形態によって自衛手段が決まるため、いかなる装備がもてるかについては相手次第であるし、「必要最小限度」

の程度も、情勢（の解釈）次第でいくらでも上昇可能である。前者からは、政府解釈において核兵器や化学兵器も保持可能であるとされており、後者については、現在、（ロシアなどとともに）軍事費世界第3位グループに位置する日本が「戦力」をもっていないという奇妙な事態を正当化している。

　他方で、憲法上、自衛のためであれ戦力はもてず、「自衛力」しか許容されないという論理は、日本政府にさまざまな自己拘束を課した。抽象的には、「専守防衛」というスローガンであり、自衛隊は戦力ではないから、普通の軍隊であれば可能とされる行動が制約される。具体的には、憲法上、海外派兵・集団的自衛権行使・徴兵制は禁止され、政策上、非核三原則や武器輸出三原則をうたわざるをえなかったのも、こうした立論の歯止め機能であった。その際、「自衛力」論それ自体は上記の通り、厳格な枠づけの論理をもたないので、非軍事平和主義を擁護する国民が9条を足がかりにして政府の軍備拡張路線に対して反対運動を展開したことの意義が軽視されてはならない（→第3章3節3(2)・57頁。第二次安倍政権下での変容については、→第3節4・117頁）。

2　日米安保体制の法構造

(1)　日米安保体制の成立――「占領」から「駐留」へ

　1でみた「再軍備」の過程は、**日米安保体制の成立**と軌を一にするものであった。1952年4月28日に発効したサンフランシスコ平和条約により、日本は法形式上、独立国家となるが、同時に発効した旧日米安保条約に基づき、占領軍としての米軍はそのまま駐留米軍へと移行した（→第3章3節1(3)・55頁）。東西冷戦のなかで日本は「西側陣営」へと組み込まれ、沖縄は日本から切り離されて、「基地の島」として引きつづきアメリカの統治下におかれることとなった（→(3)コラム・99頁）。旧安保条約は日本に対し、米軍への基地提供を義務づけており（1条）、こんにちまでつづく「全土基地方式」（日本全国どこでも、米国が望む場所を基地にできる）の起点となった。

＊**「二つの法体系」論**
　旧安保条約の成立によって、日本は法的に独立したものの、事実上アメリカ

に従属する体制が継続することとなった。普通の独立国家は、憲法を頂点とし、その下に法律さらには命令という一元的な法体系をもつが、日本の場合は、そのような憲法体系に対して、安保条約を頂点とし、行政協定（現在は地位協定）―各種特別法（民事特別法・刑事特別法など）という「安保法体系」が対抗的に並存するという考え方を「二つの法体系」論と呼ぶ。これによれば、「二つの法体系」の矛盾的対抗により、日本は憲法の価値の実現を妨げられており、国家主権や平和主義のみならず、人権保障・国民主権・地方自治にも負の影響が及んでいるとされる。また、米軍（および軍人・軍属・その家族）には、「安保法体系」下の日米地位協定と特別法により、さまざまな特権が付与されており、治外法権かと見紛うような様相を呈している。

(2) **日米安保体制の基本構造——アメリカとの「集団的自衛」体制**

　旧安保条約は1960年に改定され、現行の日米安保条約となった。改定に反対する「安保闘争」は国民的な大運動となり（→第3章3節2(4)・57頁）、その後、現在に至るまで安保条約は一言一句変わっていない。現行安保条約は、①旧条約を引き継いだ「全土基地方式」に加え（6条）、②日本の施政下における日米どちらか一方に対する武力攻撃に対して共に対処する「共同防衛」を新たに定めた（5条）。①の米軍駐留は、日本の安全のほか、「極東における国際の平和及び安全の維持」という目的を掲げるため、「極東条項」と呼ばれる。①の基地提供も②の「共同防衛」も、いずれも国際法上は集団的自衛権の行使に連なりうるが、日本政府は従来、集団的自衛権の行使は憲法上禁止されているとの解釈をとってきたため（→3(2)・101頁）、これを否定している。

　①に関しては、たとえば米軍が日本の基地から出撃し、アジアの国に対して（個別的であれ集団的であれ）自衛権を根拠に攻撃した場合、在日米軍基地の提供は武力攻撃のための不可欠の要素として、国際法上集団的自衛権の行使とみなされる。しかし、日本政府は、集団的自衛権の行使形態を武力行使に限定することで、基地提供を集団的自衛権行使から除外する「解釈」を採った。②についても、日本政府は、アメリカへの攻撃をも日本に対する武力攻撃とみなして、「共同防衛」を個別的自衛権の行使と「解釈」している。しかし、たとえば日本領海における米艦船への攻撃は、領海侵犯ではあっても「日本に対する武力攻撃」とはいえないので、こうした政府解釈は、集団的自衛権の範囲を狭めて個別的自衛権の範囲を拡張

することにより、安保条約を「合憲化」するものといえる。

　＊日米安保条約が「集団的自衛」の体制（実質上の「軍事同盟」）であることは、①と②が連動する場合を考えると、一層明確になる。たとえば、米軍が日本の基地から出撃し、他国に武力攻撃を加えたとすると、被攻撃国からみれば、米軍の出撃拠点となっている在日米軍基地は当然に攻撃の対象となる。それに対し、日本も「共同防衛」を義務づけられるのが、安保条約の基本構造である。
　このほか、在日米軍をめぐる憲法問題としては、そもそも米軍駐留は、戦力の不保持を定めた9条2項に違反するのではないか、という根本問題がある。日本政府は、9条2項の「保持」とは、文字通り日本が「保持」することをさすので、アメリカが「保持」する米軍は、9条2項で禁止されていないとの解釈をとっている（この点は砂川事件で争われた。→5(1)ⅰ・107頁）。
　また、こんにちでは、日米安保体制をめぐる数多くの「密約」が存在することが明らかになっており、むしろ、隠蔽されざるをえなかった密約があってはじめて安保体制が成り立つともいえる。とくに重要なのは、米軍による核兵器のもち込みに関する密約（1960年安保改定時、1972年沖縄返還時）であり、これにより「非核三原則」は事実上骨抜きとなっている。

(3)　日米安保体制の展開――「極東安保」から「アジア太平洋安保」へ
　現行安保条約は、日本国憲法の非軍事平和主義からみれば、その存在が許されないものであるが、日本をアジア太平洋地域における軍事的拠点として自由に活用し、可能なかぎりバックアップを得ようとするアメリカの思惑からすると、一定の制約をもつものといえる。この制約を徐々に振り払うべく、アメリカの世界戦略と国際情勢の変化に応じて、「安保」の範囲が拡大されるとともに、日本の軍事的コミットメントが強まっていく。その際、「安保闘争」への対応に苦慮した教訓から、日本政府は安保条約の再改定という正式手続を踏まず、まずアメリカとの間で合意文書を取り交わし、それに基づいて個別法を累積していくという手法をとった。各種密約の存在によって、日米安保体制は元々安保条約の枠からはみ出ていたが、こうしたいわば「解釈改安保」の積み重ねを通じて、条約上の制約がさらに緩和されていくこととなった。
　まず、1970年代に「西側陣営」の超大国アメリカを襲った「三つの危機」（ベトナム戦争敗戦、ドル・ショック、オイル・ショック）を契機として、覇権が揺らいだアメリカは、「同盟」諸国に応分の負担と責任を求めるよ

うになる（1975年に始まった「サミット」は、資本主義体制の危機に対する「先進国」による共同対処という面をもつ）。日米の間でも、1976年から協議を始めた「日米防衛協力のための指針」（通称「**日米ガイドライン**」）が1978年に合意され、「日本有事」に際して、まずは自衛隊が日本の領域および周辺海空域で対処し、米軍はそれを支援するという役割分担を定め、その前提として、平素から情報交換・共同作戦計画の研究・共同軍事演習などを実施することがうたわれた（→第3章3節3(2)・57頁）。これにより、「自衛」の範囲が日本の領域から周辺海空域へと拡張されるとともに、自衛隊の役割も拡大され、米軍との一体的運用に歩を進めることとなった。

これを受けて、1980年、海上自衛隊が米国等の環太平洋合同演習「リムパック」に初参加し、1981年には、鈴木善幸首相が「シーレーン1000海里防衛」を表明した。その実質は、対ソ防衛の一翼を自衛隊が担うというものであったが、政府は、海外資源の輸送路の安全確保は資源の乏しい日本にとって死活問題であるから、日本の「庭先」である周辺海域について「自衛」の範囲内で守っていくと説明した。これもまた、集団的自衛権行使に連なりうる活動を、「個別的自衛」観念の拡張で正当化したものである（1990年代以降の展開については、→第3節2・114頁）。

＊1978年には、地位協定上支払義務のない米軍駐留関係の費目に対し、日本が「思いやり予算」を提供することも合意された。当初は、米軍基地で働く日本人従業員の給与として62億円が支出されたが、その後、基地の光熱水料、基地内の施設建設費、訓練移転費などに対象が拡大されて、額もピーク時は2756億円（1999年）に達し、2021年現在年額2017億円が支払われている（さらに2021年12月、日米両政府は同「予算」を2022年度から26年度にかけて年平均2110億円に引き上げることで合意し、日本政府は「同盟強靱化予算」と呼び換えると表明した）。同「予算」の他にも、在日米軍再編費など、日本が負担している米軍関係費は年額8200億円を超え、アメリカからは「世界一気前のいい同盟国」と「評価」されている。

コラム
「基地の島」沖縄

日米安保体制のもと、日本全体の0.6％の面積しかない沖縄に、在日米軍専用施設の約70％が集中している。その理由として、地理的条件が挙げ

られることが多いが、米軍にとっては、日本からアジア地域に出撃できれば、沖縄である必要はない。最大の理由は、沖縄に基地負担を押しつけている日本の政治構造である。「何となく米軍はいた方がいいが、地元に来られては困る」として、弱いところにしわ寄せがいく構造があり、沖縄では島ぐるみで新基地建設に反対していても、その声は「少数者」として押しつぶされていく。アジア太平洋戦争末期、沖縄は本土の捨て石となって地上戦が戦われ、県民の4人に1人が犠牲となった（戦死者は約20万人）。戦後日本が独立したときは、日本から切り離されて米軍政下におかれ、復帰後半世紀たっても「基地の島」のままである。本土の人々が沖縄の基地問題を我が事として受け止めないかぎり、誰の目にも理不尽なこの歴史と現実は変わることがない。

＊「非核三原則」の存在にもかかわらず、アメリカの核もち込みを黙認する密約（→(2)＊・98頁）もあり、日米安保体制は事実上「核軍事同盟」となっている。日本は、「核の傘」の神話により、2017年に採択され2021年に発効した核兵器禁止条約に否定的な態度をとっているが、むしろ唯一の戦争被爆国として、北東アジアの非核化にむけて積極的にイニシアティヴをとるべきであろう。

3　学説の状況

(1)　9条解釈論

憲法9条をめぐる解釈論で主に問題となるのは、第1項で放棄した戦争と第2項で保持しないとした戦力が、それぞれいかなる概念なのかである。

第1項は、戦争のみならず武力による威嚇と武力の行使をも放棄しているが、これは自衛のための戦争等も含むのかが、第1の論点である。(a)説は、第1項ですべての戦争等を放棄したと考えるのに対し、(b)説は、第1項は侵略のための戦争等のみを放棄した（自衛戦争・制裁戦争は放棄していない）と解する。(a)説は、歴史的にみて、とりわけ現代におけるすべての戦争が「自衛」を大義として引き起こされたことに鑑み、自衛のための戦争等を容認したのでは、それまでの歴史と決別しようとした日本国憲法の意義が生かされないと考える。これに対し(b)説は、制定経緯（→1(1)・93頁）や、2項の「国際紛争を解決する手段としては」との文言が国際法上侵略戦争等をさすと解釈されてきたこと（→第1節2・91頁）を重視する

とともに、「侵略」と「自衛」を一括して「不正」ととらえることを疑問視する。

これを受けて、第2項は一切の戦力の保持をも禁じたのかどうかが、第2の論点である。(a)説に立てば、「戦力」は当然にすべての戦力をさすことになる（1項戦力全面放棄説）。これに対して(b)説は、「前項の目的」と「戦力」との関係をどのようにとらえるかによって、説が分かれる。(b-1)説は、この「前項の目的を達するため」という文言が、憲法制定時に帝国議会での審議で挿入されたことを重視し（芦田均・衆議院憲法改正特別委員会委員長の発案によるため「芦田修正」と呼ばれる）、「前項の目的」を侵略戦争の放棄ととらえて、第2項で保持しないとされたのは侵略のための戦力のみであると解する（戦力限定放棄＝自衛戦力合憲説）。(b-2)説は、「前項の目的」を第1項前段または1項全体ととらえ、あるいはまた侵略戦争の放棄ととらえるとしても、世界と日本の戦争の歴史に鑑みれば、一切の戦力をもたないことによってこそ、その目的が達せられると考える（2項戦力全面放棄説）。(b-2)説は、侵略戦争と自衛戦争は識別できても、「侵略戦力」と「自衛戦力」は区別できず、自称「自衛戦力」の保持が侵略戦争を引き起こしてきたという認識に裏打ちされている。(b-2)説に立てば、1項で自衛戦争等は放棄していないが、2項で一切の戦力の保持が禁止されるため、結果的に一切の戦争等ができないことになる。

学界では(b-2)説が通説とされているが、こんにちでは(a)説も有力であり、いずれにせよ、憲法上、一切の戦力の保持が認められず、一切の戦争等が行えないという点では共通している。これに対して(b-1)説は、日本国憲法制定の歴史事情（→第1節・89頁）を考慮に入れず、9条の存在意義を全否定することになるため、政府解釈も含め、ほとんど支持がない。学界の多数を占める(b-2)説および(a)説によれば、自衛隊や駐留米軍は、9条2項で保持を禁じられた戦力に該当し、違憲であると解される。

(2) 「自衛権」解釈

戦力をめぐる9条解釈のかぎりでは、政府解釈も(b-2)説と同型であるが、それにもかかわらず、政府解釈は自衛隊を「合憲」としている。その「戦力に至らざる自衛力」論（→1(3)・95頁）を根拠づけるために導入されたのが、憲法には規定されていない「主権国家に固有の自衛権」なる概念

である。

＊**自衛権**とは国際法上の概念であり、一般には、他国による違法な武力攻撃から自国を防衛するために、武力を用いて反撃する国家の権利をさす。こんにちでは、国連憲章上の要件として、①武力攻撃の発生、②安保理が必要な措置をとるまでの暫定性、③直ちに安保理に報告する手続が課され（51条→第１節２・91頁）、さらに慣習国際法上、④武力行使以外に対応する手段がないという必要性、⑤相手側の武力攻撃との均衡性が求められる。

　国際法上行使が認められた自衛権を、各国が（上記要件の枠内で）どのように扱うかは当該国の憲法問題である。日本の場合は、憲法が自衛権規定をもたず、しかも、自衛権概念が伝統的に武力行使と結びついてきたところ、憲法上武力行使が禁止されているため、やや複雑で独特な議論となる。(c)説は、あらゆる国家には「固有の自衛権」があり、それが憲法上明示的に否定されていない以上、日本も自衛権を有しており、その行使手段としての「軍事力」も保持しうると考える（自衛権即軍事力合憲説）。(d)説は、日本も主権国家として自衛権を保持していると解するところは(c)説と同様だが、憲法９条２項でその手段としての戦力保持が禁じられている以上、その行使はそれ以外の手段（外交、警察力、経済力、群民蜂起、組織的非暴力不服従など）によって行使すると考える（非軍事自衛権説）。(e)説は、自衛権行使は武力の行使をともなうので、憲法９条１項で武力行使が禁じられた日本は、自衛権を放棄したものと考える（自衛権放棄説）。
　(c)説は、９条解釈においては、(b-1)説または(b-2)説と結びつく。(c)＋(b-1)説であれば、自衛権を行使する戦力の保持が許されることになるが（自衛権即戦力合憲説）、(c)＋(b-2)説の場合は、一切の戦力の保持が禁止されるので、自衛権保持を根拠に、「戦力に至らざる実力（自衛力）」の保持は、９条２項によって禁じられていないという現在の政府解釈（→1(3)・95頁）と同型の解釈をとる（自衛権即自衛力合憲説）。(d)説および(e)説は、論理的には、９条解釈の(a)説または(b-2)説のいずれとも結びつきうるが、考え方の問題としては、(d)説は(b-2)説に、(e)説は(a)説になじむものといえるだろう。日本国憲法の非軍事平和主義を、それまでの国家と国際社会の歴史から際立ったものと考えるなら、そもそも自衛戦争等も放棄し（(a)

説)、したがって自衛権も放棄したのだ((e)説)と考えた方がスッキリするからである。ただ、論理の問題としては、(d)説と(e)説は軍事的手段を否定する点で共通しており、違いは「自衛権」概念のとらえ方、つまり、従来の国際法上の伝統的用法（＝軍事力行使と不可分）で解するのか((e)説)、日本国憲法に適合的な新たな（軍事力を用いない）「自衛権」概念を構想するのか((d)説)にあるともいえる。

＊日本政府は、自衛権のほかに、憲法13条が「生命、自由及び幸福追求に対する国民の権利について……国政の上で、最大の尊重を必要とする」と定めていることを援用して、9条が「国民が平和のうちに生存することまでも放棄していないことは明らかであって、自国の平和と安全を維持しその存立を全うするために必要な自衛の措置をとることを禁じているとはとうてい解されない」と説明している（たとえば、いわゆる「1972年政府見解」）。また、憲法学説のなかにも、これを敷衍して、武力行使を一般的に禁じる9条に対し、13条を根拠に例外的な武力行使（個別的自衛権の行使）を認める見解がある。
　しかし、憲法13条が国家に対し、「生命、自由及び幸福追求に対する国民の権利」を侵害しないことをこえて、その積極的保護までも法的に義務づけていると解せるか疑問があるし、仮にそのような義務が国家にあるとしても、そのことは、軍事組織による武力行使という手段の正当化まで意味するわけではない。9条は、他の手段でそれを実現せよと命じているのである。

(c)＋(b-2)説により憲法上保持を許された自衛権は、その行使態様についても、憲法上の制約を受けることになる。同説に立つ政府解釈は、「自衛のための必要最小限度の実力の行使」のみが許されるとし、従来、次のような「自衛権行使の三要件」を維持してきた。すなわち、①日本に対する「急迫不正の侵害」（武力攻撃）があり、②他に全く防衛する手段がないとき（必要性）、③必要最小限度の実力を行使できる（均衡性）というものである。このうち、②と③は国際慣習法上の要件に重なるので、①が日本特有の憲法上の制約ということになる。①要件の帰結として、日本政府は長年にわたり、他国への武力攻撃に対する反撃を意味する**集団的自衛権**の行使は憲法上できないと解してきた。これに対し、安倍内閣は2014年7月1日の閣議決定で、①の要件を改め、集団的自衛権の行使を容認した（→第3節4・117頁）。

＊**自衛権**は取扱注意の概念である。「独立国家なのだから自国を守るのは当然だろう」といわれると、そのような気もする。歴史的にみても、他国からの不当な軍事的干渉に対し、自国を防衛することを正当化する積極的な意義を担ってきた面もある。しかし、「軍事力には軍事力で」という「目には目を」的な対応が、真に国際紛争を解決することにつながるのかが疑問視されるなかで、自衛権は限られた場面でしか行使が許されなくなった（→第1節2・91頁、3(2)・101頁）。他方、それにもかかわらず、自衛権概念が残されていることによって、それは拡張され、濫用される。すでに述べた通り、集団的自衛権概念が「発明」され、大国の軍事的介入を正当化するために用いられたり、日本に関しても、戦前のスローガン「満蒙は日本の生命線」をもち出すまでもなく、「シーレーン防衛」やインド洋上の「テロ対策」、ソマリア沖の海賊船対処、ホルムズ海峡での機雷除去など、経済的権益を経路として「自衛」の範囲はどんどん広がっている。「それならいっそのこと、自衛権なんてやめてしまおう」というのが、上記(e)説である。(e)説と(d)説の分岐に注目すると、日本の自衛権論争は、戦争が高度化し核戦争の危険もある時代に、紛争の軍事的解決が困難になっているなかで、「自衛」という目的とその手段を区別する可能性を示すものであった。同時に、「自衛」といった場合、従来は当然に「自国の防衛」をさすところ、「国を守る」といってもそのもとで国民が犠牲になってきた歴史に鑑み、国の防衛と国民の生存・生活の保護を区別する必要性も意識されている。そうした「自衛権」の現在的再構成にとって、憲法解釈論上の鍵となるのが「平和的生存権」である。

4　平和的生存権──「人権としての平和」

　憲法前文第2段は、恒久平和主義への念願と決意を述べたうえで、「全世界の国民が、ひとしく恐怖と欠乏から免かれ、平和のうちに生存する権利を有することを確認」している。この権利は一般に「**平和的生存権**」と呼ばれているが、この呼称はややミス・リーディングな面がある。たしかに、「平和のうちに生存する権利」と書かれているが、この部分の英語正文は「right to live in peace」であり、どうにかこうにか「生存する」(survive, exist) というよりも、「生活する」というニュアンスが強い。また、「平和のうちに」のみならず、「ひとしく恐怖と欠乏から免かれ」生活する権利なのであって、市民的権利（恐怖からの自由）や社会的権利（欠乏からの自由）を含む「平和のうちに自由に人間らしく生活する権利」を意味する。「平和的生存権」が複合的権利と呼ばれる所以であり、憲法第3

章の保障する諸権利の基底的権利ともいわれる（19世紀の市民的権利、20世紀の社会的権利に対して、平和的生存権を21世紀的権利の先取りと位置づけることもできる）。

　この「平和的生存権」の画期的な点は、第1に、平和の問題を「秩序」の問題ではなく「権利」と位置づけたこと、すなわち、平和を、主権国家間の安全保障の問題から、人間らしく生きていくための不可欠の権利だととらえたことである。国家の「安全保障」政策がしばしば国民無視や抑圧につながることから、国民の権利として「平和」をとらえ、国家権力に対して、これを守らせるという視角である。

　第2に、一国の憲法であるにもかかわらず、この権利をもつのは「全世界の国民」だと規定している点も重要である。この「国民」という語は、憲法制定過程における日本政府の意図的な「誤訳」であって（第3章のタイトルをはじめとする他の「国民」も同様）、英語正文は「all peoples of the world」（世界中のすべての人々）である。前文第2段第1文の「平和を愛する諸国民（the peace-loving peoples of the world）の公正と信義に信頼して、われらの安全と生存を保持しようと決意した」も同様で、平和を愛するpeoplesの国境を越えた連帯が実現してはじめて、国際平和と日本の安全が実現されるということを示している。つまり、国家というのは常に「国益」を優先し、それは対立する側面ばかりでなく、たとえば中国と日本がいがみ合っているように見えながら、お互いの経済権益を維持・発展させるという意味では「win-winの関係」にある。それがそれぞれのpeopleの暮らしの向上につながればよいが、現実は、それで得するのは一部の人たちだけという構図がある。だからこそ、peoplesが国境を越えて連帯し、信頼関係を築くと同時に、それぞれの政府を監視して、一歩ずつ平和な世界をつくっていく努力をしなければならない。国境を越えたpeoplesの連帯で、全世界のpeoplesの「平和のうちに自由に人間らしく生活する権利」を実現しようというのが、日本国憲法のラディカルな平和実現構想である（その意味で、この構想を具体化する9条が、非軍事的手段に限定しているのは、自然な成り行きといえる）。

　「平和的生存権」はこのように理念的な色彩が強いため、憲法学でも裁判においても、裁判で援用できる権利といえるかどうか（裁判規範性）が争われてきた。裁判規範性を否定する見解が通説とされるが、実際の裁判

で認められてきた経緯もふまえ（→5(2)ⅲ・109頁、ⅴ・111頁）、こんにちでは肯定説も有力である。否定説の根拠として、いまだ抽象的で具体的な内容が不明確ということが指摘されるが、およそ憲法上の権利は抽象的であって、その内容の確定は解釈による充填を必要とする。「平和的生存権」は生成途上にある権利であるため、現時点で明確な内容をもたないのは当然であり、そのことを理由に裁判規範性を一律に否定するのは筋違いといえよう。むしろ、具体的な訴訟において、具体的な権利侵害が具体的なかたちで争われることを通じて、その内容が徐々に明確になっていくと考えるべきである。

さらに、裁判で「平和的生存権」の侵害が認定されるには一定の――裁判過程に特有の――限界があるとしても、政治過程において「平和的生存権」を援用し、国家の具体的な政策を批判的に吟味することの意義は大きい。ここにこそ、「平和」を国家安全保障「政策」の問題にとどまらず、全世界のpeoplesの権利とした日本国憲法の潜勢力がある。

＊20世紀から21世紀にかけて、国際社会でも、国家安全保障（national security）から**人間の安全保障**（human security）への転換が説かれ、その嚆矢たる国連開発計画（UNDP）の1994年人間開発報告書は、人間の安全保障を、飢餓・疾病・抑圧等の恒常的な脅威からの安全の確保と、日常の生活から突然断絶されることからの保護を含む包括的な概念と位置づけた。こうしたコンセプトは、日本国憲法の「平和的生存権」と通底するが、近年では、どのような立場であれ「人間の安全保障」を援用しない者はいないという状況に至っている。したがって、それが国家安全保障の看板の掛け替えにすぎないかどうか、具体的な内容の検証が必要であるとともに、日本国憲法が「平和的生存権」を非軍事的手段によって実現しようとしている特質が留意されなければならない。

また、国連では、「平和への権利」も議論されるようになり、1978年、国連総会で「平和的生存のための社会の準備に関する宣言」が決議され、1984年には国連総会で「人民の平和への権利」に関する決議が採択された。さらに、2003年のイラク戦争をきっかけとして、日本国憲法の平和的生存権を参照しつつ、「平和への権利」を国際人権として承認することをめざす国際的な運動が高まり、国連人権理事会での議論を経て、2016年12月の国連総会で「平和への権利宣言」が採択された（日本は、アメリカなどとともに反対）。

5　裁判所の対応

　憲法 9 条のもとで自衛隊や駐留米軍が存在するという事態は、最高法規たる憲法と現実（条約・下位法・実態）との深刻な矛盾を意味するため、裁判でもさまざまなかたちで争われている。

(1) 安保条約裁判

　ⅰ）砂川事件（東京地判1959・3・30、最大判1959・12・16）

　1957年、東京都砂川町（現立川市）の米軍基地拡張に反対するデモ隊が基地内に立ち入ったとして、そのうちの 7 名が旧安保条約に基づく刑事特別法 2 条違反で起訴された。1959年 3 月の第一審判決（裁判長の名をとって伊達判決と呼ばれる）は、9 条解釈は、文言を形式的に理解するのではなく、憲法の理念を十分に考慮してなされるべきであると強調したうえで、米軍駐留は日本国政府と米国政府の意思の合致によるものであるから、「わが国が……自衛に使用する目的で合衆国軍隊の駐留を許容していることは、指揮権の有無、合衆国軍隊の出動義務の有無に拘らず」憲法 9 条 2 項前段に違反するとした（被告人らは無罪）。

　これに対して検察側は跳躍上告（刑事訴訟規則254条）をし、同年12月、最高裁は、安保条約のような「高度の政治性」を有する事柄の合憲性判断は、「純司法的機能をその使命とする司法裁判所の審査には、原則としてなじまない性質のもの」であるから、「一見極めて明白に違憲無効であると認められない限りは、裁判所の司法審査権の範囲外」にあるとした。つづいて最高裁は、「一見極めて明白に違憲無効である」かどうかを確認するにしては不釣り合いなほど詳細に安保条約の合憲性を論じ、駐留軍が「わが国自体の戦力でない」ことなどを理由に、米軍の駐留を「憲法……の趣旨に適合こそすれ、……違憲無効であることが一見極めて明白であるとは、到底認められない」と判示した（原審破棄差戻し）。

　＊こうした最高裁の憲法判断回避の手法は、「**統治行為論**」（→第 2 部 3 章 1 節 2(3)ⅴ・276頁）に「一見極めて……」の条件が付されたものなので、条件付き統治行為論とか変則的統治行為論などと呼ばれている。しかし、「高度の政治性」を有する問題を事柄の性質上、司法審査の範囲外とする統治行為論の論

理からすれば、「一見極めて明白」な場合であれ、違憲判断が可能ということはありえないはずであり、統治行為論というより、政治部門に著しく広範な裁量を認めたものととらえるべきであるとの批判もある。この論はその後、自衛隊裁判の下級審でも援用されることになるが、最高裁はこの論を用いることなく、他の理由により憲法判断を回避している（→5(2)・109頁）。

＊なぜ跳躍上告が行われ、迅速な判断に至ったのか？

　判決が出された1959年には、安保条約の改定が政治日程に上っていた。そこへ「安保条約は違憲」との一審判決が出たわけだから、アメリカや岸信介政権が動揺したのは想像に難くない。その結果、3月の違憲判決から9ヶ月弱で最高裁判決が下されるという異例の「迅速」裁判となった。また、最高裁判決は、憲法判断回避と実質合憲判断の継ぎ接ぎのような内容になっているが、これも、当時の政治状況に鑑み正面から合憲というわけにもいかないが、かといって伊達判決が存在する以上、それを実質的に否定する必要もあるという背景事情によるものと考えられる。

　こんにちでは米公文書の公開により、一審判決直後にアメリカからの「示唆」で、跳躍上告が行われ、米大使等の意向を受けた田中耕太郎最高裁長官の「政治力」によって、全員一致の破棄判決がまとめられたことが明らかになっている（→第2部3章1節2(3)ⅴ・276頁）。駐留米軍は日本が「保持」しているわけではないから合憲との形式解釈も、1950年に米国務省特別補佐官が創出したものを、その意向を受けた国際法学者（横田喜三郎）が自説を改めて論壇誌に公表し、それが1952年に政府解釈で採用され（→2(2)・96頁）、さらに砂川事件最高裁判決の実質合憲判断部分にも影響を及ぼしたと考えられる。

ⅱ）沖縄県知事職務執行命令訴訟（最大判1996・8・28）

　米軍用地の強制使用をめぐる沖縄県知事代理署名拒否に対して内閣総理大臣が起こした職務執行命令訴訟で、最高裁は、駐留軍用地特措法を、同法の前提である安保条約が「一見極めて明白」に違憲無効でないからという理由で、違憲とはいえないと判示した（これも一審高裁判決から約5ヶ月の「迅速」判決であった）。その際に引用された砂川事件最大判（→ⅰ）・107頁）は、旧安保条約に関する判断であったから、仮にその論理を踏襲するとしても、安保改定とその後の実態の展開（→2(2)・97頁、(3)・98頁、第3節2・114頁）をふまえたうえで、せめて「一見極めて明白に違憲」であるかどうかだけでも判断すべきであったと思われる。

(2) **自衛隊裁判**

　自衛隊（およびその前身）をめぐる憲法裁判は、軍事組織それ自体の合憲性を問うものと、その組織の活動の合憲性を問うものとに分かれる。論理的には、前者が合憲でなければ、後者を争う余地はないので、前者が後者の前提となる。

　ⅰ）警察予備隊違憲訴訟（最大判1952・10・8）

　警察予備隊が創設されたのを受け、日本社会党が委員長を原告として、その設置と維持の違憲確認を求めて最高裁に直接出訴したが、最高裁は抽象的違憲審査を不適法として却下した（→第2部3章2節2(1)・293頁）。

　ⅱ）恵庭事件（札幌地判1967・3・29）

　北海道恵庭町（現恵庭市）の自衛隊演習場付近で酪農業を営んでいた兄弟が、爆音等による乳牛の被害に対する補償も認められず、演習の事前連絡などを約した紳士協定も守られなかったことに抗議して、自衛隊の連絡用電話線を数カ所切断したところ、自衛隊法121条違反（防衛用器物損壊罪）で起訴された。被告人は自衛隊法の違憲性を主張し、公判でも多数の憲法研究者と400人に及ぶ大弁護団により自衛隊違憲論が展開されたため、地裁の憲法判断が注目を集めたが、判決は、当該電話線は同条の「防衛の用に供するもの」にあたらないとして被告人を無罪とし、憲法判断には立ち入らなかった（確定）。

　形のうえでは「憲法判断回避の準則」（→第2部3章2節3(2)ⅰ）・297頁）を根拠に、こうした判決手法が可能であるとしても、実質的にみて自衛隊の憲法適合性こそが問われていた訴訟であることを考慮すると、裁判所が「憲法の番人」たることを放棄した「肩すかし判決」であったとの批判にも十分な理由がある。

　ⅲ）長沼ナイキ基地訴訟（札幌地判1973・9・7、札幌高判1976・8・5、最判1982・9・9）

　森林法上の保安林に指定されていた北海道長沼町の国有林の一部を、国が、自衛隊のナイキ・ミサイル基地建設のために指定解除処分をしたのに対し、地域住民が、基地建設は違憲であり、当該指定解除処分には森林法26条2項の解除要件たる「公益上の理由」がないとして、処分の取消を求めて行政訴訟を提起した。

　一審判決（福島判決）は、「訴えの利益」の存否を認定する場面で、地

域住民の「平和的生存権」(→4・104頁)が侵害される危険性があることを理由に、本件訴えの「法律上の利益」を認めたうえで、「9条2項戦力全面放棄説」(→3(1)・100頁)を前提に、自衛隊の編成・規模・装備などを詳細に検討し、同項で保持を禁じられた戦力に該当するため、その根拠となる自衛隊法等は違憲無効であると判示した。

これに対して二審判決は、代替設備により洪水の危険性等の「訴えの利益」がなくなったことを理由に、一審判決を取り消して、訴えを却下しつつ、「念のため」として、砂川事件最高裁判決の「変則的統治行為論」(→5(1)ⅰ・107頁)を、裁判所による憲法9条解釈の手法にまで拡張する見解を付記した。最高裁は、この「変則的統治行為論」を採用せず、「訴えの利益」が消滅したことを理由に原審の却下判決を支持するにとどまったため、自衛隊の合憲性に関する憲法判例は何も残らなかった。

＊一審で違憲判決を下した福島重雄裁判長は、訴訟の過程で地裁所長・札幌高裁・国会(裁判官訴追委員会)等から圧力をかけられ(平賀書簡事件→第2部3章1節4(3)・288頁)、判決後は、東京地裁の手形事件担当に異動、その後福島・福井の簡裁に勤務し、裁判長として判決を書くことは二度となかった。また、二審判決は、最高裁が事前に「適切な」裁判官を配置しておく「長沼シフト」で構成された高裁で下され、予測どおり福島判決は覆された。こうした事例は、(砂川事件伊達判決への対応とならんで→5(1)ⅰ・107頁)日本の「司法権の独立」(→第2部3章1節4・286頁)が(とりわけ憲法9条が絡んだ場合は顕著に)危ういものであることを示している。

ⅳ)百里基地訴訟(水戸地判1977・2・17、東京高判1981・7・7、最判1989・6・20)

航空自衛隊基地の建設が予定されていた茨城県小川町(現小美玉市)百里原の土地を所有していた原告は、基地反対派の被告との土地売買契約を解除して、その土地を防衛庁に売却した。原告と国が被告に対して、所有権移転登記の抹消等を求めて民事訴訟を提起したため、被告は、違憲の自衛隊基地建設のための原告と国の売買契約は無効であると主張した。

一審判決は当該売買契約を有効としたが、その結論とはかかわりなく(政府解釈ですら採ったことのない)「自衛戦力合憲論」(→3(1)・100頁)を展開したうえで、長沼ナイキ基地訴訟高裁判決(→ⅲ)・109頁)と同様に

「変則的統治行為論」を用いて、自衛隊法等を違憲無効とすることはできないと判示した。二審判決も売買契約を有効としたが、国の私法行為には憲法の適用がないとして、憲法判断を回避した。最高裁は、二審の私法・公法峻別論を一層純化させ、国の私法上の行為に憲法9条は直接適用されないとして（三菱樹脂事件最高裁判決を援用→第3部1章4節1(3)・329頁）、当該契約が民法90条の公序良俗違反に当たるかどうかのみを判断し、それが「反社会的な行為」であるとの認識が社会の一般的な観念として確立していたとはいえないとの理由で、原審の判断を是認した。

　こうした私法・公法峻別論は、長沼二審・本件一審のような「変則的統治行為論」を回避するための便法といえるが、自衛隊基地建設のための土地売買を通常の私人間の売買契約と同様に考える形式論理には批判が多く、実質的に公権力の発動たる行為とみなす見解も少なくない。

　ⅴ）自衛隊イラク派遣違憲訴訟（名古屋高判2008・4・17）
　ⅰ)～ⅳ)は、自衛隊等の存在自体（およびその根拠法令）の違憲性（9条2項違反）が問われた事件であったが、本訴訟では、自衛隊の存在を前提としつつ、その活動の違憲性（9条1項違反）が争われた。

　2003年に制定された「イラク復興・米軍支援特措法」に基づく自衛隊のイラク派遣に対し、①派遣の差止め、②違憲の確認、③原告らの平和的生存権侵害に対する損害賠償を求めて、各地で訴訟が提起された。そのうちの名古屋訴訟二審判決は、結論としてすべての請求を認めなかったものの（①・②は不適法、③は認容せず）、イラクでの自衛隊の活動を憲法9条1項違反と認定するとともに、平和的生存権の裁判規範性を肯定した。

　この判決で特筆すべき点は、第1に、イラクでの航空自衛隊の空輸活動につき詳細な検証を行ったうえで、「多国籍軍の戦闘行為にとって必要不可欠な軍事上の後方支援を行っているものということができる」から、「他国による武力行使と一体化した行動であって、自らも武力の行使を行ったと評価を受けざるを得ない行動」であるため、仮に憲法9条に関する政府解釈および「イラク特措法」の合憲性を前提にしたとしても、「特措法」2条2項・3項および憲法9条1項に違反するとしたことである。第2に、憲法前文の平和的生存権を「全ての基本的人権の基礎にあってその享有を可能ならしめる基底的権利である」と同時に「局面に応じて自由権的、社会権的又は参政権的な態様をもって表れる複合的な権利」であるか

ら（→4・104頁）、憲法上の法的な権利として認められ、かつ、「裁判所に対してその保護・救済を求め法的強制措置の発動を請求し得るという意味における具体的権利性が肯定される場合がある」と認定している点も重要である。長沼ナイキ基地訴訟（→ⅲ・109頁）一審と比べ、権利承認の場面が原告適格の認容から実体的権利救済へと拡張され、権利内容においても、戦争等により被害を受ける場合のみならず、「憲法9条に違反する戦争の遂行等への加担・協力を強制されるような場合」にも権利侵害となりうることが承認されている（二審判決で確定）。

＊その後、同じく自衛隊のイラク派遣の差止めを求めた岡山訴訟でも、一審判決が平和的生存権の裁判規範性を認めたうえで、「徴兵拒絶権、良心的兵役拒絶権、軍需労働拒絶権等の自由権的基本権として存在」すると権利内容を具体化するとともに、具体的に侵害された場合は損害賠償請求も可能であると判示した（岡山地判2009・2・24）。

　以上、主要な9条裁判からは、一方で下級審においては、安保条約・駐留米軍、自衛隊の存在および活動のすべてについて違憲判決が出ており、他方で最高裁は、すべての訴訟で憲法判断を回避していることがわかる。判例としては、安保条約・自衛隊の合憲性は、法的には開かれたまま（未決着）であるが、機能的には政治部門の判断を追認するものとなっている。同時に、下級審の違憲判決や平和的生存権の承認はもとより、「中途半端」な最高裁判例も含めて、具体的訴訟のなかで具体的な権利が争われ、原告（または被告人）・弁護団・憲法研究者・世論と（「権力」を総動員した）国側とのせめぎ合いのなかで、新たな権利が生成・発展し、憲法規範の内実が（ジグザグの経緯をたどりつつ）充填されていくダイナミックな過程にも注目する必要がある。

第3節　1990年代以降の軍事的展開と憲法

1　冷戦終結と国連の「活性化」

　1990年前後に起こった東西冷戦の終結と湾岸戦争は、国際社会の秩序を

第 5 章 非軍事平和主義　113

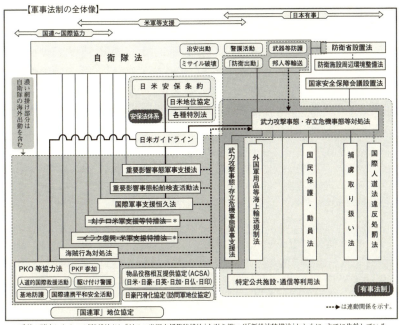

＊二重線で消去した2つの「特措法」は、「対テロ米軍支援等特措法」を引き継いだ「新給油特措法」とともに、すでに失効している。

大きく塗り替え、憲法9条をめぐる攻防にも多大な影響を与えた。「無法者」イラクの隣国クウェートへの「侵攻」に対し、国連のお墨付きを得た多国籍軍が「制裁」を加えるという構図は、自衛隊の海外展開を模索しながらも果たせないでいた日本政府にとって、千載一遇のチャンスといえた。「日本はカネだけ出して人は出さなくていいのか？」という「国際貢献」論が喧伝され、9条をめぐる争点は、自衛隊の合憲性から海外出動の合憲性へとシフトした。一方、東西冷戦期には拒否権をもつ米ソの対立により機能しなかった国連による安全保障が、冷戦終結とともに──唯一の超大国となったアメリカ主導で──「活性化」することとなった。

　湾岸戦争に乗じて自衛隊を海外に派遣することに失敗した政府が次に注目したのが、国連の「平和維持活動（Peace-Keeping Operations = PKO）」であった。PKOはもともと、東西冷戦下で国連による集団安全保障が機能しないなか、紛争の停戦・休戦が成立した後、停戦監視などにあたる中立の活動として生み出された。冷戦終結とともに、その原則・機能に変化がみられたが、自衛隊の海外派遣をめざす政府が強調したのは、国連の活

動（国際的な公共活動）であることと、「平和維持」（軍事力を行使しない）活動であることであった。激論の末、1992年に成立した「PKO等協力法」は、それまで禁じられていた自衛隊の海外出動に道を開く一方、停戦合意の成立や中立的立場の遵守をうたった「PKO五原則」による歯止めがかけられ、軍事的衝突の危険が高い「平和維持軍（Peace-Keeping Force＝PKF）」本隊業務への参加は「凍結」された。

＊PKO等協力法による自衛隊の海外出動は、カンボジア（UNTAC）を皮切りに、ゴラン高原（UNDOF）、東チモール（UNTAET）、南スーダン（UNMISS）等、世界各地に拡大してきた。同時に、同法の改定により、武器使用要件は徐々に緩和され、PKF本隊業務への参加も「解凍」された。

　こうした活動を憲法解釈上正当化する新たな論理は、「国連協力」を理由とする海外出動であれば「武力行使と一体化しない限りで合憲」というものである。この前提には、憲法の禁止する戦争等は「国権の発動」としてのそれであるから、国際共同体たる国連の行うそれ（およびそれへの参加それ自体）は、もともと憲法に抵触しないという「論理」がある。憲法が禁止していない活動のうち、憲法の禁じた武力行使と一体化する活動のみを違憲とする「引き算」の論理だが、統治機構の分野で、しかも最強の実力部隊たる軍事組織について、憲法上の支障がないからといって積極的な根拠づけもなく活動することが許されるわけではないのは立憲主義の基本であり、政府解釈により自衛権行使を目的として辛うじて憲法上正当化された「自衛隊」が、自衛以外の目的で活動するのは筋違いといえよう。

2　「日米同盟」のグローバル化と法整備
　──「アジア太平洋安保」から「グローバル安保」へ

　1990年代半ばになり、国連の使い勝手の悪さに気づいたアメリカが自らを盟主とする「有志連合」路線へと舵を切ると、自衛隊の海外展開も「国連協力」から米軍支援へとシフトする。96年の「日米安保共同宣言」を受けた翌年の「新ガイドライン」は、「周辺事態」における日米間の協力をうたい、その帰結として、「周辺事態米軍支援法」（1999年「周辺事態安全確保法」）および「周辺事態船舶検査活動法」（2000年）が制定されること

となった(通例用いられている法律名は、その実態を表していないことが少なくないため、本書では、より実態に即した呼称を使うことがある。その場合は、初出時の( )内に通例の名称を補う)。さらに、世紀をまたいで、アメリカ主導の「対テロ戦争」の時代に突入すると、その都度、米軍を中心とする多国籍軍を自衛隊が支援する一連の特措法がつくられた(2001年「対テロ米軍支援等特措法」〔「テロ対策特措法」〕、2003年「イラク復興・米軍支援特措法」〔「イラク復興支援特措法」〕、2008年「新給油特措法」〔「新テロ対策特措法」〕)。

＊こうした動きのなかで日米安保体制(→第2節2・96頁)は、さらに領域的に拡張されると同時に、日本の軍事的コミットメントが強まっていく。冷戦終結後の一段とグローバル化された世界において、アメリカの戦略がグローバルな覇権を志向するのにともない、安保体制も「グローバル安保」と呼ぶにふさわしい広がりをみせている。一方で、1990年代以降の軍事的展開が、ただ単にアメリカに従属しているだけでなく、日本経済のグローバル化に起因していることも見逃してはならない。80年代半ば以降、日本の大企業は急速に多国籍化し、そこで得られた「海外権益」を——アメリカ等とも連携しつつ——日本の軍事的プレゼンスで確保しようとするのが、自衛隊の海外展開にほかならない。加えて、日本経済の「成長」が先端技術を軸としており、その先端技術は現代軍事力の中枢でもあるため、日本経済の「成長」が軍事力の増強と結びつく傾向にも留意が必要である(→4・117頁)。

当時の一連の米軍支援法に共通する特徴は、自衛隊の活動に対し、米軍の武力行使と「一体化」してはならないという「歯止め」が設けられていたことである。原型となった「周辺事態米軍支援法」を例にとると、自衛隊が行えるのは「後方地域支援(rear area support)」であり、これは「前線」(戦闘地域)で活動する米軍に対し、自衛隊の活動領域を「前線」とは地域的に区分された「後方地域」に限定することにより、両者の「一体化」を回避するための道具立てであった。その意味で、概念上「前線」地域での支援をも含む「後方支援(logistic support)」とは「後方」の意味が異なっており、自衛隊の活動には二重の「後方」概念(「後方地域」における「後方支援」)によってしばりがかかっていた。他方で国際法上は、いわゆる兵站活動は、「前線」・「後方」の区別なく、米軍と一体となって武力行使をして

いると評価されるので、米軍が自衛権の行使として軍事行動を行っている場合は、集団的自衛権の行使とみなされる。したがって、当時の米軍支援形態は、集団的自衛権行使へと連動する支援が、安保条約6条の基地提供をこえて「後方地域支援」にまで拡張されたとみることができる一方、政府が「後方支援だから武力行使と一体ではない」という論理を用いることができない程度には、憲法9条の規制力がはたらいていたともいえる。

＊2009年に成立した「海賊行為対処法」は、いくつかの点で「新機軸」を打ち出した特異な性格をもっている。①まず、自衛隊の海外出動が「国連協力」でも米軍支援でもなく、石油確保等の「国益」により正当化された点が挙げられる。経済的権益の確保が「自衛」観念と結びつけられ、「自衛」が世界大に広がっているのが昨今の特徴である（→第2節3(2)・101頁）。②つぎに、同法は、（「周辺事態」関連諸法とは異なり）地理的限定がなく、（各種特措法と異なり）期間限定もない自衛隊海外出動「恒久法」である。③さらに、「武器使用」基準の大幅な拡張あるいは質的な転換が問題となる。同法は、海賊行為の制止に従わなかった場合、自衛隊に「武器の使用」を認めるが、これは、「PKO等協力法」の二度の改定によって、自己と同僚の生命・身体の防護から武器・弾薬・船舶等の防護へと武器使用基準が緩和されたのをはるかにこえて、任務遂行のための「武器使用」を容認するものであり、もはや憲法9条1項が禁止する「武力の行使」と紙一重の状況に至っている（これらの諸点は、「安保法制」に引き継がれた。→4(3)・118頁）。

3　「有事法制」整備の意味

　2003年の「武力攻撃事態等対処法」等および翌年の「国民保護・動員法」（「国民保護法」）等の成立によって「**有事法制**」が整備され、外敵から日本を守る体制が整えられたといわれる。これらの諸法が成立した背景には、北朝鮮のミサイル発射や中国の軍事的台頭などがあるが、「有事」関連法の成立が「周辺事態」関連法よりも後であったことからもわかるように、現実には、「周辺事態」（周辺有事）から「武力攻撃事態」（日本有事）へと連動する可能性が高い。具体的には、日本「周辺」でアメリカが軍事介入することにより「周辺事態」が認定され、自衛隊が米軍を支援することによって、相手側が日本を攻撃するという展開である。そこでひとたび「武力攻撃事態」が認定されれば、自治体および公共機関はもちろん、民

間企業や国民も含めて、「事態」への対処に協力する体制（＝国民動員を含む戦時体制）がとられることとなる。また、「有事」に備えて、平時から訓練を行うことも法定されており、日常生活の「軍事化」が予測される。

4　第二次安倍政権による新展開

(1)　「積極的平和主義」にもとづく諸政策の転換

　2012年12月に発足した第二次安倍政権により、憲法の平和主義をめぐる状況は、それまでの自民党政権下での枠組みをこえて、大きく変化した。まず、2013年末、戦後初めて「**国家安全保障戦略**」が策定され、「積極的平和主義」のスローガンのもと、米軍をはじめとする他国の軍隊と連携し、平時から戦時まで「切れ目なく」軍事的に対応することが国家戦略となった。同時に、安全保障会議が国家安全保障会議に改組され、トップダウンで安全保障政策を策定する体制が整えられるとともに、「防衛計画の大綱」が改められて、実際に戦える「統合機動防衛力」の整備がうたわれた。これらにともない、安全保障を含む国家の重要情報を国民から秘匿することを可能とする「特定秘密保護法」が制定され、軍事関連の施策について国民の立場から検証することが、より困難になった（→第3部3章1節3(1)・357頁、3節2(3)ⅱ・390頁）。

　こうした動きと軌を一にするかたちで、外交・経済・学術等をめぐる政策全般が「軍事化」され、従来、憲法9条に基づき政府が自らに課してきた政策的制約（→第2節1(3)・95頁）が次々に解除されることとなった。たとえば、2014年4月、政府は武器輸出三原則を撤廃し、「防衛装備移転」という名で武器を海外に輸出する国家に転換するとともに、2015年2月には、「ODA大綱」を「開発協力大綱」に改めて、これまで禁止されていた他国軍への支援も解禁した。これらの政策にもとづいて、日本政府は紛争当事者への「支援」を積極的に進めており、憲法9条に支えられてきた「平和国家日本」のブランドは大きく揺らいでいる。加えて、2015年度から防衛装備庁が開始した「安全保障技術研究推進制度」により、研究費の供与と引き換えに、大学における軍事研究を促進する仕組みが整えられた（→第3部3章4節1(2)ⅰ・431頁）。

(2) 閣議決定による集団的自衛権の行使容認

　日本政府が憲法9条2項の「戦力」をめぐって「戦力に至らざる自衛力」論（→第2節1(3)・95頁）を採用した結果、「自衛のための必要最小限度の実力」たる自衛隊には「自衛権行使の三要件」が課せられ（→第2節3(2)・101頁）、日本は個別的自衛権を行使することはできるが、他国への武力攻撃に対する反撃を意味する集団的自衛権は憲法上行使できないとされてきた。これに対し、安倍内閣は2014年7月1日の閣議決定で、「自衛の措置としての武力の行使の新三要件」を定め、日本に対する武力攻撃が発生した場合に加えて、日本と密接な関係にある他国に対する武力攻撃が発生し、これにより日本の存立が脅かされ、国民の生命・自由および幸福追求の権利が根底から覆される明白な危険がある場合にも、武力行使ができるように改めた。

　これは従来、政府自身が憲法上許されないとしてきた集団的自衛権の行使を容認するものであり、これに対しては、非軍事平和主義の立場からはもちろん、自国防衛のための必要最小限度の武力行使を容認する立場からも、①9条2項解釈を維持したまま、「自衛」の名目で「他衛」権たる集団的自衛権の行使を導くのは論理的に筋が通らないこと、②いかなる場合に上記要件を満たすのかが不明確なため、時々の政権の判断次第で武力行使が可能となること、③集団的自衛権の行使を可能とすることは、憲法9条の規範的意義をほとんど無にするものであることなど、強い批判がある。

> ＊こうした集団的自衛権の行使容認に対する実体的評価とは別に、閣議決定によってそれを行ったという手法についても、①国民主権、②法的安定性、③立憲主義の観点から、次のような批判がある。①集団的自衛権の行使容認は、憲法9条を実質的に変更するものであるところ、時の多数派にすぎない内閣がこれを行うことは、国民に留保された憲法改正権（→第1部6章3節1・134頁）の簒奪にほかならない。②集団的自衛権は憲法上行使できないという解釈は、日本政府が長年にわたって維持し、国会でも頻繁に確認されてきたものであるにもかかわらず、これを一片の閣議決定によって覆すのは、安定的憲法秩序の破壊である。③憲法によって拘束されるべき政治権力担当者が、自らの望む政策の妨げになる憲法解釈を変更することは、憲法で公権力を拘束するという立憲主義を否定し、憲法の存在意義を蔑ろにするものである。

(3) 「安保法制」の制定

　以上の流れを受けて、安倍政権は、2015年4月に「日米ガイドライン」（→第2節2(3)・98頁、第3節2・114頁）を再改定し、平時から戦時に至る日米間の「切れ目のない」軍事協力の強化をうたうとともに、この「新・新ガイドライン」を実施するための法整備として、翌5月、「安保関連法案」を国会に提出した。同法案は、「2015年安保」と呼ばれるほど、「60年安保闘争」（→第1部3章3節2(4)・57頁）以来の大反対運動を引き起こしたが、度重なる政府の強硬な国会運営の末、同年9月に成立した。**安保法制**は、憲法の平和主義からみて、数多くの重大な問題点を含んでいるが、その代表的なものは以下の通りである（2022年2月時点での「軍事法制の全体像」は、113頁の図を参照）。

　ⅰ）集団的自衛権行使の法制化

　まず、自衛隊法および武力攻撃事態等対処法を改正し、上記「新三要件」のうちの集団的自衛権行使に連なりうる部分、すなわち、「我が国と密接な関係にある他国に対する武力攻撃が発生し、これにより我が国の存立が脅かされ、国民の生命、自由及び幸福追求の権利が根底から覆される明白な危険がある事態」を「存立危機事態」として法制化した（それにともない、法律の名称も「武力攻撃事態・存立危機事態等対処法」と改められた）。これにより、日本が武力攻撃を受けた場合（武力攻撃事態）のみならず、他国に対して武力攻撃が行われた場合にも、自衛隊が「防衛出動」する道が開かれ、たとえば、中国や北朝鮮とアメリカが戦争状態に陥ったとき、これを「存立危機事態」と見なして、日本が参戦することも可能となった（その結果、いかなる事態が生じるか、想像してみよう。→第3節3・116頁）。

　ⅱ）他国への軍事支援の強化

　つぎに、海外での外国軍隊に対する軍事支援（兵站活動）は、それまで、①「周辺事態米軍支援法」にもとづき、「周辺事態」（日本周辺の地域における日本の平和と安全に重要な影響を与える事態）において「後方地域支援」を行うか、②同法が適用できない場合は、そのつど「特措法」を制定して、同様の米軍支援を行うかであったが（→第3節2・114頁）、「安保法制」により、①'日本の周辺地域に限らず、日本の平和と安全に重要な影響を与える事態（重要影響事態）であれば、どこでも軍事支援が可能となり（改正された法律の名称を、ここでは「重要影響事態軍事支援法」と略す）、同時

に、②'特措法を恒久化するべく新法が制定され、国際社会がその平和を脅かす事態に共同で対処する場合（国際平和共同対処事態）に、自衛隊が軍事支援、捜索救助、船舶検査活動を行えるようになった（この新法は、一般には「国際平和支援法」と略称されるが、ここでは実質をふまえて「国際軍事支援恒久法」と呼ぶ）。

こうして「安保法制」は、海外での外国に対する軍事支援を四重に規制緩和した。第1に、①「周辺事態米軍支援法」や②各種特措法に見られた地理的限定を解除し、自衛隊が文字通りグローバルに展開することが可能になり、第2に、それまで支援対象が米軍のみだったのが、その他の国の軍隊にも拡張された。第3に、従来の軍事支援は①「後方地域」や②「非戦闘地域」に限定され、自衛隊は、現に戦闘が行われている地域だけでなく、事態の推移によって戦闘行動が行われる可能性のある地域でも活動できなかったが（→第3節2・114頁）、①'・②'により、現に戦闘行為が行われている現場以外はどこでも活動できるようになった。第4に、それまでは禁じられていた弾薬の提供や発進準備中の航空機への給油も可能となり、さらに②'は、物品・役務の提供に加えて、捜索救助や船舶検査活動も自衛隊の任務とした。①'と②'は、軍事支援の目的は異なっているものの（①'「自衛」の系、②'「国際協力」の系）、自衛隊の活動地域や内容が重なり合う「双子の法律」であって、時々の情勢に応じて、自衛隊の海外出動を正当化しやすい方が選択され、上記規制緩和によって限りなく「武力行使との一体化」に近づくことが予測されよう（→第2節5(2)ⅴ・111頁）。

ⅲ）PKO等協力法の「軍事化」

1992年に制定されたPKO等協力法は、累次にわたる改定を通じて「軍事化」が進んできたが（→1＊・114頁、2＊・115頁）、「安保法制」による改定によって、さらにその傾向が促進された。①従来の「国連平和維持活動（PKO）」に加えて、国連が直接関与しない場合も含む「国際連携平和安全活動」への参加が新設され、②住民保護や駆け付け警護、基地の共同防護といった新たな業務が拡充された。③武器使用の要件も緩和され、従来は基本的に「自己保存型」の武器使用に限られていたものが、住民保護に際して、その業務を妨害する行為を排除するための「任務遂行型」の武器使用も認められることとなった。そもそもPKOは、かつてのような中立的な性格が失われ、残存する武装勢力から住民を保護したり、襲撃され

た国連職員を警護したり、基地が襲われた場合に他国の軍隊と共同して宿営地を護るといった事態が想定されており、そうした場面で任務遂行のために「武器使用」をすることは、憲法9条で禁じられた「武力行使」に限りなく近づかざるをえない。現に自衛隊は、2012年から南スーダンPKOに参加したが、2013年以降は事実上の内戦状態となり、「安保法制」成立後、宿営地の付近で激しい銃撃戦や大規模な戦闘が行われるなか、自衛隊に駆け付け警護と宿営地の共同防護の任務が付与された。

ⅳ）平時を含む米軍等防護

従来、自衛隊法では、自衛隊の武器等の防護のために必要と認められる範囲で自衛官が武器を使用することを認めていたが（95条）、「安保法制」は、これを米軍その他の外国の軍隊の防護にまで広げた（95条の2）。いかなる活動を行っている米軍等に対して自衛隊が防護できるかは、法文上「自衛隊と連携して我が国の防衛に資する活動（共同訓練を含み、現に戦闘行為が行われている現場で行われるものを除く。）」とされているだけで、広範かつ曖昧である。「現に戦闘行為が行われている現場」ではなくても、防護が必要とされるような現場で「武器使用」が行われれば、そのまま戦闘行為に発展する可能性もあり、米軍等の武力行使と一体化して自衛隊の武力行使に至る危険性もある。米軍等の防護は、防衛大臣の承認によって行われるため、国会による民主的コントロールも効かない。2017年5月に海自護衛艦が米軍補給艦を護衛して以来、米軍等防護は常態化しており（17年＝2件、18年＝16件、19年＝14件、20年＝25件、21年＝22件〔うち1件は豪軍防護〕）、これは自衛隊が米軍等と一体的に運用されていることを示しているが、十分な情報開示は行われていない。

憲法制定から75年以上がたち、憲法9条は一言一句変わっていないが、「安保法制」の制定により、ⅰ）集団的自衛権の行使による戦闘行動、ⅱ）外国軍に対する軍事支援（とそれに対する反撃）、ⅲ）変質したPKOにおける「治安維持」任務（とそれを完遂するための「武器使用」）、ⅳ）米軍等防護（とそれにともなう「武器使用」）といった、日本の安全とは直接かかわりがない「切れ目なく」多様なルートを通じて、自衛隊が海外で武力を行使する可能性が高まっている。もはや、日本の軍事組織が他国の人々を殺傷せず、また自衛官が戦闘によって命を失っていないのは、ただの偶然にすぎない。

＊「安保法制」成立後の動き

　2018年12月に安倍政権は「防衛計画の大綱」を再改定し、中国を「我が国を含む地域と国際社会の安全保障上の強い懸念」と位置づけた上で、これに対抗するため、陸海空という従来の領域のみならず、宇宙・サイバー・電磁波といった新たな領域の能力を強化する「多次元統合防衛力」構想を打ち出した。具体的対応の中には、海自最大の護衛艦を改修して、広い甲板に戦闘機を搭載できるようにする事実上の「空母」化も含まれており、「自衛のための必要最小限度」を超える「攻撃型兵器」は保有できないとする政府解釈にも抵触する恐れがある。また、2020年1月には、イランと敵対するアメリカの要請に応えて中東海域に海上自衛隊を派遣したが、軍事的に緊迫した地域に自衛隊を派遣することの是非とともに、派遣のための根拠法を制定することなく、防衛省設置法4条18号の「調査・研究」を援用した手法にも、法治主義・民主主義の観点から批判が寄せられている。

　18年「大綱」で強調された中国への「懸念」に対し、米軍のみならず、豪・印とも軍事的協力関係が強化される一方（その象徴が、2022年1月に署名された日豪「訪問軍円滑化協定」〔日米の地位協定に当たるもの〕である）、南西諸島の軍事化とミサイル配備が進められるとともに、軍事費の増強が続いている。2021年6月、菅政権は「重要土地等調査・利用規制法」を制定したが、これにより、基地周辺の住民らが監視され、基地反対運動などが禁止される恐れがある。さらに、2021年10月に発足した岸田政権は、2022年末にも、「国家安全保障戦略」や「防衛計画の大綱」を改定し、敵基地攻撃能力の保有を含む新たな方針を策定する予定であり、動向が注目される。

5　非軍事平和主義の普遍性と現実性

　こうした状況において、私たちが世界の平和と日本の（peoples の）安全のために考えなければならないことは何であろうか。ここでは、自分なりに考えるためのヒントを挙げておく。

　まず、前提として、世界の情勢をどのようにみるかという問題がある。2013年の「国家安全保障戦略」や2018年の「防衛計画の大綱」が描く世界像は、中国の急速な台頭や北朝鮮の軍事力の増強など、日本を取り巻く状況は不安定であり、国際テロなどの脅威も高まっているというものである。したがって、「日米同盟」の深化を基軸としつつ、他国とも連携しながら軍事的能力を高めて、これに対処しなければならないという筋書きになる。それでは、この近隣諸国との緊張関係や「国際テロ」の脅威はなぜ生まれ

ているのか、また、これに対して軍事力の強化ではたして対応できるのかを考えてみよう。ひとつのポイントは、日本の加害の歴史とどう向き合うかということである。日本国憲法は、加害の歴史を反省し、二度とそれを繰り返さぬために、また、軍事力では国際紛争は解決できないという歴史の教訓から、「平和を愛する peoples の公正と信義に信頼して」、つまり、歴史への反省を前提としつつ、対話と外交と相互協力で粘り強く信頼関係を築き上げていくことによって、世界の平和と自らの安全を確保するという道を選択した。その際、軍事力をもたないというのは弱みではなく強みである。自国に脅威をまったく与えない国を攻撃することほど、不正義なことはないからである。これは一見理想論に思えるかもしれないが、これまでの歴史と現在の状況をリアルに見れば見るほど、これが最も「現実的」な道だとわかる。軍事力を用いて敵を倒す方法は、強国とグルになって相手を殲滅してしまえば、短期的には有効かもしれないが、敵愾心と憎悪を生み、そののちの国際紛争の火種になる。これが、果てしない「報復の連鎖」がつづく「対テロ戦争」の現状であろう。そして、全世界の peoples の平和的生存権をうたう日本国憲法の視点からは、その殲滅戦のもとで罪もない多くの人々が殺戮されているという事実から目をそらすことはできない。

　国際社会の現状について、「国家安全保障戦略」とは別の見方をすることもできるだろう。東西冷戦は終わったが、現在も世界は、大国同士の覇権争いの只中にある。東アジアにおいても、覇権をめぐってアメリカと中国が対峙しており、そうした新たな「冷戦」構造の中で、日本は米側の番頭役として、より一層の貢献を求められている。すでにみたように、その支障となる足かせを徐々に外しながら、情報の収集・管理・統制、国家秘密保護から軍事的指揮命令系統、日々の訓練に至るまで、日本はアメリカと（従属的に）一体化しつつある。日本はこれまでも、武力行使はせずとも、アメリカの戦争を軍事的に支援してきたが、「安保法制」と連動した海外における武力行使の結果、9条のもとで戦後これまで皆無だった自衛隊による他国民の殺戮や自衛隊員の戦闘死も現実のものとなろう。「平和国家日本」のブランドが揺らぐなか、これまで日本のNGOが積み重ねてきた国際協力が不可能になるばかりか、在外邦人が襲撃され、日本の都市で無差別殺人が起こることも予測される。

世界の平和と日本の安全を実現する筋道を、メディアやネットで日々流布される言説に惑わされることなく、歴史と事実に即してリアルに考えてみてほしい。

＊「国家権力 vs. 民衆」の視点
　本文では、大国とその「同盟国」による覇権争いに触れたが、各国の政府同士は敵対しているように見えて、それは自己の権力を維持するための国内向けのポーズで、お互いの利権は確保し合っており、それに踊らされて割を食うのは各国の一般民衆という構図に留意する必要がある。国家の自衛権を peoples の平和的生存権に組み替えた日本国憲法の立場からは、喧伝される「国益」なるものに惑わされず、何が本当に国民の幸せにつながるかを考えなければならない。たとえば、アジアにおける地域的な平和共同体を構想するうえでも、国を越えた民衆の連帯・協力が重要である。ペシャワール会を主宰して、アフガニスタンの灌漑事業に奔走し、現地で「丸腰の英雄」と称えられた故・中村哲さんが、「対テロ米軍支援等特措法案」を審議する衆議院テロ防止特別委員会（2001年10月13日）で参考人として述べたメッセージに耳を傾けてみよう。
　「自衛隊派遣が今取りざたされておるようでありますが、……当地の事情を考えますと有害無益でございます。……現地は対日感情が非常にいいところなんですね。……その原因は、日本は平和国家として、戦後、あれだけつぶされながらやってきたという信頼感があるんですね……。それが、この軍事的プレゼンスによって一挙にたたきつぶされ、やはり米英の走り使いだったのかという認識が行き渡りますと、これは非常に我々、働きにくくなるということがあります。」

考えてみよう

1…日本国憲法は、なぜ他国に先駆けて、戦力の不保持（9条2項）を定めたのか、その理由と意義を考えてみよう。
2…「安保法体系」の存在によって、憲法的価値の実現が妨げられている具体例を挙げ、それらの障害をなくしていくにはどうしたらよいか、考えてみよう。
3…第3節5のヒントを参考にして、本章全体の叙述もふまえながら、現在の国際情勢のもとで世界の平和と日本の安全を実現する筋道を考えてみよう。

Further Readings

・深瀬忠一『戦争放棄と平和的生存権』(岩波書店、1987年):平和憲法研究の第一人者による古典的名著。世界の平和思想から、日本国憲法の平和主義の理念と現実、平和憲法を生かした具体的政策の提唱まで、じっくり学べる。

・森英樹編『安保関連法総批判』別冊法学セミナー(日本評論社、2015年):憲法学の観点から、「安保法制」を徹底分析。法案段階の出版だが、無修正で成立した法律にも当てはまる。本文の理解を補うのに最適の1冊である。

・法学セミナー編集部編『9条改正論でいま考えておくべきこと』別冊法学セミナー(日本評論社、2018年):本文では現行条文を前提に論じているが、進行中の9条改正論にも注意を払う必要がある。多彩な執筆陣によるコンパクトな1冊。

第6章 憲法の保障と変動

キーワード　憲法尊重擁護義務、市民的不服従、国家緊急権、憲法改正手続法、憲法変遷

　国家と社会の基盤をなす憲法は、社会の変化にどう向き合うべきか。本章では、憲法の保障と時代の要請に合わせていくことの意味を考える。

第1節　憲法の保障

1　憲法保障とは何か

　憲法保障とは、一般に「憲法が守られることを確保すること、あるいはその方法」を意味する。立憲主義の核心は公権力の担い手による権力の濫用を憲法によって抑止することにあり、憲法はそのために定められた国家の根本秩序に関する規範であり、国の最高法規である。そのため、多くの憲法は、とくに公権力による侵害を事前に抑止または事後に正すことでこれを守り、規範性を確保し安定性をもたらすための憲法保障の仕組みを備えている。日本国憲法も98条1項で憲法の最高法規性（→第1部1章3⑴・12頁）を定め、これを担保するさまざまな憲法保障の仕組みを用意している。
　憲法保障には、憲法が自ら定める正規的憲法保障と非常手段的憲法保障（超憲法的憲法保障）とがある。正規的憲法保障は合法的に用いられる制度化された仕組みであり、非常手段的憲法保障は憲法の安定性が破られた「憲法の危機」の状況下で論じられるきわめて例外的なものである。

2　日本国憲法の定める憲法保障

⑴　憲法尊重擁護義務

　正規的憲法保障の第1は、公権力の担い手に憲法の遵守を義務づけるこ

とである。日本国憲法は99条で「天皇又は摂政及び国務大臣、国会議員、裁判官その他の公務員」の**憲法尊重擁護義務**を明記する。これは、権力の担い手であり、憲法を直接・間接に運用する公務員にとくに課された義務で、国民は義務の名宛人に含まれない。

　他方、比較法的にみれば、国民に憲法尊重擁護義務を課す憲法も少なからず存在する（フランス1791年憲法2編5条など）。これは、国民は憲法制定権者であり、自ら定めた憲法は当然守るべきとの考え方による。しかし、日本国憲法が12条で国民に憲法が保障する自由及び権利を保持することを求めつつも、99条の名宛人から国民を除外していることは、軽視すべきでない。公権力を名宛人とする憲法の性質に照らしても、公権力の担い手たる公務員に課された99条の義務と国民のそれとは厳密な区別が必要である。

　憲法を運用する公務員の果たすべき義務には、憲法を侵犯しないという消極的不作為義務とそれを超えて憲法を積極的に尊重擁護する積極的作為義務とがある。99条はこれらの義務違反に法的な制裁を定めておらず、憲法上は法的義務ではなく道徳的要請と解される。しかし、このうち消極的作為義務違反については、法律の定めに基づき法的制裁の対象となることがある。たとえば、公務員の懲戒事由には「職務上の義務違反」（国公82条、裁判官弾劾法2条）が含まれるが、公務員が憲法を侵犯する行為を行った場合にはそれが「職務上の義務違反」に該当し、法律上懲戒処分の対象となる可能性がある。また、国家公務員法97条は国家公務員に服務の宣誓を義務づけており、宣誓文には「日本国憲法を遵守する」との文言が含まれる（職員の服務の宣誓に関する政令）。これを拒否した場合も同様である。ただし、こうした事態は現実には想定し難く、近年実践的に提起されているのは、教育公務員が国歌斉唱の職務命令に憲法尊重擁護義務を理由として背くことができるかという問題である（→第3部3章1節3(3)・359頁）。

　以上は憲法の運用場面での公務員の憲法尊重擁護義務であり、憲法を変更する場面とは区別される。憲法の変更、すなわち憲法改正と憲法尊重擁護義務の関係については、憲法尊重擁護義務を負う者が自ら憲法の変更を主張できるかが問題となる。国務大臣が、国務大臣としての立場で、96条の定める手続に反する憲法の変更を主張することは憲法尊重擁護義務に反すると考えられる。憲法改正限界説（→第3節2・136頁）に立てば、実体のうえで改正限界を超える憲法の変更を主張することも同様である。また、

手続的・実体的に適正な改正の場合にも、憲法尊重擁護義務に抵触する可能性がないとはいえない。憲法改正の発議権の所在をめぐる議論はこれにかかわる（→第3節1(2)・134頁）。憲法改正の発議権を国会議員にのみ認める立場に立てば、発議権のない国務大臣が憲法改正を主張することはできない。それを主張することで国務大臣としての職務が既存の憲法を遵守して行われているか疑義を生じさせることも理由のひとつである。

(2) 硬性憲法

憲法の安定性を確保するには、憲法改正に通常の法律の制定・改廃手続よりも厳格な手続を要請することが考えられる。法律と同等の手続で改正可能な憲法を軟性憲法、より厳格な改正手続をもつ憲法を硬性憲法という。議会内多数派による安易な改正を妨げるため、こんにちでは硬性憲法をもつ国が多い。第二次世界大戦以降「多数派によっても侵害され得ないもの」として人権を保障することが強調されていることからも、憲法の改正手続を法律よりも厳格にすることは積極的に評価できる。日本国憲法は改正にあたり国会の特別多数の賛成による発議と国民投票による過半数の賛成とを求めており(96条)、硬性憲法のなかでも硬度の高い部類に入る。

(3) その他

権力の濫用を防止することが憲法の安定性をも担保するため、権力分立原理に基づく統治機構も憲法保障のひとつといえる。国家が憲法に反する行為を行った場合にそれを是正する違憲審査制（81条）（→第2部3章2節・291頁）は、事後的な憲法保障の仕組みである。こんにち、多くの国が何らかの違憲審査の制度をもち、憲法保障の中核的役割を担っている。

3 抵抗権

(1) 抵抗権

抵抗権は、市民革命期には圧制に対する抵抗の権利として、既存の法秩序の転覆を目的とする革命の権利（革命権）を含む自然法上の権利と位置づけられ、近代立憲主義の成立に大きな役割を果たした（→第1部2章2節1・23頁）。しかし、ここでは「抵抗権」を、近代立憲主義に基づく憲

法秩序が整備された状態を前提とし、その実定憲法またはそれを下支えする自然法に対する重大な不法を公権力が行った場合に非常手段的憲法保障として国民が国の実定法に反してそれに抵抗する権利ととらえる。この場合、公権力により破壊された既存の法秩序の回復が抵抗権の目的となる。

このような意味の抵抗権をめぐっては、それを実定法上の権利として構成できるか否か、その射程および効果において学説間の争いがある。

抵抗権を実定法上の権利と構成する説によれば、抵抗権は、憲法上明文で保障される場合はもとより、そうでない場合にも自然権を基盤とする立憲主義憲法に内在する権利とされる。日本国憲法は抵抗権を明記しないが、12条および97条の国民の人権保持義務をその趣旨を示すものととらえる。ただし、この抵抗権は制度化されたものであり、市民革命期のそれよりもはるかに限られた射程しかもたない。抵抗権の発動は、憲法秩序が重大な危機にさらされ人権の行使が一般的に妨げられるようになった状況において、他に採りうる手段のないときに、厳格な要件のもとではじめて可能となる。なお、現に行われた抵抗行為が正当な抵抗権の行使に含まれるか否かは最高裁等の最終的公権的判定機関の判断に委ねられる。

これに対し、抵抗権を実定法上の権利と認めない立場からは、抵抗権がそもそも実定法を破るもので、実定法上根拠付けるのは論理矛盾だとの批判がある。また、上記の限定された抵抗行為ならば抵抗権という概念を用いずとも通常の刑法理論で救済可能だとの指摘や、抵抗権に訴えざるをえないような極限状態で行われた抵抗行為が裁判所によって救済されるとは考え難く実質的に無意味だとの指摘もなされる。仮に実定法上の権利として抵抗権を認める場合にも、抵抗権の行使が論じられるのはきわめて限られた場合であり、非常手段的憲法保障であることに留意が必要である。

(2) 市民的不服従

憲法を侵害しようとする公権力に対抗する行為のうち、既存の法秩序全体の正当性は失われていない状態で個別的な不正が「合法的に」行われている場合にそれに異を唱えるものとして、**市民的不服従**が挙げられる。市民的不服従とは、ロールズの定義によれば「通常、法や政府の政策を変えさせることを狙ってなされる行為であって、法に反する、公共的、非暴力的、良心的、かつ政治的な行為」をさす。アメリカで、ベトナム戦争の際

に、政治的・道徳的理由によってなされた徴兵拒否などがその例である。

市民的不服従は形式的には違法行為である。本来、法や政策への異議申し立ては民主主義や裁判を通じて行うべきで、実定法秩序を乱す抵抗行為は無限定には認められない。だが、他に手段がなく高度の必要性がある場合には、これを市民的不服従と認め、処罰を差し控えるべきであろう。

第2節　非常状況と憲法

戦争や内乱、あるいは大規模な自然災害は、人々の人権が最も危険にさらされる状況である。憲法の目的が人権保障にあるならば、こうした状況でこそ憲法はその役割を発揮しなくてはならないはずである。

しかし歴史的・比較法的には、逆に、こうした非常状況では憲法を一時停止し、平常時であれば違憲・違法となる行為を公権力が行うことも認めるべきとの主張がある。**国家緊急権**の主張がそれである。

国家緊急権とは、「戦争・内乱・恐慌ないし大規模な自然災害など、平時の統治機構をもってしては対処できない非常事態において、国家権力が、国家の存立を維持するために、立憲的な秩序を一時停止して、非常措置をとる権限」をいう。国家緊急権は、人権保障や権力分立など個々の憲法条文の規範性を侵すことにより、国家の存立基盤と憲法秩序そのものを守ることを目的とする。そのため、これは抵抗権と並ぶ非常手段的憲法保障のひとつとも数えられる。しかし、公権力が行った重大に不法に対抗して国民が行使する抵抗権と公権力が行使する国家緊急権とでは、根本的な違いがある。本来憲法によって拘束されるはずの公権力が憲法保障を標榜して憲法の拘束を無効化する国家緊急権は、立憲主義を破壊する危険を孕む。

国家緊急権は、緊急事態において超憲法的に行使される自然権的な国家緊急権と憲法にあらかじめ定められた要件のもとで行使される「憲法制度上の国家緊急権」とに区別できる。前者は公権力を事実上野放しにするため、多くの国ではこれを是とせず、後者を追求して、公権力の行使しうる非常措置権を憲法で規定し緊急権を制度化している。だが、国家緊急権の困難さは、「非常事態」に発動されるものであるがゆえに、いかなる措置が必要か予測が困難な点にある。制度を厳格に定めるほど、その制度で対応しきれなくなった場合に「憲法を踏み越える国家緊急権」が再登場する

危険が高まる。逆に、「憲法制度上の国家緊急権」をあまりに柔軟に構成すると権限濫用の実質的な歯止めとならない。いったん国家緊急権の必要性を認めてしまうと、それを憲法で飼い馴らすのはきわめて難しい。

　大日本帝国憲法には、非常状況への対応として戒厳（14条）や天皇の非常大権（31条）の他に、緊急勅令（8条）（→第3章1節2(2)・42頁）と緊急財政処分（70条。緊急事態において議会を招集することができない場合に勅令による財政支出を認める）の規定が置かれていた。8条または70条に基づく勅令の公布件数は、62年間で100件以上に及んだ。8条・70条はともに事後的な議会の承諾を求めており、承諾が得られない場合は将来に向けて失効する（8条）という最低限の統制の仕組みを備えていたが、実際に不承諾の議決が行われたのは9件にすぎない。むしろ、国体変革を目的とする結社の組織・加入に対する最高刑を死刑に引き上げることなどを含む治安維持法の改定を緊急勅令で強行した例（1928年）が示すように、議会や世論の反対を引き起こす政策や法律を緊急事態に乗じて成立させたうえで、議会の承諾を得てそれを恒久法化する都合のよい仕組みとして用いられていたことが指摘されている。

　これに対し、日本国憲法は国家緊急権に関する明文の規定をもたない。学説は、明文の規定がない以上国家緊急権は認められないとする立場と不文の国家緊急権を認める立場とに分かれる。後者は、憲法の存続を図るためには非常事態に非常措置をとる必要性を否定できないとしたうえで、その緊急権の発動を統御しようとする。だが、先述のようにそれは非常に困難である。歴史にてらしても、日本国憲法が国家緊急権をおいていないことの意義は軽視されるべきでない。

　以上をふまえると、日本国憲法は緊急権を積極的に取り除いたもので、日本国憲法のもとでは国家緊急権は法定できないと解される。これに対しては、甚大災害から国民の生命を守るためにはやむをえないとの反論があろう。とくに、3・11を経た現在ではこうした声は深刻な重みをもつ。

　しかし、甚大災害のような非常時に果たすべき憲法の役割は、従来の国家緊急権論とは切り離すべきである。従来の国家緊急権は戦争・内乱も自然災害もともに非常事態とみるが、日本国憲法の平和主義原理を考えれば、戦争とその他の非常事態は厳密に区別されねばならない。また、原子力発電所事故のような人災と人の手の及ばない天災も同一には論じられない。

さらに、限られた場合に国家緊急権に類する権限を認めるとしても、その目的は国家の存立ではなく、個人の人権保障に直結するもののみとなろう。その際にも、緊急権はあくまで緊急権でしかなく、非常時の人権保障には事前のリスク管理こそが肝要であることも見落としてはならない。

　現在日本には、非常事態にとくに人権制約を認める法律が複数存在する。2000年以降有事法制が整備され、国民保護・動員法を筆頭に、武力攻撃事態等が生じた場合に国民の権利を制限し、権力分立を回避して集権的に非常措置をとることを可能にする法律がつくられた。災害対策基本法にも災害緊急事態の定めがある。災害緊急事態の際には生活必需品の取引制限のような緊急措置を政令で定められるが、人権への配慮からこれは国会閉会中に限られる。これらの法令や運用を憲法に照らし注視する必要がある。

コラム
新型コロナウイルス感染症の流行

　2020年、100年に1度とも言われる感染症の世界的流行（パンデミック）が起こった。新型コロナウイルス感染症である。1年間で、感染者が9000万人・死者が200万人に迫る大きな被害をもたらしたこの感染症は、日々の生活を根底から揺さぶるほどの影響を世界に与えた。その影響はなお、続いている。

　この感染症に対する各国の対応は様々だが、多くの国で緊急事態宣言が発出され、ロックダウンと呼ばれる都市封鎖や営業規制、移動規制など、様々な施策が講じられている。しかし、発出された宣言のほとんどは、憲法上の緊急事態としてではなく、法律上の緊急事態として、個別法律（イタリアでは災害防護法典、アメリカではスタフォード法など）により事前に定められた手続および権限に基づいてなされたものであることには留意が必要である。ただし、移動規制等の具体的施策は、多くが州知事や政府の命令によってなされ、強制力を伴う大幅な権利制約を伴うことも少なくないことから、事後救済の可能性を含めた慎重な見極めが求められる。

　日本は、感染症法と緊急事態措置等を含むより強力な規制を可能とする新型インフルエンザ等対策特別措置法という2つの仕組みを有しているが、当初は、前者に基づく対応が行われていた。しかし、2020年3月に新型コロナウイルス感染症を後者の適用対象とみなす法改正がなされ、それに基づいて、4月には政府による緊急事態宣言がなされた。他方で、それに先んじてなされた一斉休校措置は、法令等に根拠のない首相の要請に基づくものである。営業時間の短縮等の規制も、自治体による時短要請・休業要

請の形でなされた。要請型の対応は、強制型のように有形の権利制約によらず感染防止の効果が得られる可能性がある一方で、法的根拠がなく責任の所在を曖昧にする、同調圧力という無形の権利制約が生じるといった危険や、実効性への懸念が指摘されており、実態に即した検討が必要である。なお、新型インフルエンザ等対策特別措置法は2021年2月に改正され、営業時間の短縮等の要請に応じない業者や使用制限の要請に応じない施設等に行政罰（過料）を科すことが可能になった。

＊ 緊急事態条項

　憲法に非常状況への対応に関する定めをおく場合でもその規定ぶりはさまざまであり、それぞれの苦心がにじむ。憲法に緊急事態条項をおく国のひとつであるドイツは、自然災害とテロ等の重大災害とを含む災害事態（基本法35条）と防衛上の緊急事態（同115a条以下）とを明確に区別しており、前者は基本的に災害を被った州と連邦や他の州との協力・相互扶助について定めるものである。後者の場合、連邦政府には州政府への指示権などの非常権限が認められるが、そこには連邦議会の立法権に代わるような権限は含まれておらず、立法・司法による統制を免れないことが強調されている。これは、過去に、ワイマール憲法48条が公共の安全・秩序に重大な障害が生じた場合またはそのおそれがある場合に表現の自由を含む私権の制限を可能とするという、きわめて包括的な国家緊急権の定めをもっており、社会が不安定化するなかでそれが乱用され、ナチスの支配に道を開いたことへの反省を踏まえたものと考えられる。フランスは、戦争状態および内乱状態を指す合囲状態（戒厳に相当する）の定め（36条）と国の独立が直接に脅かされる等の事態に際し大統領に権限を集中する緊急事態条項（16条）とをもつが、前者は第五共和制のもとでは宣言されたことはない。後者は、アルジェリア戦争を受けた政治的混乱のなかで制定された第五共和制憲法で新設されたものだが、同戦争中に起こった動乱に際し一度用いられただけである。なお、フランスでは2015年のパリ同時多発テロ以降2017年末まで緊急状態宣言が出されていたが、これは憲法上の合囲状態とも緊急事態とも異なる、法律の定めによるものである。

　これに対し、2012年に公表された自民党の改憲草案では、武力攻撃から災害までを含むごく広範な緊急事態において「法律と同一の効力を有する政令」を定める権限が内閣に付与されており、また、国等の指示に従うことを国民に義務づける規定が置かれ、私権の制限が可能になっているが、その対象や範囲は限定づけられていない。比較法的にみても、きわめて異例の定め方といわざるをえない。なお、自民党は2018年に「改憲4項目」素案を公表したが、そこには、自衛隊の明記等の9条改正・参議院選挙区の合区解消・教育環境の充実と並んで、緊急事態対応の強化が含まれている。

第3節　憲法の変動

1　憲法の改正

(1)　憲法改正とは

　第1節で述べたように、憲法には安定性が不可欠であり、それを担保するために憲法保障の仕組みが設けられている。だが、憲法を取り巻く社会や政治、経済には時代による変化が当然予想され、そうした変化に対応する可変性も憲法には求められる。可変性の要請に応える方法のひとつが憲法の改正であるが、安定性の要請との均衡を図るため、憲法改正には法律のそれとは異なる手続が用意されていることが多い（→第1節・126頁）。

　憲法改正とは、憲法所定の手続に従い憲法の条文に変更を加えることで、変更の方法には既存の条項に修正・削除・追加を行うこと、新たな条項を増補すること、憲法典全体を全面的に書き直すことなどがある。既存の憲法を廃止して始源的に憲法をつくり上げる憲法制定や、憲法典の文言それ自体は変化せず規範内容だけが変化する憲法変遷とは、区別が必要である。

(2)　日本国憲法と憲法改正

　日本国憲法は96条で憲法改正手続を定める。改正には、各議院の総議員の3分の2以上の賛成による国会の発議、国民投票における過半数の賛成による国民の承認、天皇による国民の名での公布という3段階の手続が課される。なお、公布は成立した国法を国民に知らせる形式的行為で成立要件ではなく、改正自体は公布以前に確定的に成立している。ただし、判例通説は公布を効力発生要件とするため、公布がなければ効力は発生しない。

　国会法68条の2にいう発議は議員が憲法改正案の原案をその所属する議院に提出することをさすが、憲法96条1項の「発議」は国民投票に付す憲法改正案を国会が議決することをさす。ここでは前者を発案、後者を発議と呼ぶ。96条の解釈では、従来、内閣の発案権を認めるかが論点となってきた。学説は(a)憲法改正は国民の意思の表れであり国民代表たる国会議員のみが発案権を有するとする説と(b)内閣に発案権を付与しても国会の自主性は損なわれないことや議院内閣制のもとで内閣と国会は協同関係にあることを理由にこれを認める説に分かれる。内閣構成員の多数は国会議員の

資格を有し、議員の資格で憲法改正案の原案を発案できるため(a)を採ることに実質的意味はないともいえるが、憲法改正の重みを考えれば国民主権を強調する(a)の見解も有意である。**憲法改正手続法**では、発案権は議員（衆議院においては議員100人以上・参議院においては50人以上の賛成を要する。国会68条の2）と憲法審査会（同102条の7）とが有する。発案は一括ではなく内容において関連する事項ごとに区分して行われる（同68条の3）。

憲法改正案の原案が各議員の総議員の3分の2以上の多数で可決された場合、この国会の発議から60日以上180日以内に憲法改正国民投票が行われる（憲法改正手続法2条）。国会の発議は憲法改正案の確定であり、憲法改正に効力を与えるのは国民投票による承認と解するのが一般的である。承認は国民投票の過半数によるが、この「過半数」は①有権者総数、②投票総数、③有効投票数のいずれを分母として計算すべきかにつき学説は分かれる。①は反対投票も棄権も区別なく扱われることや文言上無理があることから支持は少ない。②と③については立法裁量とする説もあるが、②には無効票と反対票を同視するのは不合理だという問題が、③には少数の賛成で決定される可能性が指摘されている。憲法改正手続法は、投票は投票用紙にあらかじめ印刷された賛成または反対の文字に丸をつける方法で行われ（同57条）、憲法改正案に対する賛成の投票が有効投票数の2分の1を超えた場合に国民の承認があったものとする（同98条2項・126条1項）。憲法改正という重大問題の賛否を少数の意見で決するのは国民投票の意義を没却するため、有効投票を増やす制度上の工夫が必要である。

このほか、2007年の憲法改正手続法の制定過程では、国民投票を可能とする年齢や国民投票運動のありかたなどが論議の対象となった。多くの課題を残したまま政治的妥協によって成立に至ったことは、参議院で18項目にも及ぶ附帯決議がなされたことにも表れている。

憲法改正それ自体は憲法自身が想定しており、手続の妥当性は憲法の安定性と可変性というふたつの相反する要請を踏まえて評価すべきである。だが、先般の憲法改正手続法の制定は、政党レベルで改憲案が示され改憲論議がまさに進行している文脈でなされたものである点、瑕疵を残した。

* **憲法改正手続法**

2010年から全面施行された「日本国憲法の改正手続に関する法律」には多く

の問題が指摘されているが、以下の点がとくに強い批判にさらされた。第1に最低投票率の規定の不在である。憲法改正手続法98条2項・126条1項は賛成投票が有効投票総数の2分の1を越えたときに憲法改正に対する国民の承認があったものとすると定める。そのため少数の賛成で改正が決まるおそれがあり、それを防ぐため、また、ボイコット運動というかたちでの国民の意思表示を可能にするためにも、最低投票率の規定を設けるべきとの批判である。第2に、国民投票運動にかかる規制である。日本の公職選挙法は選挙運動を厳しく規制する「べからず選挙」として有名であり、それ自体問題であるが、国民投票運動には選挙運動よりも通常の政治的表現と区別がしにくいこと、憲法改正という重大問題にかかわるだけにより熟議が求められることなどの固有の問題があり、それをふまえて制度設計を行う必要があった。しかし、憲法改正手続法には公務員および教育者が国民投票運動を行うことの制限（憲法改正手続法103条）や投票日14日前から投票期日までの広告放送の規制（同105条）などが定められた。発議からの周知期間も2カ月から6カ月（同2条）と短く、熟議を促すものとなっていない。なお、国民投票年齢の定めも論議を呼んだが、結局、18歳としたうえで（同3条）、附則にて公選法上の選挙年齢等をあわせて引き下げること（附則3条1項）と引き下げが実現するまでは18歳を20歳と読み替えること（附則3条2項）を定めた。

　とくに議論が紛糾した点につき、憲法改正手続法は今後検討すべき課題として、附則中に①公職選挙法の選挙年齢や民法の成人年齢の引き下げ（附則3条1項）、②公務員の政治的行為の制限のありかた（同11条）、③国会発議前の予備的国民投票制度などの憲法改正問題についての国民投票制度の検討（同12条）を挙げ、①および②については施行までに、③については施行後速やかに検討するとした。①については、2016年に選挙権年齢を、2022年に成人年齢をそれぞれ18歳に引き下げることで、整合性は確保された。しかし、②③については、こんにちまで本格的な検討はなされていない。2021年の改正では、期日前投票の弾力化などの、公職選挙法改正に連動した改正が行われたが、選挙運動に関しては、3年を目処に有料広告規制等を検討するとの附則が加えられるにとどまっている。

2　憲法改正の限界

　憲法には、明文で特定の条項の改正禁止を規定するものがある。「人間の尊厳」条項（1条）ほか特定の憲法原則に抵触する改正を禁止するドイツ基本法79条3項がその例で、憲法の硬性を最大限に高めたものといえる。

　しかし、日本国憲法は、11条および97条の「侵すことのできない永久の

権利」という文言等から同様の解釈を導くことが不可能ではないにしろ、明文で改正禁止規定を設けているとは言い難い。このように憲法改正限界規定が存在しない場合に、手続に則ればいかなる内容の憲法改正も可能かについて、理論上の争いがある。憲法改正には法的な内容上の限界があり憲法の基本原理に属する内容は変更できないとする説（憲法改正限界説）と、憲法改正に内容上の限界はなく適式な手続を経ればいかなる改正も可能とする説（憲法改正無限界説）との対立である（→第3章2節2(3)・52頁）。

　憲法改正限界説には、自然法をその根拠とするものと憲法改正権力の限界を根拠とするものとがある。前者は、憲法制定に先立ち不文の根本規範が社会的歴史的に決定され、憲法はそれを確認的に規定するものであるから、根本規範に抵触する憲法の改変は憲法の破壊ととらえる。後者は、憲法を始源的に制定する憲法制定権力と憲法により創出される憲法改正権とを区別したうえで、憲法制定権力が選び取った憲法の根本原理や憲法制定権力の所在には憲法改正権が及ばないとする。憲法の同一性を損なう変更はできず、そうした変更は新憲法の制定とみなされる。すなわち、国民主権国家の場合、国民が憲法の外から憲法を生み出し（憲法制定権力）、それが国民主権原理として憲法に書き込まれ、それに基づいて国民に憲法改正を決定する権限（憲法改正権）が実定憲法上に付与されるのであり、憲法改正権の淵源を自己否定するような変更は認められない。

　対する憲法改正無限界説は、法実証主義に基づき超実定法的な根本規範の存在を否定する、または、憲法改正権を全能の憲法制定権力と同視することで、あらゆる改変を可能とする。この立場に立てば、明文の規定がない場合はもちろん、憲法が改正禁止規定を設けていたとしても、禁止規定そのものを改正することで結果的にあらゆる憲法改正が可能となる。

　両説ともに理論上の難点はあるが、現在では限界説が通説である。実質的に同一性を損なう変更がなされた場合、無限界説は変更された憲法に出自の正統性を認めるため実質的正当性を問う機を逸しかねないこと、憲法の基本原理を憲法保障の仕組みにより確保することを強く意識する第二次世界大戦以降の潮流には限界説が馴染み易いことなどが理由である。

　憲法改正限界説に立つ場合、日本国憲法については国民主権、人権保障および平和主義という基本原理そのものの変更は改正の限界を超えると解される。また、憲法改正手続条項（96条）のうち国民投票を求める部分に

ついても、憲法制定権力の所在を示すものであり改正できないとする説がある。ただし、具体的にどの条文にどの程度の改正が行われた場合に限界を超えたとみなされるかは、論者によって見解が異なる。とくに平和主義に関しては、9条2項を改正限界とするか否かが大きな論点となる。

3 憲法変遷

　憲法に内容上の変更を加えるには所定の手続に則り改正を行わねばならない。だが現実には、改正手続を経ず、文言は変更されないまま、憲法とは相矛盾する立法や判例が発生し、かつ、その違憲の実例のほうが有効なものと扱われ、それと矛盾する憲法規範が実効性を失う事態が客観的事実として生じることがある。これを社会学的意味での**憲法変遷**と呼ぶ。

　これに対し、そうした事態が生じた場合に、その事実に憲法改正と同様の法的効果を認め、憲法の規範そのものが変化したとみる見方がある。これを法的意味での憲法変遷と呼ぶ。これを認めるか否か学説は分かれる。

　法的意味での憲法変遷を認める立場は、その根拠により、ふたつに分かれる。ひとつは憲法変遷を国民による「不断の憲法制定権力の行使」ととらえる。もうひとつは「事実の規範力」を重視し、実効性を現に失った法は法として機能しえないことを論拠とする。明文の憲法規範が実効性を失い、それにより生じた欠缺を埋めるために、積み重ねられ法的確信を得るに至った「事実」が「憲法慣習」としてはたらくことを認めるものである。

　しかし日本では憲法変遷を認めない立場が通説である。硬性憲法であることと立憲主義の目的が権力の濫用抑止にあることが論拠である。憲法の安定性を重視する硬性憲法のもとでは、違憲の実例がいくら蓄積されてもそれは事実としての意味しかもたず、規範に転化したとみるべきでない。

　日本のこの学説状況には、憲法変遷が主に9条をめぐり論じられてきたことが少なからず影響している。9条はその規範内容が比較的明確で、かつ、9条をめぐる立法や事実はその規範内容と単純に乖離しているだけでなく「矛盾する」と呼ぶにふさわしい状態にあり、憲法変遷を認めることが政府の政策を承認するという実践的効果をもちかねないからである。

　他方で、たとえばアメリカでは憲法変遷を認める考え方が広く受容されている。歴史上数度にわたり、社会経済体制を大きく変化させる憲法原理

の転換が憲法改正ではなく連邦最高裁による解釈の変更でなされた（憲法革命）ことの規範的意味を否定する論者は多くはない。しかし、それは当該憲法レジームの変更が熟議を経て人々の広範な支持を獲得している場合に限られている。また、コモン・ロー体系に属することも変遷を肯定的にとらえる一因であり、日本とは状況が異なる。憲法変遷の是非を論じる際には、変遷が語られる憲法規範の内容や解釈の幅の広狭、他の憲法原理との整合性や社会的支持といった要素を具体的に検討する必要がある。

考えてみよう

1…憲法99条が国民を除外していることにはどんな意味があるか。
2…憲法96条を改正し、単純過半数による国会の議決のみで憲法改正を可能とした場合、この「改正」の問題を指摘せよ。
3…政府が国会等で示してきた憲法解釈に関する政府見解を閣議により変更することは、立憲主義の観点からどう評価されるか。

Further Readings

・阪口正二郎ほか編『憲法改正をよく考える』（日本評論社、2018年）：現実に政治日程に上りつつある改憲論を前に、原理論から具体的項目まで、検討すべき課題を網羅する一冊。
・関西学院大学災害復興制度研究所編『緊急事態条項の何が問題か』（岩波書店、2016年）：「緊急事態」における憲法のありようについて、比較法的見地を踏まえつつ、多角的な検討がなされている。
・樋口陽一『いま、「憲法改正」をどう考えるか』（岩波書店、2013年）：現在の日本で憲法改正をどうとらえるべきかについて、歴史をふまえ平易に説く。

第2部 統治の仕組み
──各論⑴

第1章 統治の基本構造

キーワード 権力分立、議会主義、議会統治制、大統領制、議院内閣制、半大統領制

　本章では、日本国憲法における統治の仕組みを学習する前提として、統治の基本構造をめぐる一般理論と日本国憲法の特徴を理解する。とくに、「三権分立」という場合、「三権」の関係をどのように把握すべきか、憲法の歴史と条文構造をふまえて考えてみよう。

1　議会主義と権力分立

(1)　「権力分立」概念の歴史性

　憲法のテキストでは、近代憲法の基本原理の章で**権力分立**について説明するのが一般的である。第1部1章1でみたように、フランス人権宣言の16条は「権利の保障が確保されず、権力の分立が定められていないすべての社会は、憲法をもたない」と定めており、「権力分立」は、「憲法」に不可欠の普遍的要素と位置づけられていた。あるいはまた、日本国憲法についても、中学の「公民」や高校の「政治・経済」では、立法・行政・司法の三権が国会・内閣・裁判所の各機関に割り当てられ、それぞれ抑制と均衡をはたらかせていると学習してきただろう。他方で日本国憲法は、国民主権を定めて（→第1部4章1節・61頁）、国会を「国権の最高機関」と位置づけている（→第2章4節2(1)・212頁）。主権者国民の意思を受けた「国権の最高機関」に対して、他の機関が抑制と均衡をはたらかせるとはどういうことなのだろうか。

　「権力分立」といえば必ず名前が挙がるのが、ロックとモンテスキューであるが、重要なのは、彼らが「権力分立」を主張した歴史的文脈である。ロックは『統治二論』（1690年）のなかで、議会に立法権を与え、執行権と「同盟権」（外交権）を国王に帰属させる権力分立論を提唱したが、こ

れは、イギリスにおいて国王の権力が徐々に議会に奪われていく市民革命期に、議会による権力の分有を基礎づける理論となった。モンテスキューは『法の精神』（1748年）で、立法権（三部会）・執行権（国王）・裁判権（裁判所）の三権分立を唱えたが、これは、フランス絶対主義下の強大な君主権力に対し、身分制秩序を前提としつつ、一定の歯止めをかけようとするものであった。「二権」か「三権」かの違いはあれ、両者の「権力分立」論は、いずれも身分制秩序を前提としたうえで、「権力」をもつ国王に対して、貴族や平民といった他の身分層が「権力」を分割して担うという意味合いをもっていた。

　ところが、近代市民革命によって身分制秩序が破壊され、「国民主権」国家が成立して以降は、「権力」は――建前上は――「国民」のものであり、それ自体が「分立」しているわけではなく、国家作用の性格の違いによって、立法・行政・司法の「三権」がそれにふさわしい各機関に割り当てられているというのが「権力分立」の意味するところ――いわば「権限分配」――となる。むしろ「国民主権」原理に基づき国民の権力確立をめざす時代にあっては、国民を直接に代表する議会が統治構造の中心に位置するのは当然であり、これを「**議会主義**」という。実際に、近代立憲主義の先行国であったイギリスやフランスでは、19世紀から20世紀半ばにかけて議会を中心とした統治構造が発達し（→第1部2章2節3(3)・30頁）、――ロックやモンテスキューの母国であるにもかかわらず――「権力分立」が強調されることはなかった。その意味で、モンテスキューの「三権分立」を具体化したといわれるアメリカにおける「権力分立」の意味や機能についても、具体的な歴史的文脈のなかで考える必要がある。選挙権の拡大とともに議会に民衆の代表が進出してくると、有産者層は、司法権が議会の多数派を抑制して、社会的には少数派となった自分たちの利益が擁護されることを期待するようになる。これが端的に表れたのが、「憲法革命」以前の「司法積極主義」であった（→第1部2章3節2(1)・35頁）。

　このように、「権力分立」は、フランス人権宣言16条がいうのとは異なって、「憲法」の普遍的要素ではなく、歴史的に意味づけられるべきものである。これを、実質的に有産者層の利益を擁護し、人権保障に資する民主主義的権力の確立を妨げるものととらえれば、「権力分立」自体を否定して、人民に権力を集中する「人民民主主義憲法」の採用に至るだろうし、

逆に、ロックやモンテスキューの「権力分立」論の意義を、「権力」を抑制して専制を排除することに見出し、もって国民の自由を確保するものとこんにち的に読み替えるならば、「違憲審査制革命」（→第1部2章3節2(3)・37頁）後の統治機構のありようを擁護するものとなろう。

> ＊19世紀ドイツの外見的立憲主義下では、「権力分立」は、君主固有の権力（執行権）に対して議会の介入を排除する論理となった。さらに、労働者政党が議会に進出する段階になると、その活動を議会内に封じ込めて、行政権への監督・関与を否定する機能を営んだ。日本の判例で「三権分立」が援用される場合、立法府や行府の判断を追認する「司法消極主義」を正当化する役割を果たす。権力分立の意義は、具体的な状況との関わりで考えなければならない。

(2) 統治構造の類型論──その1：立法機関と行政機関

「議会主義」に重きをおくか、それとも「権力分立」を重視するのかという観点から、立法機関と行政機関との関係に注目して、統治構造を分類することができる。資本主義憲法の枠内でいうと、議会主義のラインからは、①行政機関を立法機関に従属させる**議会統治制**（たとえばスイス）が導き出され、権力分立のラインからは、②立法機関と行政機関を厳格に分立させる**大統領制**（たとえばアメリカ）が典型とされる。③行政機関が立法機関に対し政治責任を負いつつ、一定の行動の自由を有する**議院内閣制**（たとえばイギリス）は、両者の中間形態といえる（→第2章4節・207頁）。

現存する国家では、純粋なかたちで①または②に属する国々は少なく、ほとんどが③か、②と③の中間形態である「**半大統領制**」を採用している。その理由としては、一方で、行政機関が単に法律の執行にとどまらず、国政全般をリードする統治活動を担当しており、他方で、立法機関と行政機関が協働しなければ国家運営は事実上困難となることが考えられる（とりわけ、両機関の担当者が別々に選挙で選ばれ、同等の民主的正統性を有する体制では、両機関の政治的党派が異なった場合、国政を停滞させず実効的統治を維持するのは容易ではない）。

> ＊「半大統領制」は、フランス第五共和制が典型的であるが、公選の大統領とともに、下院の信任に依拠する首相（内閣）が行政権を担う体制をさす。ワイマール期ドイツや現在のロシアのほか、「大統領制」に分類されている国でも、

議院内閣制的要素が組み込まれている例が少なくない（韓国、ラテン・アメリカ諸国など）。各機関の権限や、大統領と下院多数派との関係などにより、大統領制に近い運用から議院内閣制に近い運用まで、さまざまなパターンがみられる。フランスではしばしば、大統領と下院多数派との党派が異なるコアビタシオン（保革共存）が成立し、その場合、内政は主に内閣によって担われる。

(3) 日本国憲法の場合

　日本国憲法が議院内閣制を採用していることには、ほぼ異論がないが、憲法規定のなかには**議会主義**のラインと**権力分立**のラインとが混在しており、その関係をどのようにとらえるかが問題となる。議会主義については、国民主権（前文・1条）を前提として、直接選挙で選ばれた国民代表機関としての国会を「国権の最高機関」と位置づけており（15条、43条、41条）、国会の議決により首相が指名され（67条1項）、首相が閣僚を任命し（68条1項）、内閣が国会に対し連帯して責任を負う（66条3項）ことによって、国民の意思が国政に反映する民主政の一元的ルートが確保されている。他方で憲法は、国会を「唯一の立法機関」とし（41条）、行政権を内閣に（65条）、司法権を裁判所に帰属させるとともに（76条1項）、内閣不信任による倒閣とそれへの対抗措置としての衆議院の解散（69条）や、裁判所による違憲審査制（81条）を定めており、「三権分立」と国会による意思決定への統制も組み込まれている。結局のところ、これら全体の規範構造をふまえながら、議会主義の側面に重きをおくか、権力分立の側面を重視するかは、論者の主体的選択に委ねられることになろうが、少なくとも、「三権」への対等な権限分配ではなく、国会およびその院に、立法権限にとどまらず、条約締結の承認権（73条3号、61条）や憲法改正の発議権（96条1項）をはじめ、国政調査権（62条）、財政処理権限（7章）など、国政上の重要権限が付与されていることから、国会が国政の全体に関与・統制しうる統治の仕組みを憲法が定めていることを看過してはならない（→第2章4節1・207頁、2・212頁）。

2 「政治部門」と「司法部門」──権力の構成と抑制

(1) 統治構造の類型論──その2：裁判機関の位置づけ

　国民主権を基礎におき、民主主義的な権力を構成するために、議会主義を基本線として統治構造を理解すると、とくに問題となるのは、裁判所による違憲審査制の位置づけである。国民代表機関が定めた法律の効力を、なぜ、選挙で責任を問われない裁判所が否定できるのか。この難問について考える前に、そもそもこうした疑問が出てくるのは、現在私たちが親しんでいる制度を前提としているからであることに気づく必要がある。

　第1部2章でみたように、近代立憲主義の王道は、議会（法律）による人権保障であった。主権者国民の代表機関である議会こそが国民の人権をよりよく保障しうるのであって、国王権力に端を発する行政権はもちろんのこと、有産者層の意思を体現する司法権にあっても、民主主義的に組織された主権者意思の表明＝立法を歪める存在と位置づけられた。

　したがって、議会主義的な統治構造における裁判機関の位置づけを考えた場合、まず最初に挙げられる類型は、①法律の効力を、民主的正統性をもたない機関によって覆すことができない議会中心主義の型である（「国会主権」の国イギリスや、第四共和制期までのフランスがその例）。

　もとより、そうした体制は、主権者意思を表明する議会＝立法が国民の人権を保障するという予定調和的想定に支えられているので、その「予定調和」が崩れ、フィクション性が顕わになってくると、ふたつの方向から疑問が提起されることとなる。ひとつは、議会による人権保障という理念とは裏腹に、現実に議会＝法律が国民の人権を侵害することが次々と起こるという状況の変化によって、である。国によって事情は異なるものの、国民の間に深刻な利害対立が生まれると、「一般意思の表明」たる法律というフィクションは崩れ、多数者の決定が少数者の人権を侵害するという事態が構造的に生じる。あるいはまた、グローバル化の進展によって主権国家の決定余地は狭められ、場合によっては多くの国民の人権を侵害するにもかかわらず、それが「多数者」によって決定されるという事態も生じてくる。

　そうすると今度は、そもそも、議会の決定は多数者による決定なのだから、少数者の人権が侵害されることが起こりうるのは当然ではないか、と

いう理論的な疑問が生まれる。こうして、②民主的正統性をもたない機関によって議会＝法律による人権侵害を正すというふたつ目の類型（違憲立法審査制をともなった統治体制）が広がってきた（「違憲審査制革命」）。

②はさらに、いくつかの指標によって小分類ができる。②-a 法律の効力を否定する機関が裁判所かどうか（一般には「裁判所」だが、第五共和制下のフランスでは「憲法院」）、②-b 違憲審査が司法権の枠内で通常裁判所によって行われるか、司法権をも対象とする憲法監督機関（一般には憲法裁判所）によって行われるか、②-c 付随的違憲審査制か抽象的違憲審査（を含む審査）制か、②-d 違憲審査が法律の施行前か施行後か（通例は施行後に提訴を受けて審査が行われるが、フランスは施行前審査制だったところ、それに加えて施行後審査も導入）などである（→第3章2節1・291頁）。

＊以上の類型論は、近代立憲主義を前提としていることに注意が必要である。そもそも、国民の間に利害分裂がないことを前提に、権力の集中を旨とする社会主義憲法（または人民民主主義憲法）においては、人民の権力機関を外部から統制することは想定外である（→第1部2章3節1・34頁）。

(2) 国民主権 vs. 違憲審査制？

それではここで、なぜ、国民代表機関が定めた法律の効力を裁判所が否定できるのかという難問を考えてみよう。①ひとつの答えは、民主的正統性の連鎖により、国民主権と違憲審査制の緊張を緩和するものである。すなわち、裁判所といってもまったく民主的正統性がないわけではなく、何らかのかたちで主権者国民と結びついている。たとえば日本国憲法の場合であれば、最高裁判所の裁判官は内閣により指名・任命される（6条2項・79条1項）。内閣は、国民が選挙した衆議院の多数派で構成されるのが一般的だから、内閣が選んだ裁判官の決定も国民主権の枠内というわけである。しかし、国会と裁判所を比べると、国民との距離と結びつき具合（直接選ぶか否か）が大きく異なり、それに応じて、民主的正統性の高低にも格段の差がある。さらに、最高裁判所と同様に違憲審査権をもつ下級裁判所の裁判官に至っては、最高裁の指名した名簿によって内閣が任命するのだから（80条1項）、形式的に「連鎖」はしていても、国民との結びつきはすこぶる希薄といわざるをえない。それに、民主的正統性を強調す

ぎると、政治部門の決定に抗してでも人権を保障するという違憲審査制の目的と齟齬をきたす可能性がある。

　②そこでふたつ目の答えは、人権保障という目的による正当化を志向し、そのためには、裁判所に対する民主的統制よりも政治部門からの独立を強調する。もとより、人権保障を目的とするといっても、すでにみたように、近代立憲主義の王道は「議会による人権保障」だったはずで、なぜ、その役割を裁判所が果たすべきか、説明を要する。ひとつは、いわば消極的理由であり、(1)でみたように、議会による人権保障は、実態においても、また理論的にも、十全な機能を期待することが難しくなった。とはいえそれだけでは、裁判所が人権保障にふさわしいという積極的理由にはならない。おそらく一般には、裁判官の法律家としての専門性を基盤として、政治的利害に左右されず法的見地から憲法に則って人権保障の実を上げることが可能だという説明がされるだろう。たしかに、「裁判」という場面では、法的根拠と法的論理が要請される以上、生の政治的利害により裁定が下されたり、数の力で正義が歪められたりしてはならないはずである。しかし他方、現実をドライにみれば、法の世界でも唯一の正しい解答が存在するわけではなく、裁判も裁判官の多数決によるのだから、政治部門との違いは、表向き「法の言葉」で語られるだけだという見方も成り立つ。

　結局のところ、どの機関が人権保障をよりよく果たせるかは文脈依存的であって、各国における制度と運用のありかたを具体的に検討することでしか、評価はできない。裁判所も国家権力機関の一部であることを考えればなおのこと、裁判所に人権を保障させる条件が整えられなければならない。司法権の独立（→第3章1節4・286頁）などの制度保障とならんで、究極的には、国民による裁判運動が、裁判所による人権保障を進展させる力になるだろう（→第1部1章5・18頁）。

＊近年、憲法学において言及されることの多い「民主主義 vs. 立憲主義」という対比表現も、「国民主権 vs. 違憲審査制」とほぼ同様の趣旨である。ただしこの場合、「立憲主義」とは、人権保障を目的として公権力を拘束する「近代立憲主義」という用法とは異なる含意があるので、注意を要する。ここでの「立憲主義」は、国民（＝多数者）の決定よりも（人権保障を旨とする）憲法が優位に立つ（憲法の優位）という考え方をさす。そのような「立憲主義」を確保する制度としてふさわしいとされるのが違憲審査制であるため、実質的に

は、「国民主権 vs. 違憲審査制」とほぼ重なることになる。
　＊カナダの裁判所は法律の違憲審査権をもつが、議会は多数決で、個別法律について人権規定の適用除外を宣言できる。モンゴルは、憲法裁判所の違憲判決に対し、議会が再審を求めることができる。このように裁判所による違憲決定をラスト・ワードにしない違憲審査制を「ハイブリッド型（または対話型）」と呼ぶことがある（人権法成立後のイギリスも、広い意味でこのタイプといえる。→第1部2章3節2(3)・37頁）。「国民主権 vs. 違憲審査制」という難問を調整する制度といえるが、人権侵害に対する違憲判断を数の力で覆す制度としても機能しうるので、国ごとの具体的な運用に即して評価する必要がある。

(3)　日本国憲法の場合

　日本では、判例で違憲審査権を認めたアメリカと異なり（→第1部2章2節3(4)・31頁）、憲法自らが裁判所に違憲審査権を与えており（81条）、「国民主権 vs. 違憲審査制」の問題を明文で「解決」しているといえなくもない。加えて、違憲審査を担う終審裁判所たる最高裁の裁判官について、定期的な国民審査も定めており（79条2〜4項）、民主的正統性の観点（(2)①・147頁）から、違憲審査制を国民主権の枠内に回収しているとみることもできよう。また、戦後憲法学の主流は、「立憲主義と民主主義」という問いを立てつつ、「民主主義」概念を「多数支配の政治」ではなく人権保障を旨とするものととらえることで（(2)②・148頁の変化型）、両者を調和的に理解してきた（「立憲民主主義」）。

　しかし、仮に、憲法条文に依拠することで、違憲審査制の正統性という根本問題を回避できるとしても、裁判所がどの程度、この権限を行使すべきかという問いは依然として残る。この問いについても、答えは文脈依存的にならざるをえない。日本がこれまで準拠国としてきたアメリカは、①憲法上明文で違憲審査権を規定していないので、「国民主権（民主主義）vs. 違憲審査制」という問題がより先鋭化せざるをえず、②実態としても、「民主主義」がそれなりに機能しているのに対して、裁判所による違憲審査権の積極的な行使がそれを抑制しているという構図がある。そのため、「国民主権（民主主義）」の側からみて、なぜ裁判所が議会の決定を覆せるのかということが問題となるのであり、違憲審査制の運用に際しても、基本は立法府の判断を尊重しつつ（「合理性の基準」）、特別な介入理由のある場合にのみ積極的に違憲審査権を行使するという枠組み（「二重の基準」論

→第3章2節3(4)ⅰ）・301頁）が採られている。これに対し、日本は（①については上述）、②についても、「民主主義」も十分に機能しているとはいえず、違憲審査権も積極的に行使されているとはいえないので（→第3章2節4(1)・305頁）、そもそもアメリカのように両者が衝突しているという前提が存在しない。大まかにいえば、「国民主権か、違憲審査制か」ではなく、「国民主権も、違憲審査制も」という状況といえよう。

　本書では、「政治部門」を「権力の構成」という観点からとらえ、「司法部門」を「権力の抑制」という観点からとらえて、それぞれ第2部2章および3章で扱う。

考えてみよう

1…「権力分立」の機能を、各国・各時代の歴史的文脈に即して整理せよ。とりわけ、権力のありかたの違いに留意すること。
2…日本国憲法における「議会主義」と「権力分立」のそれぞれになじむ規定を整理したうえで、両者の関係をどのように理解したらよいか、考えてみよう。
3…「国民主権 vs. 違憲審査制」（または「民主主義 vs. 立憲主義」）という問題設定の趣旨を理解したうえで、両者の関係をどのように理解したらよいか、考えてみよう。

Further Readings

・清宮四郎『権力分立制の研究』（有斐閣、1950年）：ロックとモンテスキュー、アメリカとフランスを素材に、権力分立制を理論的・歴史的に分析した古典。
・C・シュミット（樋口陽一訳）『現代議会主義の精神史的状況 他一篇』（岩波文庫、2015年）：本文の説明とは異なり、議会主義を民主主義の対立物としてとらえつつ、戦間期におけるその危機的状況を描き出す。その鋭く魅惑的な分析を、批判的に吟味してほしい。
・阪口正二郎『立憲主義と民主主義』（日本評論社、2001年）：アメリカにおける議論を素材に、「立憲主義と民主主義」の緊張関係を「どぎつい選択」と評し、それまでの憲法学における「立憲民主主義」的理解を一変させた画期的著作。

第2章 政治部門

第1節 民主政の全体像

キーワード	民意の国政への反映、直接民主主義的制度、諮問型国民投票、拘束型国民投票、非制度的公共圏、制度的公共圏、熟議民主主義、政治改革

　本節では、政治部門に関する憲法論を学習する前提として、民主政の全体像について理解を深める。民主政をより民主主義的なものにするためには、どのような仕組みをつくりあげたらよいか、実際の政治をイメージしながら考えてみよう。

　日本国憲法が採用する国民主権を、ひとまず「**民意の国政への反映**」ととらえてみよう（→第1部4章1節3・67頁）。しかし、一口に「民意の国政への反映」といっても、その具体像を描くことは容易ではない。どのようにして民意は国政に反映されるのだろうか。

　まずもって「民意」とは何かがややこしい。最初から目に見えるかたちで「民意」という実体が存在するわけではなく、何ともとらえどころのないものである。世論調査の結果は「民意」のある側面を表しているかもしれないが、同じ時期でも、調査主体や調査の仕方によって結果が異なるのが普通であり、それに基づいて国政が行われるべきだというほど、明確なモノサシとはいえない。

　これに対し、選挙の結果は非常に明瞭である。定期的な選挙のたびに、「○○党が××議席を獲得」という数字が示される。これを「民意」と考えて、代表民主制のもとで、民意に基づいて相応の議席を得た政党が政治を進めていくことで、「民意の国政への反映」は実現されそうである。実際、選挙で多数を得た政党が、次の選挙まで、やりたい政策を実行するのが国民主権の実現だという考えもしばしば聞かれる。しかし、この主張に

はいろいろと落とし穴があることに注意しなければならない。

　まず、形はよくわからなくても「民意」というものがあるのだとしたら、選挙で多数を獲ったら何をしてもよいというわけではなく、「民意」に従う必要がある。そこで、選挙のたびごとに各政党の公約が掲げられて、有権者はそれを支持して一票を投じているとみなされる。だとすれば、選挙後、各政党はその公約を実現するよう努力することが義務づけられるはずである。

　それから、現代の政党民主政のもと、選挙で示される「民意」は、各政党の獲得議席数として表れる。国会で法律をつくる場合、最後は多数決で決めることになるのだから、国会内の多数─少数関係は立法の成否に直結する重大事である。ここまでは、選挙結果としての獲得議席の分布が「民意」であるとの前提に立ってきたが、有権者の投票がいかなる選挙結果に結びつくかは、選挙制度によって異なる。「民意の国政への反映」という観点から注目すべきポイントは、選挙時における各政党の支持率＝得票率と議席獲得率との関係であり、「民意の反映」をどのようにとらえるかによって、採るべき選挙制度も変わってくる（→第3節3(3)・191頁）。

　加えて、選挙における各政党への支持（投票）は、その政党の政策（公約）への丸ごとの支持なのかというと、その点も怪しい。かつてであれば、たとえば労働者の利害を代表する政党（イギリスの労働党など）や「護憲」を旗印にした政党（日本社会党など）の丸ごと支持ということがありえたが、国民の間に分立する利害の断片化や政党編成の分岐により、この政党のこの政策は支持するけれども、ここは別の政党の方がよいといった是々非々の支持や、そもそも政策の是非とは関わらない理由に基づく支持など、多様な状況にあるのが現実である。だとすると、ある政党が選挙で多数の議席を得たことをもって、その政党の公約が丸ごと支持されたとみなすのは、乱暴の誹りを免れまい。

　さらに、選挙の後に新たな重要争点が浮上したり、状況の変化に応じて「民意」そのものが変わったりする可能性もある。このように考えてみると、「選挙で多数を得たのだから、あとは自由にやらせてもらいます」といった「丸投げ民主主義」はもとより、「選挙公約に従って政治を進めることこそが国民主権の実現だ」とする「マニフェスト民主主義」も、「民意の国政への反映」という観点からみて、十分なものとはいえないことが

わかるだろう。「国権の最高機関」にして「唯一の立法機関」たる国会（41条）の構成を決する機会として、国政選挙の重要性は疑うべくもないが、国民主権の実質化の観点から、一定の相対化が必要である。

それでは、どうしたら、「民意の国政への反映」をより実効的に実現できるだろうか。ここでは、選挙公約を通じて国会に「民意」が反映されることを前提にしつつ、それを補ういくつかのルートを考えてみたい。

①直接民主主義的制度の活用

国会への「民意の反映」が十全に行われないなら、特定政策について国民が直接決定を下す制度を導入するという方法が考えられる。日本国憲法は、前文で代表民主制（＝間接民主制）の採用を宣言する一方、**直接民主主義的制度**のひとつである国民投票を明示的に定めるのは（特殊な95条の他は）憲法改正の際に限られており（96条）、現実にも、個別政策の是非をめぐる国民投票制度は設けられていない。しかし、「民意の国政への反映」を重視する立場から、たとえば原発再稼動か脱原発かなど、個別の政策について国民が直接意思を表明する機会を設けることは検討されてよいだろう。ただし、政府・与党またはそのリーダーが、自己の望む政策を正当化するために「国民の声」を悪用することは歴史の教えるところであり、実際の導入にあたっては慎重な吟味が必要である。前提として、国民に十分な情報提供が行われ、国民の間での自由な意見交換が保障されるとともに、時々の政治的「空気」に流されず冷静に熟慮するための期間も確保されなければならない（憲法改正手続における国民投票の場合も同様。→第1部6章3節1(2)・134頁）。また、制度的工夫として、国民発案制度と併用したり、賛否いずれかを問う投票方式になじむ課題に限定するなどの方法もあろう（地方自治における住民投票について、→第6節2(2)・261頁）。

＊「唯一の立法機関」と国民投票制度

憲法41条が国会を「唯一の立法機関」と定めているため、学説の主流は、国会の意思を拘束するような国民投票制度は憲法上認められず、いわゆる**諮問型国民投票制度**のみを合憲と解する。しかし、民主的正統性において国会より国民の方がランクが上であることを考えると、41条の文言のみで**拘束型国民投票**制度を一律に排除する解釈に疑問を呈することは可能であろうし、諮問型であっても、事実上の「拘束力」を発揮することは疑いがないから、「民意の国政への反映」をよりよく実現するという観点から、国民投票制度とその運用の是

非を議論する方が有益である。

② 「非制度的公共圏」の活性化と国会との連結

上記のように、選挙を通じた「民意の反映」には一定の限界があるので、常時、個々の政策について「民意」が反映する仕組みを考える必要がある。まず、政党民主政を鍛え直すことが考えられる。政党民主政のもとでは、国民の間にある意見の違いを国政へと媒介するのは政党の役割である。現在、さまざまな理由により、政党の媒介機能は低下した状態にあるが、これを再生することなくして、「民意の国政への反映」は達せられない。

とはいえ、「民意」を形成し、発信し、国政に影響を及ぼすのは政党だけに限られない。政党やその議員を通じた民意反映のルートを制度的民主主義と呼ぶならば、車の両輪として、いわば非制度的な民主主義のルートも必要である。時々の「民意」がどこにあるのかを常に発信し、国政が「民意」からずれていってしまわないように常時監視する市民の自発的運動がそれである。国民主権の担い手であるそのような自発的市民が情報を発信し、自由な意見交換をする場を**非制度的公共圏**と呼ぶならば、この「非制度的公共圏」の活性化と**制度的公共圏**たる国会との連結が、「民意の国政への反映」をより実質化する鍵を握ることになる。そのためには、まず国政に関する情報を国民が十分に知ることができなければならないし、国民の間の自由な意見交換が妨げられてはならない（→第3部3章3節・383頁）。そして、「非制度的公共圏」における熟議と意見表明に対し、国会が敏感に反応することで初めて、「民意の国政への反映」が十全なものとなる（こうした市民の間での熟議とその国政への反映を織り込んだ民主主義は、選挙で選ばれた代表者による多数決を重視する「**多数決民主主義**」と対比して、「**熟議民主主義**」と呼ばれている）。

＊「非制度的公共圏」の活性化という点で、インターネット空間における表現活動がもたらした「ネット公共圏」の意義は大きい（→第3部3章3節2(2)ⅲ）・388頁）。それとも連動しながら、脱原発、反秘密保護法、「安保法制」批判など、さまざまな分野で社会運動が噴出しているのも（→第3部3章3節5(1)コラム・419頁）、民主主義の制度的ルートが機能不全に陥っていることの表れといえる。これに対して国会の反応は鈍いが、制度的ルートのみでは、「民意の国政への反映」が果たされない構造要因がある以上、国会は「非制度的

「公共圏」における「民意」の発信に常に開かれていなければならない。

③地方自治の充実と国政への連動

　ここまでは「民意の国政への反映」だけを考えてきたが、憲法第8章が定める地方自治の意義を抜きにして、この話は完結しない（→第6節・255頁）。一見すると、国政は国家全般のことを扱い、地方に関することは各地方で、という役割分担のように思われるが、何を国政で扱い、何を地方で扱うかは、そう単純ではない。たとえば、憲法の保障する社会権に関わる教育や社会保障は、制度の大枠や最低基準は国レベルで定めるとしても、その具体化は、地域住民の多様なニーズに対応できる地方自治体の役割が大きい。これに対し、安全保障や外交は国家の主権にかかわるので、まさに国政で扱うべき問題と（ひとまずは）いいうる。他方、たとえば、安全保障に関わる自衛隊や米軍基地の問題は、その設置や基地被害などをめぐって、地域住民の声を無視して成り立つものではない。さらに、環境保全や災害対策なども、住民の生活に直結するだけに、地域レベルでの民主主義が重要になるし、それは地域レベルにとどまるものではなく、地方での政策の組み上げが国レベルの政策に大きな影響を及ぼすことも少なくない（公害対策のほか、情報公開制度も、地方レベルでの実践が、国レベルでの制度導入に重要な役割を果たした）。激甚災害からの復興やコロナ危機への対応など、自治体が国の政策形成に参画することもありえようし、地方選挙の結果が、国の意思形成に反映されるというルートもあってよい。

　このように、「国政」で扱うべきことがらの再検討と、国政と地方自治の連動を考慮に入れると、「民意の国政への反映」は「国政」レベルだけでなく、地方住民の意思形成も含め、多層的・多段階的に構想されなければならないことがわかる。

> **コラム**
> **1994年「政治改革」**
>
> 　1988年のリクルート事件をきっかけに、金権腐敗政治からの脱却という名目で、1994年に**政治改革**関連諸法が成立した。その柱となったのは、それまで中選挙区制だった衆議院の選挙制度を小選挙区比例代表並立制に改めることと、一定の要件を満たした政党に対し、国庫から資金を給付す

る政党助成制度の新設である。これにより、政治がクリーンな資金で賄われて、各党は政策をめぐって競争し、「政権交代のある民主主義」がもたらされると喧伝されたが、現実には、「民意の国政への反映」をより一層阻害する結果となった（各制度の問題点については、→第2節2(2)iv)(イ)・170頁、(4)・175頁、第3節3(3)iii・198頁)。

考えてみよう

1…個別の政策について国民投票を行う制度を設けることは妥当か。原発政策や消費税率引き上げの是非など、具体的な例をとりあげて考えてみよう。
2…「非制度的公共圏」における公論形成を国政（国会等の「制度的公共圏」内の議論）に反映させる具体的な方法として、どのようなものが考えられるか。
3…いわゆる「政治改革」の是非について、「民意の国政への反映」という観点から考えてみよう（本章第2節2・160頁、第3節3(3)・191頁も参照すること)。

Further Readings

・毛利透『民主政の規範理論』（勁草書房、2002年）：熟議民主主義の視点から、公共での自由な討議と民主政との連関を重視する一方、国民の直接的決定については消極的に解する。同『表現の自由』（岩波書店、2008年）、同『統治構造の憲法論』（岩波書店、2014年）、同『国家と自由の法理論』（岩波書店、2020年）も参照。

・本秀紀『政治的公共圏の憲法理論』（日本評論社、2012年）：国会をはじめとする「制度的公共圏」に対し、市民社会における「非制度的公共圏」の活性化と「制度的公共圏」との連結を通じて、「民意の国政への反映」を構想する。同編『グローバル化時代における民主主義の変容と憲法学』（日本評論社、2016年）も参照。

・森英樹『検証・論理なき「政治改革」』（大月書店、1993年）：日本の統治構造を大きく変えた「政治改革」を、憲法の視点から総合的・批判的に検討する。現時点でも、「民意の国政への反映」を実現する方途を考えるうえで参考になる。

第 2 節　国民代表と政党民主政

| キーワード | 全国民の代表、代表の積極的規範意味・禁止的規範意味、名望家政党、大衆組織政党、日本新党繰上補充事件、政治資金規正法、政党助成法 |

　本節では、日本国憲法の国民主権原理（→第1部4章1節・62頁）を前提としつつ、憲法における「代表」の意味について学習する。加えて、代表民主制をより民主主義的なものにするために不可欠の政党民主政について、憲法の視点から意義と課題を考える。

1　日本国憲法における「代表」

(1)　代表民主制と政党民主政

　国民主権を実現するために、日本国憲法は、基本的に代表民主制を採っている。各「代表」は選挙時に公約を示し、それを有権者が投票という行為によって選択する。当選した代表者は、その公約に従って国政に参画するというプロセスを通じて、民意が国政に反映するという筋道である（それだけでは不十分であることは前節で述べたが、本節では主に、この基本的筋道＝制度的民主主義のルートを扱う）。

　前節で学んだように、現代においてこの代表民主制は、政党を媒介にした政党民主政という形態をとる。有権者の意思は、個々の代表者を通じて個別に、というだけでなく、（実際にはそれよりも格段に高い比重で）政党の掲げる公約を通じて、国政へと反映される（べき）ことになる。このことは単に、各代表がバラバラだと意見が集約できないので一定数の議員集団としてまとまることが便宜という話ではなく、国民の間にそれ相応の利害分裂と意思の対立があり、それを各政党が代弁するかたちで政党制が編成されているという前提の上に成り立っている（こんにち、そうした想定がゆらいでいることについては、→第1節・151頁。日本の現状については、→2(4)・175頁）。

　したがって、「民意の国政への反映」といっても、理論的にはミクロとマクロ、つまり一方では代表者の選定を通じて個々の代表者の行為を拘束し、他方では政党選択を通じて代表者の党派的分布を基礎づけるという二重のルートが存在する。第1部4章1節2(2)の用語法でいえば、前者が

「半代表」、後者が「社会学的代表」であり、代表者が意思関係において民意に拘束されると同時に、代表者の党派的構成が議会に反映されることを通じて、民意が国政へと反映されることになる。

　現実には、個々の代表者のほとんどが政党に所属し、かつ、自身の公約も所属政党のそれとほぼオーバーラップしていることにより、この「代表」の二重のルートは基本的に重なり合っている。このことは、国民主権について、本来は有権者の決定によって国政が運営されるべきところ、現実には難しいので「代表民主制」を採っているにすぎないと考える立場からは、国民の意思と国政とを合致させる方途として、重要な意義をもっている。他方で、この二重のルートは常に合致するわけではないということを考えると、両者の緊張関係にも気を配る必要がある。実際に、議員が党議拘束を離れて行動し、政党から処分を受けることもあるが、実は、政党の方が丸ごと選挙公約から離脱している場合もあるので、選挙時の民意に常に立ち返って、議員と政党の行動を評価することが重要になる（→ 2 (3)・174頁、(4)・175頁）。

(2)　「代表」の「**積極的規範意味**」と「**禁止的規範意味**」

　第1部4章1節3で学んだように、日本国憲法における「代表」の意義を考える際に手がかりになるのは、それ自体としては「純粋代表」に親和的な「**全国民の代表**」概念（43条）であるが、「代表」観念の歴史的展開を前提にすれば、上記のように、「**半代表**」および「**社会学的代表**」を基礎にしていると考えるのが妥当といえる（そもそも、43条が「代表」と「選挙」を結びつけていること自体、純粋な「純粋代表」ではないことの証左である。→第1部4章1節2(1)ⅰ・65頁）。そのうえで、日本国憲法が「全国民の代表」という古典的表現を採っている意味をどのように考えるかが、憲法解釈上の論点となる。

　こうした「半代表」という歴史段階と「全国民の代表」という古典的表現との緊張関係のひとつの読み解き方として、「代表」の「**積極的規範意味**」と「**禁止的規範意味**」という定式（樋口陽一）がある。すなわち、「**積極的規範意味**」とは、建前として代表者と被代表者の意思の一致がなければならないということ（半代表）であり、「**禁止的規範意味**」とは、議員に対する選挙区からの指令（命令委任）の禁止を意味する。

この定式は、憲法43条の微妙なニュアンスを客観的に把握するうえで示唆的であるが、両「意味」は別々に存在するわけではないので、結局のところ、双方の「意味」の具体的帰結と両者の兼ね合いをどのように考えるかが問題となる。たとえば、「積極的規範意味」との関係では、とくに選挙制度に関わって、代表者と被代表者の意思の一致を系統的に損なうような場合に、憲法上の疑義が提起されうる（→第3節3(3)・191頁）。「禁止的規範意味」については、選挙制度で「職能代表」や「利益代表」を具体化した場合に違憲となりうるほか、政党の提出する比例代表名簿に一定比率以上、女性候補者を登載すべきことを義務づける法律が制定された場合、「全国民の代表」規定に違反しないかが問題となりうる（具体例として、2018年に成立した「政治分野における男女共同参画の推進に関する法律」2条・4条等の合憲性。平等原則との関係は、→第3部2章1(3)・335頁）。

両「意味」の兼ね合いとの関係では、たとえば、リコール制（議員に対する解職制度）をどのように評価するか、という問題がある。「禁止的規範意味」だけで考えれば、リコール制は代表者の独立性を侵害するものとして、正面から否定される。他方、「積極的規範意味」からすれば、リコール制こそ、まさに代表者と被代表者の意思の一致を確保すべき制度という評価も可能である。結局のところ、それぞれの「意味」の意味をどう考え、両者が衝突した場合に、どのように落とし所を探るかが課題となる。同様に、政党の議員に対する拘束と代表の「禁止的規範意味」との緊張関係も、具体的な制度との関わりで吟味されるべき論点である（→2(3)・174頁）。

＊「積極的規範意味」と「禁止的規範意味」という見方は、代表の「全国民」性と「半代表」性を対立的にとらえるものだが、両者を調和的に解する見方もある。たとえば、①「全国民」性を、地域利害の反映ではなく、全国民にかかわる、すなわち国政に関する選挙民意思の「代表」という意味と読み替え、「半代表」性（＝選挙民による代表者の拘束）を貫徹させようとする見解、②個々の代表は、分裂した国民利害の担い手であり、それ自体が「全国民」的になることはないという冷徹な認識を前提にして、諸党派が公正に代表される国民代表機関（国会）が全体として「全国民の代表」となると考える見解などである。

2　政党民主政と法

(1)　憲法と政党

　ⅰ）政党民主政の歴史的展開

　上記 1 (1)で述べたように、現代の代表民主制は、政党の存在を抜きにしては機能せず、その意味で必然的に政党民主政となる。しかし、「純粋代表」がよしとされた近代にあっては、政党（「徒党」と呼ばれた）は代表者の独立性を侵害し、「全国民の代表」という観念に反する存在として否定的に扱われた。初期の政党は、議会における緩やかな政策グループであったが（**名望家政党、議員政党、幹部政党と呼ばれる**）、選挙権の拡大など一般大衆が国政に参加し、政治の民主主義化が進展するにつれて、国民の間に根を張った「**大衆組織政党**」へと発展し、それにともなって、政党は国民の意思を代弁する媒体として、積極的に評価されるようになる。現代議会制民主主義における政党の意義は、一方で、たとえば議院内閣制の国において、国民に支持された最大党派が議会で多数を占めると同時に、内閣を組織することを通じて、統治の民主的正統性と安定性を創出する要となることにある。他方で、国民の間の利害分裂に応じた意思の分岐を各政党が体現することを通じて、民意と国政とを媒介するという重要な機能も営む。加えて、政党には、単に民意を集約するだけでなく、争点設定や問題提起を通じて積極的に民意を掘り起こしたり形成したりする役割や、それによって国民を政治的に陶冶したり、力量をもった政治家を育成する機能も期待される。

> ＊**大衆組織政党**は、国民の利害分裂を基礎とするため、とりわけ労働者階級の利害を代表する政党が典型例となる。旧来、**名望家政党**であった保守政党も、これに対抗するべく有産階級の利害を代弁し、相応の党員と党組織を有する組織政党へと発展した。ところが、20世紀後半に至って徐々に、こうした利害分裂状況が不分明になってくると、政党の組織力は低下し、いわゆる無党派層が増大することとなる。政党は議員政党へと再傾斜し、民意を国政へと媒介する機能を果たした政党民主政は、その面で機能不全に陥る。
> 　他方、組織政党の全盛期にあっても、各党における意思形成は必ずしも民主的とはいえず、また既成大政党による統治の寡占傾向（「カルテル政党」と称される）は、否定的な意味で「政党支配制」（イタリア）や「政党国家」（ドイ

ッ）と呼ばれた。こうした視点からは、上記のような組織政党の衰退はむしろ、一般市民への政治空間の開放の可能性を秘めているとみることもできる。

ⅱ）トリーペルの四段階説

こうした政党制の史的展開を、政党に対する国家の態度という観点から描写したのが、ドイツの国法学者・トリーペルの四段階説である。その四段階とは、「敵視」、「無視」、「承認および合法化」、「憲法的編入」であるが、日本における参照方法は、4つの段階が各国で順に登場することを想定した「普遍モデル」ととらえつつ、憲法規定における政党の位置づけに注目して、各国の現「段階」を測定する傾向にある。たとえば、憲法に政党条項を有するドイツは「憲法的編入」の段階にあるのに対し、政党にまったく言及がないとはいえ議院内閣制を採用する日本国憲法は「承認および合法化」の段階にあるといった具合である。さらに、改憲論の多くは、日本も「憲法的編入」の段階に進むべきであるとして、政党条項の新設を提案している。

しかし、そもそもトリーペルは、政党間の対立が激化した戦間期にあって、政党の「憲法的編入」に警戒的であったし、「憲法的編入」の含意も、ただ単に憲法規範における政党条項の有無ではなく、実質的な憲法体制に政党が組み入れられることを問題にしたのであった。また、実態として政党民主政が普遍化していくことと、憲法規範のなかに政党を「編入」することは別の問題である。一般に、規範と現実の間には緊張関係がつきものだが、規範で実態を正す性格がひときわ強い憲法の場合（→第1部1章・8頁）、実態を追認して規範化すればよいわけではなく、規範が現実に及ぼす効果を、国ごとの背景事情や政治状況などもふまえながら、慎重に吟味しなければならない。

ⅲ）諸外国における憲法と政党

そこで、他の国々における憲法上の政党の位置づけとその背景事情との相互関係を考えてみたい。各国の憲法を、政党の位置づけ方と法的効果という観点から分類すると、①イタリア型、②ドイツ型、③フランス型、④沈黙型に整理することができる。①は政党を国民の権利の側から位置づけるもので、イタリア憲法（1947年）は49条で、市民の自由な政党結成権を定めている。②は政党を、民主政を担う半ば公的な組織と位置づけるもの

で、ドイツ基本法（1949年）21条は、一方で政党結成の自由を保障するとともに、他方で「自由で民主的な基本秩序」に敵対する政党は違憲であるとして、特定の政党を政治過程から排除する。③は政党を憲法上位置づけながらも具体的な法効果はともなわないタイプで、フランス第五共和制憲法（1958年）4条は、政党結成の自由を保障する一方、国民主権・民主主義原理の尊重を政党に義務づけるものの、この「尊重」は倫理的な義務であって、法的な意味はないと解されている。④は憲法上政党の定めがないもので、オランダ憲法（1814年）、ベルギー憲法（1831年）など、多くの国々にみられ、日本国憲法（1946年）もこのタイプである。

　憲法で政党を規定する背景事情でかなりの程度共通しているのは、全体主義や独裁体制を経験した後に、それを繰り返さないため、非民主的・自由敵対的勢力の台頭への予防措置として、政党条項を設けるパターンである。上記イタリア・ドイツのほか、ポルトガル憲法（1976年）、スペイン憲法（1978年）、韓国憲法（1987年）なども、この例といえる。ただし、同様の背景事情をもちつつも、憲法規定のありようと法的効果は、国によってさまざまである。

　まず、イタリアとドイツは、上記の通り、憲法の定め方がまったく異なるが、これには、憲法制定時の状況の違いが大きく反映している。すでに1943年の時点でファシズム体制に終止符が打たれたイタリアでは、反ファシズムのレジスタンス勢力が制憲議会で大きな位置を占め、「労働に基礎をおく民主的共和国」（憲法1条）を築くために、市民の政党結成権が積極的に位置づけられた。これに対して（西）ドイツは、東西冷戦下で国が東西に分断されるなかで基本法が定められ、ナチスの過去と眼前の共産主義体制という「左右の敵」に対する防衛体制という面が色濃く出た（→第3部3章1節2(1)＊「たたかう民主制」・355頁）。

　つぎに、ポルトガルとスペインは、憲法規定の定め方だけでいうと、特定政党の排除を明示していない点でフランスに近いが、憲法の政党条項に基づき、憲法秩序に反する政党を非合法化する政党法を整備している点で、実質的にはドイツ型に近い。このように、憲法秩序と政党法制を考える際には、憲法規定だけでなく、政党に対する法的規律の全体を考慮に入れて、政党の憲法体制への組み入れ具合を測定しなければならない。この点で韓国は、憲法規定も政党法制もドイツとよく似ており、純粋な②型（「冷戦

対応型」）といえる。
　こうした政党の（非合法化を含む）「憲法的編入」体制は、たとえばドイツのように、実際に民主主義的な憲法体制のなかから、そのような民主主義的諸制度を利用して台頭した政治勢力が政権を獲得した途端に憲法秩序を破壊したというような「憲法事実」のある国では、ひとつの選択肢ではありうる。しかし他方で、「自由で民主的な基本秩序」とはいったい何で、誰がいかなる意味でそれに敵対しているかを判定するのが国家である以上、政治的多数派が自らに敵対する勢力を政治過程から排除するために濫用する危険を常にはらんだ両刃の剣であることに注意が必要である（そのためドイツでは、独立した憲法裁判所に違憲政党判定の権限を委ねているが、憲法裁判所とてひとつの国家機関であることを忘れてはならない）。
　それでは、④沈黙型は、なぜ憲法で政党について定めていないのだろうか。沈黙型の国々にあっても、こんにちでは、政党が民主政過程において不可欠の組織的・機能的要素となっていることには変わりがない。それにもかかわらず、政党条項を設けないのは、政党の役割を重視するからこそ、あえて政党を法的に特別の地位に位置づけないことにより、政党に対し、民主政過程に能動的に参加するほぼ無制約の自由を保障していると考えることもできよう。ただし、ここでも、憲法規定の有無だけで、憲法秩序と政党の関わりが理解できるわけではない。たとえば、アメリカ合衆国憲法（1787年）は政党条項を有していないが、アメリカの政党は、大統領選の法的規律を通じて「準国家機関」と位置づけられ、統治制度として組み上げられた二大政党制を媒介にして、大統領統治を柱とする憲法体制に組み入れられているのである。

　＊日本国憲法の場合は、全体主義国家の克服というドイツなどと共通の背景事情がありつつも、民主主義体制のなかから生まれた政党が民主主義を否定したドイツとは異なり、ようやく生まれつつあった政党民主政を国家が権力的に圧殺したという歴史的前提の違いが大きい。そこから、生き生きとした政党の自由を最大限保障するために、日本国憲法は政党に関してあえて「沈黙」したのだという理解（→iv）の(a)説・164頁）が出てくる。

iv）日本国憲法における政党

　日本国憲法は、政党について一言も述べていないが、最高裁は、「憲法の定める議会制民主主義は政党を無視しては到底その円滑な運用を期待することはできないのであるから、憲法は、政党の存在を当然に予定しているものというべきであり、政党は議会制民主主義を支える不可欠の要素なのである」と判示している（最大判1970・6・24〔八幡製鉄政治献金事件〕→第3部1章3節3・324頁）。政党が「議会制民主主義を支える不可欠の要素」であることは、本書でも確認してきたが、憲法とのかかわりで問題となるのは、その法的意味である。

　上記①〜③の国々とは異なり、憲法に政党条項が存在しない日本国憲法の場合、結社の自由を定めた21条が、憲法と政党との関係を考える際のベースラインとなる。重要な点は、政党に対する法的規律の限界が、(a)他の結社と同様なのか、それとも(b)政党には特別な法理が妥当するのかである。

　(a)日本国憲法が政党に関して「沈黙」していることの意味を重視すれば、政党は21条のいう「結社」のひとつにすぎないことになる。こうした立場を採る学説は、結社の自由を「一切の表現の自由」の一類型として言論の自由などと同列に保障する21条の規定ぶりにも支えられて、上記④型のように、徹底した結社＝政党の自由を確保しようとすると同時に、政党に対する特権付与をも排除する。

　(b)これに対し、政党が、他の結社とは異なって国家の民主政過程に参画するという特殊性を重視すれば、政党は他の結社にはみられない特別の「公的性格」を有するから、憲法上特別の規定がなくても、他の結社とは異なった法的規律も許されると解すことになる。こうした立場を採る学説は、政党の組織や意思形成のありかたを民主主義原理への適合というかたちで規制したり、国庫から活動資金を供与するかたちで助成したりすることも、政党の「公的性格」のゆえに許容されると考える。

　(a)・(b)いずれの立場に立つにせよ、こんにち、日本国憲法が想定する議会制民主主義において政党が不可欠の役割を演じている（のみならず、演じるべき）ことは否定されない。これを「公的性格」と呼ぶかどうかは、言葉の選択の問題であって、重要なことは、この「公的性格」がどのような法的位置づけに結びつくかである。「公的性格」を有するからといって、そこから直ちに上記(b)のような規制や助成が許されるわけではなく、逆に、

「公的性格」というネーミングを否定し、政党の「私性」を強調してみても、議会制民主主義を政党が担うべきという「公性」を排除できるわけではない（ただし、「公的性格」から、あたかも自動的に規制や助成が導かれるかのようなマジック・ワードとして用いられる傾向があることに注意せよ）。そうすると、「公性」・「私性」という性格づけの背後にあるもの、すなわち、議会制民主主義を政党が担うべきという意味を憲法との関わりでどうとらえるかというところまで、もう一歩立ち入って考える必要がある。

その際に基礎となる立場を大きく分ければ、政党を(a)'主権的権利行使の媒体として位置づけるのか、それとも(b)'民主政過程を担う半ば公的な団体として位置づけるのか、という違いが考えられる。(a)'の立場からは、政党は、国民が政治に参加する権利をより有効に行使するための媒体と位置づけられるので、国民の利害・意思が多様である現状を前提とすれば、各政党がそれぞれの違い（「私性」）を担ってこそ、国民の意思を国政へと媒介する「公性」を果たすことができることになる。そのような政党の憲法上の位置づけを棄損するような法的規律は、規制であれ助成であれ認められない。これに対し、(b)'の立場からは、（論者が望ましいと考える）民主政過程にふさわしい政党のありかたが求められるため、政党の内部秩序が民主的であることや政党に国庫から資金を供与することが民主政過程にとって望ましいと考えられれば、そのような法的規律が認められることとなる。

国民の主権的権利の行使を重視する本書は、(a)'の立場を採るが、いずれにせよ、政党が民主政過程において果たすべき役割との関係で、政党の憲法上の位置づけと政党法制のありかたを見極める必要がある。

> **＊政党と会派**
> 日本では両者はほぼ同じものとして扱われるが、会派は、選挙民の負託を受けた議員の集団で（も）あるという点で、政党とは憲法上の位置づけが明確に異なる。両者をめぐって憲法的評価が異なりうる例として、政党助成と会派への公金給付（日本では立法事務費）が挙げられる。前者は、私的結社に公金を給付することをどのように理解するかによって見解が分かれうるが（→(2)ⅳ)(ｲ)・170頁)、後者は、国民代表集団がその任務を果たすための必要経費と位置づけることができる。

(2) 政党に対する法的規律

　ⅰ）政党法制の歴史と現状

　日本では戦後、保守政党の側から幾度となく、包括的な「政党法」制定の提案がなされてきたが、その都度、憲法の保障する「政党の自由」を脅かすと反対運動が起き、成立することはなかった。これは、政党条項をもたない憲法のもとで、（上記(a)・(b)の立場を問わず）結社の自由を重視する論理立てが可能であったことと、実際に「政党法」が制定された場合に、公権力によって（とりわけ反対派の）政党活動の自由が侵害されるのではないかと予測させるに十分な政治状況が存在したことによる。

　しかし他方で、選挙法制や政治資金法制など、政党に関わる個別立法の整備によって、機能的には、「政党法」が制定されたのとそれほど変わらない法状況に立ち至ったとみることもできる。以下、そのうちの重要なものの内容を確認するとともに、憲法の観点から、その是非を考えてみよう。

　ⅱ）「政党」とは何か──法律上の政党要件

　政党を法的に取り扱うということは、「政党」を法的に定義づけたうえで、その法的「政党」を、そうではない（実態としての）政党から区別して、なにがしかの法的効果を生ぜしめることを意味する。したがって、政党に対する法的規律それ自体が、現に存在する政党のなかから特定の「政党」だけを別異に取り扱うという（場合によっては差別的な）効果を必然的にともなうことに注意が必要である。

　包括的な「政党法」が存在する国々では、そのなかで一般的に「政党」を定義づけるのが普通であるが、「政党法」をもたない日本では、個別の法律ごとに、その法律における「政党」を定義づけている。理論的には、同じく「政党」といっても、個別法律の目的・性格に応じて異なる定義づけが行われうるが、現在の日本では、各種法律において、ほぼ同様の定義となっている。すなわち、「政党」とは、「政治団体」（政治資金規正法3条1項）のうち、①国会議員を5名以上有するもの、または、②直近に行われた国政選挙（衆院選または二度の参院選の小選挙区・選挙区または比例区のいずれか）で、有効投票の2％以上を獲得したものをいう（政治資金規正法3条2項、政党助成法2条1項、および政党法人格付与法3条1項。後二者にあっては、②の要件に、国会議員1名以上の所属が加わる）。

　こうしたいわば「三位一体」の政党要件によって、法的な意味での「政

党」と実態としての政党（法的には「政治団体」）とが区別され、前者のみが、たとえば、企業・団体からの献金を受け取ったり、法人格を取得することにより団体名義で不動産を登記したり、政党助成金を受給したりすることができる。この区別は、一定規模以上の既成政党の優遇＝新興政党の排除を意味するので、これらの別異の取扱いが、法の下の平等（14条1項）に反しないかどうか、政党が国民の主権的権利行使の媒体であることをふまえつつ、各法律ごとの（さらには、それらを総合した）慎重な吟味が必要となる（→iv）(イ)・170頁）。

＊公職選挙法上、衆参両院の比例区選挙に候補者名簿を提出できる政党および政治団体には、上記①・②（参院選は直近の選挙に限る）に加えて、③一定数の候補者（衆院選の各ブロック定数の5分の1以上）を名簿に登載するもの（参議院の場合は、当該選挙に10人以上の候補者を立てるもの）も含まれる（公選86条の2第1項、86条の3第1項）。これは、国民代表のリニューアルという選挙の機能に鑑みて、①・②要件の現状固定的性格を緩和するものといえるが、供託金制度（→第3節3(2)iii)(エ)＊・188頁）とも連動して、候補者数の設定が高すぎないかが問題とされうる（こうした参入障壁の正当化根拠を考えてみよう）。

iii）選挙法制と政党

1982年の公職選挙法改正によって、参議院選挙の一部に名簿式比例代表制が導入されたことは、政党の国法上の地位にとって大きな画期となった。これにより、参議院の比例区選挙という限られた範囲ではあれ、一方で、無所属の立候補を排除して政党が候補者擁立を独占するとともに、他方で、有権者による候補者選択を排除して政党による候補者選択が事実のレベルから法のレベルへと引き上げられた。さらに、1994年の公職選挙法改正で、衆議院選挙にも拘束名簿式比例代表制が導入されたことにより、「政党本位」の選挙制度が強化されることとなった（選挙制度について、→第3節3(3)・191頁）。

加えて、公職選挙法が、比例区議員に欠員が生じた場合に、候補者名簿からの繰上当選制を定め（公選112条2〜4項）、かつ、繰上補充に際して除名者を排除していること（同条7項）により、政党の内部的決定が公的・制度的な政治過程に直接影響を及ぼす事案が出てきた。選挙で次点と

なった名簿候補者が、欠員が生じる直前に党から除名された結果、繰上当選の対象とならなかったため、除名の無効を理由として当選訴訟（公選208条）を提起した日本新党繰上補充事件が、それである。政党からの除名自体は、政党の内部的な決定であり、政党の自律権の範囲内であるが、それが上記の繰上補充制度と連動することにより、誰を国会議員とするかという国家制度的事項を決している点が、本件の特色である（同じく除名処分の効力が争われたが、本件とは異なり、私法上の権利義務関係が問題となった最判1988・12・20〔共産党袴田事件〕参照。→第3章1節2(3)vi・278頁）。

本件で最高裁は、議会制民主主義における政党の重要な役割と政治結社としての任意性に基づく「高度の自主性と自律性」を根拠に、除名処分等の当否については、原則として政党の自律的な解決に委ねられていると判示し、除名の有効性については判断しなかった（最判1995・5・25）。一般論として、政党の自律性が尊重されるべきとしても、この事例の場合は、本件除名処分が民主政過程においてもつ上記のような「公的ないしは国家的性質」（除名を無効と判断した原審〔東京高判1994・11・29〕の表現）を考慮に入れて、両者の兼ね合いを検討しなければならない。その場合でもなお、除名処分の効力が一切審査されるべきでないとすれば、繰上補充に際して除名者を排除する制度自体の合理性が問題となりうる。これとは別に、選挙時における有権者の意思を尊重する立場からすれば、選挙後の政党の決定により、次点者以下の当選可能性を変更することは許されないという見方も成り立ちうる。これを代表論の観点で言い換えると、代表の禁止的規範意味（政党の代表ではなく「全国民の代表」）との衝突をどう考えるか、という論点に連なる（さらに直接選挙との関係は、→第3節3(3)ⅰ(オ)・194頁）。

＊小選挙区に候補者を立てられる政党等は、ⅱ)の①または②（参院選は直近の選挙に限る）要件を満たすものに限られており（公選86条1項。同2項で個人の立候補は認められる）、小選挙区における選挙運動が（候補者のみならず）候補者届出政党にも認められ（同141条2項ほか）、さらには、政見放送が候補者届出政党にしか認められていないため（同150条1項）、候補者が上記要件を満たす政党等に所属しているか否かにより、選挙運動を行える範囲が大きく異なっている。これは、政党等所属候補者と無所属候補者との格差であると同時に、上記要件を満たす政党等と満たさない政党等との間の格差でもある。最高裁は、こうした選挙運動における格差を、「政党本位」の選挙制度採用の合理

性を理由に合憲と判断したが（最大判1999・11・10）、同判決には、当該部分を平等原則に反し違憲・無効とする5人の裁判官の反対意見が付されている。実際の格差はかなり大きく、これを「政党本位」の一言で正当化することは困難であろう（選挙運動の自由に対する制約について、→第3部3章3節4(1)iv)・407頁）。

iv）政治資金法制と政党
(ア）政治資金規正法

　政党の活動を規律する個別立法のうち、憲法制定後最も初期に成立したのは、**政治資金規正法**（1948年）である。これは、政治家および政治団体の収入と支出を規律する法律であるが、政治団体の中に政党が含まれることによって、政党に対し財政面から規律を加える法となっている。同法は主に、政治資金の授受に関して、寄附対象者の制限や量的制限を行うとともに、政治資金の収支の公開を定めているが、政治腐敗の指摘を受けて改正が繰り返され、徐々に「政党本位」の性格を強めてきた。こんにちでは、ii）の意味での「政党」（および「政党」の指定する政治資金団体）のみが、企業・団体（政治団体を除く）からの寄附を受け取ることができ、政治家（公職の候補者）個人の政治活動（選挙運動を除く）への献金は、「政党」からのものを除いて（個人献金も含め）禁止されている（ただし、政治家がひとつだけ指定できる資金管理団体への個人献金は、年間150万円まで認められている）。これにより、政治家が政治資金を得るためには、所属「政党」（およびその政治資金団体）から資金提供を受けるのが基本となり、それ以外には、自らの資金管理団体を通じて個人献金を募るか、政治資金パーティーを開く道だけが残される。「政党」（およびその政治資金団体）には、個人献金（各人年間2000万円まで）はもとより、企業・団体献金（各企業等年間最大1億円まで）のほか、(イ)で述べる政党交付金も支給されるので、政治資金の流れは基本的に「政党本位」となる。これは、個別政治家と特定企業との癒着を（政治資金パーティーを隠れ蓑とする場合を除いて）回避する一方（ただし、企業献金を通じた政党への影響力行使は回避されない）、政党による資金提供を通じた党所属政治家への統制の強化につながる。

　政党をめぐる憲法論の観点からは、こうした寄附の制限と収支の公開が、結社の自由により保障された政党の財政自主権の侵害となるか否かが問題

となりうる。とくに、政党の自由を他の結社の自由と同視して、政党活動に対する国家の介入を極力排除しようとする立場（→(1)iv)の(a)・164頁）を採る場合は、何故に財政面については政党の自由が一定の制約を受けてよいのか、また、政治資金の流れがここまで「政党本位」に規律されていることが政党＝結社の立場から正当化可能かが検証されなければならない。たとえば、収支公開を義務づける規律については、政治過程に関する国民の知る権利（21条）を根拠にして、政党の自由の制約を正当化する立論が存在する。これに対して、知る権利は公権力に対するものであるから私的結社に適用することはできず、むしろ団体一般とは異なり国家権力と特別の関係をもつ政党の特殊な「公的性格」（→(1)iv)の(b)・164頁）を根拠にして、政党への会計報告の義務づけを正当化する立論が対置される（後者の見解によれば、政治団体一般に収支公開を義務づける現行政治資金規正法は、過度に広範な規制をしていることになり、違憲と評価される）。

　しかし、ここで問題となるのは、政党それ自体の性格ではなく、政党が活動する政治過程の「公的性格」であり、それを基礎づけるのは、国民の主権的権利の十全な行使可能性であろう。国民が選挙権をはじめとする主権的権利を十全に行使するためには、政治過程の公正さが保たれている必要があり、それを歪める政治腐敗と特定勢力の過度の影響力行使を排除すると同時に、これを担保するために政治資金の流れを可能なかぎり透明化することが求められる。この考えでは、政治過程に及ぼす政治資金の影響の強さが特別に考慮されており、現行法の（とりわけ企業・団体献金の）量的制限が十分かどうかが問題となる。これに対して、政治活動に際しての資金収支の秘匿性の価値は比較的小さく、むしろ政治資金提供者（個人）の政治志向の秘匿性が、透明化に対抗しうる価値ということになる。

＊政治資金規正法は、政治資金の規制だけでなく、政治団体一般に対し、綱領・党則・規約等の提出を義務づけており、団体管理＝規制法としての側面を有している。政治過程の「公正さ」を理由に、仮に政治団体の収支公開が許容されるとしても、政治資金の授受とは無関係なこれらの文書の提出を義務づけることは、結社の自由（21条）との関係で正当化困難であろう。

(イ) 政党助成法

　日本の政党法制を考えるうえで最も重要と思われるのは、1994年に衆議院の選挙制度改革とならんで制定された**政党助成法**である。一定の要件を満たした政党に対して使途の限定なく公金を支給することを定めた同法は、政党それ自体を対象とした包括的な政党立法であり、(1)ivでみた政党の憲法上の位置づけに照らして、慎重な吟味を要する。

　まず、一般論として、日本国憲法のもとで政党助成制度が許容されうるかという問題がある。日本国憲法が、ドイツなど政党条項をもつ憲法とは異なり、結社の自由の一環として政党の自由を保障している点を重視する立場（→(1)ivの(a)・164頁）からは、私的結社たる政党に国家から資金が供与されることは、概して否定的にとらえられる。これに対して、憲法の「沈黙」にもかかわらず、政治過程において不可欠の役割を果たす政党の「公的性格」を強調する立場（→(1)ivの(b)・164頁）からは、政党に対する財政的国家支援が積極的に承認されることとなりやすい。とはいえ、政党が「私的」であるか「公的」であるかといった一般的性格づけのみで、政党助成制度の憲法的評価を確定するのは困難であり、結局のところ、政党助成が民主政過程において果たす機能を、憲法の観点から具体的に吟味するほかはない。

　この点でとくに考慮されなければならないのは、政党財政が国庫（税金）からの資金供与で満たされることによって、政党が国民からの財政的支援を募る必要から解放され、ひいては政党と国民との乖離が進行することを通じて、政党が本来果たすべき国民の意思を国政へと媒介する役割が損なわれる可能性があることである。実際に、政党助成の導入に際して日本が参考にしたドイツでは、長年の政党助成によって政党の国民からの遊離が進行し、それに歯止めをかけるため、連邦憲法裁判所が違憲判決（1992年）を下して、国庫からの補助額が自主財源（党費＋寄附）を上回ってはならないという上限が設けられた（＝相対的上限。絶対額の上限も設けられている）。これに対して日本では、当初、各党の前年収入総額の3分の2以下という交付限度額が定められたものの、法律が施行された1995年に廃止されたため、たとえば立憲民主党本部（2019年当時）は、収入の80％（同じく税金を原資とする立法事務費を加えると97％）を、自民党本部は、収入の72％（立法事務費を加えると83％）を、政党交付金が占めている（ドイ

ツでは、二大政党とも3割強にとどまっている）。

＊ドイツでは、1994年に政党の一般的活動に対する国庫助成に制度変更されるまで、国家が選挙費用を補償するという建前になっていた。日本の憲法学においても、政党活動一般への公金給付は結社の自由を侵害するので許されないが、選挙費用の補助であれば、国家制度にかかわるので許容されるとの議論がある。民主政過程一般と選挙過程とを区別することは、選挙それ自体が国家的性格を有し、国会構成のリニューアルの機会であることに着目するならば、考慮に値するが、その場合は、選挙に参加する各党に同等の給付が与えられなければならないのと同時に（現在、公営選挙というかたちで一部実現している）、形式的には選挙費用の補助であっても、実態としては政党への国庫助成となる以上、政党の媒介機能を弱める可能性との兼ね合いも吟味する必要がある。

　つぎに、具体論として、現行の政党助成制度を憲法の観点からどう考えるか、という問題がある。そのなかでも第1に、ⅱ）で検討した「政党」要件の機能が問題となる。政党助成法に基づいて政党交付金を受けられるのは、ⅱ）の①または②（国会議員1名以上を含む）の要件を満たして法人格を取得し、政党助成法所定の届出をした「政党」のみである。したがって、たとえば直近の国政選挙で2％以上得票できなかった政党は、（国会議員を5人以上有していない限り）政党交付金を受給することができない。政党による政治宣伝の効果は、政治資金の多寡により大きく左右されるので、得票が2％を超えるか否かによって、年額にして億単位の収入格差をもたらす「足切り」制度は、平等原則（14条1項）に違反する疑いが強い。政党助成制度の先行国ドイツにおいて、得票率2.5％を受給要件としていた当初規定が連邦憲法裁判所によって違憲とされ、以後0.5％に押さえられてきたことは、参照に値しよう。

　第2に、政党交付金の配分の仕方とそれによる政党助成の機能が問題となる。政党助成法によれば、直近の国勢調査人口に250円を乗じた額が政党交付金の年総額とされ（2021年度時点で約318億円＝ドイツの上限額の約1.3倍）、上記届出「政党」に対して、半分は議員数比、半分は国政選挙での得票率比に応じて配分される。とくに問題となるのは、交付金の半分が議員数比で配分されることである。現行選挙制度を前提とすれば、議員数比は衆参ともに、選挙時点における各党の支持率の比を表すものではなく、

大政党にあっては議席獲得率が得票率を大きく上回り、小政党の場合はその逆である（→第3節3(3)iii・198頁）。したがって、仮に、各党に同一額ではなく得票率比で差等をつけて配分することが、国民の意思に基づく政治的重要性の高低による「合理的差別」として正当化されうるとしても（このこと自体、現状固定化機能を営むがゆえに平等原則違反と解する余地もある）、大政党が選挙制度を媒介として不当に「ボーナス」を獲得しうる現行制度は、そのことだけで平等原則に違反するといってよい。

　加えて、政治宣伝の効果が政治資金の多寡によって規定され、宣伝量の如何が政治的意思形成過程に大きな影響を及ぼすことを前提とするならば、現行制度の平等棄損（同時に、民主政過程における公正な競争の阻害）は、より深刻なものとなる。すなわち、大政党は、選挙制度の機能により実際の国民の支持よりも多くの議席を獲得し、その結果、より多くの政党交付金が支給され、それを用いて選挙戦を有利に展開し、それによって得られた票が選挙制度を通じてさらに増幅された議席を生み出し、それに基づいて、より一層多くの政党交付金が支給され……といった格差拡大の無限スパイラルが生じうるのである。

＊政党交付金を受給する前提として、各党は、政党法人格付与法に基づき、法人格を取得する必要がある。しかし、法人格の取得そのものは、団体としての財産関係を明確にすることが目的であるはずで、それにもかかわらず、政党助成法と同じ「政党」要件を課していることは、それを満たさない小規模政党の活動を大「政党」に比してやりにくくしていることを意味するので、別異の取り扱いの正当化根拠を見出すことは困難である。
＊日本国憲法のもとで、特定政党を政治過程から排除する政党禁止制度が、結社の自由との関係で創設困難であるとすると、政党法制で残された領域は、政党の内部秩序に対する法的規制であろう。これに対する憲法的評価は、抽象的な政党の「公的性格」論で事足れりとするのではなく、具体的な制度の機能を見極めたうえで、政党が民主政過程において果たすべき役割との関係で、慎重に吟味することが必要となる。昨今では、上記のごとく「政党本位」制が進んだ現状を前提として、「特権を得ている政党には規制を加えても当然」とする論調がみられるが、そもそも政党の特権化自体の憲法的評価が、まずもって問題とされなければならない。

(3) 政党移籍による議員失職制度の合憲性

　2000年の国会法等改正により、両院の比例代表選出議員は原則として、自らが当選した比例選挙に参加していた他の政党に移籍した場合、失職することとなった（公選99条の2、国会109条の2）。この制度は、本節 **1**(2)でみた代表の「**積極的規範意味**」と「**禁止的規範意味**」とが衝突する場面と位置づけることができる。すなわち、「積極的規範意味」からすれば、比例代表選挙で当選した議員は、所属政党の提出名簿に記載されたことに当選の根拠があるので、その政党の所属から離れた時点で当選の基礎を失うと解される。実質的に考えても、有権者は所属政党の公約を支持して当該政党に票を投じたのであるから、そのおかげで当選した議員が党から離れるということは、有権者への裏切りを意味し、「半代表」の理念に合致しない。反対に、「禁止的規範意味」からみれば、議員は「全国民の代表」であって政党の代表ではないから、政党への所属とは独立して議員としての身分を有するので、議員が政党を移籍したからといって解職するのは命令委任の禁止に反する。そもそも、議員は選挙民の意思に拘束されてはならないのだから、投票時の選挙民の意向を基準にして議席剥奪を帰結する考え方そのものが間違っていることになる。

　それでは、この両「意味」の衝突をどのように考えればよいのだろうか。日本の憲法学では一般に、選挙民意思による代表の事実上の拘束は認めつつも、この制度は、政党移籍という事実により一律に議席剥奪という法的効果をもたらすものだけに、「禁止的規範意味」に基づき違憲であると考える傾向が強い。これに対し、「積極的規範意味」を重視し、有権者意思で議員を拘束することにより民意の国政への反映を実質化しようとする見解のなかには、現行制度では、選挙に参加していなかった政党に移籍した議員や、除名または離党によって無所属となった議員には失職効果が及ばない点に着目して、失職する場合が、議員が民意から逸脱したことが明瞭な場合に限定されているから合憲と解するものもある。この見解に対しては、選挙に参加していた政党への移籍であっても、民意から離脱したのが議員なのか政党なのかを法的に確定することは困難であり、しかも選挙後に新たな争点が浮上したり、民意そのものが変動する可能性も考慮すると、民意からの逸脱が明瞭な場合を法定することは不可能であるという批判が存在する。

(4) 日本における政党法制の機能と政党民主政の現状

　以上のように、現在の日本では「政党本位」の法制度が整えられてきたが、それは、「政党本位」になっていない実態を法制度によって矯正しようとするものであった。それでは、その結果、政党民主政がうまく機能するようになってきたかというと、実際にはそうではない。そもそも、比例代表制やそれと連動した諸制度（繰上当選制、政党移籍による議員失職制）は、分岐した国民の利害や意思が、それぞれの政党の政策によって代弁されることを前提としているが、現実の政党は、政策体系による相違に基づき、民意の受け皿として一定程度安定した政党制を形成しているとはいえ、国会での数をめぐって離合集散を繰り返している。これでは「政党本位」法制の機能前提が欠けているといわざるをえない。

　このことは、元々日本の政党政治がそうしたものであったということに加えて、「政党本位」法制の整備により、かえってそれが強化されたという面も見逃すことはできない。たとえば、「政治改革」（→第1節コラム・155頁）による小選挙区制と比例代表制を組み合わせた選挙制度の採用（→第3節3(3)ⅲ・198頁）や政党助成制度の導入など（→(2)ⅳ・169頁）により、党中央幹部がもつ候補者擁立や資金配分の権限を通じて、各候補者への統制が強まった結果、「国民代表」は「チルドレン」と化した。小選挙区制を中心とした選挙制度は、選挙のたびごとに、時々の「風向き」に応じた極端な議席変動を生み出すため、個々の代表は政策立案能力を磨く余裕も経験の蓄積も望まず、ともかくも採決要員として党の方針に従うことのみに存在意義がある。さらに、財政面での国庫依存が慢性化した結果、国民に根を下ろさずとも政党経営が成り立つため、政党の民意媒介機能も著しく衰えた。政策本位で民意に基づく政治をめざしたはずの「マニフェスト選挙」も、選挙制度の力でバブル議席を得た勢力が、選挙結果を錦の御旗に、民意に抗ってでも自己の信ずる政策を断行する口実となっている。

　これではたして、国民の意思に基づいて政治が行われるシステムが機能しているといえるだろうか。民意を顧みない政党への不信から、政党民主政そのものを懐疑的にみる風潮もあるが、時間はかかっても、民意を国政へと媒介する政党民主政の再構築を図る必要があろう。代表や政党をめぐる個々の法制も、そうした観点から再点検されなければならない。

＊政党民主政と代表民主制の緊張関係

　政党の民意媒介機能を重視するとしても、とりわけ上記のような日本の政党民主政の現状に鑑みると、政党が丸ごと一枚岩という状態を想定するのが民主政に適合的とは必ずしもいえない（→第1節・151頁）。個々の国民代表が（「半代表」的意味の）「代表」性を（党中央の方針に逆らってでも）発揮することによって、「民意の反映」をより実効的ならしめる契機となることにも留意が必要である。昨今の憲法学では、この点に着目して、「純粋代表」的な議員の独立性の復権を志向する論者も出てきているが、「半代表」的な「民意の反映」を前提に、政党民主政と代表民主制の緊張関係（本節1(1)・157頁の「二重のルート」の不一致とその克服）としてとらえるべきであろう。

考えてみよう

1…憲法43条の「全国民の代表」とはいかなる意味か。女性の国会議員があまりに少ないことを是正するために、各政党に候補者の半数を女性とするよう義務づける法律は、憲法43条の観点から、どのように評価されるか。選挙公約を守らない国会議員を選挙区民の投票により解職するリコール制はどうか。
2…政党助成制度を憲法の視点からどう評価するか。政党の憲法上の位置づけとかかわらせて論じなさい。
3…政党移籍による議員失職制度の是非を憲法の観点から考えよ。現行制度とは異なり、失職を自発的離党に限定する場合はどのように評価されるか。離党した段階で失職する制度はどうか。

Further Readings

・宮沢俊義「国民代表の概念」『憲法の原理』（岩波書店、1967年）・同「憲法と政党」・「議会制の生理と病理」『憲法と政治制度』（岩波書店、1968年）：日本憲法学における代表論・政党論・議会制論の古典である。熟読玩味してほしい。

・上脇博之『政党助成法の憲法問題』（日本評論社、1999年）・同『政党国家論と国民代表論の憲法問題』（日本評論社、2005年）：いずれも、本節2（とくに(2)ⅳ)(イ)・171頁、(3)・174頁）の諸問題を考えるうえでの必読文献である。

・本秀紀『現代政党国家の危機と再生』（日本評論社、1996年）：ドイツを素材に、政党国家の憲法問題を「政治の国庫負担」という視角から論じており、憲法と政党民主政の関わりを考える際の理論的示唆が得られるとともに、政党・会派・議員への公金支出をめぐる憲法上の論点を理解することができる。

第3節	政治参加の権利と制度
キーワード	請願権の参政権的機能、郵便法違憲判決、過失責任主義、在宅投票制度、権利説、二元説、連座制、選挙権の制度的性格、投票価値の平等、事情判決の法理

本節では、政治に参加する権利とそれを保障する制度を、相互に関連させながら学習する。「参政権」は一般に選挙権と同視されるが、本書では、請願権や国家賠償請求権の参政権的側面を重視する立場から、これらの権利を選挙権・被選挙権とならんで、本節で取り上げる。

1 請願権

請願は、もともと近代的な議会制度が確立される以前の絶対君主制下で、為政者に民意を知らせ懇願する手段であった。イギリスでは古くから、国王大権下の臣民が恩恵的救済を求める手段として請願が認められていたが、エドワード・クックの指導のもと、この請願書を国王に承認させて法的文書にまで高めたのが、1628年の「権利の請願」である（→第1部2章2節2(2)・25頁）。

天皇主権を定めた大日本帝国憲法でも、「臣民の権利」のひとつとして「請願ヲ為スコト」が認められていたが（30条）、「相当ノ敬礼ヲ守リ」といった条件が付され、「別ニ定ムル所ノ規程ニ従ヒ」と、法律より下位の法に詳細を委ねていた。憲法条文自体が請願の古典的性格を反映した規定の仕方であり、実際にも、請願できる事項が制限されるなど、権利としての性格は希薄であった。

こうした沿革から、請願権はしばしば、国民主権が確立し、国民の参政権が十分に保障された現代社会では、もはや大きな意義は有しないと指摘されるが、こんにちの代表民主制は、必ずしも国民全体の意思を十分に反映せず、機能不全に陥ることも多いので（→第1節・151頁、2節2(4)・175頁）、請願権を、選挙権等を補う**参政権的機能**をもつものとして積極的に位置づける考え方も有力である。日本国憲法16条は、大日本帝国憲法とは異なり、「平穏に請願する権利」を無条件で保障し、請願を理由として差別待遇を受けないことを定めており、憲法上の権利としての位置づけを明確にしている。請願の対象も、「損害の救済、公務員の罷免、法律、命令

又は規則の制定、廃止又は改正」を例示とする「その他の事項」であるから、統治の全過程に及んでおり、「請願」という古風な表現を用いながらも、政治に参加する市民の権利としての色彩が強い。加えて、現行法上、選挙権・被選挙権を与えられていない外国人や未成年者にとっては、政治に参加する権利の重要な部分として、大きな意味をもっている。

このように請願権のもつ参政権的機能を重視すれば、請願の範囲は、請願者自身の利害に直接関係しない公共的事項にも及ぶのが当然であり、地域の別も関係がない。裁判についての請願は、「司法権の独立」(→第3章1節4・286頁) との緊張関係から、認められないとする説もあるが、裁判の行方を直接左右するものとはいえないので、むしろ司法過程を公共圏における討議の対象とする観点から、積極的に解すべきである (→第1章2(2)・147頁)。

したがって、日本国憲法下の請願権は、広く国や地方公共団体の諸機関に対して、その職務権限に属するあらゆる事項について意見や要望を述べる権利である。現行法上、請願権行使の手続は請願法が定め、国会法 (79~82条)、衆議院規則 (171~80条)、参議院規則 (162~72条)、地方自治法 (124~25条) が、請願の受理の手続や処理の仕方について、より詳しく定めている。それらによれば、請願は文書で提出することが求められ (請願法2条など)、適法な請願を受けた官公署は、「これを受理し誠実に処理しなければならない」が (請願法5条)、請願の取り扱いについては事実上各機関の判断に任されていて、調査・処理報告等の法的義務はなく、何が「誠実」な「処理」に当たるかは明らかでない。通説は、請願権行使の効果として、公的機関が請願内容に応じる義務はもとより、請願を審査し回答する義務も生じないと解するが、**請願権の参政権的機能**を重視する立場からは、審査を行うことや審査結果の報告を義務づけるなど、権利内容の強化が求められることになる。

＊関ヶ原町署名簿事件

2005年9月、原告らは岐阜県関ケ原町で小学校の統廃合に反対する署名を集めて町長に提出したが、町長は署名に疑義があるとして、町職員を戸別訪問させ、聞き取り調査を行った。これに対し、原告らは、戸別訪問によって表現の自由や請願権などが侵害されたとして、国家賠償を求めて提訴した。1審判決

（岐阜地判2010・11・10）は、署名の真正を確認する趣旨で相当の調査を行うことは許されるとしたうえで、本件戸別訪問を違法としたが、控訴審判決（名古屋高判2012・4・27）は、戸別訪問調査は原則として許されないと述べ、原告らの請求を認めた（最決2012・10・9上告棄却）。請願権との関係では、控訴審判決が、請願権を「国民の政治参加のための重要な権利」と位置づけ、請願したことにより不利益や差別を受けてはならないだけでなく、官公署は請願を「誠実に」処理するにあたり、将来の請願行為をしにくくすることや請願した者を萎縮させることは許されないと判示したことが重要である。

＊本文では、請願権が公的機関との関係で問題となる、いわば制度的側面について述べたが、請願権の参政権的機能を重視すれば、その射程は、文書で提出された請願を公的機関がどのように取り扱うかといった場面に限られるものではなく、たとえば国会や首相官邸を取り囲んでのデモなども、請願権の非制度的形態として位置づけることができる。こうした行為は、一般には政治的表現の自由として把握され、本書でも、表現の自由（→第3部3章3節4(1)・403頁）、集会・結社の自由（→同3章3節5・419頁、6・424頁）、選挙運動の自由（→同3章3節4(1)iv・407頁）、公務員の政治活動の自由（→同3章3節4(1)iii・405頁）および外国人の人権（→同1章3節2・319頁）の箇所で取り上げているが、制度的な請願権行使と結合した形でいわゆる「請願デモ」が行われるなど、両者の連関にも注意が必要である。請願デモは、政権党の横暴で議会制民主主義が麻痺した1960年の「安保国会」（→第1部3章3節2(4)・57頁）で発案されたものであり、2011年の福島第一原発事故以降の脱原発首相官邸前抗議行動などに受け継がれている（→第1節②＊・154頁、第3部3章3節5(1)コラム・419頁）。

2　国家賠償請求権

(1)　法的性格

　欧米においても近代国家成立当初は国家無答責の原則が支配的であり、法律や判例で国の不法行為責任が認められるようになったのは、19世紀末から20世紀中盤になってのことである。そのなかで、17条が権力的作用と非権力的作用を区別することなく国の不法行為責任を認め、かつ、他の国では法律レベルで規定する国家賠償請求権を憲法によって認めたことは注目すべきである。同時にそのことは、「法律の定めるところにより」としたことと相まって、この条文の法的性格という論点を生み出す。

　かつての通説は、その「法律の定めるところにより」という文言を根拠

にプログラム規定であるととらえた。それに対して現在では、本条は立法府に対して本条の保障する権利の具体化を義務づけるものであり、また、本条は法律に対する白紙委任を定めているわけではないことなどを根拠に抽象的権利を規定したものと解されている。この点、**郵便法違憲判決**（最大判2002・9・11）は、公務員の不法行為による国または公共団体の損害賠償責任を免除・制限する法律の規定が17条に適合するかどうかについて司法審査を是認しており、抽象的権利説に近い立場をとっている。

(2) **17条の内容**

権利の主体に関しては、外国人（→第3部1章3節2・319頁）について通説はこの権利が前国家的権利ではないこと、17条が広く立法裁量を認めていること等を理由に法律による制約を認めるのに対して、権利の性質上日本国民のみを対象とするものとは解しえないとして外国人も請求権者であるとする説も有力である。

つぎに、損害は「公務員の不法行為」によるものとされている。行政権との関係が主として意識されがちではあるが、違憲の立法行為も不法行為に含まれることは、それを除外すべき積極的理由がないかぎり、当然と解すべきであろう。「不法行為」については、民法上の不法行為概念を前提としたものとする説が通説である。

(3) **法律による具体化──国家賠償法**

国家賠償法（1947年制定）は、公権力行使公務員の職務（国賠法1条1項）、公の営造物の設置又は管理の瑕疵（同2条1項）については同法によるとし、それ以外の場合は民法によるものとする（同4条）。その結果、権力的作用であると非権力的作用であるとを問わず広く国の不法行為責任を認めるものとなっている。また、同法は、公権力行使公務員の行為の場合には**過失責任主義**を採用し（同1条1項）、公の営造物の設置・管理の瑕疵については無過失責任主義を採用している（同2条1項）。1条1項の「公権力の行使」のうち立法行為の場合にどのように「故意又は過失」を認定するかは難しい問題である。在宅投票制度廃止事件（最判1985・11・21）は、原則として個別の国民の権利に対応した関係での法的義務を負うものではないとしてごく限られた場合にしか違法の評価を受けないと論じ

ている（→ 3⑵iv〕（ア）・189頁）。

⑷　国家賠償請求訴訟の「参加」としての意味

　伝統的・一般的な人権の分類（→第 3 部 1 章 2 節 1⑵・315頁）では国家賠償請求権は、請願権、裁判を受ける権利と並んで、「国務請求権」、「受益権」に分類される。人権の分類は「国家に対する国民の地位」に着目した分類を基礎に修正を加えてきたものである。本書はそれを基本的に前提としつつも、その人権の行使が現実の社会のなかでもつ意味をも視野に入れる。

　「公務員の不法行為」は、個々の公務員が法令等に違反するかたちで処分を決定する、あるいは自らの管理する公の営造物の設置・管理にあたって安全性を引き下げる行為を行う、などの個別的なかたちで現れることもあれば、法律、命令、規則等がそもそも問題点を含む場合、あるいは、公の営造物の設置・管理に関する政策の段階で問題がある内容を含む場合もある。後者の場合には、そのことを原因として数多くの同種の事件が発生し、多くの国民が被害者となる場合もあり得、国家賠償請求訴訟が提起されるとき、形式的にはある個人の権利の救済を求めるかたちをとりつつも、その主張内容は同じ状況のもとで苦しむ多くの人々の思いを代弁しており、その訴訟の進行と結果がその問題に関する国の方針に変更をもたらすこともある。

　たとえば、①1960年代から騒音問題が焦点となっていた大阪国際空港（伊丹空港）の周辺住民が1969年に国家賠償と夜間の飛行差止めを求めた大阪空港公害訴訟は、最大判1981・12・16で過去の損害に対する賠償のみが認められて終わったが、訴訟係属中の1974年の運輸省（当時）の諮問機関である航空審議会の関西圏での第 2 空港建設に関する答申で、大阪国際空港の騒音問題の抜本的解決のために新空港が必要であると語られることになった。

　②1952年の公職選挙法の改正により廃止された**在宅投票制度**の復活を求めて1971年に北海道小樽市在住の身体障害者が提起した訴訟は、第一審（札幌地小樽支判1974・12・9）ではその法改正が、第二審（札幌高判1978・5・24）では制度を復活させる立法をしないことが違憲と判断されたが（→ 3⑵iv〕（ア）・189頁）、国会ではすでに第一審判決前の1974年 6 月に重度

身体障害者に限定するかたちでではあるが在宅投票制度を復活させる公職選挙法改正案が成立した。

③らい予防法（1996年に廃止）による国立療養所への強制入所措置等について熊本の国立療養所に入所していたハンセン病患者が不当な隔離政策であるとして提起した訴訟で、熊本地判2001・5・11は、厚生大臣（当時）の違法・過失を認め、国会議員の立法行為にも違法・過失を認めた（→第3部4章3節1・458頁）。国側はこれに対して控訴せず判決が確定し、国会は同年6月に「ハンセン病療養所入所者等に対する補償金の支給等に関する法律」を、2008年6月に「ハンセン病問題の解決の促進に関する法律」を制定した。

ある政策がもたらす生活状態のなかで、少なくない人々がそれぞれのかたちで意見を表明し、行動し、それと呼応するかたちで国会内部で法案提出や発言、請願の紹介等を行う議員の活動があり、それが将来の国家の活動の内容を決めていく。国家賠償請求訴訟の提起という行動もその一部として政治的に重要な意味をもつ（→第1部1章5・18頁）。

3　選挙権と選挙制度

(1)　「公務員の選定・罷免権」の意義

日本国憲法は、前文で国民主権を宣言するとともに、国民の権力はその代表者が行使することを明記したうえで、公務員を選定し罷免することを「国民固有の権利」と定めている（15条1項）。この規定は、他の国の憲法と比べて、①国会議員に限定されない「公務員」が選定・罷免の対象となっていることと、②選定のみならず罷免の権利までが定められていることに特色がある。

ただし、①について一般には、公務を担当するあらゆる公務員の「終局的任免権」が国民にあるという国民主権の原理を表明するものであって、必ずしもすべての公務員を国民が直接に選定し、罷免すべきだとの意味を有するものではないと解されている。憲法は、国民が公務員を直接選定すべき場合（43条＝国会議員、93条2項＝地方公共団体の長・地方議会議員等）と国民による罷免が認められる場合（79条2項＝最高裁判所裁判官の国民審査）を定めると同時に、内閣総理大臣、国務大臣、裁判官などについてそ

れぞれ独自の選定罷免権者を規定している。憲法に明記されていない公務員について「国民の（終局的）選定罷免権」をどのように具体化するかは、国民代表機関たる国会が、公務の種類・性質を考慮しながら決定すべきことと解釈されている。

＊教育委員の公選制度
　憲法が明定していない「公務員」の公選制として、かつては、地方公共団体の教育委員を住民が直接選挙する制度が存在したが（旧教育委員会法 7 条 2 項）、1956年に同法は廃止され、教育委員は首長が議会の同意を得て任命することとなった（地教行法 4 条。→第 6 節 1 (2) ii ＊ i ）・258頁、同 3 (3) i ・265頁）。その後、憲法所定外の公選制は存在せず、上記①の特色に照らして十分な制度設計とはいえない。

　上記②に関しては、憲法が罷免権者を明定していない場合、とりわけ国会議員について、国会が国民に罷免権を与える法律を制定できるかをめぐり、見解が分かれている。(a)憲法15条 1 項を、単に国民主権の建前を表す規定だと考えれば、罷免権の具体化は他の条文によって定められることとなり、国会議員については、㋐その地位を失う場合が憲法で明記されていること（45条・69条、58条 2 項、55条）、㋑全国民の代表（43条）や院外無答責（51条）を定める規定からして、憲法は「国民代表」が有権者に対して法的に責任を負う「命令的委任」を排除していることなどを理由に、国民による罷免権の具体化につき否定的に解することになる。逆に、(b)国民主権原理の「人民（プープル）主権」的理解（→第 1 部 4 章 1 節 2 ・64頁）を背景に、憲法15条 1 項に罷免権が記されていることこそが有権者による代表者コントロール理念の具体的表れであると考えれば、国民による罷免権の制度化（国会議員の解職請求＝リコール制度の創設）を積極的に認める見解となる（「全国民の代表」規定との関係について、→第 2 節 1 (2) ・158頁）。

＊地方自治法は、議会の解散請求や議員・首長等の解職請求の制度を設けているが（地自13条・76～88条）、これについては、一方で、憲法上「住民自治」の理念が要請され（→第 6 節 2 ・261頁）、他方で、国会議員に関する憲法43条 1 項・55条等に相当する規定が、地方自治の場合は憲法上欠けている点に留意が必要である（ただし、地方自治法がそのように定めているからといって、憲

法上の「罷免権」との関係は、また別である。(a)説であれば、国政では憲法上否定的にとらえられる解職制度につき、地方自治においてはなぜ許容または要請されるのか、ということが論点になり、(b)説であれば、地方自治の場合は、国政以上に解職制度の拡充が要請されるかどうか、という筋道になる)。

(2) **選挙権・被選挙権**

ⅰ) 選挙権の法的性格

選挙権は、「権」と呼ばれながらも、そもそも「権利」なのかどうかが争われてきたという特殊な性格をもつ。従来の学説は、(a)選挙という公の職務を執行する義務と解する公務説、(b)選挙人たる資格＝機関的地位を国家に請求しうる権利と解する請求権説、(c)主権者国民の個人的な権利と解する**権利説**、(d)権利性と同時に公務性を認める**二元説**に分類されているが、(a)および(b)は、大日本帝国憲法のもとで「選挙権」が、天皇の協賛機関としての議会を形成するにあたっての義務または資格であったことに由来するものであって、日本国憲法が国民主権をうたい、代表民主制をその基本としている以上、選挙権が「国民の最も重要な基本的権利」(最大判1955・2・9) のひとつであるのはいうまでもない。したがって、こんにち日本国憲法の解釈論として重要なのは、(c)権利(一元)説と(d)二元説の対立である。

現在通説的見解とされる(d)**二元説**は、選挙権が国民の基本的権利であることを承認したうえで、同時に、選挙が公務員という国家機関を選定する行為である以上、純粋な個人権とは異なった側面をもち、そこに「公務」としての性格が付与されているとする。たとえば、公職選挙法が定める一定の受刑者や選挙犯罪者の公民権停止も、選挙権の公務としての特殊な性格に基づく必要最小限の制限と解されている。

これに対し、(c)**権利説**は、国民主権原理の「人民（プープル）主権」的理解（→第1部4章1節2・64頁）を前提として、選挙権を、政治的意思決定能力をもつ国民が国家権力の行使に参加する主権的権利（以外の何ものでもない）ととらえる。したがって、選挙権は公務としての性格をもつものではなく、選挙権に対する制約は、主権的権利としての性格に内在するもの（内在的制約）しか憲法上正当化されえないことになる。

権利説の立場からは、二元説が「公務」という要素を混在させることによって、投票価値の平等、選挙人資格の欠格事由、選挙運動の自由の制限

などについて立法裁量を広く解する傾向があると批判されるが、二元説を採る論者からは、両説ともに選挙権が憲法上の基本的権利であることを承認し、かつ、権利説においても「内在的制約」を認める以上、具体的帰結においてそれほどの差がないと指摘されている。選挙権の「公務性」が、選挙権制限を正当化する論理として機能してきた歴史に鑑みれば、権利性と公務性を二元的に並置したうえで公務性によって権利制約を説明するよりは、権利そのものの性格規定によってそうする方が権利制約を限定するのに資するだろう。他方で、「公務性」というか「内在的制約」というかはともかく、現に存在する選挙権に対する制約が何故に憲法上許されると考えられるか、具体的な吟味が必要となる（→ⅲ）・186頁）。

ⅱ） 被選挙権の法的性格

被選挙権の法的性格についても、選挙権の場合と同様の見解の相違がみられる。かつての通説は、被選挙権を権利ではなく権利能力と解し（権利能力説）、選挙人団によって選定されたとき、これを承諾して公務員となりうる資格であると説明してきたが、こんにちでは、二元説の立場に立っても、国民が選挙に立候補する権利という意味での被選挙権は、憲法で保障された国民の基本的な権利であると解されている。二元説は、選挙の公務性を基礎とする公務員選定資格との関連で被選挙権をとらえるため、立候補権は国政参加権の一態様として認められるとしても、被選定権としての被選挙権の権利性は承認されえない。これに対し、権利説は、被選挙権の本質を、選挙権と同様、主権者であれば誰もが当然に有する権利（主権的権利）ととらえ、その中心的な内容を立候補の自由（立候補権）に求めている。ここでも、接近傾向にある両説の被選挙権の性格づけが、具体的な被選挙権制約の合憲性論にどのように関わるかが重要となる（→ⅲ）・186頁）。

被選挙権の性格について、判例は、「立候補の自由は、選挙権の自由な行使と表裏の関係にあり、自由かつ公正な選挙を維持するうえで、きわめて重要である」ので、「憲法15条1項には、被選挙権者、特にその立候補の自由について、直接には規定していないが、これもまた、同条同項の保障する重要な基本的人権の一つと解すべきである」と述べている（最大判1968・12・4〔三井美唄炭鉱労組事件〕）。この性格づけが、現実の被選挙権制約の合憲性論にどのように結びつくかは定かでないが、その前提として、選挙において「誰を選ぶかも、元来、選挙人の自由であるべきである」こ

とから、立候補に対する制約を「選挙人の自由な意思の表明を阻害」するものと位置づけている点が重要である（→ⅲ)・186頁)。

ⅲ) 選挙権・被選挙権に対する制約の合憲性

(ア) 国籍

現行法上、選挙権・被選挙権にはさまざまな制約が課せられている。まず、両者ともに「日本国民」たることを要件としている（公選9条・10条)。従来、国籍要件は当然の前提とされてきたが、本来は、政治的共同体のメンバーシップと国籍の関係をどのように理解するかに依存する問題であって、こんにちでは自明の事柄とはいえない（→第3部1章3節2(4)・322頁)。

(イ) 年齢

つぎに、選挙権および被選挙権とも、年齢による限定が存在する（公選9条・10条)。二元説によれば、公務性の観点から、それを担うにふさわしい年齢であるかどうかで区切る正当化論が可能となり、選挙権と被選挙権とで、それぞれの「公務」としての性格の違いに基づき、資格年齢に差を設けることも正当化されやすくなる。これに対し権利説では、選挙権であれ被選挙権であれ、主権者がすなわち権利享有者であるため、選挙権等の年齢要件も、意思決定能力をもたない者を権利主体から排除するというように、主権的権利の内在的制約として説明されることとなる一方、選挙権よりも被選挙権の資格年齢を高く設定する現行制度を正当化することは困難になる。さらに、「選挙人の自由な意思」を起点とする上記判例（三井美唄炭鉱労組事件）の論理を額面通りに受け取れば、被選挙権の年齢による限定は、「選挙人の自由な意思」を制約するものでしかないので、選挙権の年齢要件とは異なり、憲法上正当化されえないとの帰結も導きうるだろう。

(ウ) 受刑者等

公職選挙法は、①禁錮以上の刑に処せられその執行が終わるまでの者や②一定の選挙犯罪者などに対して選挙権・被選挙権を与えていない（11条、252条)。通説的見解はこれらを、選挙権の公務としての特殊な性格に基づく必要最小限度の制限と解しているが、①と②では、選挙権等の制約についての正当化根拠が異なるはずである。②について判例は、選挙権を「国民の最も重要な基本的権利の一である」と認めたうえで、選挙の公正を根拠に、「一旦この公正を阻害し、選挙に関与せしめることが不適当とみと

められるものは、しばらく、被選挙権、選挙権の行使から遠ざけて選挙の公正を確保すると共に、本人の反省を促すことは相当である」という理由で、違憲の主張を斥けた（最大判1955・2・9）。これに対し権利説の立場からは、「選挙犯罪」の多様性に着目しつつ、一律に最長5年間（累犯は10年間）選挙権等を停止しうる規定の合理性について疑問が出されている。

①については、②に関する判例のような「選挙の公正侵害に対する制裁」といった正当化論は当てはまらない。①に関する最高裁判例は存在しないが、高裁レベルでは、受刑者の選挙権を一律に制限するやむを得ない理由があるとはいえないとして、違憲と判断した例がある（大阪高判2013・9・27）。この裁判で国側が主張したように、受刑者というだけで著しく順法精神に欠け、公正な選挙権の行使が期待できないなどと断定するのでないかぎり、受刑者の選挙権行使の制約理由は、刑の執行中であることによる物理的制約のみとなるので、刑務所における投票所の設置または郵便投票等が技術的に不可能でないならば、①の制約は違憲となろう。

＊公職選挙法は、2013年に改正されるまで、成年被後見人（1999年改正までは禁治産者）に選挙権・被選挙権を与えていなかった（旧11条1項1号）。この規定の合憲性が争われた裁判で、東京地裁は、在外国民選挙権訴訟の最高裁判決（最大判2005・9・14）の判断枠組み（→ⅳ)(ｲ)・190頁）を採用したうえで、成年後見制度と選挙制度の趣旨目的の違いなどを理由に、被後見人の一律の選挙権剥奪は「やむを得ない」制限とはいえないとして、違憲と判断した（東京地判2013・3・14。その後、同年の公選法改正で同号は削除された）。

(ｴ)　連座制

公職選挙法は251条の2以下で、いわゆる**連座制**を規定し、選挙運動の総括責任者、出納責任者、地域主宰者、候補者の親族が禁錮以上の選挙犯罪を犯した場合に、候補者の当選を無効とする旨を定める。さらに1994年の改正で、連座の対象者が、立候補予定者の親族、候補者および立候補予定者の秘書、組織的選挙運動管理者等にも拡大され、同時に連座制の効果についても、従来の当選無効に加えて、5年間の立候補禁止制度（落選者にも適用）が新たに設けられた（拡大連座制）。連座制は、上記(ｳ)の①・②の場合とは異なり、他人の犯罪行為を理由に、公職の候補者に対して当選無効および立候補禁止という厳しい不利益を課すものなので、その実質的

根拠と合憲性が問題となる。

　最高裁は、旧連座制の趣旨を、選挙が選挙人の自由な意思によって公明かつ適正に行われることを確保し、その当選を公明適正な選挙の結果とするものと位置づけたうえで、選挙運動の総括主宰者等による選挙犯罪行為は、そうした公明適正な選挙結果を歪めることとなるという理由で、これを合憲とした（最大判1962・3・14）。これに対し、拡大連座制について最高裁は、その趣旨を、公明適正選挙を実現するために候補者に選挙浄化の義務を課し、それを怠った候補者に対する制裁と位置づけたうえで、選挙の公明適正を保持するという極めて重要な法益を実現するための必要かつ合理的な規制であるとして、これを合憲とした（最判1997・3・13）。ここでは、連座制の趣旨・目的が、公正な選挙結果の確保から、候補者個人の義務違反に対する制裁へと変化したことに注意が必要である。この変化の背景には、公正な選挙結果の確保という論理では、将来にわたる立候補制限を正当化しえないという事情があると推測されるが、候補者に選挙浄化の負担を課したうえで、それを——選挙犯罪者本人の公民権停止にとどまらず——候補者の立候補権停止という厳しい制裁で担保しようとする制度が憲法上正当化されうるかどうかは、慎重な吟味を要するだろう。

＊上記以外で、現行法上の被選挙権の制約として問題となるのは、立候補の際に課せられる多額の供託金である。公職選挙法92条によれば、たとえば衆議院の小選挙区または参議院の選挙区に立候補するためには、300万円の供託金を納めなければならず、比例区に候補者を立てる政党・政治団体は、1人当たり600万円の供託金を納める必要がある。さらに、この供託金は、一定程度の得票率に達しなかったり、当選者が少なかったりすると、国庫に没収されることになっている（公選93条・94条）。これは、多額の資金を準備できなければ立候補することができない、あるいは、一定程度の得票に失敗した場合は多額の供託金を失う覚悟がなければ立候補できない仕組みであって、最高裁も「重要な基本的人権の一つ」であると認める被選挙権の不当な制約にならないか、また、経済状況によって立候補権の行使に不合理な差別をもたらす法の下の平等違反とならないかが、問題となりうる。

iv）　選挙権行使の実質的保障

　選挙権を「投票権」という場面に限定してみると、国家が権利行使の環

境（＝制度）を創設することによって初めて、権利保障が実現されるという権利の性格（**選挙権の制度的性格**）が重要である。こんにちの二元説が、なおも残る「公務性」という名で呼び、あるいは権利説が「権利の性格に内在する制約」という場合、この「制度的性格」に関わっていることに注意する必要がある。判例のいうとおり、選挙権は「国民の最も重要な基本的権利の一である」としても、本来選挙権を行使できるはずの「有権者」に対し、国家がありとあらゆる「制度」を提供できるとは限らないかもしれない。ここに、国家はどこまで選挙権の行使を実質的に保障しなければならないかという問題が生じる余地がある（これは形式上は、ⅲ）の選挙権それ自体の有無に関わる問題とは区別される）。

(ア)　障害者の選挙権保障

　身体障害者等のための**在宅投票制度**は、1948年の衆議院議員選挙法改正によって採用され、1950年に制定された公職選挙法に受け継がれたが、翌年の統一地方選挙でこれを悪用した選挙違反が多発したため、1952年の同法改正により廃止されることとなった。これに対し、寝たきり生活を余儀なくされていた障害者が、この在宅投票制度の廃止により選挙権等を侵害されたとして国家賠償を請求した訴訟で、第1審判決は、同制度を廃止した立法措置に合理的理由はないとして違憲と判断し、国家賠償請求を認めた（札幌地小樽支判1974・12・9）。第2審判決は、国会が同制度を復活させる立法を行わなかったことに対し、合理的と認められるやむを得ない事由はなかったとして選挙権侵害を認めつつ、国会議員に故意または過失がなかったことを理由に国家賠償の請求は斥けた（札幌高判1978・5・24）。最高裁は、国会議員の立法行為および立法不作為に対する国家賠償請求が認められる場合を「立法の内容が憲法の一義的な文言に違反しているにもかかわらず国会があえて当該立法を行うというごとき、容易に想定し難いような例外的な場合」に限定したうえで、本件の場合は、選挙制度を国会の裁量に委ねる憲法47条などを根拠に「例外的な場合」には当たらないとして、在宅投票制度の廃止および復活の不作為の合憲性を論ずることなく、原告の請求を斥けた（最判1985・11・21→2(3)・180頁。立法行為に対する国家賠償請求訴訟については、→第3章2節2(2)・294頁。なお、1975年の公選法改正により、一部の重度身体障害者について在宅投票制度が復活している。→2(4)②・181頁）。

＊精神障害者について最高裁は、重度の対人恐怖症のため外出できないにもかかわらず郵便投票が認められていない現行法の違憲性を訴えた国家賠償訴訟において、在外国民選挙権訴訟判決（→(イ)・190頁）の厳格な審査方法につき、「精神的原因によって投票所において選挙権を行使することができない場合についても当てはまる」としつつ、精神的原因による投票困難者の場合、その原因が多様であって、身体障害者の場合とは異なり、公的制度による認定が投票所に行くことの困難さの程度と直ちに結びつくものではないことなどを理由に、上告人（原告）の訴えを斥けた（最判2006・7・13）。

(イ)　在外国民の選挙権保障

　公職選挙法は、選挙権行使の前提として選挙人名簿への登録を定めており、具体的には、市町村の選挙管理委員会が当該市町村に住所を有する満18歳以上の日本国民を名簿に登録するという方式を採っている（19条以下）。その結果、国外に在住し国内の市町村に住所を有しない日本国民は、長らく選挙権を（形式上は有しているのに）行使することができない状況におかれていた。1998年の公選法改正により、申告に基づく在外選挙人名簿への登録制度が設けられ、衆参両院選挙における比例代表選挙に限り、ようやく在外投票への道が開かれたが、衆議院選挙の小選挙区および参議院選挙の選挙区選挙については、依然として投票できないままだった。これに対して在外国民が提起した訴訟において、最高裁は公職選挙法を違憲としたうえで、次回の衆院小選挙区・参院選挙区選挙で選挙権を行使しうる地位を確認するとともに、1996年の総選挙で選挙権を行使できなかったことにつき、1人あたり5000円の慰謝料を支払うよう命じた（最大判2005・9・14→第3章2節2(2)・294頁）。

　同判決のポイントは、「国民の選挙権又はその行使を制限することは原則として許されず、国民の選挙権又はその行使を制限するためには、そのような制限をすることがやむを得ないと認められる事由がなければならない」ところ、「そのような制限をすることなしには選挙の公正を確保しつつ選挙権の行使を認めることが事実上不能ないし著しく困難であると認められる場合でない限り、上記のやむを得ない事由があるとはいえず、このような事由なしに国民の選挙権の行使を制限することは、憲法15条1項及び3項、43条1項並びに44条ただし書に違反するといわざるを得ない」と述べて、選挙権およびその行使の制限は相当に厳格な審査に服するという

原則を示した点である。そして、在外国民について、「選挙の公正を確保しつつ選挙権の行使を認めることが事実上不能ないし著しく困難であると認められる」かどうかを具体的に検討したうえで、これを否定して、公職選挙法を違憲とした（2006年の公選法改正により、衆院小選挙区・参院選挙区の選挙についても、在外国民の投票が認められることとなった）。

＊在外国民選挙権訴訟で相当に厳格な審査方法を示した最高裁が、違憲・合憲のラインをどのあたりに引いているかは慎重な吟味を要するが、その前提として、同じく「選挙権が行使できない」といっても、以下のようなさまざまなパターンがあることを整理しておく必要がある。①属性による選挙権それ自体の剥奪（例：国籍・年齢要件、2013年公選法改正前の被後見人）、②選挙権は有しているものの、選挙機会保障の便宜上、法律で選挙権行使の機会を奪うもの（例：2006年公職選挙法改正前の在外国民、「住所」を有しないホームレス）、③選挙権は有しており、選挙機会も法律上は排除されていないものの、選挙機会が実質的に保障されていないために事実上選挙権行使が困難（または不可能）になっているもの（例：1952年公職選挙法改正後1975年同法改正前の重度障害者、2003年の公選法改正で代筆の郵便投票が認められる以前のALS患者、精神的原因による投票困難者）。ⅲ）(ウ)でみた一般受刑者の選挙権剥奪の場合は、法律上の形式は上記①に該当するものの、「受刑者であるから選挙権の剥奪は当然」などと（属性の問題として）考えないかぎり、本来的には②の問題として、選挙権行使機会の剥奪の合理性が、厳格に審査されるべきであろう。

なお、現在、在外国民の選挙権行使は法律上保障されているが、手続の煩雑さや投票所の少なさのため、実際に投票するのは在外有権者の数パーセントにすぎず、これをなお上記③レベルの問題が残っていると解する余地もある。

(3) 選挙制度

選挙権は、国家が制度を整えることによって初めて、その行使が可能となる権利であるため（→(2)ⅳ・189頁）、選挙制度の形成は選挙権保障と密接に関わる。また、選挙制度は、有権者の投票結果を議会の議席分布へと変換する装置であり、目には見えない「民意」を具現するという機能をもつ。議会における多数―少数関係を前提に国家意思が形成されることを考慮すると、選挙制度は、国民主権のありかたをも左右するものといえる（→第1節・151頁）。

日本国憲法は、44条で「両議院の議員及びその選挙人の資格は、法律で

これを定める」とし、47条で「選挙区、投票の方法その他両議院の議員の選挙に関する事項は、法律でこれを定める」と規定して、選挙制度の形成を法律事項とするが、すべてを国会の裁量に委ねているわけではなく、権利保障の観点からも、国民主権具体化の観点からも、憲法上の吟味が必要となる（選挙権・被選挙権に直接かかわる問題は、(2)で上述）。

　ⅰ）選挙の基本原則

　一般に、近代選挙は次の五原則が当てはまるといわれ、日本国憲法においても、それらの保障が及ぶと解されている。

　(ア)　普通選挙

　普通選挙は制限選挙の対概念で、「普通（universal）」とは本来、遍く選挙権が保障されるべきことを含意する。歴史的には、「教養と財産を有する者のみが公民たる資格をもつ」という考え方に基づき、一定額以上の納税や財産を要件として有産階級にのみ選挙権を付与する制限選挙が行われていたが、無産階級による普選要求運動が高まるにつれ、各国で徐々に普通選挙が広まっていった。ただし、当初の「普通選挙」から女性は排除されていたのであって、これは、当然のように公事は男性によって担われるものと考えられていた思考の反映である。選挙からの女性排除は、当然((イ)で述べる）平等選挙の問題となるが、言葉の本来の意味からすれば、普通選挙の問題としてもとらえられなければならないだろう。

　日本においても、帝国議会の開設以来、大日本帝国憲法下で長らく納税要件のある制限選挙が実施されていたが、大正デモクラシー後の1925年、成年男性による「普通選挙制」が導入された。そして、アジア太平洋戦争後の1945年12月、衆議院議員選挙法が改正され、成年女性にも選挙権が付与されることとなった。日本で初めての広義の（または本来の）普通選挙は、1946年4月10日に行われ、39名の女性議員が誕生した。同選挙を受けて制定された日本国憲法は、明文で普通選挙を保障している（15条3項）。

　(イ)　平等選挙

　平等選挙とは、有権者の選挙権に平等の価値を認めるという原則であり、身分・財産・教育・納税額等によって選挙権に差を設ける差等選挙（または不平等選挙）の対概念である。(ア)の叙述が示唆するように、特定カテゴリーの者の選挙権の制約は、同時に選挙権の不平等な取扱いをも意味するので、普通選挙と平等選挙は重なる場面が多いが、歴史的に存在した複数

の投票権をもつ有権者を認める複数選挙や、納税額の多寡によって有権者が複数の等級に分けられる等級選挙などは、理論的にみて、純粋に（普通選挙ではなく）平等選挙原則の侵害と観念されうる。

　形式的な「一人一票の原則」が確立した現在では、平等選挙は、実質的な「投票価値の平等」というかたちで問題になる（→ⅳ）・202頁）。日本国憲法は44条但書で、議員および選挙人の資格について「人種、信条、性別、社会的身分、門地、教育、財産又は収入によつて差別してはならない」と定め、14条1項の法の下の平等に重ねて、平等選挙の原則を明確にしている。

　(ウ)　自由選挙

　自由選挙とは、選挙におけるさまざまな場面で自由が確保されなければならないことをさし、具体的には、立候補の自由（→(2)ⅱ・185頁、ⅲ・186頁）や投票行動の自由のほか、選挙運動の自由（→第3部3章3節4(1)ⅳ・407頁）もこれに含まれる。自由選挙原則そのものは、通例、憲法に明記されないが、代表民主制のもとでは自明の原則であると解されており、憲法解釈上は、選挙権・被選挙権の保障や表現の自由などを根拠として、各々の自由制約の合憲性が問われることになる。

　世界には、選挙での投票を義務づけている国が存在し、この強制投票制（または義務投票制）が自由選挙原則との関係で問題となりうる（たとえば、オーストラリアでは、1922年の連邦下院選挙で投票率が6割を切ったため、1924年に罰則付きの義務投票制を導入し、現在の投票率は毎回90％を超える。→ⅲ・198頁）。選挙権の法的性格をめぐる権利説（→(2)ⅰ・184頁）に立てば、権利には行使しない自由も含まれるため、強制投票制は棄権の自由を侵害して違憲となるが、二元説を採った場合は、個別の憲法条項の解釈や「公務性」のとらえ方次第で、違憲説（根拠は憲法15条4項・19条）と合憲説に分かれる。

　(エ)　秘密選挙

　秘密選挙とは、どの候補者または政党に投票したかを第三者が知りえない方法で選挙が行われることをさす。選挙が公務と考えられた時代は、公開投票制または記名投票制が採用されていたが（日本においても、1889年の衆議院議員選挙法は記名投票を定めていた）、選挙の自由と公正を確保する必要から、こんにちでは、秘密選挙が当然の原則とされている。

日本国憲法も15条4項で、明示的に秘密選挙の原則（投票の秘密の保障）を掲げている。憲法解釈上、この原則との抵触が問題となりうるのは、投票自書制（公選46条等）および代理投票（同48条）のほか、選挙および当選の効力に関する争訟や選挙犯罪に関する刑事手続において、無資格者または不正投票者の投票用紙の検索が許されるかという点である。

　㈺　直接選挙

　直接選挙とは、有権者が議員（代表者）を直接選ぶ選挙をさし、有権者は一定の中間選挙人を選ぶのみで、その中間選挙人が議員を選ぶ間接選挙と対立する概念である。有権者の意思と代表者の意思の合致が不要とされた時代には、間接選挙も広くみられたが、両意思の事実上の一致により国民主権の実質化が求められるようになるにつれ、直接選挙が原則となった（→第1部4章1節2・64頁）。

　＊現在も残る間接選挙の代表例は、アメリカ合衆国の大統領選挙とフランスなどの上院選挙である。前者はこんにちでは、どの大統領候補に投票するかあらかじめ明示している選挙人を有権者が選ぶため、実質的には直接選挙と同様の機能をもつとされているが、州ごとの「勝者独占方式」により、有権者意思と選挙結果が一致しない場合もある（例：2000年・2016年の大統領選挙）。後者はフランスの場合、憲法が上院（元老院）を地域共同体の代表と位置づけたうえで間接選挙を明示しており（24条4項）、実際にも、選挙人のほとんどを地方議会議員が占める（こうした制度をとくに「複選制」と呼ぶ）。

　日本国憲法は、地方公共団体の長および議員等について住民の直接選挙を定めるものの（93条2項）、国会議員については直接選挙の原則を明示しておらず、「両議院は、全国民を代表する選挙された議員でこれを組織する」と規定するのみである（43条1項）。「プープル主権」に基づく選挙権権利説に立つ論者は、「半代表制」（→第1部4章1節2・64頁）の要請から、民意を歪曲する危険性のある間接選挙制は論理的に排除されるとするが、二元説を採る論者には、参議院の独自性を選挙制度の違いで根拠づける余地を考慮しつつ、1項が「選挙された議員」としか述べていないことを根拠に、間接選挙制の採用も同条に違反しないとの見解もみられる。

　＊現行公職選挙法は、衆参いずれの選挙においても部分的に名簿式の比例代表

制を採用しているが（→ⅲ）・198頁）、これは直接選挙の原則に反しないだろうか。判例は、いずれの場合であっても、有権者の投票の結果によって当選者が決まることに変わりはないから、名簿式の比例代表制が直接選挙に当たらないとはいえず、憲法43条１項等に違反しないとしている（衆議院について最大判1999・11・10、参議院について最大判2004・1・14→ⅲ）（ｲ）・201頁）。ここでは、一方で、（明示されていないものの）直接選挙が憲法43条１項の要請であることが前提となっており、他方で、この場合の「直接選挙」とは、有権者が直接候補者を選択（→当選者を決定）できないとしても、有権者の投票結果に基づいて当選者が決まればよいという意味に限定されている。ただし、この論理を裏返していえば、投票の結果に基づき当選者が決まったあとに、たとえば政党の恣意により名簿順位が変更になったことによって繰上当選者が変わったような場合は、投票結果に基づかない当選者の決定として、直接選挙原則に反すると評価される可能性がある（→第２節２(2)ⅲ）・167頁、最判1995・5・25〔日本新党繰上補充事件〕）。

ⅱ）選挙制度の一般理論

　有権者の投票を議席配置へと変換する選挙制度にはさまざまなものがあるが、有権者を選挙区で区切って選挙区ごとに当選者を決する選挙区制の観点からみると、各選挙区で１人の議員を選出する小選挙区制と、２人以上の議員を選出する大選挙区制とに大別できる。

　これとは別に、代表のありかたに注目した概念として、多数代表制、少数代表制および比例代表制といった分類がある。多数代表制は、選挙区内の多数派にその選挙区から選出される議員のすべてを独占させる可能性を与える選挙方法であり、小選挙区制が典型例である。少数代表制は、選挙区内の少数派にも、ある程度議員を選出する可能性を与える選挙方法であり、1993年まで衆議院で採用されていた「中選挙区制」などがこれに属する。多数代表制および少数代表制は、議員全体（全選挙区）でみた場合、政治的党派の得票率と議席占有率に論理的な関係はない。これに対し、政治的党派ごとの得票率に応じて議席を配分し、得票率と議席占有率を近似させようとするのが比例代表制である。

　選挙制度は、それぞれにさまざまな「長所」・「短所」があるとされるが、長所か短所かは、どのような視点からみるかによって評価が変わりうるし、種々の条件次第で、その具体的機能も異なりうるので、いかなる選挙制度が望ましいかを一般的に断定することは難しい。それよりも重要なことは、

望ましい民主政の型と選挙制度とは（ある程度）相即的であるから、その関係を理解するとともに、具体的な条件のなかで選挙制度の機能を考察することである。

　数ある選挙制度のうち、民主政の型との関連でこんにち重要な意味をもつのは、小選挙区制と比例代表制である。小選挙区制は、各選挙区ごとに相対多数を獲得した候補者のみが議席を得る制度なので、全国的に政党支持が均一であれば、論理的には、第一党がすべての議席を独占する可能性もある。少なくとも一般的傾向として、大政党が小政党に比して圧倒的に有利（第三党以下は議席を確保することすら困難）であり、選挙で勝利した政党は、得票率に比して多くの議席を獲得することが指摘できる（小選挙区制を採用する代表国であるイギリスの経験に基づき、得票数の差が議席数の差に3乗された倍数で反映される「3乗比の法則」が指摘される）。

　こうした小選挙区制の現実的機能に鑑みて、国民の間にある意見の違いを拡大して議席分布に投影することで、時々の「国民の多数派」に支持された政党が、議会のなかで明確な多数を得て政権を担い、国民から託された政策を安定的に実行するという民主政像(a)に、小選挙区制は適合的であるといわれる。選挙は事実上、二大政党の一騎打ちとなり、国民は選挙を通じて、二大政党の示す政策メニューのいずれかを選択することとなる。

　これに対し、国民のなかにあるさまざまな意見の違いをひとまず議会に忠実に反映し、議会における討論と妥協を通じて国家意思の形成を図るという民主政像(b)がある。こうした民主政像には比例代表制が適合的であり、議会はいわば「国民の縮図」となる。ふたつの民主政像は、その前提となる国民主権および国民代表の理解も異なっているはずである。民主政像(a)は、時の少数派の意思は国政に反映されなくてもよいということを前提としており、民主政像(b)は、時々の国民意思の分かれ具合を余すことなく議会に反映してこそ国民主権・国民代表といいうるという理解が基礎にある。(a)の場合、時間軸を長くとれば、政権交代を通じて（ある時期の）少数派の意思も国政に反映することが可能との立論がなされるが、実際にそのように機能しうるかは、具体的に検証されなければならない。

　いずれにせよ、選挙制度の機能は現実の諸条件に左右されるので、どちらの民主政像が妥当かを考える前に、各選挙制度の機能条件を知っておく必要がある。小選挙区制について、イギリスを例に考えると（**表1を参照**）、

表1　イギリス総選挙結果［単純小選挙区制］

選挙年	保守党		労働党		自由党／自由民主党		その他	
	得票率	議席率	得票率	議席率	得票率	議席率	得票率	議席率
1951	48.0%	51.3%	48.8%	47.2%	2.6%	1.0%	0.6%	0.5%
1955	49.7%	54.8%	46.4%	44.0%	2.7%	0.9%	1.2%	0.3%
2005	32.4%	30.7%	35.2%	55.0%	22.0%	9.6%	10.3%	4.8%
2010	36.1%	47.1%	29.0%	39.8%	23.0%	8.8%	11.9%	4.3%
2019	43.6%	56.2%	32.1%	31.1%	11.6%	1.7%	11.9%	11.1%

　保守党と労働党の二大政党制を前提としつつ、戦後いずれかの政党が得票率50％を超えたことは一度もなく、それにもかかわらず、若干の例外を除いて、いずれかの政党が過半数の議席を得ている。たとえば1955年の総選挙では、二大政党の3％強の得票率の差が11％弱の議席率の差として表れており、上記の民主政像(a)に適合したかたちで機能しているといえる（2005年選挙では、得票率3％弱の差が、実に24％強の議席率の差を引き起こした）。これに対し、1951年の総選挙では、二大政党のうち得票率が少ない方が50％以上の議席を獲得する逆転現象が起きている。また、2005年・2010年の選挙では、2割を超える票を獲得した第三党の議席率は1割を下回っている（2019年の選挙では、11.6％の得票で1.7％の議席しか得ていない）。さらに、2010年の総選挙では、単独で過半数の議席を獲得した政党が存在しなかったため、戦後初めて連立政権が誕生した（2017年の選挙でも、過半数の議席を獲得した政党はなかった）。これらはいずれも、全国的にみた場合、各党の得票率と議席率との間に論理的関連性がないという小選挙区制の特質の表れであると同時に、小選挙区制によって上記のような民主政像(a)が実現するには、かなり特殊な前提条件が必要であることを示している。長年小選挙区制を採用してきたイギリスにおいても、多党化現象と小選挙区制のミスマッチは明らかであり、一方で、第三党に著しく不利であるという「不正義」を生み出しつつ、他方で、単独与党を創り出せない小選挙区制にどれだけの意義があるのかが問われている。

　これに対し、比例代表制については、小党が分立して政権が安定しないと指摘されるが、これも具体的な制度設計とその他の諸条件に左右されることがである。比例代表制による小党分裂と政権不安定の典型とされる

ワイマール期ドイツも、それを招いた特殊な社会経済状況や多数派形成をなしえなかった各党のパフォーマンスを抜きに、その崩壊は語れない。現在、比例代表制を採用する多くの国々では、政策の大まかな近似性に基づく政党連合の形成や連立政権の常態化により、民意の議会への反映と安定した政権運営を両立させている。また、一定割合を獲得した政党にのみ議席を配分する阻止条項を設けるなど、過度の小党分立や政権の不安定化を防ぐ制度的工夫がなされている。

ⅲ）日本の選挙制度

日本の国会の選挙制度は、衆議院が小選挙区比例代表「並立制」で、参議院が選挙区選挙と比例代表選挙の「並立制」である。

(ｱ)　衆議院

衆議院の選挙制度は、1947年総選挙から1993年総選挙まで、各選挙区で3名ないし5名の議員を選ぶ「中選挙区制」が採用されていたが、1994年の「政治改革」により、小選挙区比例代表「並立制」に変更された（→第1節コラム・155頁）。「並立制」は文字通り、小選挙区制と比例代表制という異なった制度を結合したものであり、前者では、各選挙区で相対多数を獲得した候補者1名のみが当選する（定数289）。後者は、全国を11ブロックに分け、ブロックごとに各政党が提出した候補者名簿に基づき、各党の得票数に応じて議席が配分される（定数176、総定数465）。有権者は小選挙区と比例区に各1票を投じ、（比例名簿で同一順位の者の当選順を小選挙区における惜敗率に応じて決定する点を除き）両者に関連性はないので、基本的には、ふたつの異なる選挙を同時に行っていると考えればよい。

ⅱ）でみた選挙制度の一般理論からみると、第1に、小選挙区制と比例代表制は制度哲学（適合的な民主政像）が異なるので、これらを結合した「並立制」は、めざすべき民主政像（その基礎にある国民主権・国民代表観）との関わりで、制度理念が明確でない。導入時には、小選挙区制と比例代表制の長所を融合したと喧伝されたが、両者は「融合」できる筋合いのものではなく、元々「政界再編」のために単純小選挙区制への移行が構想されていたところ、それだと議席が大幅に減少する党派との政治的妥協として、比例代表が加味されたとの見立ての方が的確であろう。

このことは第2に、この制度の現実的機能に結びつく。「並立制」とはいっても、定数は小選挙区289、比例区176なので、小選挙区制が中心であ

表2　2021年衆議院総選挙結果（小選挙区の投票率＝55.93％）

	比例区 (176)			小選挙区 (289)			合計		(A)
	得票率%	議席数	議席率%	得票率%	議席数	議席率%	議席数	議席率%	
自民党	34.7	72	40.9	48.4	189	65.4	261	56.1	161
立憲民主党	20.0	39	22.2	30.0	57	19.7	96	20.6	93
維新の会	14.0	25	14.2	8.4	16	5.5	41	8.8	65
公明党	12.4	23	13.1	1.5	9	3.1	32	6.9	58
国民民主党	4.5	5	2.8	2.2	6	2.1	11	2.4	21
共産党	7.2	9	5.1	4.6	1	0.3	10	2.2	33
れいわ	3.9	3	1.7	0.4	0	0.0	3	0.6	18
社民党	1.8	0	0.0	0.5	1	0.3	1	0.2	8
その他	1.6	0	0.0	4.0	10	3.5	10	2.2	7
総計	100	176	100	100	289	100	465	100	465

※（A）は、全国一区の比例代表制（定数465）だった場合、各党の比例区の得票率に基づき単純に比例配分（465×比例区得票率）した議席数。

る。加えて、比例代表制は、政党の数に比して定数が多ければ多いほど比例性が確保される（つまり長所が生かされる）が、176という少ない議席を11のブロックに分割しているため、各ブロックの定数は6〜28に細分化されている。定数6の四国ブロックでは、単純計算で16.7％以上の得票率でないと1議席も獲得することができず、現在の多党状況を前提とすれば、これは「比例代表制」とは呼べない。その結果、比例区を「加味」している意味は相当に減殺され、全体として、小選挙区制効果が強く表れる。

　たとえば、2021年の総選挙（表2を参照）は、自民党の大勝といわれたが、比例区で自民党に投票した有権者は3分の1程度にすぎない。小選挙区では他の考慮要素により5割近い票を得ているとはいえ、議席占有率は65％を超える（これでも「野党共闘」により小選挙区制効果は緩和されており、2017年の選挙では、より少ない得票率で実に3/4超の議席を得ていた）。仮に全国一区の比例代表で単純試算すると161議席分にしかならない得票で、実際には260を超える議席を得ている。他方、比例区で7.2％の票を得ている共産党は、小選挙区では（選挙協力が成立した沖縄1区を除き）どの選挙区でも1位になれないため、獲得議席は1であり、全体の議席も10議席（2.2％）にとどまっている（仮に全国一区の比例代表選挙であれば、33議席を

得る計算になる）。

　このように、現在の衆議院の選挙制度は、大政党であればあるほど、選挙時の国民の支持（得票率として表れる）に比して大量の議席を獲得することができ、逆に小政党は、国民から相応の支持を得ていても、国会（衆議院）のなかでは非常に小さな勢力しか得ることができないという結果をもたらしている。ⅱ）でみたように、これは小選挙区制が元々もっている特質の表れであって、現在の日本のような多党制のもとでは、実在する民意が制度の力で変造され、国民の意思と国会内の勢力分布とが大きく乖離した状態が生まれるのは当然の帰結であり、この点が上記の民主政像(b)の立場から厳しく批判されている。

　もっとも、民主政像(a)からすれば、民意と選挙結果のズレは最初から織り込み済みであり、むしろ制度の力で安定的多数派を創り出すところに長所があると考えることもできる。実際に「政治改革」の際にも、小選挙区制を中心とする選挙制度を採用することによって政権交代可能な二大政党制を創出するというメリットが強調された。しかし、2009年の総選挙で民主党への政権交代が実現したものの、現状は、政権交代可能な二大政党制からはほど遠く、「一強他弱」とも呼ばれる事態となっている。投票率が低いこととも相まって、毎回自民党の絶対得票率は20％弱であるが、それだけの支持層さえ固めれば、小選挙区制効果で安定多数が確保できるというのが現状である。こうした実態は、民主政像(a)の立場から正当化されうるのだろうか。

＊小選挙区比例代表「並立制」に関して最高裁は、小選挙区制と比例代表制に切り離したうえで、それぞれについて、どのような選挙制度を採用するかは国会の広い裁量に委ねられているという理由で、合憲判断を下している（最大判1999・11・10）。これに対し、「社会学的代表」（→第1部4章1節2(2)・65頁）を憲法上の要請ととらえたうえで、得票率と議席率が大幅に乖離する小選挙区制を違憲とする学説も存在するが、選挙制度の具体的機能はさまざまな条件により異なりうるので、制度それ自体を違憲と断定するには困難がともなう。
＊直接には選挙制度の問題ではないが、民主政の質または統治の正統性という観点から、投票率の低下も問題にされなければならない。衆議院選挙の投票率は、1990年総選挙まではおおよそ7割台で推移してきたが、その後6割台に下降し、2012年の総選挙で6割を切って、2014年は史上最低の52.66％となった

（2017年・2021年は、若干増加したとはいえ、53.68％・55.93％にとどまっている）。2012年総選挙で、自民党は有権者全体の16.7％の得票で61.7％の議席を得（2014年・2017年もほぼ同様）、政権獲得後、国民の間に少なからぬ反対がある政策を次々実行してきたが、これは国民主権の観点から深刻な問題をはらんでいる。逆に、小選挙区制では各選挙区で1名しか当選しないため、第1位になりそうにない候補者を支持する有権者が棄権をし、投票率が低下するという側面もある。

　(イ)　参議院

　憲法によれば、参議院は衆議院と異なって解散はなく、半数ずつ3年ごとに改選される（46条。以下は、とくに断りのないかぎり、半数改選の各選挙について述べる）。戦後長らく、都道府県ごとに1〜4人（計75名）を選出する「地方区」と、全国一区の大選挙区で得票上位者から50人の当選者を決める「全国区」から成る選挙制度だったが（参議院全体の定数は250）、1982年の制度改革により、都道府県別の「選挙区」と全国一区の比例代表制＝「比例区」の組み合わせとなった。

＊比例区は、導入当初は拘束名簿式だったが、2000年に非拘束名簿式に改められた。これは、各政党の得票数に比例して政党ごとの当選者数を確定した後、候補者個人の得票数が多い順に当選者を決定する方法であるため、拘束名簿式に比べて有権者の意思が当選者の決定に反映する一方、人気の高い候補者への投票が他の名簿登載者の当選に「流用」されるという問題点が指摘されている。後者の問題につき、直接選挙原則（→ⅰ）(オ)・194頁）違反が問われた裁判で、最高裁は、選挙人の総意によって当選者が決定される点で、候補者個人を選ぶ制度と異なるところがないとして、直接選挙の原則に反せず合憲と判断した（最大判2004・1・14）。

＊2016年参院選の時点では、選挙区は73人（各選挙区ごとに1〜6人）、比例区は48人を選出する制度で（総定数242）、選挙区の定数配分を「違憲状態」とする2014年の最高裁判決を受けて（→ⅳ）(イ)・205頁）、ふたつの選挙区で合区が行われた。合区は、対象となった選挙区選出議員の既得権を剥奪するものであったため、自民党は合区解消のための改憲をめざしたが、2019年の参院選には間に合いそうもないということで、再度選挙制度を改めた。それにより、①総定数が6（選挙区2、比例4）増えて248となり、②比例区の一部を拘束名簿式に改めたうえで「特定枠」として優先的に当選を確定し、残りは非拘束名簿式のままとすることになった（2019年参院選から適用、半数改選のため2022年7月から定数248）。②については、合区対象となった自民党議員を「救

済」するための変更ではないかと批判を浴びているが、そもそも選挙制度は、選挙時点での「民意」を具現し、国民代表機関の勢力分布を確定するものなので、こうした党利党略ではなく、めざすべき民主政像と各選挙制度の現実的機能をふまえたうえで検討されるべきであろう（→ⅱ）・195頁）。

　上記の通り、参議院の選挙制度は、選挙区と比例区の「並立」制であり、大枠としては衆議院に類似している。しかも、議席数の割り当てが（1回の選挙でみると）選挙区74、比例区50と、前者が多数を占め、かつ、45選挙区のうち32が1人区（＝小選挙区）であるため、衆議院ほどではないにせよ、大政党が選挙時の支持よりも多くの議席を獲得し、逆に小政党は、得票率に比して少ない議席しか与えられない。たとえば、2019年の通常選挙で、自民党は比例区35.4％の得票で、全体として46.0％の議席を得ており、連立を組む公明党と合わせて、5割に満たない得票で57.3％の議席を獲得した。逆に、比例区で9.0％を得票している共産党は、5.6％の議席しか得ていない。このときは、特定の政治情勢のもと、すべての1人区で野党共闘が実現し、32議席中10議席を野党が獲得したため（2013年選挙では、31の1人区のうち、29選挙区で自民党が勝利した）、これでも大政党有利の効果は緩和されたといえる（2013年の選挙で自民党は、34.7％の得票で53.7％の議席を獲得した）。国民代表機関のひとつの院で、各党の得票率と議席獲得率の間にこれほどの差異があってよいかどうか、めざすべき民主政像との関わりで吟味されるべきである（→ⅱ）・195頁、ⅲ）(ｱ)・198頁）。

＊この点は、日本国憲法における二院制の存在意義ともかかわる。それ次第で、衆参両院で類似の選挙制度を採用していることが、二院制の趣旨を棄損しないかという問いへの答えも変わってくる（→第4節2(3)ⅰ・219頁）。

　ⅳ）　投票価値の平等
　ⅰ)(ｲ)でみたように、平等選挙は憲法上の要請であるが、その射程は必ずしも明らかではない。歴史的には、形式的な平等が問題となったが、「一人一票の原則」が達成された現在、各人が投ずる一票の価値（投票価値ともいう）の平等までが求められるとされている。衆議院では、かつて中選挙区制のもとで、選挙区ごとの定数と人口との比（議員一人当たりの人口数）の較差（定数不均衡）が問題とされたが、各選挙区とも定数1の

小選挙区制では、各選挙区の人口の差が、そのまま投票価値の較差を意味することとなる。これに対して、参議院では、かつての衆議院と同様、定数不均衡の問題となる。

　(ｱ)　衆議院

　最高裁は、衆議院の定数不均衡が争われた1976年の判決（最大判1976・4・14）で、**投票価値の平等**も憲法上の要請であるとしたが、その根拠は、選挙権の歴史的発展を受けて、憲法14条1項が「選挙権に関しては、国民はすべて政治的価値において平等であるべきであるとする徹底した平等化を志向」しているという解釈である。この「徹底した平等化」とは何を意味するのであろうか。選挙における平等を考えると、「一人一票の原則」は文字通りの形式的平等であり、憲法14条1項で当然に保障されるが、投票価値の平等は、それを超える何か、である。投票価値とは、各人の票が選挙結果（議員の当選可能性）に及ぼす影響力であるから、それが平等でなければならないということも、各人の平等性（判決のいう政治的価値における平等）から基礎づけられそうである。しかし、各票の影響力は、同一選挙区内では同等なので、他の選挙区と比較した場合に初めて、平等が問題となる。投票の影響力に格差があるということは、特定地域の有権者（団）が過小にしか「代表」されていない（または過大に「代表」されている）ということを意味するので、個人の投票権の平等を理念的基礎としつつも、直接には「代表」（43条1項）の公正さが問題となっている。

　上記の1976年判決で最高裁は、議員一人当たりの選挙人数の最大較差1対4.99は違憲であり、選挙は違法であるが、無効とはしないというアクロバティックな判断を下した。その思考経路は、以下のように込み入っている。すなわち、①上記のごとく、投票価値の平等は憲法上の要請であるが、選挙区割り・定数配分については国会の裁量が大きいので、その裁量を逸脱した場合のみ、合憲性が問題となる。②投票価値の不平等が、諸般の事情を考慮しても、一般に合理性を有するものとは考えられない程度に至ったときは「違憲状態」となり、③さらに、合理的期間内に是正が行われない場合に「違憲」となる。④通例は違憲であれば同時に無効であるが、選挙を無効とすると議員の資格が奪われる結果、かえって憲法が所期しない事態となるので、行政事件訴訟法31条を援用して、「**事情判決の法理**」により選挙は無効とせず、主文で選挙の違法を宣言するにとどめるというの

が、最高裁の判断枠組みである。

＊この枠組みは、①選挙制度について国会の裁量を認めるとしても、投票価値の平等という個人の権利が関わる場面においても、同様に幅広い裁量を認めてよいか、②実質的に1人が2票以上もつのと同様となる最大較差1対2以上の場合も、合憲とみなしてよいか（こんにちではさらに、できるかぎり1対1に近づけるべきだという見解が有力である）、③「合理的期間」がどの程度かが明確でなく、そもそも国会の裁量を逸脱した場合に、さらに国会に猶予を与えるのが合理的か、④公職選挙法219条が明示的に行政事件訴訟法31条の準用を排除しているにもかかわらず、「高次の法的見地」というマジック・ワードで選挙無効を回避することが許されるか、などの諸点で数多くの批判を浴びたが、最高裁はその後もこれを踏襲した。

小選挙区制が導入された1994年に成立した衆議院議員選挙区画定審議会設置法で、選挙区間の人口較差が1対2未満になることを基本とする旨が定められたが、他方、各都道府県の区域内の選挙区数につき、あらかじめ1を配当した後に人口比例で配分する「一人別枠方式」が採用されたため、実際の最大較差は1対2を上回ることとなった（1996年総選挙直近の国勢調査に基づく最大較差は1対2.309）。これに対し、1999年11月10日の最高裁大法廷判決は合憲判断を下したが、2011年3月23日の大法廷判決に至って、「一人別枠方式」とそれに基づく選挙区割り（2009年総選挙時の最大較差は1対2.304）は「違憲状態」にあると判断された。さらに較差が拡大した2012年の総選挙（最大較差1対2.425）をめぐっては、高裁レベルで14件の違憲判決が出され、そのうち2件が無効判決（広島高判2013・3・25および広島高岡山支判2013・3・26）であったため、最高裁の判断が注目されたが、2013年11月20日、同大法廷は、国会が選挙前に「一人別枠方式」を廃止したことをふまえ、再び「違憲状態」を確認するにとどめた。

＊2011年判決および2013年判決は、最大較差が憲法の許容範囲を超えたかどうかをストレートに判断したのではなく、「一人別枠方式」の射程を限定して（選挙制度改革にともなう激変緩和措置と位置づけ）、時の経過によってその合理性が失われた（その結果、それに起因する最大較差も「違憲状態」となった）と判断したことに注意が必要である。

2012年の法改正により、「一人別枠方式」は削除されたが、2014年に行われた総選挙（最大較差は1対2.129）に関する訴訟で、最高裁は「違憲状態」の判断を維持した（最大判2015・11・25）。これに対し、国会は2016年に法改正を行い、小選挙区の定数を6削減するとともに（比例区の定数も4削減したため、定数が合計で10削減され、衆議院の定数は465となった）、衆議院定数の都道府県への配分をいわゆるアダムズ方式によって行うこととした（ただし、アダムズ方式による定数配分は、10年ごとの国勢調査に基づいて行われるため、最初の適用は2020年の国勢調査以後となった）。この法改正により、2017年総選挙の時点で最大較差が1対1.979となったのを受けて、最高裁は合憲判断に転じた（最大判2018・12・19、15人中11人の多数意見。他に「違憲状態」が2人、違憲だが選挙は有効が2人、違憲であり選挙も一部無効が1人）。これに対しては、将来適用されるアダムズ方式の採用を勘案して合憲としたことの問題性や、最大較差が2倍未満に収まれば合憲とする判断が定着することへの危惧が指摘されている。さらに、2021年に行われた総選挙では、最大較差が1対2.079に拡大し、高裁の判断は分かれているため、2022年内に下されると目される最高裁判決が注目される。

＊アダムズ方式

2016年の法改正により導入された議員定数を都道府県に配分する際の計算方法。アメリカ第6代大統領J・Q・アダムズが考案したとされる。都道府県の人口をある数（x）で割り、その商の小数点以下を切り上げた数を各都道府県の配分定数として、その合計が総定数と同一になるようにxを調整する。小数点以下を切り上げるので、人口の少ない地域にも配慮した配分方法といえる。2020年の国勢調査をもとにこの方式を用いると、「10増10減」となることが予測されるが、定数が減る地方の議員を中心に与党内にも反発が強く、先行きは不透明である。

(ｲ) 参議院

参議院選挙の投票価値の平等は、衆議院に関する1976年判決（→(ｱ)・203頁）を基本枠組みとしつつ、「参議院の特殊性」論を根拠に、より大きな較差を合憲としてきた。たとえば、参議院に関する基本判例といえる1983年判決は、地方区選出議員につき事実上都道府県代表的な要素を加味したからといって全国民の代表性（憲法43条）と矛盾するものではないと

して、1対5.26の較差を合憲とした（最大判1983・4・27）。その後も定数是正が行われないまま、較差が1対6.59に達した際に、最高裁は「違憲状態」と判示したものの（最大判1996・9・11）、定数是正で較差が5倍前後に収まると、同様の論理で合憲判断を繰り返した。ただし、1998年以降の5度にわたる合憲判決には、そのつど少なくとも5名の裁判官による強力な反対意見が付されており、2012年に至ってついに、最高裁は1対5.00を「違憲状態」と判断することとなった（最大判2012・10・17。さらに最大判2014・11・26は、1対4.77も「違憲状態」とした）。最高裁は明示的には判例変更をうたっていないものの、従来の「参議院の特殊性」論が影をひそめる一方、一票の較差を縮小するために、都道府県単位の選挙区を含む選挙制度の抜本的改革を強く勧告していたことが注目される（2014年判決には、違憲とする4名の少数意見が付されており、そのうちの1名は違憲無効であった）。

＊2016年の参議院選挙については、合区も含めた定数是正により、一票の較差が1対3.08に縮まったことをもって最高裁は合憲と判断したが、その理由づけは、再び「参議院の特殊性」論に立ち戻った感がある（最大判2017・9・27。ただし、違憲状態・違憲・違憲無効各1名の少数意見が付されている）。さらに、2018年の法改正を受けて較差が1対3.00となった2019年参議院選挙についても、最高裁は合憲判断を下した（最大判2020・11・18。違憲状態1名、違憲・有効3名の少数意見あり）。参議院については、1対3程度の較差であれば合憲との判断が定着する可能性があるが、憲法の想定する二院制の趣旨と投票価値の平等の意義をふまえたうえで、衆議院と同様に全国民の代表で構成される参議院（憲法43条）について、なにゆえ、より大きな較差が許容されるのか、慎重な吟味が必要であろう（→参議院の選挙制度改革につき、ⅲ）(イ)・201頁）。

考えてみよう

1…選挙権の法的性格をめぐる二元説と権利説とで何がどう変わるか、解釈論上の帰結に着目しながら整理してみよう。
2…めざすべき民主政像と各選挙制度の理念や機能をふまえたうえで、日本における衆参それぞれの選挙制度を評価してみよう。
3…投票価値の平等の判決の流れを（衆参それぞれ）判例集で確認し、反対意見との違いを考えてみよう。

Further Readings
・辻村みよ子『「権利」としての選挙権』（勁草書房、1989年）：フランスの選挙権論を参照して、権利説の立場から、通説たる二元説に挑んだ論争の書。同『国民主権と選挙権』（信山社、2021年）も参照。
・野中俊彦『選挙法の研究』（信山社、2001年）：二元説の立場で、権利説からの批判に応じた代表的研究。投票価値の平等に関する論稿も収録している。
・和田進『国民代表原理と選挙制度』（法律文化社、1995年）：フランスの国民主権・国民代表論を基礎としつつ、日本の選挙制度を憲法学的に考察する。

第4節	議院内閣制
キーワード	二元主義型／一元主義型、均衡本質説、責任本質説、内閣統治、「国民内閣制」論、「国会中心」構想、「内閣中心」構想、首相公選論、国権の最高機関、法律の一般性・抽象性、委任立法、二院制、免責特権・不逮捕特権、国政調査権、行政と執政、独立行政委員会、内閣の対国会責任、内閣不信任、衆議院解散

　本節では、議院内閣制の歴史的展開をふまえたうえで、日本国憲法における議院内閣制をめぐる諸問題について学習する。一般には、「国会」と「内閣」を分けて記述し、内閣の箇所で議院内閣制を論じるが、本書は、議院内閣制という統治構造のなかで国会と内閣を相互に関連させて把握する。民主政を支える統治構造全体のなかで、国会と内閣がそれぞれいかなる役割を果たすべきか、考えてみよう。

1　議院内閣制というコンセプト

(1)　議院内閣制の本質と歴史的展開
　議院内閣制は、議会（立法府）と政府（行政府）とが分立しつつ、政府が議会（とくに下院）の信任に基づいて成立する統治制度で、18世紀後半から19世紀半ばにかけて、イギリスの統治構造のなかで慣行として確立してきた（→第1部2章2節3(3)・30頁）。こんにち、日本を含め多くの国々で一般化しているのは、一方で立法と行政という機能分化に適合しつつ、他方で統治機能の統合を図るという点で合理的・安定的なシステムだからである（他の統治制度について→第1章1(2)・144頁）。
　歴史的には、イギリスにおいて君主から議会へと統治権力が移行していく過程で、対峙する両者の間で双方に連帯責任を負う大臣集団＝内閣が、君主と議会との間の抑制と均衡を図るというかたちで成立した（**二元主義**

型の議院内閣制)。それが19世紀半ば以降は、君主が保持していた行政権が内閣に移行した結果、内閣は専ら議会（下院）の信任のみに依存することとなった（**一元主義型**の議院内閣制)。

　この「二元主義型」から「一元主義型」への移行は、議院内閣制の本質をどう考えるかという議論にかかわっている。議会と内閣との間の抑制と均衡を重視する「**均衡本質説**」の立場は、内閣の議会（下院）解散権を議院内閣制の本質的要素と考え、「二元主義型」に親和的である。これに対し、内閣が国民代表機関たる議会に政治責任を負うことを重視する「**責任本質説**」の立場は、「一元主義型」に親和的といえる。後者は、「国民（主権者）→議会（国民代表機関）→内閣（政治的多数派）」という民主的正統性の連鎖を一元的に構想することができ、内閣の議会に対する責任は、主権者国民に対する責任に連動する（→第 1 章 1 (3)・145頁)。内閣の議会（下院）解散権は、議院内閣制に必須のものではなくなり、解散の位置づけは、内閣から議会への抑制（君主から議会への制裁）の手段から民主的正統性をリニューアルする機会へと変容する（→3(5)・241頁)。

　「一元主義型」の議院内閣制の成立は、権力分立原理（→第 1 章 1・142頁）の実質的意義をも変容させる。制度的・形式的には、なお議会と内閣との「分立」が観念されるが、両者の抑制と均衡といっても、実際には、議会の多数派が内閣を構成していることが一般的であるから、全体としての議会（下院）が内閣と対立するのは例外的な場合に限られ、実質的には、「内閣＝議会内多数派（与党）vs. 議会内少数派（野党)」という構図になる。野党は、数のうえでは与党にかなわないため、内閣に対する統制は、野党の権限や資源をどのように増し積みするかにかかっている。

　日本国憲法の定める議院内閣制は、天皇が政治的権能を有しないことによって（ 4 条 1 項)、「一元主義型」になっている。上記の観点からいくつかの特徴を挙げると、まず、下院の解散については、非常に限定的な規定になっている。憲法が明示するのは、衆議院で内閣の信任が否定された場合のみであり（69条)、内閣が下院の信任によって成り立つ議院内閣制の本質からいって、本来想定外の事例に限られる。そのため、それ以外の場合に衆議院の解散が認められるか否かが、憲法解釈上の重要論点となる（→3(5)・241頁)。

　つぎに、日本国憲法が定める独特な二院制（→2(3) i ・219頁）も、議

院内閣制の性格を左右する。議院内閣制の母国イギリスでは、上院（貴族院）に対して下院（庶民院）が民主的正統性を一手に引き受けることによって、一元的な「議院」内閣制が成立しえたが、日本国憲法における両院は、基本的に、民主的正統性において同等である（解散の有無や任期の違いを根拠に、衆議院の方が民主的正統性が高いということも可能であるが、両院が直接選挙で選ばれる「全国民の代表」で構成されるという基本的共通性に比べ、有意な違いとはいえない）。首相の指名手続において衆議院の優越が確保されていることにより（67条2項）、衆議院の多数派が内閣を構成することが担保されているものの、これとても、首相が決まらないことの政治的混乱を回避するための消極的措置とみれば、参議院選挙で野党が勝利した場合、それに基づいて衆議院における少数党派から首相を選出するという運用も排除されていないと解すことも不可能ではない（こうなると、議院内閣制というより「国会内閣制」に近づく）。いずれにせよ、こうした日本の特殊性を考慮に入れず、議院内閣制であるからという一般論で、憲法解釈上の具体的帰結を導くのは説得力が弱い。

　さらに、「国会 vs. 内閣」という古典的図式からみて、国会の両院に国政調査権が与えられている意義は大きい（62条）。これは、「国権の最高機関」たる国会が国政全般を統制するための重要な手段と位置づけられるが、権力分立の現代的図式からすれば、与党による政府の統制は実効性に乏しいため、野党の調査権にこそ、重要な役割が与えられるべきこととなる（→2(3)ⅵ・225頁）。

(2)　「国会中心」構想 vs.「内閣中心」構想

　上記のように、「一元主義型」の議院内閣制は、行政権を担当する内閣にまで、国民に端を発する民主的正統性の連鎖を及ぼすと同時に、国政の執行者たる内閣と、立法する議会の多数派とが一致することで、国政を円滑に運営することを可能とする。しかし、このことは裏返すと、与党が議会と内閣とを同時に掌握することにより、数の力で何でも決めて実行することができることを意味している。加えて、「行政国家」化現象にともない、議会に対する行政権の優位という現象が表れ（→第1部2章3節2(2)・36頁）、「議会主義」（→第1章1(1)・142頁）は**内閣統治**へと変貌した。こんにちでは、グローバル化に的確機敏に対応するという要請も手伝って、

内閣の機能強化や、さらには首相のリーダーシップが強調され、国民主権は「民意の国政への反映」よりも、トップダウンの意思決定と結びつく傾向にある（こうした現象の憲法解釈論への反映が「執政説」である→3(1)ⅱ・231頁）。

　日本の憲法学は、伝統的に、国民代表機関である国会を重視する立場から、こうした「内閣統治」の傾向を批判し、国会の「復権」を主張してきた。これに対し、1990年代に、「内閣統治」の現状を前提としつつ、それを理論的に基礎づける学説が登場した。ひとつは、「行政」とは区別された「統治」の役割を内閣に割り当て、首相のリーダーシップを通じて内閣機能の強化を図ろうとするものである。内閣は一方で、国政をリードする高度の統治作用を営むと同時に、他方で、行政各部（各省庁）を統括・コントロールする役割を担う。

　いまひとつは、従来の憲法学が志向してきた民意の「国会への反映」ではなく、「内閣への反映」を説く**「国民内閣制」**論である。国民が選挙を通じて統一的な政治プログラムを選択し、それを政治的多数派たる内閣が実行することによって、国民主権が実現されると考える。これらふたつの学説は、立論のターゲットの違いに由来する力点の相違はあれど、「内閣中心」の統治構造を描く点で共通している。

　伝統的な「国会中心」構想と新たな「内閣中心」構想のいずれが妥当かを考える前に、後者が1990年代に登場してきたという背景事情を知ることは有益であろう。ひとつは、グローバル化への対応である（→第1部2章3節3・39頁）。安全保障や経済政策、あるいは社会保障「改革」をめぐって、世界規模で情勢が変化するなか、これに的確機敏に対応するためには、一方で、多様な民意が反映される国会では適応力がなく、他方で、各省庁の既得権益を前提とした意思形成過程では「改革」の実は上がらないとの判断があったと思われる。これと関連してもうひとつ、いわゆる55年体制（→第1部3章3節2(3)・56頁）のもとで、多少の選挙結果の相違はあっても、「1＋1/2政党制」がほぼ維持され、国民の政策選択とは関わりないところで官僚支配の統治が継続しているという現状診断もあっただろう。かくして、国民が選択した政治プログラムを実行するという強力な民主的正統性を背景に、内閣が一方で政治的リーダーシップを発揮し、他方で行政各部（官僚制）をコントロールすることを通じて、グローバル化に起因す

る難題に対応しようという構想が生まれた。

「国民内閣制」論では、選挙の際に統一的な政治プログラムを国民が選択するというところに立論のポイントがあるため、政権の選択肢としてふたつの政党が相争う状況（二大政党制）が必要とされ、これに適合的な選挙制度として小選挙区制が挙げられた（→第3節3(3)ⅱ・195頁）。これに対して、現在の日本で、国民の意思を選択可能なふたつの政治プログラムにまとめ上げることが可能か、という批判が提出されたが、「内閣中心」構想を、そもそも、実在する「民意」とは離れたところで形成される内閣（または首相）主導の政策プログラムを、国民の「同意」で正統づけようとするものと理解すれば、「民意反映」の擬似性は自然な帰結とみることもできる。

他方、「国会中心」構想を採る場合は、「内閣中心」構想の問題提起に応えなければならない。たとえば、グローバル化に起因する諸問題に対し、実在する「民意」を国会に反映することで、いかにして対応が可能なのか、あるいは、官僚制による実質的国家意思形成を「国会中心」構想でどのようにコントロールするのか、などの理論的課題が考えられる。

本書は、実質的に国民の意思に基づいて国政が行われることを実現するために、「国権の最高機関」（41条）たる国会にひとまず民意を反映させ、国会が民意の動向をふまえながら、国家の舵取りも含めて国政の基本的方向性を決定し、内閣はそれを実効的に実行するという立場を採る。こうした「国会中心」構想が望ましいものであるかどうかは、選挙制度、国会、内閣等々のありかたを論じる各所で具体的に検証される。

＊1990年代以降の現実政治は、「政治改革」（→第1節コラム・155頁）や「マニフェスト選挙」を経て、表層的には「国民内閣制」論の方向で進んだが、実際には、「民意の国政への反映」からますます遠ざかっている（→第2節2(4)・174頁）。また、日本の二院制の特徴が「ねじれ国会」（→2(3)ⅰコラム・221頁）でクローズアップされ、選挙時の政策選択で国政を一元的にコントロールしようとする「国民内閣制」論とのミスマッチも顕わになった。

＊首相公選論

本文で述べたように、近代憲法本来の議会主義は、実態としては「内閣統治」に取って替わられ、さらに近時では「首相統治」の傾向を強めている。下からの民意の積み上げによる国民意思の統合が難しくなるにつれ、トップリー

ダーの意向にあたかも国民が同意しているかのごとき構図が描かれ、それにもかかわらず国政主導主体たる首相を国民が直接選ぶことができないのは問題ではないかという文脈で、首相公選論がしばしば提起されてきた。これに対しては、そもそも民主政のありかたとして適切なのかという「国会中心」構想に基づく原理的批判とともに、国会の多数派と首相の政治的党派が異なった場合に国政が暗礁に乗り上げてしまうという実践的批判が寄せられている。首相公選論は、統治の正統性が疑わしくなったときに、それを乗り越える手段として提唱されることが多いので、冷静かつ慎重な吟味が必要である。

＊第二次安倍政権以降の統治構造改変

上に述べた「首相統治」の傾向は、とりわけ第二次安倍政権以降、内閣人事局の創設（2014年）に象徴される「官邸主導」政治によって、首相をとりまく一部の人間のための統治を可能とした（→ 3(1)ⅱ ＊・231頁）。さらに、コロナ対応における学校の一斉休業のように、法的根拠に基づかない首相の恣意的「権限」行使や、デジタル庁の設置（2021年）を通じた首相への権限集中（→ 3(2)ⅴ・235頁）などが、法律のしばりから解放された首相による新たな統治態様として問題視されている。「国難」や「危機」への対応といったスローガンで実施される諸施策の妥当性のみならず、その手法や統治構造のあり方が、民主主義・法治主義の観点から点検されなければならない。

2　国会

ここでは、憲法41条・43条の規範的要請と「国会の形骸化」という現実との相克を意識しながら、国会の権限、機構、運用状況を確認する。

(1)　国権の最高機関としての国会

41条前段は国会を「**国権の最高機関**」と定めるが、通説はこの文言に法的な意味を認めず、国民代表たる国会の重要性を強調した修辞句にすぎないと解している（政治的美称説）。このように理解する場合、41条は国会に立法権を専属させた後段のみが法的な意味をもつことになる。

＊最高機関（highest organ）という表現は、すでにGHQの憲法草案40条にみられる。GHQ案段階での国会は、①国務大臣任命への同意権、②省庁の設置権、③裁判所の憲法判断に対する破毀権（ただし基本的人権の侵害事案を除く）を有しており、行政権・司法権との関係でも最高機関との実質を備えていた。しかし、政府案作成から帝国議会審議に至る過程でこれらの権限は削除さ

れ、三権の対等性が強まった。このため、「最高機関」の文言自体は現行41条に残ったものの、その意味が理解しにくくなってしまったのである。

憲法施行当初は、「最高」の意味を「国権を統括する機関」と解して、この文言に法的意味を認める統括機関説が、政治的美称説と対立した。「統括」とは、法人の統一性確保のために下級機関に対して発動される上級機関の指揮の作用である。国会が国権の統括機関である以上、他の憲法機関の活動を監督し、必要な措置を講じる権限を有することになる。しかし、この説は、旧来の国家法人説に依拠し、大日本帝国憲法の「統治権の総攬者」（＝天皇）と国会とを同視するなどの点で理論的難点を抱えていた。とくに問題なのは、以下のような事件で表面化した、実践上の難点である。1949年、参議院法務委員会は、母子心中未遂事件（浦和事件）に対する地裁の確定判決（浦和地判1948・7・2）への疑義を理由に、国政調査権（→(3)iv・224頁）の行使として事件当事者を証人喚問し、担当裁判官にも文書回答を求めた上で、同判決を量刑不当とする決議を行った。最高裁は司法権の侵害だと参議院に強く抗議したが、法務委員会は国会の最高機関性を盾に、司法の運営への調査・批判は国会の正当な権能だと応酬した。その際、法務委員会の主張を理論的に支えたのが統括機関説であった。統括機関説も国会による裁判の代行までは認めてはいないのだが、統括を目的として国会が裁判官の訴訟指揮や判決の内容を調査・批判すること自体、裁判の独立の脅威となる可能性は否定できない。

しかし、「行政国家」化がもたらした行政権優位＝官僚支配にともなう国会の形骸化が顕著になるにつれて、政治的美称説は「最高機関」という憲法の文言を美辞麗句に矮小化する議論だという批判もみられるようになった。美称説の多くは、65条の行政権の定義について「控除説」を採用するが（→3(1)・231頁）、行政権の範囲を曖昧にする一方で国会を「立法機関」の地位に限定する姿勢は、古典的な権力分立論を盾にして実は行政国家現象を追認しているとみられたのである。こうしたなか、旧来の統括機関説とは異なる論理構成によって「最高機関」規定に法的意味を認める試みも登場する（総合調整機能説、新統括機関説、最高責任機関説など諸説がある。総称して法的規範説）。その有力説である総合調整機能説は、「最高機関」を国政全般の円滑な運用に責任を負う機関ととらえ、41条前段の法的効果として、どの機関の権限かが不明確な国家作用については国会への権限推定が働くと説く。これに対して政治的美称説は、国会には立法権（→(2)・214頁）をはじめとして、内閣総理大臣指名権や財政議決権などの国政上の重要な権限が配分されているのだから（→(3)ⅱ)(ｱ)・222頁）、「最高

機関」規定の性格とは関係なしに、国会の優位は貫徹されていると応答している。もっとも、美称説も41条前段が権限推定の解釈準則となる点は否定していないので、美称説と法的規範説との相違は「法的意味」の理解の仕方の違いにすぎないとみることもできる。むしろ両説の差は、美称説が裁判介入のような「国会の暴走」を危惧するのに対して、法的規範説が行政権優位に対する「国会の無力」を憂慮するという、憲法解釈の前提となる問題意識の差によるところが大きいと思われる。

そもそも、国会が「国権の最高機関」といえるのは、国会が「全国民の代表」（43条）だからだと考えるべきであろう。この点からいえば、41条前段は、43条と連関しながら、国民代表の構成や選出方法の制度化のための基本指針となっている。したがって、憲法が法律に具体化をゆだねた事項（国会の定数〔43条2項〕、議員・選挙人の資格〔44条前段〕、選挙に関する事項〔47条〕）はもちろん、議院規則などの整備に際して、国会は「最高機関」と称するに値する内実を具備するように努める必要がある。

(2) 「唯一の立法機関」としての国会

ⅰ) 立法の意味

国会は立法作用を独占する（41条）。大日本帝国憲法下では立法と同格の天皇大権に基づく緊急勅令・独立命令が帝国議会の政治力を弱めた（→第1部3章・41頁）。これに対して、日本国憲法41条後段において「唯一の立法機関」に指名された国会は、名実ともに国政の中心的存在となった。国会が定立する法規範を「法律」と呼ぶ。どのような事項を法律として立法の対象とすべきかについて、見解の対立がある。

(ア) 伝統的な考え方　戦前の立憲学派や戦後初期の学説は、立法を「国民の自由や財産を制限するルール」（＝法規）の定立に限定する。この説は、国王に対する議会の力が脆弱だった19世紀ドイツの学説に由来し、行政法学で「法律に基づく行政」の範囲を問う際の侵害留保説に対応する。この説のように狭く立法概念をとらえる場合、褒章のような栄誉の付与や官庁の組織改編は、国民の権利を制約するものではないので法律の根拠なく実施可能ということになる。政府はこの解釈に立ち、戦前からの褒章条例（1881年太政官布告）を政令で改定して、褒章制度を運用している。

(イ) 一般性・抽象性の要請　その後、フランスなどの学説状況を参考

に、立法を「**一般性・抽象性**をもつ法規範」の定立と解する説が有力になる。ここでの一般性・抽象性とは、要件を充たすすべての者（一般性）を名宛人に、すべての事案（抽象性）に向けて定められているという意味である。この点で立法は、具体的な事案で特定の個人・団体を名宛人とする裁判判決や行政処分と異なるといえる。法律に一般性・抽象性を要請する発想は、《立法を通じて表明される一般意思》というルソー流の考えに由来する。また、法律が一般性・抽象性を具備することで、公権力の恣意的行使（狙い撃ち）が排されて経済活動などの予測可能性が高くなることから、近代資本主義に適した立法観でもあった。この説における41条後段は、①一般性・抽象性を備えた規範を国会以外の機関が定立することを禁止し、同時に、②一般性・抽象性を備えていない規範を国会が定立することを禁止した規定ということになる。95条が住民投票による同意を要件に地方特別法を認めているのも（→第6節2(3)・262頁）、法律の一般性の要請と整合性を保つためのものといえる。

　(ウ)　**法律による個別処分の許容性**　　しかし、法律の一般性・抽象性は、これを伝統とするフランス（ただし第五共和制憲法は議会の法律事項を限定している）のような国があるとしても、近代憲法の普遍の原理とまでは言い切れない。もともと英米には個別法律（private act）と呼ばれる法律による処分の伝統があり、19世紀のドイツでも鉄道敷設などに個別立法が用いられていた。加えて、現代の社会国家のもと、社会的弱者保護など積極目的で特定の事案への措置を立法形式で行うこと（処分的法律・措置法律）の有用性が認識され、ドイツでは許容説が有力である。国民代表である議会が行政作用としての処分を代行しているのだから、とくに問題はないという見方も成り立ちうる（地自96条4号以下は契約締結や債権放棄などの処分を地方議会に認めている）。

　一方で、選挙区の企業や地域に便宜をはかる「お土産立法」や特定の地域や集団に負担を強いる「狙い撃ち立法」によって、法の下の平等が損なわれるばかりか、国会の「全国民の代表」としての信頼が崩れるおそれも指摘されている。そうした事態は、社会国家のもとにおいても望ましいことではない。法律に一般性・抽象性を強く求めることで、「お土産立法」や「狙い撃ち立法」の抑制も期待できる。こうした認識に立つのであれば、法律の一般性・抽象性を憲法の要請と捉える意義はなお大きいといえそう

である。

＊もっとも、日本の立法実務は特定事案の処理を想定した法律でも、一般的・抽象的な体裁を重視してきた。たとえば、「無差別大量殺人行為を行った団体の規制に関する法律」はオウム真理教を念頭に制定され、その後継教団のみに適用されている「狙い撃ち」立法といえるが、形式上は「無差別大量殺人行為を行った団体」すべてを対象としている。こうした立法技術の工夫もあり、処分的法律の憲法的許容性を裁判所が正面から論じることは少ない。名城大学の内紛解決のみを目的とする限時法「学校法人紛争の調停等に関する法律」の合憲性が争われた事案では、法文の形式を基準に、その処分的性格をあっさりと否定している（東京地判1963・11・12）。法律の処分的性格については、法律の文言上の定義や要件だけではなく、制定過程や適用実態も踏まえて読み取る必要があるのではないか。しかし、裁判所はそうしたアプローチを否定し、立法者が唯一の団体への適用を想定していた事実は法律の処分的性格を直ちに意味しない、と判断している（東京地判2001・6・13）。

(エ) 行政組織の編成　行政の組織や事務の編成に法律の定めは必要だろうか。侵害留保説に立てば、行政組織編成は国民の権利義務の変動に直結しないので、法律事項ではないという解釈も可能である。他方、法律の一般性・抽象性を重視すれば、行政組織編成も法律事項に含まれよう。ただし、国家行政組織法のような通則法形式を超えて、例えば内閣府設置法のように個別の省庁の設置を法律で定めることは、法律の一般性・抽象性に反しかねない。しかし、個別の省庁設置にも法律を求める解釈の方が、国会中心主義により適合的だともいえる。この点で有益な解を提供するのが、国家作用の本質部分の決定は必ず国会が行うという考え方（重要事項留保説）である。この説によれば、行政組織編成は国家作用の本質部分であるから、各省庁には個別の設置法が必要となる。現行法は、省・委員会・庁の設置や所掌事務について、法律の定めを求めているが（国家行政組織法3・4条）、官房や部局等の編成は政令・省令への委任事項とされており（同7条）、重要事項の法定という観点からは不十分なものにとどまる。

ⅱ）　国会中心立法の原則

(ア)　行政立法の憲法適合性　国会が唯一の立法機関である以上、立法を国会以外の機関が定立することは、憲法で特別の定め（すなわち国会各院と最高裁判所が制定する規則〔58条2項・77条1項〕）がないかぎり、許さ

れない（国会中心立法の原則）。したがって、旧憲法では認められていた代行命令（緊急勅令）や独立命令のような法律の根拠がない行政立法は違憲である。行政機関の命令（政令、府省令、外局規則、会計検査院・人事院または行政委員会が発する規則）は、73条6号を根拠に、①法律の施行細則を定める場合（執行命令）か、②法律が委任する場合（委任命令）のみ可能と解されている。もっとも、②の委任命令（**委任立法**ともいう）は、憲法で明示の言及があるわけではなく、同条6号但書の反対解釈から読み取りうるにすぎない。にもかかわらず委任命令合憲説が支配的なのは、高度な専門性と柔軟で機動的な対応が必要な現代的諸課題には議会よりも行政部門＝官僚の方が適しているという判断があるからだろう。しかし、委任立法の増加（政令・府省令の数は年間1500〜2000本に及ぶ）と委任内容の包括化が41条の形骸化をもたらしている現状は、望ましいことではない。それゆえ、(イ)委任立法の法的な限界を明確にするのと同時に、(ウ)制定された委任立法を議会が実効的にコントロールすることが、重要な課題となっている。

　(イ)　**委任立法の限界**　委任命令を明文で認める憲法では、委任の範囲に制約を設ける場合も多い（イタリア憲法76条は委任の期間や対象を法律で特定することを、ドイツ基本法80条1項は委任の内容・目的・範囲を法律で規律することを、求めている）。日本国憲法が委任命令を許容すると解した場合でも、委任の目的や範囲を法律で特定していない包括的委任（白紙的委任）は許されないと考えられている。それゆえ、国家公務員法102条1項の委任の仕方の違憲性が指摘されてきた。同項は公務員に禁止される「政治的行為」の内容を人事院規則14-7に丸投げし、規則14-7が掲げた行為に懲戒処分と刑事罰を連動させるという（国公82条・110条1項19号）、明らかな白紙的委任の規定だからである。それにもかかわらず同項を合憲と解した判例（最大判1974・11・6〔猿払事件〕。犯罪構成要件を包括的に委任する点を違憲とする反対意見あり）に対しては、批判が強い。

　＊国公法は、国会が憲法41条に違反して包括的委任を法律で行った例であるが、他方、行政機関が法律の委任内容に反する委任立法を定立する場合がある。監獄法（旧）45条の委任に基づき定めた在監者の接見制限事由の中で「14歳未満ノ者ニハ在監者ト接見ヲ為スコトヲ許サス」と定めた法務省令（監獄法施行規

則120条）は、監獄法が一律に幼年者の接見禁止を容認したとは解し難いという理由から、最高裁において違法と判断された（最判1991・7・9）。

(ウ)　委任立法の政治的・手続的コントロール　委任立法に対しては、政治的・手続的なコントロールも重要である。しかし、数も膨大で専門的な内容の委任立法について、国会が精査している様子はない。

＊この領域で範となるのが、早くは1944年に委任立法に関する特別委員会を庶民院に設けたイギリスである。多くの授権法律が委任立法の議会での事前・事後の承認を義務づけており、これを根拠に両院合同委員会を中心に政策上の当否も含めた審査が行われている（とくに貴族院の審査には定評がある）。委任立法に議会承認を留保する方式はアメリカやドイツでも採られているが、日本では見当たらない。唯一、災害対策基本法109条4項が政令に国会事後承認を求めているが、これは国会閉会中などの際に「災害緊急事態」が発生するという特殊な状況の規定である。審議会等に委任立法の諮問を義務づける法律ならば散見しうる。たとえば学校教育法3条に基づく大学設置基準（文部科学省令）の設定は、審議会への諮問を必要とする（94条）。また、原則として委任立法に意見公募手続（パブリック・コメント）を義務づける行政手続法（39条以下）も、市民による委任立法の統制として一定の意義を有する。

iii)　国会単独立法の原則
　立法が国会以外の機関の関与を必要とせず成立する点も41条の要請である（国会単独立法の原則）。旧憲法は法律の成立に天皇の裁可を求めたが（6条）、日本国憲法のもとでは、法律案は衆参両院が可決すれば法律となる（59条1項も参照）。形式上は主任の国務大臣の署名と内閣総理大臣の連署（74条）および天皇による公布（7条1号）を経るが、仮にこれらの手続が欠けても法律の効力に影響はない。住民投票を必要とする地方特別法（95条→第6節2(3)・262頁）は、単独立法原則の憲法上の例外である。

＊内閣法5条が認める内閣の法案提出については、憲法72条が認める内閣総理大臣の議案提出権の一内容と考えられるので、国会単独立法の原則に反しないと一般に解されている。これを違憲とする有力少数説もあるが、内閣が求める法案を与党議員に依頼して議会に提出する手法（依頼立法）を用いれば実質上は大差ない（占領期に米国の勧告を受けて依頼立法形式を採った時期もあった

が、手続が煩雑で定着しなかった)。

　現在、成立した法律案の約9割は内閣提出法案（閣法）である。議院内閣制のもとでは当然の現象だという見方もあるが、やはり法案作成は議員の存在理由にかかわる重要任務というべきである。とくに野党や個々の議員にとって議員立法は、閣法が取り上げない問題の解決策の提示や閣法への対案の提示を意味し、自己の政策能力を示す機会でもある。こうした観点から、個々の議員や少数会派の手による議員立法の活性化が追求されるべきである。しかし、現行では議案提出に衆議院は20人以上（予算を伴う場合は50人以上）、参議院は10人以上（同20人以上）の議員の賛成が必要で（国会56条1項）、さらに衆議院には所属会派の承認なしには議案を提出できない慣行（機関承認原則）もあり、そのハードルは高い。

　＊2000年代以降、議員提出法案の成立件数は若干ながら増加している。特定非営利活動促進法（1998年）、児童虐待防止法（2000年）、ストーカー規制法（2000年）、性同一性障害者特例法（2003年）、自殺対策基本法（2006年）、C型肝炎被害者救済法（2008年）、原発事故子ども・被災者支援法（2012年）、いじめ防止対策推進法（2013年）など時事的な課題への積極的な対応例もみられる。

(3)　国会の構成と活動
　ⅰ）　二院制（両院制）
　(ア)　歴史的沿革と類型　　国会は、衆議院と参議院の二院で構成される（42条）。二院制の由来は身分制議会である。その名残りとして、貴族と庶民とで議院を分離するイギリス議会がある。大日本帝国憲法も貴族院／衆議院の二院制だった。上院としての貴族院は、民選の下院を牽制する保守的・反民主的な役割を担う（ただし、現在のイギリスの貴族院は任命議員を中心とする権限の弱い機関に改編されており、かつてのイメージとは遠い存在である）。他方、連邦制国家では、諸国家の連合体という性格上、中央政府の意思決定に各州が関与する上院の設置が一般的である。
　(イ)「多角的な民意の反映」と「熟議の保障」　　連邦制の国家と異なり、日本のような民主制の単一国家では、二院制は不可欠のものではない。実際、人口規模の小さい国では一院制が多い。GHQ案も一院制を予定して

いた。しかし、民主制単一国家においても二院制の効用は確認できる。まず、異なる構成・異なる選挙制度を通じて多角的な民意で国会を構成できる（効用①＝多角的な民意の反映）。加えて、第一院の拙速な決定に再考を促し立法過程での熟議を担保しうる（効用②＝熟議の保障）。憲法は、効用①の観点から、衆議院4年、参議院6年（3年ごとの半数改選）という異なる任期を定めた（45条・46条）。その結果、首相や与党の都合で実施されがちな衆議院の解散総選挙とは異なり（→3(5)・241頁）、解散のない参議院で3年ごとに必ず行われる通常選挙はその時点での与党への批判が直截に議席結果に現れる傾向がみられる。現行の衆議院が民意の正確な反映の困難な小選挙区制中心の選挙制度を採用しているだけに（→第3節2・178頁）、総選挙で示される「民意」とは別の「もう一つの民意」が通常選挙を通じて確認される意義は小さくない。衆参同日選挙により両院の与野党関係を意図的に合致させる手法は、効用①の観点からは問題がある。

　㈦　両院間の調整　憲法が、両院の与野党関係が異なる事態を想定している以上、両院の意思の不一致の場合の調整のシステムを設けたうえで、構成と任期のうえで民主的正統性のより高い議院に最終的な決定権を留保させねばならない。衆議院と参議院の意見対立の調整は以下の①〜④のとおり制度化されており、これらの調整過程が立法過程での熟議（二院制の効用②）を担保している。

　①衆議院の専権事項　衆議院の専権事項として、内閣不信任決議（69条）、予算の先議（60条1項）がある。参議院が行う大臣に対する問責決議には法的拘束力はないものの、問責を受けた大臣が参議院に出席するのは慣行上困難なので、政治的に辞職を強いる効果はある。

　②衆議院の意思の優越　内閣総理大臣の指名（67条2項）、予算の議決（60条2項）、条約の承認（61条）については、衆議院の意思が優越する。内閣総理大臣指名については衆議院の指名後10日以内、予算と条約については参議院送付後30日以内に参議院が指名・議決をしないときも、衆議院の意思が優越する。法律については、衆議院が可決した法律案を参議院が否決した場合でも、衆議院の出席議員の3分の2以上の再可決で成立する（59条2項）。参議院送付後60日以内に議決をしない場合は、参議院が法案を否決したとみなされる（同4項）。

　③両院協議会　最終的に衆議院の意思が優位するとしても、できるか

ぎり両院一致による決定が望ましい。そこで、憲法は、両院協議会という調整の場を制度化した。内閣総理大臣の指名、予算の議決、条約の承認については、必ず協議会を開催しなければならない（67条2項・60条2項・61条）。しかし、法律案の不一致については、衆議院の側から協議会開催を「求めることを妨げない」とするにとどまる（59条3項）。

④その他の事項での両院の対等　憲法改正の発議（96条）など、上記の衆議院の優越事項以外は、両院は対等である。

(エ)　参議院の緊急集会　参議院独自の制度に緊急集会がある。衆議院解散と同時に参議院は閉会となるが、「国に緊急の必要あるとき」に内閣は参議院の集会を求めうる（54条2項）。ただし、緊急集会が講じた措置は、総選挙後に召集された衆議院の同意がなければ失効する（同3項）。

コラム
参議院の運用史と改革論議

　任期の長い任期の参議院に対して、その時々の民意からも一定の距離をおく「理性の府」を期待する向きがある。実際、発足当初の参議院は、政党無所属議員で成る会派「緑風会」が最大多数を占め、参議院から閣僚を出さないなど、政府与党と一線を画す議院運営を試みた。だが、「55年体制」の確立後は参議院の政党化が進み、会派勢力上も投票行動上も衆議院との相違は小さくなる（「衆議院のカーボン・コピー」化）。そうした現状を背景に、「参議院の独自性の発揮」という方向での改革が論じられるようになる。そこには、①人事や文部政策などを参議院の専権ないし優越事項にして「権限上の独自性」を追求する、②自治体推薦議員や任命議員の導入で「構成上の独自性」を追求する、③「議事運営での独自性」を追求する、など多様なレベルの提案がある。③の中には実現例もあるが（決算委員会〔国会41条2項〕や「国政の基本的事項に関し、長期的かつ総合的な調査を行う」調査会〔同54条の2第1項〕の設置、押しボタン式投票の導入など）、①や②になると憲法改正をともなう統治構造の改編が必要なものが多く、コンセンサスも形成されていない。

　そうした制度改革とは異なる次元で参議院の政治的地位が高まるのは、1989年以降、自民党が参議院で過半数割れの状態が続くようになってからのことである。参議院否決法案の再可決に必要な3分の2の多数を衆議院で単独政党が占めるのは実際にはかなり困難なため、自民党は安定した参議院運営のために公明党など他党との連立を重視し、結果として自民党内

での参議院議員の発言力が上昇した。2007年通常選挙では民主党中心の野党が参議院で過半数を占め、衆議院と参議院で多数派が異なる、いわゆる「ねじれ国会」状態が生ずる。自公連立与党は衆議院で3分の2を確保していたが、参議院が否決しなければ再可決できないので、野党は「みなし否決」(59条4項)となるまでの60日間は法案を放置して、限時法や単年度法律(「日切れ法案」)を一時的にでも失効させることができた。こうして参議院は、日銀総裁人事を不同意としたり、期限切れとなるテロ特措法の後継法案を否決するなど、与党を苦しめた。もっとも2010年通常選挙では、09年に政権に就いた民主党が参議院で過半数を割り、攻守逆転する。民主党は衆議院で3分の2を確保していなかったため再可決手続も使えず、政権運営は行き詰まった(2013年通常選挙後に「ねじれ」は解消)。

　このような「強い参議院」の存在を、政府＝衆議院多数派による迅速な政策決定の阻害要因とみて、再議決要件緩和をはじめとする権限縮小論もみられる。しかし、熟議の保障という二院制の趣旨(上述ⅱ)の効用②)に照らせば、両院間の意思の不一致も、憲法が用意する調整システム(上述ⅲ)参照)が機能するかぎり、正常な憲法の運用内である。3年ごとの通常選挙の結果が内閣の存立や政策決定を左右する点も、参議院がもつ政府＝衆議院多数派に対する事実上のコントロール機能の発揮といえる。

ⅱ) 国会の権限

(ア) 憲法上の権限　　憲法は、①法律の制定・改廃(41条・59条)の他、以下のような国政上重要な権限を国会に付与する。②憲法改正の発議(96条1項)、③内閣総理大臣の指名(67条1項)、④条約の承認(61条・73条3号但書)、⑤裁判官罷免の弾劾裁判(64条)、⑥財政の統制(83〜91条)。以下(イ)では、④の条約承認について説明する(→②は第1部6章3節1(2)・134頁、⑤は第3章1節4(3)・288頁、⑥は第5節・245頁)。

＊これらの憲法が付与する権限に加えて、国会は行政の諸活動への同意権・承認権を法律で自らに付与できる。例として、自衛隊の防衛出動・治安出動(自衛隊76・78条)や緊急事態や災害緊急事態の布告(警察法74条、災害対策基本法106条)に対する国会の承認、会計検査官(会計検査院法4条)、人事官(国公5条)、日本銀行総裁(日本銀行法23条)等の人事への同意などがある。これらの権限は両院対等である。

　議院の決議は、法的な効力はないが、国民代表の意思表示として政治的に重要である(参議院の大臣問責決議について→3(4)・240頁)。強い反対の中で成

立した法律の場合、法案を審議した委員会は、法の運用上の配慮や将来的な見直しを内容とする附帯決議をなして、野党との妥協をはかる場合もある。

　(イ)　条約承認権　　外交関係の処理は内閣の職権に属し（73条2号）、条約の締結も内閣が行うが、「但し、事前に、時宜によつては事後に、国会の承認を経ることを必要とする」（73条3号）。歴史的に外交は国王の専権であり、現在でも外交や条約締結を執行権に帰属させている憲法が多い。外交に求められる秘密性・柔軟性がその理由とされるが、沖縄返還の際の日米間密約のように国民に秘密で政府が外交交渉を進めることの弊害を考えれば、外交も国会のコントロールを通じて国民の注視と批判のもとにおかれる必要がある（72条が内閣の国会への報告義務事項として「外交関係」を特記するのも、この趣旨である）。こうして、現代の立憲主義国では、条約締結手続に議会を関与させることが一般的である。

　73条3号の「条約」は文書による国家間の合意と広くとらえられており、「協定」「議定書」「憲章」なども国会承認を必要とする。しかし、条約施行のための細目や条約の委任に基づく個別の取決め（行政協定や交換公文）は73条2号の外交処理の範囲であって「条約」ではないので、国会承認は必要ないと解されてきた。しかし、取決めが条約の重要部分を成す場合があり、両者を形式のみで区分すべきではない。旧日米安保条約3条は、米軍配備の条件を日米政府間の行政協定に包括的に委任していたが、同条に基づく行政協定は国会承認手続を経ずに結ばれた。この協定の合憲性が争点になった砂川事件において、最高裁は、国会承認を求める決議案が衆参両院で否決された事実も援用しながら、安保条約自体が国会で承認されているのだから協定への国会承認は不要だとする政府の立場を肯定した（最大判1959・12・16）。ただし、現行安保条約6条に基づく協定（地位協定）については、国会承認の手続がとられている。

　条約は、確定（批准が必要な条約は批准時、そうでない条約は全権委任の署名調印時）前の国会承認が原則なので、不承認となれば締結手続はストップし、条約は不成立となる。しかし、73条3号は「時宜によつて」つまり、やむを得ない場合の事後承認を認めているので、すでに確定した条約を事後に国会が不承認とする可能性もある。この場合、条約の効力はどうなるだろうか。「条約法に関するウィーン条約」は、条約締結の国内法上のル

ール違反を理由に条約の無効を主張できないとしつつも、「但し、違反が明白であり基本的な重要性を有する国内法の規則にかかるものである場合には、この限りではない」と述べている（46条1項）。条約の国会承認は日本国憲法の明文上の要請であり、それを欠く場合の瑕疵は明白であるから、国会不承認の条約は無効と解する余地は十分にある。

ⅲ）議会運営の諸原則

(ア) 国会の召集　　国会は毎年必ず召集されなければならない（52条）。これを常会（通常国会）と呼ぶ。その他に、総選挙後30日以内に召集される特別会（54条1項）、さらに臨時会（53条）が予定されている。臨時会の召集は内閣が決定するが（53条前段。他に国会法2条の3の義務的召集もある）、「いづれかの議院の総議員の4分の1の要求」に基づく召集の決定を内閣に義務づけることで（同後段）、国会内少数派にも召集のイニシアティブを認めている。53条には召集要求の場合の召集時期の定めはないが、53条の制度趣旨上、遅滞ない召集が求められる（那覇地判2020・6・10、広島高岡山支判2022・1・27参照）。召集要求に内閣が従わない例もみられるが（2015年10月21日の召集要求書の場合など）、明白に違憲といえよう。

(イ) 会期制　　国会法68条は、会期中に議決に至らない案件を後会に継続しない原則（会期不継続原則）を採る。会期不継続原則については、野党に審議引延しのインセンティブを与え、迅速な立法活動を妨げているという批判もある。しかし、廃案を回避したい与党の政治的妥協を促し、多数派による拙速な法案審議を抑制する点は、むしろ、この原則のメリットといえよう。同じく迅速な立法活動という観点から通年国会制導入の主張もあるが、しかし常会の他に臨時会の定めがあることから、憲法は通年制を予定していないと解される。

ⅳ）国務大臣の議院への出席

憲法63条は、内閣総理大臣その他の国務大臣に対して、発言のための議院（本会議・委員会）への出席権を認める一方、「答弁又は説明のため出席を求められたときは、出席しなければならない」と定める。国会に対する内閣の「責任」（66条3項）には応答責任・説明責任が含まれているのであり（→3⑷・240頁参照）、63条の出席義務はこれらの責任を大臣にまっとうさせ、国会の政府統制を実質化する手段である。それゆえ大臣には単に議場への出席にとどまらず、そこでの質疑・質問への誠実な答弁の義務

も負う。

＊大日本帝国憲法は「政府委員」の資格で官僚の議院出席を保障していたが（54条）、現憲法には同様の定めはない。行政権行使に関する責任は内閣が負う以上、その構成員である国務大臣による答弁が原則とされたといえる。しかし現憲法下でも政府委員制度は継承され（国会法旧69条）、ようやく1999年に廃止された。現在でも副大臣・大臣政務官（慣例上、国会議員が就く）や政府特別補佐人（人事院総裁や内閣法制局長官などに限定される）による答弁が予定されており（国会法69条）、さらに政府参考人（衆議院規則45条の2など）の資格で省の局長や審議官が説明に当たる場合もある。行政の専門的・技術的な質問・質疑の場合には、こうした運用に合理性も認められるが、最終的な説明責任は国務大臣が負うべきであろう。政府特別補佐人や政府参考人も、国務大臣の補佐する立場で質疑を受けるのであるから、国務大臣と同様に誠実答弁義務を負う。

ⅴ）議院の自律権

議院活動の独立性のためには、行政部門・司法部門の影響排除はもちろん、国会の他の院の関与を受けずに自己の組織や運営について決めうることが必要である。ゆえに議院自律の発想は、近代議会制の基本原則とされてきた。憲法上、議院の自律事項として認められたものに、①議院規則の制定（58条2項）、②役員の選任（58条1項）、③院所属議員の資格争訟（55条）、④院所属議員の釈放請求（50条）、⑤院所属議員の懲罰（58条2項）、⑥国政調査権の行使（62条）がある。しかし、現行では議院の組織・運営の重要部分が法律（国会法）で規律されており、立法権限の点で劣位する参議院の自律性が害されるおそれが指摘されている。

ⅵ）国政調査権

(ｱ) 国政調査権の意義と内容　議会および議院が国政の中心的役割を果たすためには、必要な情報の正確な入手が不可欠である。議会制の発展の過程で、他の機関から独立し、必要に応じて法的強制力をともなう調査権は、議院に不可欠の権限として定着した。**国政調査**を契機として、国民が政治的に重要な事実を知る場合も少なくない。こうした国民への情報提供も、国政調査の役割である。憲法62条は、両院に「国政に関する調査を行ひ、これに関して、証人の出頭及び証言並びに記録の提出を要求する」

権限を認めた。国会法では、議員の派遣、内閣・官公署に対する記録・報告提出要求、会計検査院への報告要求などが規定されている（国会103～105条）。より強力な調査手法として議院証言法の証人喚問があり、そこでの偽証や不出頭・証言拒絶は処罰される（同6・7条）。

　(イ)　**国政調査権の性格**　国政調査権の性格をめぐって、立法や予算審議を補助する権能と解する説（補助的権能説）と、立法とは別個の国政統括の権能と解する説（独立権能説）との対立がある。1949年の参議院と最高裁の意見対立（→2(1)・212頁）は、41条前段解釈の対立であると同時に、具体的には国政調査権の対象範囲をめぐる対立であった。参議院法務委員会は、統括機関説を背景にしつつ、国政調査権を「国政全般にわたって調査できる独立の権能」と理解し、裁判の内容に関する調査批判を正当化した。これに対し最高裁は、国政調査を立法や予算審議に「必要な資料を収集するための補助的権限」ととらえ、個々の裁判の事実認定や量刑への批判は、この権限の範囲を逸脱し司法権の独立を侵害すると非難した。憲法制定当時の議院の調査活動は活発で、不正や汚職事件の追求で国会の存在感を示したのも事実である。だが他方、証人を自殺に追い込むような喚問もみられ、適切な調査のあり方が問われた。1950年代の米国でも、連邦議会非米活動調査委員会を舞台として公務員や市民の思想調査が国政調査の名で行われている（いわゆるマッカーシー旋風）。補助的権能説が通説となった背景には、このような調査権濫用の教訓があったのである。

　(ウ)　**国政調査権の及ぶ範囲**　ところが、1955年以降の自民党一党優位制の確立や参議院の政党化にともない、国政調査の行使はむしろ停滞する。1970年代前半のロッキード疑惑は議院の証人喚問の真価が問われる事案であったが、与党の抵抗で十分な成果を挙げられなかった。補助的権能説が調査活動を萎縮させ国政調査の不活性を助長していると批判されるのも、この時期のことである。もちろん、そうした負の付随効果は、補助的権能説の本意とするところではない。立法の対象は結局のところ国政全般に及ぶのであるから、たとえ立法補助の目的であっても調査の範囲はきわめて広いはずだからである。補助的権能説が警戒するのは、(a)少数派議員の抑圧、(b)裁判の独立の侵害、(c)人権侵害などをともなう調査であり、そのかぎりで以下のような限界が論じうるのである。

　①**司法権の独立**　裁判官の訴訟指揮や判決内容の当否を直接の内容と

する調査は、裁判の独立の見地から許されないとされる。この点は進行中の裁判のみならず、判決後においても同様である。しかし、立法や行政監督のための調査は、裁判に影響しないかぎり問題はない。たとえば政治資金規正法違反事件の裁判の当否を議院が調査するのは許されないが、調査目的が政治資金規正法の運用実態の把握にあり、そのために当該事件の当事者を喚問するのであれば、裁判との並行した調査であっても可能である。

②行政権との関係　行政統制が国会の重要な役割である以上、原則として行政行為のすべてに調査権は及ぶと解される。しかしながら議院証言法5条は、守秘義務を負う公務員の「職務上の秘密」について、監督庁または内閣に説明責任((a)当該公務所またはその監督庁による拒否理由の疎明、その理由で議院が受諾できない場合は、(b)証言等が「国家の重大な利益に悪影響を及ぼす旨」の内閣声明。ただし特定秘密の場合は、(b)に代えて議院の情報監視審査会への申立ても可能〔5条の2〕)を負わせることで、公務員の証言拒否を認めている。守秘義務を理由に安易に証言拒否を認めることは行政側の秘密隠蔽につながりかねないことから、5条の適用を個人のプライバシーに触れるような場面に限定することが制度の趣旨に適うだろう。

検察事務は行政権に属するが、司法の前提となる作用として司法権に準じて考えるべきであるから、捜査や訴追に影響する調査は認められない。しかし、ここでも司法権の場合と同じく、捜査と別目的の並行調査を妨げるものではない（東京地判1982・1・26は、ロッキード事件の検察の捜査に先行する議院の調査を、事件の政治的・社会的責任を明確にして運輸行政の妥当性を解明する目的であったと認定し、これを適法とした）。

③基本的人権の保障　調査対象・関係者の基本的人権（とくに思想の自由、プライバシー権、黙秘権）を侵害したり、適正手続に反するような調査は違憲である。議院証言法は証人喚問に際して議長等の許可に基づき弁護士の補佐を認めているが（1条の4）、許可を原則とすべきである。

(エ)　国政調査の活性化のために　証人喚問の決定は議院の委員会における全会一致の理事会決定を前提とする慣行があるため、実施のハードルは（議員の汚職など党派的利害にかかわる問題であれば、なおさら）高い。このような議院運営の性格上、政府・与党に不利な調査の実効性は期待できないという冷めた見方もある。しかし、議会少数派が調査の主導権を握ることができれば、そうした懸念もある程度は払拭できる。この点で一定の

意義をもつのが、衆議院議員40人以上の要請があれば衆議院調査局長や法制局長に委員会審査・調査の予備的調査を命じうる制度である（衆議院規則56条の2・56条の3）。命令を受けた調査局長・法制局長は、官公署に資料提出の協力を求めることができる。調査に強制力がない点で不満は残るものの、議会少数派にも利用しやすい制度といえる。少数派調査をさらに実効的にするためには、議員の4分の1の申立てで必ず調査委員会を設置するドイツ基本法44条のような制度が望まれる。

　案件によっては、議員以外の専門家を主体とする調査もありえる。東日本大震災にともなう福島第一原発事故の原因究明のために設置された国会事故調査委員会（2011年12月～2012年7月）では、この方式がとられた。民間委員だけで構成された同委員会は、会議をすべて動画中継し、事件当時の閣僚や東京電力役員を含む原子力行政や事故対応の責任者の参考人招致や被災地でのヒアリングを基に、政府や電力会社の責任を指摘する報告書を出した。

(4) 議員の地位

　国会議員には、3つの憲法上の特権（特典）が保障されている。これらの特権が議会の発展史と不可分であった点を理解したうえで、その現代的意義と規範的意味を確認していこう。

　ⅰ) 議員の不逮捕特権

　議員は、「法律の定める場合を除いては、国会の会期中に逮捕されず、会期前に逮捕された議員は、その議院の要求があれば、会期中これを釈放しなければならない」（50条）。これを**不逮捕特権**という。君主と議会が抗争していた時代、君主は警察・司法を利用して反王党派議員を逮捕して排除した。その教訓から、近代憲法は議員の逮捕を制約しようとした。現在の日本でも「国策捜査」と呼ばれるような検察の不当または強引な捜査・訴追がみられる以上、不逮捕特権の意義は失われていない。しかし他方、不逮捕特権が収賄や脱税など容疑のある議員に対する捜査・訴追の妨げとなる場面もあり、その適正な運用が課題であるといえよう。

　50条の「逮捕」は、刑事訴訟法上の逮捕・勾引・勾留のみならず、警察官職務執行法上の保護措置（3条）や精神保健福祉法上の保護拘束（29条）なども含めて、公権力による身体拘束一般を広く意味する。50条を受けて

国会法は、逮捕に所属議院の許諾を要求するが、ただし例外として「院外における現行犯罪」には許諾なしで逮捕を認めている（国会33条）。不逮捕特権の趣旨を、①議員個人の身体と職務執行の保障と解する説と、②全体としての議院の活動の保障と解する説とがあるが、50条は両説の趣旨を共に含むと考えて差し支えない。

> ＊両説の対立に実益があるのは、逮捕許諾の際に勾留期限などの条件を付すことの当否を論じる場面である。不逮捕特権の趣旨を前述①と考えれば、逮捕が正当であると議院が判断した以上、これに期限を付すのは特権の濫用である（この立場から東京地決1954・3・6は、衆議院が逮捕許諾に付した期限を無効として勾留を継続した）。他方、②と考えれば、議長や委員長などの要職にある議員の逮捕には議院運営の観点から条件を付すことも正当化されよう。

ⅱ）議員の免責特権

免責特権とは、議員が「議院で行つた演説、討論又は表決について、院外で責任を問われない」（51条）特権のことをいう。議員の発言や政治行動の自由を公権力からも有権者からも確保する免責特権は、近代議会制における自由委任の原則を担保する重要な憲法原則とされてきた。その意味で古典的な純粋代表観に由来する特権であるが、半代表・社会学的代表に基づく現代型の代表観（→第2節1・157頁）のもとでも、国会における議員の発言・行動を保障するという点では、免責特権の意義は低下していない。しかしながら、免責の意味については、これを法的責任に限定するのが現在の通説となっている。したがって、51条が認める免責とは、①損害賠償のような民事責任、②名誉毀損罪のような刑事責任、③議員が弁護士の場合の弁護士法上の懲戒責任や、国会法39条但書が認める内閣・行政各部の委員や参与を兼職する場合の公務員法上の懲戒責任にとどまる。他方、造反表決などを理由とする政党その他の所属組織による処分は、政治責任の追求と解されるので、51条の保障は及ばない。

他方、法的免責の及ぶ場面については、拡大的に解されてきた。すなわち、51条の「議院」は、本会議、委員会、両院協議会のみならず、地方公聴会なども含む概念と解されている。「演説、討論又は表決」の意味も、議員の職務のみならず職務に付随する行為全般と広く解されてきた。さす

がに職務行為とまったく無関係な野次や私語は保障の範囲外とみられているが、この場合でも法的責任を問うよりは、議院の自律権に基づく懲罰をもって処理した方がよいだろう。

> ＊地方議会議員の免責特権は否定説が有力である（最大判1967・5・24）。国会とは組織原理が異なる地方議会に、一般国民にはない特権を憲法の明文根拠もなしに認めるべきでないというのが理由である。しかし、免責特権を議会活動に必須な要素と解するならば、国会議員と地方議員で差異を設ける理由は（住民に近い地方議会では命令委任原理が妥当するというなら格別）見当たらないのではなかろうか。

　免責特権に憲法的意義があるといっても、議員の発言により私人が名誉毀損やプライバシー侵害を被った場合になんらの法的責任も問えないというのは、私人にとって酷である。考えうる救済としては、議員の発言を公務員の職務上の行為と解し、国家賠償法に基づき国の賠償責任を追及する方法がある。判例は、議員活動を投票のように多数決原理による「統一的な国家意思形成」そのものと質疑のように「国家意思の形成に向けられた行為」とに分け、後者のみに国家賠償責任の可能性を認めるが、その要件として、議員が「職務とは無関係に個別の国民の権利を侵害することを目的とするような」免責特権の趣旨に「明らかに背」く「特別の事情」の存在という、かなり高いハードルを課している（最判1997・9・9）。

　ⅲ）議員の歳費受給権　　49条は、「相当額」の歳費受給を議員に保障する。中世の身分制議会の議員は、訓令を発する選出母体から報酬を受けていた。それゆえ、選出母体からの議員の独立を目指した近代議会制が無報酬制を採用したのは、論理として説明がつく。だが同時に、それは無報酬でも議員活動が可能な富裕階級による議会支配を反映したものであった。歳費制は、労働者階級の議会進出に欠かせないものだったのである（下院議員の歳費が定着したのは、フランスでは1875年、英国では1911年以降である）。

> ＊国会議員の歳費は一般職国家公務員の最高の給料額を下回らない額が保障され（国会35条）、その他に期末手当、退職金、文書通信交通滞在費（月額100万円）、JR乗車券・国内航空券などが支給される。他に立法事務費（月65万円）

や秘書2名・政策担当秘書1名の給与などが国費で賄われる。歳費や諸手当が「相当額」かは、財政事情や国民所得水準などに照らして、常に検証が必要であろう。しかし、歳費受給権の憲法的沿革からして、制度趣旨を損なうほどの大幅な削減は許容されない。

3　内閣

ここでは、内閣を頂点とする行政機構に関する憲法上の争点を扱う。

(1)　内閣が行使する「行政権」の意味

ⅰ）控除説

「行政権」(65条) の定義については、「国家作用から立法と司法を除いた作用」とする控除説が有力である（その中にも、国家作用全般から控除する説と、「国民に対する作用」から控除する説がある）。〈すべての国家作用−立法・司法＝行政〉という「引き算」の発想は、かつて君主に集中していた国家権力が、次第に司法作用が裁判所へ、立法作用が議会へと移る憲法史的沿革にも対応している。だが、「引き算」の結果として執行部門の手元に残る作用が何なのかが明らかでないため、結局、行政部門は広範な作用を行使できることになりかねない。そのため、控除説は「官僚支配」の擁護論だという批判もなされてきた（→ 2(1)・212頁）。にもかかわらず、行政部門の多種多様な諸活動を網羅的に言い尽くすことは難しく、控除説に優るような定義も長らく案出されてこなかった。

ⅱ）法律執行説と執政説

しかし、近年ではふたつの新見解が注目されている。

ひとつは、国家作用を「法の定立」と「法の執行」の観点からとらえ直し、国会の定立する法律の執行こそが65条が内閣に付与した「行政権」の内容だと説明する見解である（法律執行説）。たしかに、このように解すれば、控除説の曖昧さは克服できそうである。

もうひとつの見解は、控除説の難点は行政の限界が不確定な点にあるのではなく、むしろ行政＝法律の執行のイメージに囚われすぎ、現実の執行部門とりわけ内閣が果たしている国家指導的な作用を把握し尽くせていない点にあるのだと考える。そして、この立場は、65条が内閣に付与した

「行政権」を「執政」作用と理解する（執政説）。この場合の「執政」とは国家全般に対する能動的な指導・決定の作用（execution）を意味し、「行政各部」（72条）＝官僚組織が行う単なる「法律の誠実な執行」（73条１号前段）とは異なる。執政は、裁判統制に拘束された「法律に基づく行政」の原理には馴染まない、きわめて広範な裁量をともなう作用なのである。日本国憲法の英訳が65条の「行政権」を"executive power"、72条の「行政各部」を"administrative branches"と使い分けている点からも、「執政」と「法律の執行」とは区別されるべきだというのである（ただし内閣の執政権の根拠を73条１号後段の「国務の総理」に求める説もある）。

＊執政説は、控除説が直視してこなかった国家指導的な作用を可視化させた。しかし、その「執政」の内実が曖昧なままだと、執政説は控除説以上に執行部門優位の議論になりかねない。そうならないために、「執政」の内容を明確にして法的・政治的な統制の見通しを示すことが求められる。まず、執政概念から戦前の天皇が有していた統帥大権や非常大権に類する作用を読み取る解釈は（どちらにせよ９条によって軍事的な「執政」作用は禁止されているとしても）、日本国憲法の立憲主義的運用を根本的に動揺させかねないので採ることはできない。では、現行法が規定する緊急事態の権限（たとえば災害対策法上の緊急災害対策本部長としての内閣総理大臣の権限）を執政概念で説明することは妥当だろうか。もしも「災害対策の指揮は執政作用だから政令への『白紙委任』も可能だ」などという解釈を導くのであれば、執政説は国会中心主義とは相性の悪い説ということになろう。大規模災害時の内閣や総理大臣の判断が指導・決定の性格を帯びることは否定できないにしても、個別の法律が内閣や総理大臣の裁量判断をどこまで認めているかを問う従来型の思考方法で不都合はない。

　より穏健な執政説が想定する執政作用は、予算作成、条約締結をはじめとする外交関係の処理、法律案提出、議会解散などである。憲法の明文根拠がない法律案提出や衆議院解散が内閣の権限であることを説明するために、執政は便利な概念である。もっとも、内閣の法案提出権は72条の議案提出権で説明がつくし（→２(2)ⅱ・217頁）、内閣の衆議院解散権を65条の控除説で基礎づける試みは支持を得ておらず、その点は執政説を用いても変わらないであろう（→(5)・241頁）。残るは条約締結や予算編成などの73条で列挙する権限を執政と呼ぶかどうかであるが、これは「言葉の趣味の問題」といえそうである。なるほど事実認識として、条約締結や予算編成は高度な政治判断と総合調整を必要とする作業である。実際には、「法律の誠実な執行」の際ですら、内閣やその指揮監督下の行政各部は一定の政策判断をしている。しかし、そうした事実から、「内閣に法律の根拠が不要な作用や裁判所の審査が及ばない作用を内閣に帰属

| させた」などという解釈が当然に導かれるわけではない。

　とはいえ、執政説だから内閣優位の擁護論で、法律執行説だから国会優位を意識した議論だと単純化することはできない。執政説のなかにも、国会＝「国権の最高機関」（41条）と内閣＝「国務の総理」（73条）というふたつの憲法規定を手がかりに、国会と内閣との執政作用の分有を読み取る説もあり（協働執政説）、国会の役割を軽視しているわけではない。他方、法律執行説も法律執行にともなう政治的指導性は肯定しており、内閣や行政各部の裁量縮減に直結する議論には必ずしもなっていない。その限りで、法律執行説と執政権説との違いは実は相対的なものという見方もできる。それでも、上述のような執政概念にともなうリスクと比較すれば、法律執行説の方が無難だといえる。ただし、条文の配置の点でいえば、憲法第4章の冒頭におかれた65条を「法律の執行」に特化する解釈は、73条で再度「法律の誠実な執行」が登場し、条約締結権や予算提出権などと並置されていることからして、不自然さが残る。ここはシンプルに、65条の「行政権」を「憲法が明文で内閣に付与した権限（→(2)iv・235頁）の総称」ととらえても、不都合はなかろう。

(2) **内閣と内閣総理大臣（首相）**

　ⅰ）　大日本帝国憲法における内閣と内閣総理大臣
　大日本帝国憲法下の内閣は、官制大権をもつ天皇の勅令（1889年の内閣官制）を根拠とし、憲法で明記された機関ではなかった。それは、各大臣が任命者である天皇をそれぞれに輔弼し、かつ天皇に対して単独で責任を負う（大日本帝国憲法55条）体制であり、一体性の弱い合議体にとどまった。「各大臣ノ首班」であった「内閣総理大臣」（内閣官制2条）は「同輩中の首席」にすぎず、閣内での指導力には限界があった。とくに軍機軍令に関する帷幄上奏権（内閣官制7条）を有する陸海の軍部大臣は閣内での強力な発言権を（軍部大臣現役武官制が採られた時期はとくに）確保していた。この単独輔弼制による内閣の一体性の無さが、大正デモクラシー期の責任内閣・政党内閣のもとにおいても、議会による政府への責任追及を不十分なものにする要因になった（→第1部3章1節2(2)・43頁、3(1)・45頁）。

ⅱ）　合議体指向の首長主義

これに対して日本国憲法は、①「内閣総理大臣及びその他の国務大臣」で組織される内閣を憲法上明記したこと（66条）、②内閣を代表し、行政各部を指揮監督する「内閣総理大臣」の地位を明確にしたこと（72条）、③国会に対する内閣の連帯責任を明確にしたこと（66条3項）などを通じて、旧憲法下の同輩主義的な内閣運用の克服を意図して、総理大臣の首長（head）的性格を強めたと解されている。しかし、他方、65条で「行政権」と総称される諸権限の帰属主体は、あくまで合議体としての内閣である。これは憲法が「合議体指向の首長主義」の原則を採用し、「首相の専断」を許さない設計になっていることを意味する。

ⅲ）　内閣

内閣は、内閣総理大臣と国務大臣により組織される合議体である（66条2項）。国務大臣の過半数は、国会議員でなければならない（68条1項但書）。内閣法は、国務大臣の数を14人以内を原則とし、必要に応じ3名の増員を認める（内閣2条2項。さらに復興庁、大阪万博［2025年］、東京オリンピック・パラリンピック［2021年］の担当大臣をアド・ホックに設けてきたため［同附則2〜4条］近年の内閣は20人規模に達している）。大臣は原則として行政事務を分担管理するが（同3条1項）、無任所の大臣を置くこともできる（同2項）。

合議体としての内閣は、内閣総理大臣が主宰する閣議を通じて権限行使についての意思決定を行う。閣議の運営は、内閣法の定めのないかぎり、慣例に委ねられている。軽微な案件については閣議書の回覧だけで各大臣の署名を得る「持回り閣議」も行われている。従来、閣議の内容は非公開であったが、2014年4月から議事録が公開されている。

閣議運営の慣例として、旧憲法の時代からつづく全員一致原則がある。この原則については、内閣の迅速な決定の妨げになるという理由から、多数決制への変更も提唱されている（たとえば1997年の行政改革会議最終報告）。しかし、意見を同じくする全閣僚が連帯して国会に責任を負うのが66条3項の趣旨である以上、全会一致制は維持されるべきである。このように解しても、内閣総理大臣は反対する大臣の罷免によって内閣の統一は可能であり、他方、各大臣にも総理大臣の方針に従うことが自己の政治信念に反する場合の辞職の自由が留保されているのである。

ⅳ）内閣の職務権限

65条の「行政権」の内容として、まず73条が①「法律の誠実な執行」、②「国務の総理」、③外交関係の処理、④条約の締結、⑤官吏の事務の掌握、⑥予算の作成と国会への提出（→第5節3・249頁）、⑦政令の制定（→2⑵・214頁）、⑧恩赦の決定、⑨「その他一般行政事務」を挙げている。他に憲法が付与する内閣の権限として、天皇の国事行為への助言と承認（3条）、最高裁判所長官の指名（6条2項）、最高裁判所裁判官・下級裁判所裁判官の任命（79条1項・80条1項）、国会の臨時会召集（53条）、衆議院解散（69条・7条→3⑸・241頁）、参議院の緊急集会の請求（54条但書→2⑶ⅰ）(ｴ)・221頁）、予備費の支出（87条）、国会への決算の提出（90条）、国会と国民への財政状態の報告（91条）がある（→財政については第5節・245頁）。

ⅴ）内閣の補助機関

内閣を補助する機関として、以下のようなものがある。

①内閣官房（「首相官邸」）　内閣官房は、閣議事項の整理をはじめとする内閣の庶務に加え、内閣の重要政策の基本方針の企画・立案と総合調整（そのための情報収集）、行政各部の施策の統一の確保に必要な総合調整などの役割が期待されている（内閣12条）。

②内閣府　内閣府は、「内閣の重要政策に関する内閣の事務を助ける」（内閣府設置法3条1項・3項）点で内閣の補助機関であるが、同時に行政各部の施策の統一に必要な事項の企画・立案および総合調整（同4条1項に列挙）をつかさどる行政各部の側面も有する。このような特殊性から、国家行政組織法で規律される一般の省庁とは別格の扱いとなっている。主任の大臣は内閣総理大臣であり（同6条1項）、内閣官房長が事務の一般を統括する（同8条1項）。内閣府には「重要政策に関する会議」として経済財政諮問会議、総合科学技術会議、中央防災会議、および男女共同参画会議が置かれている。また、外局として公正取引委員会、国家公安委員会、個人情報保護委員会、金融庁、消費者庁などが、審議会として公文書管理委員会や地方制度調査会などが、「特別の機関」として日本学術会議などが置かれている。宮内庁も内閣府に置かれている。

③復興庁（2012年設置）とデジタル庁（2021年設置）　復興庁は東日本大震災の復興について、デジタル庁は「デジタル社会の形成」について内

閣を補助するために、それぞれ内閣に設置された（復興庁は2031年に廃止予定）。府省と同格で担当大臣も置かれているが、「主任の大臣」は内閣総理大臣である。デジタル庁については、個人情報データの一元的管理への懸念も強い中、その権限が内閣総理大臣に集中することの適切性が問われている。

　④内閣法制局　　内閣法制局は、政府提出法案や政令の立案や審査、法律問題への意見などを主な所掌事務とする（内閣法制局設置法3条）。

　⑤国家安全保障会議　　国家安全保障会議は、「わが国の安全保障に関する重要事項を審議する機関」（国家安全保障会議設置法1条）として、従来の安全保障会議を改編するかたちで2013年に設置された。内閣総理大臣を議長とし、原則として9名の大臣（首相臨時代理、総務、外務、財務、経産、国交、防衛、官房長官、国家公安委員長）を議員とする会議体であり、閣僚委員会の性格が強い。国家安全保障基本政策の策定については首相、外相、防衛相、官房長官の4大臣のみが委員であり、それ以外の事項でも集中審議の必要があると判断された場合にも4大臣での審議が可能とされており（同5条）、安全保障や外交の重要な施策が内閣すら経由せずに少数閣僚だけで決定される危険がある。事務組織として国家安全保障局が内閣官房の下に置かれている（内閣17条）。

> ＊内閣の補助機関の拡充は、1990年代後半の「行政改革」の目指すところであった。しかし、内閣官房（官房長官の下、事務担当官房副長官や官房副長官補の地位にある官僚が実権を有する）や内閣府を活用した「官邸主導」政治には弊害も目立つ。例えば、省庁幹部人事の一元管理を目的とした内閣人事局の設置（2014年）は、霞が関官僚の官邸への従属を招き、公文書改ざん・隠ぺいのような不祥事を多発させる要因となったという批判もある。

　ⅵ）　内閣総理大臣の地位と職務権限

　憲法が「合議体指向の首長主義」を採用したことを反映として、内閣総理大臣の固有の権限は国務大臣の任免（68条）に限定されている。もちろん、大臣任免権は総理大臣が首長としての指導力を発揮するための基盤であることは間違いない。しかし、①国会への議案の提出、②一般国務および外交関係についての国会への報告、③行政各部の指揮という国政上重要

な任務について、これを憲法は「内閣を代表して」総理大臣に行わせるにとどめ（72条）、本来的には内閣の権限・義務に帰属させている点に注意が必要であろう。内閣法6条が「内閣総理大臣は、閣議にかけて決定した方針に基づいて、行政各部を指揮監督する」と定めるのも、「合議体指向の首長主義」を踏まえたものである。ただし、総理大臣による行政各部の指揮監督に、常に個別の閣議決定が必要かについては争いもある。ロッキード疑獄丸紅ルート事件では、閣議決定のないまま、ロッキード社製旅客機購入を全日空に勧奨するよう運輸大臣に働きかけた田中首相（当時）の行為が贈収賄罪等の構成要件たる「職務」にあたるか否かが争点になった。裁判所は、一般論としては指揮監督には閣議決定による方針が必要だという認識を示した。しかし、一審・二審が、「航空機ジェット化・大型化の推進」という漠然とした閣議了解でも具体的な旅客機購入の指揮の根拠となると解したのに対して、最高裁は、「内閣の明示の意思に反しない限り、行政各部に対し、随時、その所掌事務について一定の方向で処理するよう指導、助言等の指示を与える権限を有する」という立場から、閣議による方針決定のない指示も総理大臣の職務行為ととらえている（最判1995・2・22）。最高裁の解釈を支持する説が有力だが、本件の争点は贈収賄罪における「職務」の範囲であるから、行政活動一般における総理大臣の指揮監督権の拡張的な解釈にただちに結びつけるべきではない。

1999年改定後の内閣法は、内閣総理大臣に「重要政策に関する基本的な方針」の発議権を明記し（内閣4条2項。ただし他の大臣による発議も妨げない〔同3項〕）、その地位と役割を強調したが、憲法の「合議体指向の首長主義」との整合性が問題になる。もっとも、法改定後の運用をみるかぎり、内閣法が期待する「首相のリーダーシップ」が発揮されるか否かは、その時々の与野党の（または与党内の）力関係や首相の政治的パーソナリティに依存するところが大きいようである。

その他、法律により内閣総理大臣に付与された多くの権限がある（たとえば、行政事件訴訟での裁判所の執行停止に対する異議〔行政事件訴訟法27条〕）。これらのうち、とくに「危機管理」対応型といえる権限については、「閣議にかけて」行うもの（災害対策基本法105条1項の災害緊急事態の布告）、「内閣を代表して」行うもの（自衛隊7条の自衛隊指揮権）、行政委員会の判断に基づくもの（警察法71条の国家公安委員会の勧告に基づく緊急事態の布

告）など、ここでも「首相の独裁」を回避する設計になっている。

 vii）　文民条項

 「内閣総理大臣その他の国務大臣は、文民でなければならない」（66条2項）。政治部門から軍を排除し、軍を政治のコントロール下におく発想（シビリアン・コントロール）は近代立憲主義の基本である。首長や閣僚ポストからの現役軍人の排除も、この趣旨に適う。しかし、そもそも日本国憲法は戦力保持を禁じているから（9条2項）、戦力を前提とする文民条項は無意味なはずである。そこで当初の学説は、憲法体制転換の過渡的規定ととらえ、元職業軍人（または、その中で特に強い軍国主義者）を排除する趣旨と解した。その後、自衛隊という軍事組織（政府説明では「実力組織」）が既成事実化する中で、自衛官を念頭に66条2項をとらえ直すようになる。もともと同項は貴族院審議段階で極東委員会の意向を受けた総司令部の要請により追加されたものである。極東委員会は、9条2項への「芦田修正」（→第1部5章2節3(1)・100頁）に日本の再軍備の思惑を読み取り、将来の軍国主義の再台頭に予防線を張ろうとしたのである。こうした制定経緯もふまえれば、自衛隊の合憲性の問題は別にして、自衛官との関係で文民条項に意味をもたせるのが妥当である。その場合、同項が退職自衛官まで排除するかについては、排除対象が広すぎるとして消極説が有力である。政府見解も現職自衛官と軍国主義思想をもつ旧軍人のみを非文民と解しており、実際に旧日本軍将校や自衛隊幹部経験者の入閣例がある。しかし、自衛隊の指揮命令に携わる幹部自衛官は退官後も非文民とする解釈が、戦争放棄・戦力不保持を掲げる日本国憲法には整合的だろう。

 viii）　内閣の総辞職

 内閣総辞職は内閣の判断による。ただし、①衆議院で内閣不信任案可決または信任案否決の場合に、10日以内に衆議院を解散しないとき（69条）、②死亡、辞職、失踪などにより内閣総理大臣が欠けたとき（70条前段）、③総選挙後に初めて国会が召集されたとき（70条後段）には必ず総辞職しなければならない（③の場合で総辞職した総理大臣が再び国会の指名を受けた場合は「第二次〇〇内閣」と呼ばれる）。総辞職した内閣は、後任の総理大臣の任命までは、職務執行内閣として、その職にとどまる（71条）。

(3) **行政各部**
　ⅰ) 　省庁
　行政各部は「主任の大臣」が分担管理する（内閣3条）。現在は1府11省1委員会体制が採られている（内閣府、国家行政組織法別表第1の掲げる省、および国家公安委員会）。省の外局として庁がおかれている（総務省の外局として消防庁、財務省の外局として国税庁など。国家行政組織法別表第1）。府省には、政治任用ポストとして副大臣（省により1～2名）および大臣政務官（省により1～3名）がおかれている（同16条・17条）。

＊自民党の長期政権下では、事務次官会議（官房長官が主宰し、官僚のトップである各省の事務次官と内閣府外局の庁長官等で構成）が慣行として開催されていた。そこでの全会一致が閣議付議の条件とされ、内閣の意思決定に大きな影響力をもった。事務次官会議は「官僚支配」の象徴とみなされ、民主党が政権に就くと廃止された。しかし、東日本大震災対応のための事務次官による被災者支援各府省連絡会議が、後に各府省連絡会議として定例化された。閣議付議の事前審査は行わないとされたが、基本的には旧制度の復活に近い。この会議は、第二次安倍内閣により次官連絡会議と改称され、現在に至っている。

　ⅱ) 　独立行政委員会
　独立行政委員会とは、①その職務遂行にかなりの独立性が認められ（法令上、行政委員会に対する内閣または府省の指揮は、「統括」より緩やかな「所轄」を行うにとどまる）、②法律に基づき準立法作用（規則の制定）・準司法作用（裁決・審決）も行使する、③合議制の行政機関である。

＊独立行政委員会制度は、上級公務員の政治任用（猟官制）の弊害が問題化した米国において、行政の政治的中立性や専門能力性の維持を期待されて発達した。日本国憲法制定直後には行政機構の民主化を推進する占領軍の指導により、多くの行政委員会が誕生する。しかし、独任制伝統の根強い日本の官僚機構との折り合いの悪さもあって定着せず、占領終了後、その多くが廃止か諮問機関への改組によって姿を消した。しかし近年、重大な運輸事故の原因究明調査や安全施策の実施勧告を行う運輸安全委員会（2008年）、原子力の安全規制を一括して担う機関として原子力規制委員会（2012年）、共通番号制の運用等を監視する個人情報保護委員会（2016年）といった新設の例がみられる。現在、行政委員会には、内閣所轄の①人事院（国公3条1項）、内閣府外局の②公正取引委員会、③国家公安委員会、④個人情報保護委員会および⑤カジノ管理委員

会（内閣府設置法64条）、総務省外局の⑥公害等調整委員会、法務省外局の⑦公安審査委員会、厚生労働省外局の⑧中央労働委員会、国土交通省外局の⑨運輸安全委員会、環境省外局の⑩原子力規制委員会（⑥〜⑩は国家行政組織法別表1で掲げられている）がある。

内閣や府省からの独立性を有する行政委員会は、行政権を内閣に帰属させた65条や行政各部の指揮監督権を総理大臣に付与した72条に反しないのだろうか。65条の文言は（国会を「唯一の立法機関」とした41条や「すべて司法権」を裁判所に帰属させた76条と異なり）あらゆる行政作用の行使までを内閣に求めてはいないだろうから、その限りでは問題はない。だが、65条の趣旨は、66条3項や72条と連動して、行政権を内閣に一元化することで国会への責任体制を明確にする点にある。それゆえ、行政委員会制度によって内閣が統制できない行政領域が生じるのは、やはり不都合にもみえる。しかし、公務員の勤務条件決定や原子力利用の規制のように政治的中立性や専門技術性を特に要する行政の場合、内閣の統制を介した国会多数派の党派的影響が及ぶのはむしろ不適当である。そうした性格の行政作用について行政委員会形式によって国会のコントロールからも距離を確保しておくことは65条や72条の趣旨に反しないし、むしろ憲法政策論として行政委員会の積極的な活用を説く余地もあろう。ただし、行政委員会の「政治的中立性」や「専門技術性」を隠れ蓑として、与党や特定の社会勢力の影響行使が不可視化される危険性もあるので、委員人事や委員会の活動に対する世論による不断のチェックが欠かせないところではある。

(4) 内閣の対国会責任

執行部門の対議会責任は議院内閣制の本質である（→1・207頁）。史的沿革として執行部門の対議会責任に先行するのは、反逆罪などで大臣の法的責任を問う弾劾（impeachment）手続である。弾劾での有罪は重罰に処されるため、大臣は自ら辞職して弾劾手続を回避するようになり、議会の問責に対する辞職が慣行化していく。

66条3項の「責任」は、弾劾による罷免や処罰のような法的責任と区別される意味で、政治責任だとされている。ただし、衆議院での内閣不信任決議に基づく内閣総辞職（69条）は、不信任の事由が法定されていない点

で政治責任といえるものの、法的責任の色彩が強い。総辞職せずに衆議院解散を選択しても、総選挙後の国会招集時には総辞職しなければならないからである（70条）。他方、各国務大臣に向けた参議院の問責は、政治責任にとどまると解されている。しかし、問責を理由に参議院が当該大臣の審議出席を拒否すれば内閣運営は行き詰まるので、大臣の罷免または辞職へと発展しがちである。とくに首相問責（福田康夫内閣、麻生内閣、野田内閣、第二次安倍内閣で可決）は、内閣の存立を左右する政治的効果を持つ。2007年～2013年の衆参「ねじれ国会」のもとで頻繁に可決された大臣問責と、それに起因する頻繁な閣僚の交代は、国会審議の停滞を有権者に印象づけた。こうした政治の不安定化を危惧してか、憲法上の根拠がない参議院の問責を違憲とする説や、問責を理由とする国務大臣の出席拒否は大臣の議院出席権（63条）を侵害するという説も有力である。参議院に内閣の対抗的解散が認められていない点も問責違憲論の根拠とされている。しかし、66条3項が衆議院ではなく「国会」を責任の名宛人にしている以上、参議院の問責を違憲と解するべきではない。問責の政治的効果に対抗する与党の策としては、衆議院での信任案可決が考えられる。

　66条3項の「責任」の究極の果たし方は総辞職であるが、日々の政治の上でも内閣には国会に対する応答責任（レスポンシビリティー）や説明責任（アカウンタビリティー）が課せられていると考えるべきであろう（63条後段。財政状況報告につき91条）。このような対国会責任を通じて、内閣は国民に対しても応答責任・説明責任を負っているのである。

(5) 　内閣不信任決議と衆議院解散

　内閣は、「衆議院で不信任の決議案を可決し、又は信任の決議案を否決したときは、十日以内に衆議院が解散されない限り、総辞職しなければならない」（69条）。衆議院の不信任に基づく総辞職は、国会に対する究極的な内閣の責任の取り方といえる。

　ただし、69条は、不信任決議への対抗として、衆議院解散を内閣に認める（参議院には解散はない）。解散とは、任期満了前に議員全員の地位を失わせる行為である。その由来は、君主や宰相に反抗的な議会への報復として、ときに議場閉鎖などの実力をもって強行される反民主的な行為であった。しかし今日の議会解散は、それにつづく総選挙を通じて、政府と議会

との衝突や世論を二分する重要な争点についての有権者の判断を仰ぐ機会を提供する民主主義に適合的な制度だと理解されている。

　問題は、内閣による衆議院解散が69条の場合（内閣不信任案可決または内閣信任案否決）に限定されるか否かである。不信任への対抗的解散以外の内閣の裁量解散は認められないという解釈（69条限定説）が、憲法の文言上は自然にみえる。にもかかわらず実際の運用をみると、日本国憲法施行から2021年までの25回の衆議院解散のうち、内閣不信任に基づく解散は4件（しかも解散詔書にその旨が明記されたのは、第1回解散のみ）だけである。残り21件の解散は、憲法上許されるものだったのか。

　政府見解や学説多数は、憲法7条を根拠に69条の場合以外の内閣の裁量による解散決定を認めてきた（69条非限定＝7条説）。天皇の国事行為（7条3号が衆議院解散を挙げている）に対して必要な「助言と承認」として内閣の判断が可能だというのである。しかし、形式的・儀礼的な天皇の国事行為に対する「助言と承認」は実質的判断を含まないという解釈をとるかぎりは（→第1部4章2節3⑴・78頁）、解散の「助言と承認」に（例外的にせよ）内閣の実質的判断を認めることはできないはずである。

　別の説は、議院内閣制の本質から解散に対する内閣の決定権を説明する。議会と政府との「抑制と均衡」は議院内閣制の本質的特徴の1つであり、日本国憲法が議院内閣制を採用する以上、「抑制と均衡」の政府側の「武器」である議会（衆議院）解散権を内閣は当然に有するのだというのである（69条非限定＝制度説）。この説に対しては、「議院内閣制の本質」に共通了解があるわけではない以上（→1⑴・207頁）、そこから一定の解釈論上の結論を導くことはできないという批判がある。「抑制と均衡」を議院内閣制の本質に含める説を採った場合でも、憲法典が裁量解散を内閣に認めていると認定できてはじめて、その国を議院内閣制に分類することができるはずである。だとすれば、「議院内閣制だから内閣に解散権がある」という論は順序がおかしいということになる。

　これら非限定説の背後には、解散の「民意確認機能」への肯定的な評価がある。しかし実際の運用では、与党（ないし党執行部）にとって政治的に有利な時期に解散が選択されることが多く、フェアな民意確認手段と言い難い面がある。民意確認の手段として総選挙を位置づけるのであれば、4年で定期的に満了する任期（満了時が与党に不利な時期と重なる場合もあ

りえる）をまっとうさせる方が適切だろう。

＊学説の論争の発端として、憲法施行初期の党利党略の色濃い解散がある。
①**第1回解散**：1948年の昭和電工疑獄事件による芦田内閣（民主党など3党連立）総辞職により政権を担当することになった民主自由党の吉田茂は、解散総選挙による勢力拡大を画策した。しかし、疑獄事件の影響で敗北必至の旧与党3党は69条限定説を盾に解散に反対し（GHQ民政局も限定説を支持）、7条説に基づく非限定説を採る政府（法制局意見）と対立する。結局、マッカーサーの斡旋もあり、48年12月、野党提出の不信任決議を与野党一致で可決させたうえでの解散に与野党は合意する（それゆえ「なれあい解散」と呼ばれている）。政治的駆引きの産物とはいえ、憲法上は摩擦の少ない決着となった。
②**第2回解散**：ところが、党内反主流派の動きに悩まされた第三次吉田内閣（自由党）は、1952年8月、反主流派の機先を制するため極秘裏に解散を決定する。まず解散詔書に吉田派閣僚6名のみが署名し、那須御用邸に滞在していた天皇の署名を得たうえで、臨時閣議により残りの大臣の署名を得るというアクロバティックな手法で解散総選挙が強行された（「抜き打ち解散」）。学説の強い批判もあったが、この解散で失職した野党議員による議員資格確認等の訴えが「統治行為論」で斥けられ（最大判1960・6・8〔第2次苫米地事件〕）、以降は7条説に基づく内閣の裁量解散が定着した。

　非限定説においても、内閣による解散決定を完全に自由とするのではなく、正当な事由が必要だという考えが有力である。この考え方に立てば、①内閣の重要法案が衆議院で否決された場合、②与党の基本政策を変更する場合、③政党分裂や新たな連立などで内閣の基本的性格が変化した場合など、総選挙が民意確認手段として実質的な意味をもつ場合に限られるべきで、そうではない党利党略・派利派略的見地からの解散は憲法の趣旨に反することになる。逆に、上記①～③のような民意を問うべき時に解散を行わない態度も、やはり憲法の制度趣旨に反することになろう。もっとも、こうした解散の実施・不実施について憲法的観点からの評価が可能だとしても、第2次苫米地事件で最高裁が解散の合憲性を判断しない立場を定着させた以上、憲法の趣旨に反する解散の排除は実務慣行の中で実現するしかないという考え方もありうる。憲法習律の形成に重要なのは権限濫用者の政治的敗北であり、正当な解散事由の有無の判断も選挙結果のかたちで有権者が裁定することになる。解散事由の点で憲法上の疑義が指摘されて

いる例として、①前述の「抜き打ち解散」の他、②もっぱら政治基盤強化のために衆参同日選挙を設定した第二次中曽根内閣による「死んだふり解散」(1986年)、③参議院での法案の否決を理由に両院協議会も開かずに衆議院を解散した点で、国会の主体性を奪ったと批判される第二次小泉内閣による「郵政解散」(2005年) などがある。だが、とくに②③の例は与党圧勝の選挙結果に終わり（①は与党敗北であったが反主流派を減らすことには成功した）、解散を制限する方向での習律形成には寄与しなかったといわざるをえない。このように習律の成立が困難であり、立法による制約も見通せない現状では、解散決定権濫用の抑制として69条限定説を再評価する余地もありえよう。

> ＊非限定説は、ウェストミンスター・モデルと呼ばれるイギリスの議院内閣制の運用を範としてきた。しかし、当のイギリスはこのモデルから離脱しつつある。2011年に制定された固定任期議会法は、下院解散を、①政府の不信任決議、②総議員3分の2以上の解散要求のいずれかの場合に限定し、首相の裁量による解散を不可能にする試みであった（ただし2022年に同法は廃止されている）。ドイツでも議会解散は信任案否決など限定的な場合にしか認められておらず、ノルウェーにいたっては解散制度が存在しない。日本の非限定的な運用は比較法的にはむしろ例外的といえる。

　学説のなかには内閣による解散決定を69条の場合に限定した上で、国会の最高機関性を根拠に衆議院の特別多数（たとえば3分の2）の賛成による自律解散を可能とする説もある（自律解散可能説）。最高裁は「抜き打ち解散」無効確認の訴を不適法として却下したが（最大判1953・4・15〔第1次苫米地事件〕）、同判決での真野裁判官補足意見は「国民代表である国会が、国民の与論に訴える必要があると考える場合に、自らの衆議院の解散を決議することはむしろ国民に対する当然の義務」としている。これに対し、学説多数は、①憲法に明文の根拠がない、②議会内少数派を脅かす、などの理由から自律解散には否定的である。

考えてみよう

1…日本国憲法の議院内閣制を民主政の全体構想のなかで把握しつつ、

「国会中心」構想と「内閣中心」構想のいずれが望ましいか、考えよ。
2…立法に抽象性・一般性を求める場合、特定の省庁や公共機関の設置法や特定の事案を対象とする特別措置法は、許容されるか。
3…衆議院解散の制度趣旨として「民意確認の手段」が挙げられるが、過去の解散総選挙は実際にそういう役割を果たしてきただろうか。事例に即して考えてみよう。

Further Readings
・高橋和之『国民内閣制の理念と運用』(有斐閣、1994年)：「国会中心」に統治機構をとらえてきた戦後憲法学に対し、「内閣中心」構想を提起した記念碑的著作。続編の同『現代立憲主義の制度構想』(有斐閣、2006年) 第1部も参照。
・杉原泰雄・只野雅人『憲法と議会制度』(法律文化社、2007年)：憲法原理としての議会制の歴史的沿革を基に現代議会の抱える憲法上の諸問題を体系的に論究する、この分野の必読書。
・山口二郎『内閣制度』(東京大学出版会、2007年)：行政学者による制度分析。日本の内閣制度の運用と学説の展開をたどった部分は、憲法解釈の学習にも参考になる。憲法学への挑戦の部分は、本書の論述と対置させて読むと面白い。

第 5 節	財政
キーワード	財政国会中心主義と財政民主主義、租税法律主義、予算、通達課税、「公の支配に属しない」の意味

　本節では、憲法第7章「財政」の諸問題を学習する。財政作用は、国や自治体の基盤であり、公権力の民主化と統制を任務とする憲法の課題そのものだと捉えることが重要である。

1　財政国会中心主義と財政民主主義

(1) 憲法史における財政
　議会主義の（さらにいえば近代憲法の）成立と発展は、国家財政の問題抜きには語れない。中世期の議会は、必要に応じて君主が封建諸侯や身分代表から徴税の同意を得る場であった。「財政権力作用」である課税に対する議会の同意権は、イギリスの場合、すでにマグナ・カルタ (1215年) で言及されており、「権利の請願」(1628年) をもって確立したといわれる。さらに、議会は君主＝執行権力が掌握する「財政管理作用」にもコントロールを及ぼそうとする。議会の財政支出承認は王政復古後のチャールズ2

世の治世下で定着するようになり、1860年代には収入と支出を統合した予算制度が実現している。他の国においても、たとえば米国の独立革命はイギリス議会による課税への不満（「代表なければ課税なし」）が出発点であったし、フランス革命も国家の財政破綻から三部会召集という経過をたどった（→第1部2章2節2(4)・27頁）。フランス人権宣言（1789年）14条は、課税の承認と財政使途の追求を「市民の権利」としている。外見的立憲主義に分類されるプロイセン憲法（1850年）でも、予算議決主義と租税法律主義が採用されていた。しかし、1860年代の宰相ビスマルクと議会との軍拡予算をめぐる対立（予算争議）は、「議会による予算案否決は憲法の想定外の事態なので、国王は憲法の規定に縛られずに財政権を行使できる」と主張するビスマルクに議会側が屈するかたちで収束し、財政に関する議会の主導権の確立には至らなかった。大日本帝国憲法も全76カ条中11カ条は財政の規定であり（第6章「会計」）、租税法律主義（62条1項）、予算議決主義（64条）、会計検査制度（72条）を採用した。しかし、そこには皇室経済自律主義（66条）、大権に基づく歳出や法律に拠る政府歳出の廃除削減に対する政府同意の留保（67条）、緊急財政処分（70条）、予算不成立の場合の前年度予算施行制（71条。これはプロイセンの予算争議の教訓から採用された）など、執行権優位の多くの例外が存在した。

(2) **財政国会中心主義と財政民主主義**

憲法第7章「財政」の総則的な意味を持つ83条は、「国の財政を処理する権限は、国会の議決に基づいて、これを行使しなければならない」と定める。上述のような憲法史の中で確立した**財政国会中心主義**が、ここに表現されている。ただし本来、国民主権が求めるのは「国民の、国民による、国民のための財政」であって、財政への国会の関与はこの要請のひとつの側面にとどまることは、91条が内閣の財政状況報告（後述4(3)）の名宛人を「国会及び国民」としている点からも読みとれる。こうした理解から、財政国会中心主義よりも広い含意を込めて、**財政民主主義**という言葉も用いられている。

＊このふたつの概念と並んで、「財政立憲主義」というコンセプトもある。財政立憲主義の本来的な意味は、「財政の内容は、国会といえども自由に決定で

きるものではなく、89条をはじめとする憲法の内容を遵守したものでなければならない」という要請をもって、財政国会中心主義・財政民主主義に一定の枠づけをなすものなのである。したがって、14条の平等原則に違反する課税や9条が禁止する「戦力」への支出は許されない。労働基本権の制約の方向で作用する（いびつな）「財政民主主義」論（最大判1977・5・4〔全逓名古屋中郵事件〕）も、財政立憲主義の観点から否定される。さらにこのコンセプトが、憲法価値の序列に即した財政行為の優先順位を要請しているととらえる余地もある。仮に「企業の経済的自由」よりも「個人の生存権」が憲法上優位すると解する場合、たとえば社会保障への優先的な予算配分が憲法上の要請として正当化できよう。

　もっとも、近時の「財政立憲主義」は、「歳入と歳出の均衡を憲法で明文化せよ」という特定の政策論の文脈で語られることが多い。これは、「なるべく税金は払いたくないが国家の財政出動には期待するのが有権者の心理であり、それになびく議員＝議会が求める際限なき歳出による財政破綻を回避するため、収支の均衡を憲法や法律で『立憲的』に歯止めをかける」という発想である。近年の欧州では財政均衡条項を憲法に挿入する国が増えており、日本の改憲論議でも同種の提案がなされている（たとえば自由民主党「日本国憲法改正草案」の「健全財政」規定）。このような意味での「財政立憲主義」は、生存権保障などの憲法上の要請と、むしろ対立する場面が出てこよう。

　83条の**財政国会中心主義**は、**租税法律主義**（84条・後述）、国費の支出・債務負担の国会の議決の必要（85条）、予算議決主義（86条）などの各条規で具体化されている。皇室財政についても、旧憲法とは異なり、国会中心主義を徹底した（88条→第1部4章2節4・83頁）。83条は、84条以下の補充的役割も果たす規定である。例えば、「公共料金は84条の『租税』ではない」という解釈を採った場合でも、83条の要請から、これらも国会の議決を要するとみるべきである。

＊財政法4条1項は、公債・借入金を歳出財源とすることを原則禁じている。安易な国債発行が軍事費の拡張を招いた戦前の反省に立つ規定であるが、将来世代への借金の歯止めの意味もある。公共事業費の国債（建設国債）のみ例外的に認められるが（同項但書）、これは道路や橋は将来世代も利用するので建設費の負担を課しても世代間の公平性は失われないと考えられるからである。しかし国の恒常的な財政難の中、1975年以降は建設国債以外の公債（いわゆる赤字国債）発行を認める特例法が常態化し、財政法4条1項は空洞化している。特例法は2012年度まで単年度法律であったが、それ以降は複数年度化されてお

り、国会の統制はますます困難になっている。

2 租税法律主義

(1) 租税

　憲法84条は、「あらたに租税を課し、又は現行の租税を変更するには、法律又は法律の定める条件によることを必要とする」と定める（租税法律主義）。ここでの「租税」とは、国や地方自治体が、その経費に充てる資金を調達する目的で国民に対して一方的・強制的に賦課し徴収する金銭を意味する。それゆえ、各種の負担金、手数料、専売品価格、公営上下水道などの独占事業の料金などは狭義の「租税」ではないと解されやすい。しかし、少なくとも強制的な賦課・徴収の点で租税類似の性格を持つ金銭給付義務には法律の定めを求めることが、83条の財政国会中心主義の要請といえるであろう。財政法3条の、「租税を除く外、国が国権に基づいて収納する課徴金及び法律上又は事実上国の独占に属する事業における専売価格若しくは事業料金については、すべて法律又は国会の議決に基づいて定めなければならない」という規定も、こうした解釈に沿うものである（同条を骨抜きにする財政法第3条特例法の合憲性が争点となってきたが、2002年の郵政事業の公社化の際に、郵政事業料金に対する国会議決は不要とされた）。最高裁は、サービスへの反対給付ではなく、要件に該当する者に一律に課す金銭給付は84条のいう租税だとする一般論を示したうえで、国民保険料には保険給付への反対給付の性格がなお残るので84条は直接には適用されないと判断した（最判2006・3・1〔旭川市国民健康保険条例事件〕。ただし同判決は、保険料方式が「強制加入とされ、保険料が強制徴収され、賦課徴収の強制の度合いにおいては租税に類似する性質を有する」場合は84条の趣旨が及ぶとも述べている）。

(2) 課税要件法定主義

　84条に基づき、少なくとも課税要件（納税義務者、課税物件、課税標準、税率など）と税の賦課・徴収手続については、法律の定めが必要である（最大判1955・3・23）。命令への委任が実務上不可避な場合であっても、他の行政事務以上の厳格な要件でのみ認められると解すべきだろう。しか

し実務上は、通達（法令の解釈・運用の基準を示した行政組織内のみを拘束する行政規則）により課税要件を実質的に変更し、さらに、そのような変更の既成事実化が法律改正を誘導する、**通達課税**とよばれる運用が常態化している。通達課税は、租税法律主義の趣旨に反し、納税者の予測可能性を損なう運用である。この点に関しては、それまで非課税物件扱いであったパチンコ球遊器を物品税法上の遊戯具に当たると解した通達の無効が争われた事例がある。最高裁は、本件通達の内容は物品税法の正しい解釈を示すものであって租税法律主義に反しないと判断した（最判1958・3・28）。

3　予算

(1)　予算に関する諸原則と枠組み

予算とは、会計年度（財政法11条は4月1日から翌年3月31日とする）の歳入歳出を中心とした国の財政行為の準則のことである。憲法86条は、会計年度ごとに内閣が予算を作成し、国会の議決を経ることを求める。**財政国会中心主義**の具体化として、国の収支計画に国会の承認を課したのである。予算の形式で収支の状況が国民に分かりやすく示されることは、**財政民主主義**の観点からも重要である。これらの趣旨を踏まえた予算の作成のルールとして、①総計予算の原則（歳入歳出の総額を予算に計上する原則。財政法14条）、②単一予算の原則、③会計年度独立の原則（同12条）、④予算事前議決の原則（憲法86条）、⑤予算公開の原則（財政法46条）がある。

＊このうち、単一予算の原則は、複数予算を禁じて予算を一元化することで歳入歳出を明瞭にし、国会や国民のチェックを容易にするという意義がある。しかし、大規模災害や景気の急激な悪化など想定外の財政支出が不可避な事態もあるだろう。そこで、財政法は、本予算上の予備費（財政法24条）とは別に、本予算成立後に追加や修正を加える補正予算を予定している（同29条）。また、財政法は、①国が特定の事業を行う場合、②特定の資金を保有してその運用を行う場合、③特定の歳入をもって特定の歳出に充て一般歳入歳出と区別する必要がある場合、法律の定めに基づく特別会計予算を認めている（同13条）。これは単一予算原則の例外であるが、①～③のような場合では、一般会計に組み入れない方がむしろ収支損益や資金管理を明瞭にできると説明されている。

予算には、①予算総則、②歳入歳出予算、③継続費、④繰越明許費、⑤国庫債務負担行為が記載される（財政法16条）。会計年度が始まるまでに予算が成立しない場合、本予算の成立までの一定期間に限って暫定予算が認められる（同30条）。

(2) 予算の法的性格

戦前は、予算を歳入歳出の単なる予見的見積と解し、予算策定作用への議会の協賛（大日本帝国憲法64条）の意義を極小化する説が有効であった。立憲学派の美濃部達吉でさえ、予算協賛を歳出の事前承認と解するにとどまった。戦後はこのような考えは否定され、予算は国の財務活動を規律する法規範と解されている。その上で、予算を法律とは異なる独自の法形式とする説（予算法形式説）と、予算を法律と同一視する説（予算法律説）の対立がある。予算法形式説が強調するように、予算は、提出権が内閣の専権である点（73条5号・86条）、先議権と承認における強い優越が衆議院に認められている点（60条1項・2項）、公布や署名・連署が不必要な点など、法律とは異なる憲法上の特徴がみられる（他にも、効力が単年度である点や予算が直接に国民を拘束するものでない点も論拠とされるが、法律にも限時法があり、また、国民の権利義務に直接関係のない行政組織編成を法律事項と解する説が有力な現状では説得力は低い）。しかし、予算承認手続の特殊性も「この憲法に特別の定めのある場合」（59条1項）だと考えれば、法律案の一種と解する余地はある。

他方、予算法律説には、予算と関連法律との不一致の場合の処理が容易だというメリットがある。法律と予算では議決手続や要件が異なるため、予算は成立したが支出の根拠となる法律が可決されないとか、支出をともなう法律が成立したが予算に盛り込まれない事態も発生しうる（参議院で与党が多数派を得ていない「ねじれ国会」のもとでは、その可能性が高い）。予算法律説に立てば、この不一致は「後法優位の原則」に基づいて判断すればよい。フランスなど多くの国が予算と法律を区別していない事実も、予算法律説の根拠となりうる。伝統的な予算法形式説が国会による予算修正に消極的であったことからすれば、予算法律説の提唱が財政国会中心主義の徹底のために果たす意義は大きい。しかしながら、法律可決要件よりも緩やかな予算承認手続により法律の改廃が認められてしまう点は、むしろ

財政国会中心主義の趣旨に反するともいえる。近年では「予算の修正の可否」や「予算と法律との不一致」などの争点は、予算の性格の論争と切り離して論じられる傾向にある。予算法形式説を採っても、個別の論点において財政国会中心主義を強化する解釈論を提供することも可能だからであろう。

(3) 予算案の修正

　国会による予算案の修正には、減額修正（政府原案の排除・削減）と、増額修正（「款」「項」の増額や新設）が考えられる。旧憲法下では増額修正を予定しておらず、大幅な減額修正についても否定的な見方が強かった。しかし現在では、減額修正の限界を説く立場はみられない。他方、増額修正については、予算発案権が内閣にあることを根拠に、予算の同一性を損なう修正を否定する立場が有力である。政府見解も「国会の予算修正は内閣の予算提案権を損なわない範囲で可能」としたうえで、「項」の新設や「項」の内容を全く変えてしまう修正は難しいという立場である（1977年2月23日政府統一見解）。しかし、なぜ「項」の新設が「予算の同一性」を崩すといえるのかの説明は曖昧である。そもそも、予算提出権が内閣にあるというだけでは、国会の予算議決権よりも「予算の同一性」の方が優位するという説明にはならない。

(4) 予備費

　内閣は全ての支出を予見して予算を作成することが望ましいが、不測の事態による想定外の支出の必要が（その見通しの甘さについて内閣の政治責任が問われるとしても）生ずることもある。このため財政法29条は予算成立後の「特に緊要となつた経費の支出」について補正予算を組むことを認めているが、国会閉会中など迅速な補正予算が困難な場合もある。こうした「予見し難い予算の不足に充てるため」、憲法は予備費からの支出を認めた（87条1項）。予備費は国会の議決を必要とするが（同）、財政法24条は歳入歳出予算の費目に「予備費として相当と認める金額」の計上を認めており、予備費の議決は一般会計予算の議決に組み込まれている。

＊予備費は予算段階で具体的な使途が明記されにくいという性質からして、

「相当と認める金額」には条理上の上限があると解するべきである。これまで予備費の規模は、3500億円程度である（大規模災害や金融危機の生じた年度などを除く）。ところが、2020年会計年度は2度の補正予算を通じて計9兆6500億円もの予備費が計上された（同年度の一般会計予算は102兆6580億円）。新型コロナ感染対策がその理由だが、その多くは追加の補正予算でも対応可能であり、憲法の財政国会中心原則からは問題を含む運用であった。

4 財政の事後的な監督

(1) 決算

内閣は、会計年度ごとに会計検査院の検査を受けたうえで、国の収支の決算を国会に提出する（90条1項）。予算とは異なり、決算には法規範性がないとされ、提出された決算に対する国会の承諾の議決も、報告事項に対する国会各院の意見表明であって、すでになされた歳入支出に法的な影響を及ぼすものではないと解されてきた。しかし、財政処理に対する事後的統制としての決算審査を形骸化する解釈運用には問題がある。決算審査は、政府支出への国会自身の追及の機会であると同時に、国会を通じての有権者に対する情報提供の機会である点を見落としてはならない。決算審査を活かすためには、決算に対する国会の議決の趣旨を後年度の予算編成や執行に反映させる仕組みや、国民による会計検査請求の制度化が必要であろう。

(2) 会計検査院

会計検査院は、国の収入支出の決算を確認して、違法・不当な事項の有無を検査する。検査院は、憲法90条2項を受けて設置された憲法機関であり、「内閣に対し独立の地位」を有し（会計検査院法1条）、規則制定権を有する（同38条）。検査官会議を構成する3名の検査官は、両議院の同意を経て内閣により任命され（同4条）、強い身分保障がある（同6〜8条）。

(3) 国会と国民への財政状況報告

91条は、国会と国民による財政監視の資料となる財政状況の公開を内閣に義務づけ、**財政民主主義**の実効化を狙いとしている。91条が「少なくと

も毎年1回」求める報告の頻度は、財政法で4半期ごとと定めており、国民へは「印刷物、講演その他適当な方法」での報告を想定している（46条）。財務省のwebサイトには財政状況報告が公表されている。

5 公金の支出・利用の制限

憲法89条は、「公金その他の公の財産は、宗教上の組織若しくは団体の使用、便益若しくは維持のため、又は公の支配に属しない慈善、教育若しくは博愛の事業に対し、これを支出し、又はその利用に供してはならない」と定める。その前段は、国や自治体からの宗教上の組織・団体への財政上の援助・便宜を禁じ、政教分離原則（20条）を財政面で裏づけた規定である（→第3部3章2節3・370頁）。「宗教上の組織もしくは団体」について、「特定の宗教の信仰、礼拝又は普及などの宗教的活動を行うことを本来の目的とする組織ないし団体」（最判1993・2・16〔箕面忠魂碑・慰霊祭訴訟〕）と狭く解する説もあるが（この定義だと財団法人日本遺族会のような団体への公的助成も可能になる）、より広く「宗教上の事業・活動を目的に持つ団体」ととらえるのが適切であろう。近年の最高裁は、「宗教的行事等を行うことを主たる目的」とする団体を宗教上の組織・団体とする見解に立っている（最大判2010・1・20〔空知太神社訴訟〕）。

89条後段は、教育や福祉事業への財政援助や便宜を念頭においている。前段が禁止する国家と宗教団体との結びつきと同様、民間による教育や福祉事業への公的な財政支出も、援助と結びついた公権力の干渉や経営上の公金依存により事業の自主性を阻害する危険性をともなうからである。また、教育や福祉・慈善事業への助成は国民の抵抗感が薄いために国費の濫用を招きやすいことからも、89条後段は歯止めとして重要である。そこで問題となるのは、私立学校や民間の福祉施設への助成（私立学校振興助成法、社会福祉法58条2項、児童福祉法56条の2第2項）が、89条後段に違反しないかである。私学助成制度の場合、①学校法人の業務・会計報告の提出、職員への質問、帳簿等の検査、②著しい定員超過の是正命令、③助成目的に不適合な予算への変更勧告、④法令違反の法人役員の解職勧告を所轄庁に認めている（私立学校振興助成法12条）。しかし、この程度の監督だけでは、当該事業を89条のいう「公の支配」に属すると解することはでき

ない、という批判もある。とはいえ、本来は国・自治体の責務である教育や福祉のかなりの部分を民間の事業が補完している現状で、民間が行う教育や福祉の活動への助成をすべて違憲とするのは、国民の生存権や教育を受ける権利をおびやかしかねない。それゆえ、「公の支配に属しない」の意味を緩やかに解し、私学助成も現行程度の監督があれば89条後段に反しないとする説が支持を得ているのである。ただし、「公の支配」の柔軟な解釈は後段の意味を形骸化させるおそれもある。助成とリンクした公権力の監督が私立の学校や福祉団体の自律的な運営を阻害することなく、しかも公費の不適切な支出にチェックが働くような制度設計が必要だろう。

考えてみよう

1…本書の立場から、財政国会中心主義、財政民主主義、財政立憲主義の3つの概念の異同を整理せよ。
2…①租税法律主義、②予算議決主義、③決算制度の役割と現在の運用上の問題点を、主権者＝納税者の視点から論ぜよ。
3…「教育を受ける権利」保障の要請に配慮して89条の「公の支配」の意味を緩和する解釈に対しては、「学校法人にではなく、学生や親に直接支給するのが筋だ」という批判もある。このような問題提起をどう考えるか。

Further Readings

・日本財政法学会編『財政憲法の再検討』(全国会計職員協会、2012年)：財政に憲法学からアプローチした文献は必ずしも多くないが、学会報告の記録である同書によって、これまでの学説状況と新たな論点を見渡すことができる。
・福家俊朗『現代財政の公共性と法』(信山社、2001年)：「現代財政の公共性（存在理由）」という視点からの税財政法の諸相に斬り込む本格的な研究書。とくに第1章「財政の権力的機能と法」の指摘は重要。
・神野直彦『財政学〔改訂版〕』(有斐閣、2007年)：本章で述べた内容は、財政学の基礎を学ぶと理解が深まる。同書は財政社会学の観点を重視した概説書で、図表や数式が苦手な文系学生でも読みやすい。

第6節	地方自治
キーワード	住民自治と団体自治、新自由主義的分権政策、自治体の多層構造、二元代表制、自主立法権（条例制定権）

　憲法第8章「地方自治」は4カ条（92～95条）のみであり、その具体像を描くためには、条文の背後にある憲法の基本原理の解明が求められる。その導きの糸は、「民主主義の質向上と人権保障の強化に資さない地方制度は、憲法の求める地方自治に値しない」という視点である。

1　地方自治の本旨——なぜ「地方自治」が重要なのか

　92条は「地方公共団体の組織及び運営に関する事項」の具体化を法律に委ねるが、その法律が「地方自治の本旨」（英文では"principle of local autonomy"）に基づくことを求める。地方制度に言及のない旧憲法とは異なり、現憲法は93～95条で指示する諸要請と併せて、この「地方自治の本旨」を憲法上の原則としたのである。とはいえ、「地方自治の本旨」という文言は抽象的すぎる。「地方自治の本旨とは、**住民自治**と**団体自治**のことだ」という説明が定着しているものの、住民自治も団体自治もやはり曖昧な概念であり、両者の関係もはっきりしない。全国単位での国民主権の実現と人権保障を予定する日本のような単一国家で、なぜ地方自治が必要なのか。この疑問に答えるために、まず地方自治の史的沿革を確認したうえで、憲法の全体構造から「地方自治の本旨」の意味を探っていこう。

(1)　地方自治保障の沿革と現代的意義
　ⅰ）　地方自治保障の歴史性・地域性と普遍化
　日本の学説が準拠してきた英米独仏に限っても、近代国家成立後の地方制度は各国で異なる展開をみせてきた。一応の理念型として、①住民自治の英米、②団体自治のドイツ、③中央集権のフランスという整理ができる。
　ⅱ）　現代憲法における地方自治保障の意義
　フランスを典型とする近代憲法の「単一不可分の主権」観と分権的な地方自治とは、論理上は相性が良くない。歴史的にも、全国規模で社会改革を推進したい中央政府に保守的な地方が自治権を盾に抵抗するという構図

が存在したことも事実である。しかし、20世紀後半には欧州地方自治憲章（1988年発効）や世界地方自治宣言（1993年発効）などが制定され、地方自治が国際的な関心となった。中央集権の強かった旧ソ連・東欧諸国でも、1989年以降の体制転換後の憲法典では地方自治が重視されている。今や、地方自治は普遍的な憲法原理として認知されるに至ったといえる。その背景を、(ア)現代国家の役割の多様化と(イ)現代における民主制の多層的編成の要請という2つの点から考えてみよう。

　(ア)　平和的生存権や社会権を含む人権の保障が現代国家の役割である（→序章・5頁）。しかし、現代においては国家の役割が多様化・複雑化しており、単一の中央政府だけでは十分に対応できない場合が多くなった。だからこそ、地理的にも人的にも住民と距離が近く、地域事情に通じた自治体は、住民の行政ニーズを酌んだ迅速できめの細かい対応に向いた公権力の単位として、その存在価値を高めている（→第1節③・151頁）。住民の生命や権利に関わる問題への対策を迫られた自治体が独自の取組みを開始し、その後に国が後追いで対応するという場合も少なくない。一例を挙げれば、公害対策や情報公開制度は自治体主導で進められた。近時のヘイト・スピーチ問題にも、川崎市や大阪市などが国に先んじて解消に取り組んでいる（→規制に伴う憲法上の問題は、第3部3章3節4(5)・410頁）。また、東日本大震災（2011年）をはじめとする大規模災害を通じて、災害前の防災施策、災害時の避難・救助、災害後の復興・生活再建の各局面での自治体の役割があらためて認識させられたところである。新型コロナ感染拡大（2020～22年）の際にも、感染症法や新型インフルエンザ等対策特措法が定める権限の下での都道府県知事の感染拡大防止に向けた行政手腕が問われた。

　上記の例のように、地方自治の重要な役割として、国の人権保障が不十分にしか機能しない場合の補完が、まず考えられる。しかし、国の行為こそが住民の人権の積極的な脅威となることもあり（→第1部1章4・15頁）、こうした場面では、おびやかされている住民の権利の防波堤の役割を自治体が果たす必要性が生じる。普天間や辺野古や高江などの米軍基地問題を抱える沖縄では県・関係市町村と国との政治的・法的な争いが続いているが、まさしく国が基地の影響を受ける地元住民の人権（とりわけ平和的生存権）の脅威として立ち現れており、県や市町村がこれに政治的・法的に

抵抗するのは自治体の憲法上の役割として当然のことである。

(イ)　最高裁も「民主主義社会における地方自治の重要性」を認めている（最判1995・2・28〔地方参政権訴訟〕）。現代における国民主権＝民主主義モデルは、極端な中央集権型ではなく、多層的な民主的意思決定の仕組みを統治構造に求めるのが一般的であり、そうした多層的な統治構造の構成単位として自治体は不可欠である。地方自治は、地方の要求を可視化したり（法定の例として、全国都道府県知事会、全国市長会など「地方六団体」の内閣・国会への意見提出権〔地自263条の3〕）、地方の政治・行政あるいは住民運動の経験を積んだ人材を国政の担い手として輩出するなど、さまざまなかたちで民主政を活性化し補完する。仮に国の民主政が機能不全や制御不能に陥った場合には――その危険性は全体主義の時代に実証済みである――その弊害を極小化し矯正する役割も地方自治には期待されている。

　以上(ア)(イ)の説明は「人権保障の充実と民主主義の活性化」と要約しうるが、本書はこれを「地方自治の本旨」の内実と解する。

(2)　**日本における地方自治の展開**
　　ⅰ)　大日本帝国憲法下の地方制度
　1878年の新三法（郡区町村編制法・府県会規則・地方税規則）と1880年の区町村会法にはじまる日本の近代的地方制度は、市制・町村制（1888年）と府県制・郡制（1890年）をもって体裁を整える。プロイセンを模範とするその特徴は中央統制の強さにある。とくに府県・郡は国の出先機関の側面が強く、府県知事・郡長はじめ主要役職は国の官吏が任命されて内務大臣の指揮監督下におかれ、府県会議員も間接選挙で選ばれた（郡では郡会議員と郡参事会員、市では市会議員と市参事会員が選出）。市町村も国の委任事務の処理を通じて国の強い監督に服したが（日本国憲法下でも存続する機関委任事務制度の原型である）、公選の市町村会が置かれるなど府県・郡よりは自治が認められていた。ただし、市町村会は有権者が男性高額納税者に限られ、納税額で投票価値が異なる制限・等級選挙だったため、地主などの地方名望家支配の場となった。それでも1920年代になると、地方議会の権限強化・自主立法権の拡充、等級選挙制廃止と男子普通選挙制など、一定の「地方自治」拡充が図られる。しかし、戦争が激化した1940年代になると、内務大臣による市長任命や市町村会の議決事項の縮小などの措置

により、地方は完全に中央の行政管区と化してしまった。
　ⅱ）　日本国憲法下の地方自治の展開
　地方自治の憲法原則化は、日本の民主化に地方自治が不可欠と考えるGHQと集権体制を温存したい日本の内務官僚とのせめぎ合いのなかで進められた。自治体の自主立法を「憲章」（charter）としたGHQ案を日本政府案が「条例」（regulation）と変更したのは（統治の基本法の意味をもつ「憲章」の方が、自治体の独立的地位が際立つ）、その一例である。しかし、ともかくも地方自治が憲法典で保障されたことは、旧憲法下の中央主導型地方制度からの根本的転換を意味していた。

＊憲法現象としての地方自治の展開を概観しておこう。
　ⅰ）「戦後改革期と「逆コース」の時代（1947年～1960年代）」　憲法と同日の1947年5月3日に地方自治法が施行された。この時期は、GHQの指導のもと、自治体警察や教育委員公選制の導入などが試みられた。とくにシャウプ使節団報告書（1949年）が示した独立財源と地方交付金制度による地方財源強化や、事務配分における「市町村優先の原則」は、自治拡充のビジョンとして画期的であった。同勧告の趣旨は、地方行政調査委員会（神戸委員会）勧告に具体化されている。しかし、朝鮮戦争以降の「逆コース」の流れは、地方自治にも後退をもたらした。神戸勧告は放置され、東京都特別区長の公選制、自治体警察、教育委員公選制なども次々に廃止された。合併促進策で市町村の数が約1万から約3500以下に減少したのもこの時期である（「昭和の大合併」）。
　ⅱ）「革新自治体の時代」から行革路線へ（1960年代～1980年代）　高度成長下の公害問題や過疎・過密問題の深刻化は住民運動の高揚をもたらした。その成果は、主要政令都市や都道府県での社会党系・共産党系の諸勢力を基盤とする「革新自治体」の誕生へと結実する。「革新自治体」は、中央の自民党政権と対峙しながら、公害対策や福祉・教育政策などで憲法理念を反映した政策を試み、一定の成果を挙げた。しかし、オイルショック後の財政難と支持基盤の分裂などで「革新自治体」は退潮し、80年代以降は保守系首長による「非共産・オール与党」体制が拡大する。
　ⅲ）「新自由主義型「地方分権改革」（1990年代～2012年）」　1995年に設置された地方分権推進委員会は、国＝軍事・外交と各種基準行政／自治体＝福祉・教育その他の地域の総合行政という役割分担論を前提とする改革を提言した。それは地方自治の充実強化の視点も部分的には含みながらも、本質的には、この時期から本格化する**新自由主義的分権政策**（国のスリム化のための地方への事務の押し付け）の主張であった。この分権推進委員会提言をベースに、1999年に地方自治法は大幅に改定された（「第一次分権改革」）。つづく2000年代以

降は、地方分権改革推進会議のもとで「第二次分権改革」が進められた。この時期の事象として以下の点を押さえておこう。①「三位一体の改革」（国庫補助負担金、交付税交付金、税源移譲の制度見直し）が断行され、税源移譲の不十分なままの国庫支出金や地方交付金の削減が自治体の財務状況を悪化させた。その対応として2007年に成立した地方財政健全化法は、自治体や公営企業の財政の健全化判断比率を定め、基準を超えた自治体には財政健全化・財政再建の計画を策定させ、その実施に国の強い関与が働くシステムを導入した。②規制改革会議（2001年設置。2004年に規制改革・民間開放推進会議が継承）の主導で公務・公共部門の民営化が推進された。2003年に導入された指定管理者制度によって、公の施設の管理に民間企業も参入できるようになった。2006年には戸籍管理、住民登録、住民税、印鑑証明などの自治体の事務の中で競争入札とすべき事務を抽出する「市場化テスト」も導入された。③「分権」の受け皿の強化という名目で市町村合併が推進された（「平成の大合併」：1999年3月時点で3232存在した市町村の数は2014年4月時点で1741に減少）。その延長線上に、道州制や「大阪都」構想のような広域自治体再編論もある。「地域主権の確立」を掲げた民主党政権（2009～2012年）は、法令の義務付け・枠付け規定の緩和などを内容とする「地域主権改革」関連法（2011年）などの新機軸を示したが、新自由主義型分権政策という点では自公政権と共通する面も多かった。

　ⅳ）**地方自治の現局面（2012年以降）**　①有権者の「人気」の高い首長が議会や職員との対立を演出しつつ強権を振るう、「自治体ポピュリズム」現象が（とくに大阪、名古屋、東京などの大都市で）みられる。こうした首長は、ときに憲法や法令を軽視しがちであり、二元代表制のありかたが問われている。②2013年に成立した国家戦略特区法のもと、医療、労働、教育などの分野での特定地域での規制緩和が可能になった。新自由主義型分権政策のひとつといえるが、自治体の意向よりも国主導で推進されており、住民自治・団体自治の観点からも問題点が多い。③沖縄では普天間基地の辺野古移設を推進する国との対立が激化し、国と県との間で複数の訴訟が起きている。この問題での国の態度には、補助金削減などの政治的圧力、法的手続きの濫用、反対住民運動の実力排除など、法治主義や民主主義の軽視が顕著にみられる。沖縄県側は2019年に県民投票を実施し、基地建設への県民の反対意思を確認している。④人口減少に伴い地方議会議員のなり手不足が課題となり、非専業型議会（総務省「町村議会のあり方に関する研究会」［2018年］が提唱）や町村総会（地自96条）への移行論も登場している。

(3) 地方自治保障の憲法的説明

　憲法学では、地方自治の憲法上の根拠を論じてきた。従来の学説は、①固有権説、②伝来＝承認説、③伝来＝「制度的保障」説に整理できる。①固有権説は、フランス革命期の「地方権」論に淵源をもち、自治を前国家的存在としての自治体の自然権ととらえる。しかし、自治体は自然人ではない以上、自然権の享有主体という説明は苦しい。②伝来＝承認説は、近代の主権国家のもとでの地方自治は国の統治権に由来し、国の承認の範囲で実現しうるものと考える。地方自治の保障も中央政府の立法政策の結果であり、理論上は法律によれば地方自治制そのものも廃止できることになる。もちろん、これは地方自治を憲法で保障した日本国憲法下では採れない発想である。③「制度的保障」説は、国家の統治権からの伝来による自治という発想を維持しつつも、憲法改正をしないかぎり地方自治という制度の核心部分は法律では廃止・変更ができないと説く。この説が一応の通説といえるが、保障すべき「制度の核心」の範囲が不明確なため、自治の保障内容も不安定にならざるをえない。

　これら3説への不満から登場した学説には、④国民主権や幸福追求権などの日本国憲法の諸規定から固有権説を再構成する説、⑤「人民主権」に適合的な憲法第8章の解釈として、市町村優先の事務配分の原則などを基礎づける説、⑥社会契約の多段階的構成として把握する説などがある。各説の論理構成は異なるが、日本国憲法全体の趣旨から地方自治を基礎づけ、これに適合的な解釈論を展開するという方向性では共通点を有している。

　こうした近時の学説傾向および欧州地方自治憲章などの国際的潮流を踏まえて、以下の点を確認しておこう。「地方自治の本旨」としての団体自治・住民自治は、①事務配分における基礎的自治体（市町村）優先および財政基盤の弱い小規模自治体への国・広域自治体による補完の保障、②自治体の自主財源の確保と財政調整の保障、③自治体の自主立法権の保障といった諸原理を充填しながら理解することが不可欠である。その際、住民自治と団体自治は、相互補完的ではあるが、必ずしも並立的な原理ではなく、住民自治を実現するためにこそ団体自治が必要だと捉えるべきである。

2　住民自治

(1)　住民の直接請求

　憲法は地方自治レベルにおいても代表制を採用するが（93条1項）、直接制による補完を排除していない。地方自治法は、①条例制定改廃請求（地自74条）、②事務監査請求（同75条）、③議会の解散請求（同76～79条・85条）、④議員および首長その他の重要職の公務員の解職請求（同80～88条。他に地教行法8条）という住民の直接請求制度を設けている。このうち議会解散や議員・首長等解職の請求制度については、国会・国会議員に関する制度設計との関係を踏まえた検討も必要である（→第3節3・182頁）。

(2)　住民投票

ⅰ）　住民投票の現状

　地方自治法上の直接請求制度と並んで、自治体意思形成への住民の参加として重要な役割を果たす制度が、条例による住民投票である。先例では、原子力発電所や産業廃棄物処理施設の建設の是非、干拓・河口堰建設などの公共事業の是非、市町村合併の是非などをめぐって実施されてきた。法定上の例としては、市町村の合併の特例に関する法律（合併特例法）における合併協議会の設置にかかる住民投票制度がある（4条・5条）。従来は個別の問題に際して住民投票条例を制定する方式が一般的であったが、近年では住民投票の手続や要件の通則を定める常設型住民投票条例を設ける自治体もみられる。そのなかには実施請求権や投票権を外国籍住民や未成年者にも認める条例もある。

> ＊「大都市地域における地方公共団体の設置等に関する特例法」は、政令市とその周辺市町村の総人口200万人の区域につき、特別区を伴う広域自治体への再編を認めるが、その際には対象となる住民の投票を求めている。同法に基づき、大阪市では、市を廃止して特別区に再編する住民投票が2015年と2020年に実施されたが、いずれも僅差で反対票が上回り不成立となった。

ⅱ）　拘束型と非拘束型

　住民投票は、法的効果の面で拘束型と非拘束型（諮問型）に区別される。

拘束型は地方自治法が付与した議会や首長の決定権を法的に縛るので、その合憲性・適法性を疑問視する説も強い。しかし、法律で住民投票を制度化するのであれば、国会による授権と説明できるので、憲法上の疑義は解消されうる。非拘束型の場合も、投票結果に示された住民意思を長や議会が全く無視することは困難であり、政治的なインパクトの点では拘束式と大差はないともいえる。これまでの先例は、法的に無難な非拘束型を選択してきた。非拘束型住民投票の実効性を担保する手法としては、条例に長や議会の尊重義務規定を設けるという手法が考えられる。しかし、裁判例は、このような尊重義務規定は投票結果を参考にする要請にすぎないと解して、その義務的性格を否定している（那覇地判1997・5・9）。

iii）　住民投票の課題

議会や首長の行動が住民の意思と乖離する可能性がある以上、そうした乖離を住民の意思表示を決め手に解決する住民投票は、住民自治の観点から積極的な位置づけができる。たしかに、「是か非か」の二者択一に馴染まない案件もあろうし、投票権者が雰囲気によって拙速な判断に流れる危険性は直接民主制一般にともなう問題として軽視できない。それでも、国政レベルよりも地理的・人口的規模の小さい自治体レベルの方が直接民主制は機能し、その弊害も少ないとみられている。それでも、投票者が熟慮するための十分な情報提供と時間的余裕が確保できる制度設計が必須であろう。とくに首長自らが発議する住民投票は、首長の権力基盤強化に住民意思が利用される場合があるので、注意する必要がある。

(3)　地方特別法（95条）

95条は、「一の地方公共団体のみに適用される特別法」（地方特別法）につき、当該地方公共団体の住民投票における過半数の同意を求める。米国では、個別法律（private act）と呼ばれる特定の個人や地域を対象とする州法が自治体への不当な干渉が問題となり、個別法律に州民や首長の拒否権を規定する州憲法が現れた。そのような経験を知るGHQ民政局は、わずか3か条のGHQ案の地方条項の1カ条を、そうした州憲法類似の規定に当てたのである。95条は、国民主権の権力的契機を示す条文と解され、国会単独立法の原則（→第4節2(2)iii・218頁）の例外と解されている。

＊こうした沿革と意義を持つ95条だが、現在では活用されていない。憲法施行直後には住民投票を経て成立した地方特別法は18都市16件に及んだが、それ以後の例はない。事実上は特定の自治体を対象とするのに、文面上はすべての自治体を規律した体裁をとる法律形式が一般化したからである。しかし実態に即してみた場合、東京都特別区区長公選制を廃止した地方自治法1952年改定や、いまや沖縄県のみが事実上の対象である駐留軍用地特措法1997年改定などは地方特別法であり、本来は95条に基づく住民投票が必要であったといえる。施政権復帰後の小笠原諸島の国直轄化が住民投票での承認の目途が立たずに断念された例もあり、95条を休眠状態とみることは早計である。

(4) 住民訴訟

　自治体の住民は、首長など自治体職員の財務会計上の違法や不当な行為について、防止・是正・損害回復を求めて住民訴訟を提起できる（地自242条の2）。住民訴訟の原告たる住民は、住民全体の利益のために地方財務財政の適正化を求めているのであり、これを住民による積極的な自治参加の場面と位置づけることもできる。最高裁も住民訴訟の訴権を「参政権の一種」ととらえている（最判1978・3・30）。住民訴訟の対象は「財務会計上の行為」に限定されているが、財務会計行為の先行行為・原因行為に違法性があれば訴訟の対象となるので、実際には、自治体の活動のほとんどについて争うことができる。住民訴訟は、具体的な権利侵害をともなわなくても住民の資格で（事前の住民監査請求を前提とするが）誰でも出訴できる客観訴訟（行訴法5条の民衆訴訟）であるから、政教分離違反のような客観法違反も「違法な行為」として争うことが可能である。この点で、住民訴訟は住民主導による憲法保障の機能を果たしているといえよう。

＊地方自治法242条の2第1項は、住民訴訟を①執行機関・職員の行為の差止めの請求（同項1号）、②行政処分の取消・無効確認の請求（同2号）、③執行機関・職員の「怠る事実」の違法確認の請求（同3号）、④相手方への損害賠償・不当利得返還請求を自治体の執行機関・職員に求める請求（同4号）に類型化する。現行の「4号請求」は、自治体の長や職員を被告とし、被告に損害を与えた者への損害賠償や不当利得返還を求める義務を負わせるかたちになっているが、裁判で賠償請求が認容されたのに自治体が賠償債務者と安易に和解したり、裁判で執行機関への損害賠償請求の義務を負った地方議会が自発的に請求権放棄を決議する例もみられる。このような動きは住民訴訟の意義を損ね

ることになりかねない。最高裁も制度趣旨に照らして不合理な請求権放棄議決が違法無効となる可能性を認めている（最判2012・4・20など）。

3 　自治体の組織構造

(1) 　地方公共団体

　地方自治法では、自治体のことを、「都道府県及び市町村」をさす「普通地方公共団体」と、「特別区、地方公共団体の組合、財産区及び地方開発事業団」をさす「特別普通公共団体」とを一括りに、「地方公共団体」と称している（地自1条の3第1項〜3項）。しかし、有力説は憲法上の地方公共団体を「地域を基礎に一般的・包括的な事務権限を有する団体」と解するので、組合・財産区・地方開発事業団はこれに該当しない。東京都特別区が憲法上の地方公共団体か否かは、とくに区長任命制の時期（1952〜1972年）に問題となった。この点が争点となった事件で下級審は、特別区を憲法上の地方公共団体と認め、区長任命制を違憲と解している（東京地判1957・2・26）。しかし、跳躍上告を受けた最高裁は、「地方公共団体といい得るためには、単に法律で地方公共団体として取り扱われているということだけでは足らず、事実上住民が経済的文化的に密接な共同生活を営み、共同体意識をもっているという社会的基盤が存在し、沿革的にみても、また現実の行政の上においても、相当程度の自主立法権、自主行政権、自主財政権等地方自治の基本的権能を付与された地域団体であることを必要とする」として、そのような条件のない特別区の地方公共団体性を否定した（最大判1963・3・27）。この最高裁の判断基準は、①「共同体意識」は測定不能である、②「地方自治の基本的機能」の付与は立法政策の結果にすぎない、などの点で批判を受けている（本書の評価は後述(2)）。最高裁の示した基準に従うとしても、事件当時の東京23区は地方公共団体の条件を充たしていたとみることもできる。いずれにせよ1974年に区長公選制は復活し、地方自治法の1999年改定で特別区も「基礎的な地方公共団体」（地自281条の2第2項）として固定資産税の賦課・徴収権など一部の権限を除いて市町村に準ずる扱いとなり、実務上の争いは解消された。

(2) 自治体の多層構造

　地方自治法は、基礎的自治体＝市町村／広域自治体＝都道府県の二層制を原則とする。このような**自治体の多層構造**は、憲法の要請か（憲法保障説）、それとも立法政策の問題（立法政策説）なのか。憲法保障説に立てば、都道府県を廃止して市町村単層にするとか、都道府県知事任命制にするような改編は違憲となる。仮に立法政策説に立つとしても、市町村優先の事務配分を原則としつつ都道府県がこれを補完する多層構造は「住民の福祉の増進」（地自1条の2）の面で優れている可能性が高いため、「地方自治の本旨」により適合的であろう。市町村が「住民の福祉」の観点から国の政策と対立する場合、市町村単独で国に対峙する負担を軽減する役割を都道府県が果たす可能性（基地問題で国との対峙を強いられる沖縄の市町村にとっての県の役割を想起せよ）も多層構造のメリットである。

　道州制のような都道府県の広域再編は、どう評価されるだろうか。仮に憲法保障説に立ったとしても、憲法が保障するのは基礎的自治体／広域自治体という枠組みであり、現行の都道府県／市町村の二層構造を固定的に保障したと解するのは難しいだろう。そうだとしても、都道府県再編による広域自治体の巨大化は、多層構造を保障した憲法の趣旨から評価されるべきである。基礎的自治体の広域化で住民自治実現の契機が弱まる中で、さらに広域自治体を統合することは、住民自治の観点から正当化できるのか疑問である。この点で着目に値するのは、前出の最高裁1963年判決での地方公共団体の定義である。そこでの「共同体意識」論には既述のように批判もあるが、「共同体意識」が自治の駆動力となりうる面は否定できず、地方公共団体が具備すべき条件のひとつであるといえよう。その限りでは、最高裁の「共同体意識」論を国主導の強引な自治体再編への批判的視点として再構成する余地があるかもしれない。

(3) 長と議会の二元的代表制

　ⅰ）　二元代表制

　93条2項は、住民による「地方公共団体の長、その議会の議員及び法律の定めるその他の吏員」の直接公選を要請する（教育委員会公選制の廃止〔1956年〕以降、公選の「その他の吏員」が存在しない点は、住民自治の観点からは問題があろう）。議事機関としての議会と執行機関の長の双方を公選と

するシステムを**二元代表制**と呼ぶ。その趣旨は、議会と首長の双方を住民の直接民意のコントロールにおくとともに、それぞれに民主的正統性を担う両機関が相互の自主性を尊重しながら地方自治を運営するところにある。議員は自治体の常勤職員を兼職できず（地自92条2項）、首長は議員を兼職できない（同176条・177条）。この点は大統領制に近いが、長には（条例案を含むと解される）議案提出権が認められ（同149条1号）、議会による長の不信任決議と長による対抗的な議会解散が認められる（同178条）など、均衡・抑制モデル型の議院内閣制の要素を加味している点で比較法的にみてもユニークな制度になっている。

　もっとも現実には、両機関の対等性よりも、「首長優位の二元代表制」というべき運用が目立つ。その要因として、首長優位に傾きやすい地方自治法の構造——①議会招集権を首長が有する（地自101条1項）、②（条例案を含むと解される）議案提出権を首長が有する（同149条1号）、③議会の議決事項を首長が処分・意思決定できる専決処分の制度が設けられている（同179条・180条）、④首長が議会の議決の効力を停止する「再議制度」が設けられている（同167条・177条）、⑤議会の議決事項が限定列挙であるのに対して（同96条1項）首長の管理・執行権の範囲は概括的な例示となっている（同149条）など——が指摘できる。同じ公選でも、独任機関である首長の方が議会よりも民主的正統性を援用しやすく、政治的に優位に立ちやすいという面もあろう。しかし、「首長優位の二元代表制」は、地方自治法の構造や運用から生じる特徴にすぎず、憲法自身が首長優位を求めているというわけではない。近年では、首長が議会との対決姿勢をアピールして、住民の議会解散請求を唱導したり、辞職と再選で有権者の支持を調達したりしながら自らの政治基盤を強める手法（自治体ポピュリズム）がみられるが、本来の二元的代表制の趣旨からは逸脱している。

　ⅱ）　制度設計の余地

　二元代表制を憲法の要請と解さない説もある。93条は首長の必置を求めておらず、長を置く場合に公選制を求める規定にすぎないというのである。この説に立てば、①自治体を統轄・代表する公選の長とは別に、議会に選任された都市経営の専門家が自治体の事務を管理・執行するシティ・マネージャー制、②議会の委員会が自治体行政の執行機関となり対外的に自治体を代表する参事会制、③長の意向で副知事・副市町村長や部長などの行

政管理職に地方議員を任命する「議会内閣制」なども導入可能となろう。もっともこれらの制度に現行制度を改編するに値するメリットがあるかは、別に検討されねばならない。

　ⅲ）　地方議会と町村総会

　93条1項は「議事機関としての議会」の設置を求め、これを受けて地方自治法が議員の定数・任期、議会の権限・組織・議事手続等を規律する（地自第6章）。地方自治法は町村には議会に代えて住民の総会を置くことも認めており（同96条）、憲法との整合性が問題になる。有権者全員で構成される町村総会は、住民の意思が議会よりも直接に反映しうる点で、「地方自治の本旨」を体現した制度として積極的に位置づけることも可能である（ただし、実際の設置例は過去に2例のみである）。

4　自治体の権能

(1)　自治体の事務

　市町村、都道府県、国の三者の事務配分は、「地方自治の本旨」の一内容である「市町村優先の事務配分の原則」に立脚して、基礎自治体の担う事務を確定するところから出発すべきである。しかし、1999年まで存在した機関委任事務は、この原則に反する制度であった。

> ＊機関委任事務とは、国の事務を自治体の機関である長に執行を委任した事務のことである。国は、主務大臣等の指揮監督権（地自旧150条）や職務命令権（同旧151条）を根拠に、自治体の事務執行に強い指揮監督を及ぼした。機関委任事務は条例の範囲外とされ、執行について地方議会の意思は排除されていた。最盛期には都道府県の事務の約7割、市町村の事務の約3割を機関委任事務が占め、自治体を国の「下請け機関」にしていると批判されていた。

　地方自治法の1999年改定は機関委任事務を廃止し、自治事務と法定受託事務という新カテゴリーに再編した。法定受託事務とは、①「国が本来果たすべき」で「国においてその適正な処理を特に確保する必要がある」都道府県・市町村・特別区の事務（第1号法定受託事務）と、②「都道府県が本来果たすべき」で「都道府県においてその適正な処理を特に確保する

必要がある」市町村・特別区の事務（第2号法定受託事務）のことをいう（地自2条9号1号・2号）。旧来の機関委任事務と異なり、法定受託事務は「地方公共団体の事務」として、条例制定権や地方議会の調査権（同100条）が及ぶ。しかし、国や県の関与の余地が大きい法定受託事務が新制度後も約4割を占めており、課題を残している。

> ＊地方自治法の1999年改定は、自治体への国の関与も見直した。新制度は国の関与を類型化した上で、法令上の根拠の必要性や「目的達成の必要最小限度」の関与を明示した（地自245条・245条の2〜245条の9・246〜250条）。自治事務への関与は、助言・勧告、資料提出要求、是正要求などのソフトな手法が原則となった。しかし、法定受託義務には指示や代執行が予定されており、機関委任事務時代同様の国の強い介入の余地は残る。また、自治事務にも国の並行権限が認められており（同250条の6）、自治体の自主性を害する要素を残している。国の関与に不服のある自治体は、総務省に置かれた国地方係争処理委員会に審査を申立て、さらに不服のあるときは関与の取消しや不作為の違法確認を求める訴訟を提起できる（同250条の7・250条の14・251条の5）。

(2) 自治体の自主立法権（条例制定権）

ⅰ) 自主立法権（条例制定権）の根拠と範囲

94条は、「法律の範囲内で条例を制定すること」（**自主立法権**）を自治体の権限とする。94条のいう「条例」は、地方議会が制定する「条例」（地自14条1項・96条1項1号）のみならず、首長が制定する「規則」（同15条）も含むとされる。条例と規則との同格性は、法律と行政命令との関係（→3・264頁）と異なる点だが、公選首長も議会と同じ民主的正統性を有するという点で説明されている。地方自治法14条1項は、自治事務のみならず法定受託事務に係る条例制定の可能性を明示している。

ⅱ) 憲法上の法定事項との関係

憲法が法律事項とするものを条例で規律できるのか。条件が、とくに問題になるのは以下の(ア)〜(ウ)である。

(ア)財産権法定主義（29条2項）　財産権の内容の確定は法律事項だが、法律が内容を確定した財産権の行使については、条例で制限が可能という説が有力である（→第3部4章2節3・451頁）。しかし、内容の確定とその行使とを明確に区別できるのかという疑問は残る。最高裁も制限可能性に

立つが（最大判1963・6・26〔奈良県ため池条例事件〕）、その論拠は不明確である。

　(ｲ)罪刑法定主義（31条）　地方自治法は条例による「2年以下の懲役若しくは禁錮、100万円以下の罰金、拘留、科料若しくは没収の刑又は5万円以下の過料」を予定するが（14条3項）、条例は住民が選んだ議会・長が制定する点で国会の制定する法律と同質と解しうるので、罪刑法定主義に反するとはいえない。もちろん、罰則をともなう条例は罪刑法定主義の趣旨をふまえたものでなければならない。

　(ｳ)租税法律主義（84条・30条）　条例による課税も肯定されている。論拠として、①84条の「法律」に「条例」を含む説、②92条・94条を租税法律主義の例外規定と解する説、③自治権には自主財政権が当然に含まれるとする説がある。近時の最高裁も、自治体の課税権を、「地方自治の不可欠の要素として…憲法上予定されているもの」と理解している（最判2013・3・21〔神奈川県臨時特例企業税訴訟〕）。

＊現行法では、自治体が賦課・徴収する租税として道府県税（法人事業税、道府県民税、自動車税など）と市町村税（市民税、固定資産税、軽自動車税など）が認められており、他にも法定外普通税を課すことができる（地方税法4条3項・5条3項）。しかし、実際に地方税だけで財政を賄える自治体は少ない。自治体の支出は自ら調達できるのが団体自治の観点から望ましいからこそ自主財源の拡充が主張されるわけだが、自治体の規模や地域事情に応じて住民の担税力の相違が大きい現状では、自主財源強化だけでは自治体財政の地域不均衡を招きかねない。団体自治保障の点からも、全国均等な住民サービスの必要性の点からも、地方交付金制度のような財源調整制度が不可欠である。

　ⅲ）「法律の範囲内」の意味
　1960年代までは、法律の委任が無ければ条例の制定は不可能という厳格な法律先占論と、これを批判する先占要件緩和説が対立していた。後者の緩和説も、①法律が関与しない事項の規律や②法律とは異なる目的での規律は適法とするものの、③法律と同一対象・同一目的で、より厳しい基準を設ける「上乗せ条例」や④法律が定めた以外の対象を規律する「横出し条例」は、やはり違法と解していた。しかし60年代中葉の深刻な公害問題・都市問題に直面した自治体が法律よりも厳格な対策条例を制定するよ

うになり、③型や④型の条例を違法とする法律先占論はリアリティを失う。法律の規律は全国一律の最下限であって、地域の実情に即した③型や④型の条例も違憲ではないとする許容説が有力になり、この説を前提にする法律も制定されている（大気汚染法4条・32条や水質汚濁防止法3条3項・29条）。こうした流れのなか、最高裁も、条例の法律との抵触の有無の判断を条規の文言だけでなく、その趣旨や効果なども考慮するアプローチを採用し、②型はもちろん、③型の「上乗せ条例」も法律の趣旨が容認すると読めるかぎりは適法と判断した（最大判1975・9・10〔徳島市公安条例事件〕）。

＊ただし、徳島市公安条例事件は、デモ行進という精神的自由規制で道路交通法と公安条例が競合する事案（→第3部3章3節5(2)ⅲ・422頁）であり、公害規制のような経済的自由規制と同列に扱いうるかは疑問である。しかも、その後の事案では河川法の趣旨を規律上限を定めたものと解し、条例による規制を違法と判断しており（最判1978・12・21）、財産権規制の「上乗せ」には厳格、精神的自由規制の「横出し」には寛容なダブル・スタンダードがみられる。

考えてみよう

1…沖縄県名護市の辺野古米軍基地建設のすすめ方には、憲法および地方自治法上、どのような論点が含まれているか。
2…道州制導入は、憲法上可能か。
3…住民投票を制度化する場合、憲法上、どのような配慮が必要か。

Further Readings

・杉原泰雄『地方自治の憲法論――「充実した地方自治」を求めて〔補訂版〕』（勁草書房、2008年）：近代憲法史上の「充実した地方自治」の実践から憲法原理としての地方自治を読み取り、「人民主権」と地方自治の論理構造を解明する。
・白藤博行『地方自治法への招待』（自治体研究社、2017年）：様々な時事問題を地方自治の観点から読み解く。日本国憲法と地方自治法の連関を強く意識した記述が特徴で、語り口は平易だが、内容は奥が深い。
・大津浩『分権国家の憲法論』（有信堂、2015年）：フランス公法学における地方自治論の展開を基盤にして、「対話型立法権分有」という独自の視角から日本国憲法の「地方自治の本旨」を描き直す。

第3章 司法部門

第1節 司法権

キーワード	公開・対審の原則、事件性の要件、司法権の限界、司法権の独立、裁判官の身分保障

　本章では、裁判を受ける権利（32条）を実現するための権力作用・制度として司法権を位置づけ、裁判を受ける権利についてもここで説明する。第6章「司法」について学ぶ際にも、常に裁判を受ける権利との結びつきを念頭においてほしい。

1　裁判を受ける権利

(1)　意義

　32条は「何人も、裁判所において裁判を受ける権利を奪はれない」と定める。その内容としては、政治権力から独立した公平な司法機関に対して、すべての個人がひとしく権利・自由の救済を求めることができ、また、そのような裁判所による裁判でなければ刑罰を科せられないことが挙げられる（31条も参照）。このように、この権利は、司法権の独立、特別裁判所の禁止、公開・対審の原則など公正な裁判のための手続保障といった、歴史的に形成されてきた近代司法の諸原則を集約的に表わすものであり、さらに「法の支配」（→2(1)・274頁）とも結びついた違憲審査制（81条→第2節・291頁）を導入した日本国憲法のもとでは、裁判を通した人権保障の実現のためにもきわめて重要な意義をもつ。それゆえに、この権利は「基本権を確保するための基本権」（鵜飼信成）とも呼ばれる。

　この裁判を受ける権利を実質化するためには、それにふさわしい司法制度が用意され、かつ公正な「裁判」と呼ぶに値する適正な手続が保障され

なければならない。すなわち、32条は、司法制度・手続保障の具体的内容を規律し、権利・自由の侵害に対する適切な救済をも要請するものと理解する必要がある（→ 2・274頁、第2章3節2・179頁、第3部5章・461頁）。

他方、裁判所も国家権力の一部門であり、その権力行使のありようはときに政治部門によるものと同等に国民の人権にとっての脅威となりうるし、これまでの最高裁による違憲審査権の行使もそうした懸念を裏づける（→第2節4・305頁）。したがって、裁判を受ける権利を「基本権を確保するための基本権」として位置づけうるとしても、そのために存在するはずの裁判所が真に人権保障の役割を果たしているか、いかなる条件のもとでその役割を果たしうるかについては冷静な検証が欠かせないし、そこでは裁判運動を含めた「国民の不断の努力」（12条）も重要となろう。

(2) 対審手続

裁判の「対審」とは、原告・被告など訴訟当事者が裁判官の面前で自らの主張をたたかわせることを意味する。ここでの裁判官の役割は、当事者による十分な主張・立証をふまえつつ、どちらの主張に理があるかを法に従って公正かつ中立的な立場から判定すべきことにあり、現行の訴訟法（民訴、刑訴）もこうした（公開の法廷における）対審手続（民事訴訟における口頭弁論手続、刑事訴訟における公判手続）を訴訟手続の基本においている（公開・対審の原則）。

もっとも、裁判所の行う「裁判」はすべて公開・対審の手続をとらなければならないのかが問題となりうる。とくに、民事事件のなかでも裁判所の裁量的判断のもとで権利義務の内容を形成することを目的とし、訴訟事件とは異なる手続（非訟30条・49条参照）による非訟事件の裁判が32条・82条に違反しないかが問題とされてきた。最高裁は、「純然たる訴訟事件の裁判」については公開・対審手続をとらなければ違憲となるとしつつ（最大決1960・7・6）、夫婦同居義務に関する事件は実体的権利義務自体の確定ではないので、審判手続によるとした旧家事審判法も違憲ではないとした（最大決1965・6・30）。私法の領域にも福祉国家的介入が求められ、当事者間の権利義務に関する紛争を非訟手続で処理する「訴訟の非訟化」現象もみられるなか（家事別表第二、借地借家4章など）、訴訟・非訟を厳格に分けて、非訟事件には公開・対審手続は要求されないという最高裁の

発想には批判が強く、学説では、公開・対審手続になじむか否かを含め、事件の性質に照らした最大限の適正な手続を保障すべきとされている。

(3) 裁判の公開

　裁判の公開も、伝統的に公正な裁判の実現を担保する手段と考えられてきた。密室で行われる裁判では、当事者の主張が制約されたり歪められる危険があり、その結果国民の権利が不当に制限を受けることになりかねず、また、裁判自体に対する信頼も損なわれるからである。

　憲法は、82条１項で裁判（対審および判決）の公開原則を定める（刑事事件については37条１項が重ねて定める。→第３部５章４節(2)・471頁）。82条２項本文は、「公の秩序又は善良の風俗を害する虞がある」と裁判官の全員一致で決定した場合には例外として対審の非公開を認めるが、２項但書は、「政治犯罪、出版に関する犯罪又はこの憲法第三章で保障する国民の権利が問題となつてゐる事件の対審」は例外の例外＝原則通り公開すべきとする。これは、歴史的にみてこの種の事件では不公正な裁判が行われるおそれが大きいからである。また、非公開が認められるのは対審のみであり、判決は必ず公開しなければならない。

　裁判の「公開」とは、一般の傍聴を認めることをいう。最高裁は、法廷メモ事件（最大判1989・３・８→第３部３章３節2(3)ⅱ・390頁）において、82条１項の趣旨は「裁判を一般に公開して裁判が公正に行われることを制度として保障し、ひいては裁判に対する国民の信頼を確保しようとするところにある」として、裁判長の法廷警察権による傍聴人のメモ行為の制限を容認したが、知る権利もふまえた傍聴人の権利の不当な制限にあたらないかを厳格に検証すべきだろう。また、施設の制約等から希望者全員の傍聴が不可能な場合もありうるため、裁判に関する報道・取材の自由が重要な意味をもつ（→第３部３章３節2(2)・386頁、(3)ⅲ・391頁）。

　82条２項本文の「公の秩序又は善良の風俗を害する虞」という文言は、大日本帝国憲法59条の「安寧秩序又ハ風俗ヲ害スルノ虞」を引き継いだものである。しかし、現在では訴訟当事者等の名誉やプライバシーなどの正当な権利が裁判の公開によって侵害される可能性に配慮する必要があり（国際人権規約Ｂ規約14条１参照）、「公の秩序」もそうした人権保障の趣旨が読み込まれたものとして理解すべきである（人事訴訟法22条参照）。

2　「司法」の概念

(1)　「司法」の概念と帰属

　第6章「司法」の冒頭におかれた76条1項は、「すべて司法権は、最高裁判所及び法律の定めるところにより設置する下級裁判所に属する」と定める。この定め方自体、司法という国家作用と裁判所という国家機関との密接な結びつきを示しているが、それは日本国憲法のもとで「法の支配」を実現する役割が裁判所に期待されていることの反映でもある。

　「法の支配」は歴史的にも多義的な概念であるが (→第1部2章2節・23頁)、現代におけるその内容としては、憲法の最高法規性 (→第1部1章3(1)・12頁、同6章1節1・126頁) を前提とした、権力による侵害からの人権保障、法の内容形成への国民の参加、適正手続の要請、恣意的な権力行使をコントロールする裁判所の役割に対する尊重といった諸点が挙げられる。日本国憲法においても、とくに違憲審査権 (81条→第2節・291頁) の行使を通して、人権保障を中核におく「法」によって（政治部門の）権力をコントロールするというきわめて重要な役割が裁判所に託されていると理解できる。他方、裁判所も国家権力の一部門であり (→1(1)・271頁)、第6章の諸条項を解釈する際にも、裁判所がこの役割を果たしうる制度的条件をいかに確保するかという視点が不可欠である。

　「司法権」とは「司法」作用に関する国家の権能であるが、司法の実質的意味について、伝統的には「具体的な争訟について、法を適用し、宣言することによって、これを裁定する国家の作用」と説明されてきた。そして、司法の概念の構成要素としては、具体的争訟の存在 (→(2)・275頁)、適正手続 (→第3部5章2節・463頁、1・271頁)、裁判の独立 (→4・286頁)、正しい法の適用といった諸点が挙げられてきた。

　司法権の範囲と帰属については、民事裁判および刑事裁判を司法権と理解して通常裁判所に帰属させ、伝統的に行政作用とされてきた行政裁判については通常裁判所とは別系統の行政裁判所で扱うドイツなどヨーロッパ大陸諸国にみられる型と、行政事件も含むすべての裁判作用を司法権に含めて通常裁判所で扱う英米型とがある。大日本帝国憲法は、「天皇ノ名ニ於テ」裁判所が司法権を行使し (57条1項)、行政事件については行政裁判所が扱うものとして (61条)、大陸型の制度を採用していた。

これに対し、日本国憲法は、「すべて司法権」が最高裁を頂点とする通常裁判所に帰属するものとしたうえで（76条1項）、特別裁判所の設置および行政機関が終審として裁判を行うことを禁止し（76条2項）、さらに行政処分も対象に含む違憲審査制を採用したこと（81条）から、英米型の制度を採用したものと理解されている。こうして司法権の範囲は戦前に比べて大きく広がったが、他方で行政訴訟制度は大陸法系にならったかたちで構築され（行訴法）、行政事件における裁判所の役割についてかなり抑制的な運用がされてきたため、現実には英米型でも大陸型でもないものとなってしまっているとも指摘されている。

(2) 法律上の争訟／事件性の要件

司法権の概念の核心にあると伝統的に理解されてきたのが、具体的争訟の存在という要件（〔具体的〕**事件性の要件**）であり、裁判所法3条1項の「一切の法律上の争訟」もこれと同義とされてきた。

「法律上の争訟」の意味について、最高裁は、①当事者間の具体的な権利義務ないし法律関係の存否（刑罰権の存否を含む）に関する紛争であって、かつ、②法令の適用により終局的に解決することができるものに限られるとしている（最判1981・4・7〔板まんだら事件〕など）。ここから、抽象的に法令の解釈または効力について争うことは①の要件を満たさず（最大判1952・10・8〔警察予備隊違憲訴訟〕。それゆえに抽象的違憲審査も否定される→第2節1・291頁）、国家試験の合格・不合格の判定（最判1966・2・8）や宗教上の教義に関する判断（前掲板まんだら事件、最判1989・9・8〔蓮華寺事件〕など）は②の要件を満たさないため、いずれも法律上の争訟にあたらない（訴えは却下）とされる。

＊ 内閣総理大臣の異議

裁判所による紛争の終局的解決可能性に関し、かねてから行政処分の執行停止（行訴法25条）についての内閣総理大臣の異議制度（同27条）の合憲性が問題とされてきた。この異議があったときは、裁判所は執行停止をすることができず、すでに執行停止を決定しているときもこれを取り消さなければならない（同条4項）ので、行政権による司法権への干渉ともいえる。執行停止を行政作用とみるか司法作用とみるかにもよるが、学説上は違憲説が有力である。

(3) 司法権の限界

　事件性の要件を満たすと考えられる場合でも、裁判所の審査権には服さないとされる事項があり、これらは**司法権**の(外在的)**限界**として議論されてきた。これら多様な事項が真に「限界」に該当するかについては、それぞれの根拠・範囲の吟味が必要である。

　ⅰ）　憲法上の例外

　憲法が明文で裁判所以外の機関に審査権を認めたものとして、議員の資格争訟の裁判（55条→第2章4節2(3)ⅴ）・225頁）、裁判官の弾劾裁判（64条→4(3)・288頁）がある。

　ⅱ）　国際法上の限界

　国際慣習法上の外交使節に対する治外法権や特別の条約に基づく裁判権の免除・制限がこれにあたる。後者の例として、在日米軍当局が駐留軍の構成員および軍属に対する裁判権を有するとする定めがあるが（日米地位協定17条）、密約の存在とともにその不平等な運用が問題とされている（→第1部5章3節・112頁）。

　ⅲ）　国会・議院の自律権に属する事項（→第2章4節2(3)ⅴ）・225頁）

　国会・各議院の内部事項については、その自主的決定に委ね、裁判所の審査権は及ばないとされる。最高裁は、国会の両院において議決を経たものとされ適法な手続によって公布されている法律については、両院の自主性を尊重すべく制定の議事手続に関する事実を審理してその有効無効を判断すべきでないとしている（最大判1962・3・7〔警察法改正無効事件〕）。

　ⅳ）　自由裁量行為

　政治部門の自由裁量に委ねられる事項（立法裁量・行政裁量）については、与えられた裁量権の範囲に属するかぎり当不当が問題となるだけであって、裁判所の審査権は及ばないとされるが、裁量権の逸脱・濫用にあたるか否かについては審査権が及ぶ（行訴法30条参照）。人権保障とのかかわりでも裁量統制は重要な課題であるが（最判1996・3・8〔神戸高専剣道受講拒否事件〕→第3部3章2節4・381頁）、最高裁は法律の違憲審査の場面で立法裁量を広く認める傾向にある（→第2節3・296頁）。

　ⅴ）　統治行為

　統治行為と呼ばれる「直接国家統治の基本に関する高度に政治性のある国家行為」については、法律の適用によって裁判所が終局的に解決するこ

とができる場合であっても、「高度の政治性」ゆえに裁判所の審査権が及ばないとされてきた。その根拠には、(a)高度の政治性を有する行為は、その性質上、主権者国民に政治責任を負わない裁判所ではなく、政治部門そして究極的には国民自身の判断に委ねられるべきとする内在的制約説と、(b)高度に政治的な行為について裁判所が審査し、判断することによって生じる混乱を回避するために審査を自制すべきとする自制説とがある。

　最高裁は、統治行為という語は用いていないものの、旧日米安保条約のような「主権国としてのわが国の存立の基礎に極めて重大な関係をもつ高度の政治性を有する」条約については、「一見極めて明白に違憲無効であると認められない限り」裁判所の司法審査権の範囲外とした（最大判1959・12・16〔砂川事件〕→第1部5章2節5(1)ⅰ)・107頁、第2節2(2)・294頁。ただし、これは「一見極めて明白に違憲無効」であるか否かは裁判所が審査できるという論理的には不純な変則的統治行為論である）。一方、衆議院の解散については、(a)内在的制約説に立ちつつ裁判所の審査権の範囲外としている（最大判1960・6・8〔第2次苫米地事件→第2章4節3(5)・241頁〕）。もともと「高度の政治性」といってもあいまいさを免れず、しかも憲法問題には政治性がつきまとうのがむしろ通常であるから、こうした統治行為が広く認められれば81条の趣旨をも没却しかねない。そこで学説では、自律権（→ⅲ)・276頁）や自由裁量（→ⅳ)・276頁）で説明できるものは、あえて憲法の明文の根拠も欠く統治行為という概念で説明する必要はなく、また国民による民主的な決定プロセス自体を損なうような国家行為（かつては議員定数不均衡問題も裁判所の審査権の範囲外とされていた）については裁判所による審査を拒むべきでないとするなど、統治行為概念の使用には抑制的な傾向が強い。また、統治行為論がもつ現状追認的機能にも注意が必要である。

＊近年の米公文書公開によって、砂川事件の処理をめぐって当時の田中耕太郎最高裁長官と米大使等が会合し、その中で田中長官が全員一致での一審判決破棄を示唆していた事実が明らかになった。「高度の政治性」ゆえに司法審査を回避した大法廷判決の裏面には、評議の秘密（裁75条）を漏らし、司法権の独立（→4・286頁）をも危うくしかねないこうした「政治的」動きがあったことになる。

ⅵ）団体の内部紛争

　最高裁は、「一般市民社会の中にあつてこれとは別個に自律的な法規範を有する特殊な部分社会」における紛争は、一般市民法秩序と直接の関係を有しない内部的な問題にとどまるかぎり裁判所の司法審査の対象にはならないとして、国立大学（当時）における単位認定行為を司法審査の対象外とした〔最判1977・3・15〔富山大学単位不認定事件〕。同種の判断として、政党内部における党員に対する処分〔最判1988・12・20〔共産党袴田事件〕、最判1995・5・25〔日本新党繰上補充事件〕→第2章2節2(2)ⅲ・167頁〕、県議会議長による議員発言取消命令〔最判2018・4・26〕がある）。これらの事案については、この種の団体内部の紛争には原則として裁判所の審査権が及ばないとする「部分社会の法理」で説明されることがある。しかし、これらの団体に共通する要素をみいだすことは困難であり、こうした紛争について裁判所の審査権を否定することは、不利益を受けた団体内部の少数者にとっては裁判を受ける権利の否定ないし制限にもなりうる。したがって、各種団体の憲法上の位置づけ、裁判所による介入を排除・制限すべき実質的根拠を精査したうえで、裁判所の審査権を認めるか、いかなる範囲で認めるかを判断する必要がある（前掲蓮華寺事件〔→(2)・275頁〕、共産党袴田事件参照）。最高裁も、地方議会における出席停止の懲罰決議について、かつては司法審査の対象外としていたが（最大判1960・10・19）、議会の自律的権能に基づく一定の裁量を認めつつ、出席停止によって住民代表としての議員の責務を果たすことができなくなる等の理由から、判例変更して司法審査の対象となるとした（最大判2020・11・25）。

＊伝統的な理解のように事件性の要件を司法権の本質的構成要素とすれば、この要件を満たさない客観訴訟（民衆訴訟〔行訴法5条〕と機関訴訟〔同6条〕とがあり、法律で特に定められた場合にのみ出訴できる〔同42条〕。具体例として選挙無効訴訟〔公選203～205条〕、住民訴訟〔地自242条の2〕）を法律で認めることは、司法作用でない権限を裁判所に与えることになり（裁3条1項参照）、76条1項に違反する可能性が生じる（行政権についての控除説〔→第2章4節3(1)・231頁〕とも矛盾しかねない）。一方、最高裁がしばしばこの訴訟形態で重要な憲法判断を示している（→第2章3節3・182頁、第3部3章2節3(4)・377頁）ことからもわかるように、現代の司法は、伝統的な紛争解決にとどまらず一定の政策形成機能をも営むようになってきている（現代型訴

訟)。こうした点への配慮から、近時の学説では、司法権の範囲・対象を「具体的争訟」より広くとらえつつ、「司法」概念を再構成する試みがみられるが、「司法」の概念をいかに理解すべきかは、実現されるべき「法の支配」の内実をいかにとらえるか、とりわけ公権力の活動をいかに司法的に統制するか・できるのか（そのひとつが違憲審査の場面である）という問題と連動している。

3 裁判所の組織と権限

(1) 裁判所の組織

ⅰ) 裁判所の組織

76条1項は、「最高裁判所及び法律の定めるところにより設置する下級裁判所」に司法権が属するものとし、これを受けた裁判所法は、下級裁判所として高等裁判所・地方裁判所・家庭裁判所・簡易裁判所の4種をおいている（裁2条。2005年に設置された知的財産高等裁判所は、東京高裁の特別の支部である〔知的財産高等裁判所設置法〕）。裁判所の扱う事件は、一般的には地裁（裁24条1-2号）、高裁（同16条1号）、最高裁（同7条1号）の順で審理される（三審制。家裁〔同31条の3〕、簡裁〔同33条〕が第一審となる場合や高等裁判所が第一審となる場合〔公選203条・204条など。この場合は二審制となる〕もある）。

ⅱ) 特別裁判所の禁止

「すべて司法権」が最高裁・下級裁判所に属する以上、それ以外の機関による裁判は当然禁止され、76条2項前段はそのことを確認的に定める。ここにいう特別裁判所とは、通常裁判所の系列から独立し、特別の身分を有するものや特別の種類の事件について裁判を行う機関をさし、訴訟手続も簡略であることが多い。大日本帝国憲法60条のもとでは、特別裁判所として軍法会議や皇室裁判所がおかれていたが、現在ではこの種の裁判所は設置することができない（軍法会議は9条との関係でも禁止される）。家裁・簡裁・知財高裁は、特定の種類の事件を専門的に扱うが、最高裁の系列下にあり、特別裁判所にはあたらない（最大判1956・5・30参照）。ただし、弾劾裁判所（64条→4(3)・288頁）は憲法自身が認める例外である。

76条2項後段は行政機関が終審として裁判を行うことを禁止するが、これは行政事件も司法権に含むとしたことの帰結である（→2(1)・274頁）。もっとも、この規定の反対解釈として、終審ではなく、その判断に対して

裁判所に出訴可能であれば行政機関による裁判も認められる（裁 3 条 2 項参照）。この場合でも、「裁判」にふさわしい組織（とりわけ判断者の独立性の保障）と手続保障が認められなければならない。

> **＊実質的証拠法則**
> 　行政機関（独立行政委員会）の準司法手続による事実認定が後審の裁判所を拘束すること（独禁80条 1 項〔2013年改正前のもの〕、電波法99条 1 項、鉱業等に係る土地利用の調整手続等に関する法律52条 1 項）は許されるか。事実認定は法の解釈・適用の前提ではあるが、事実認定のいかんは法の解釈・適用のありようを大きく左右しうるものであり、司法権の重要な構成要素なので、行政機関の事実認定が後審の裁判所を絶対的に拘束するものであれば違憲である。現行法は、行政機関の認定事実を立証する実質的な証拠の有無は裁判所が判断するとしている（独禁80条 2 項〔同上〕、電波法99条 2 項、鉱業等に係る土地利用の調整手続等に関する法律52条 2 項）。

(2) **下級裁判所の裁判官**

　下級裁判所の裁判官は、最高裁判所の指名した者の名簿によって、内閣がこれを任命する（80条 1 項）。現行法上は、高等裁判所長官・判事・判事補・簡易裁判所判事の 4 種がある（裁 5 条 2 項。任命資格は同42-46条）。
　上院の助言と承認を経て大統領が連邦裁判官を任命するアメリカのように、諸外国では裁判官の任命に議会が直接関与する例が少なくない（(3) ⅱ)(ｱ)・281頁も参照）。裁判所も国家権力の一翼を担う以上、裁判官の任命にもなんらかの民主的コントロールが及ぶべきであるが、他方で司法権の独立（→ 4 ・286頁）を確保する観点からは、ときどきの政治的多数派が自己の政治的主張を認めさせるため、任命を通して司法権に介入・干渉すること（ニュー・ディール期のアメリカでＦ・Ｄ・ローズベルト大統領が提案した「裁判所抱え込み案」など→第 1 部 2 章 3 節 2 (1)・35頁）は排除されなければならない。80条 1 項の趣旨は、この両者の要請のバランスを図るものと理解できよう。もっとも、現実には内閣の任命権は名目化し、名簿を作成する最高裁が実質的任命権をもつともいわれており、これが職業裁判官制度（キャリア・システム）・司法官僚制の温床となっている面も否定できない（2003年には最高裁に下級裁判所裁判官指名諮問委員会が設置された）。
　下級裁判所の裁判官の任期は10年であり、「再任されることができる」

(80条1項)。この「再任」の性格をどのように理解するかが、裁判官の身分保障（→4(2)・287頁）との関係で重大な問題となる。(a)第1の理解は、この規定は文字通り「再任」であって、再任の可否は任命権者＝内閣の裁量に委ねられるとする（再任の前提となる指名の可否は最高裁の裁量に委ねられる）。この理解は、「司法の危機」（→第1部3章3節3(3)・58頁）のなか、1971年に最高裁が青年法律家協会所属の判事補の再任指名を理由も明らかにせず拒否した際に示したものである（宮本判事補事件）。(b)第2の理解は、希望者の再任を原則と理解しつつ、特段の理由により裁判官として不適格であることが客観的に明白である場合には再任を拒否できるとする。

　もともと憲法が10年の任期制を採用したのは、弁護士など法律専門職の中から下級裁判所の裁判官を任命するという法曹一元制度を想定していたからとされ、80条1項の文言もこれに親和的である。こうした想定のもとでは、(a)の理解をとっても任期制と身分保障とはとくに矛盾しない。しかし、憲法制定後現実にとられてきたのは、ほとんどの裁判官が司法修習を終えてただちに判事補に任命され、再任を繰り返しつつ定年（80条1項但書）まで裁判官としての職務を行うという職業裁判官制度であった。こうした現実からすれば、(a)の理解のように再任の可否を任命権者・指名権者の自由裁量に委ねるのでは、あまりに裁判官の身分保障を弱くし、かつ再任拒否を恐れる裁判官が内閣・最高裁の意向を気にしつつ裁判にあたる可能性ゆえに、裁判官の職権行使の独立も危うくしかねない。こうした考慮から、学説では(b)の理解をとるものが圧倒的である。

(3)　**最高裁判所**

　ⅰ）　最高裁判所の構成

　最高裁判所は、「その長たる裁判官」（最高裁判所長官）と「法律で定める員数のその他の裁判官」（最高裁判所判事）とで構成される（79条1項）。現行法上、最高裁判所判事の員数は14名なので（裁5条3項）、最高裁裁判官の総数は15名である。

　ⅱ）　最高裁判所の裁判官

　(ア)　任命

　最高裁判所長官は内閣の指名に基づき天皇が任命し（6条2項）、最高裁判所判事は内閣が任命する（79条1項）。天皇の任命権はまったく形式

的なものであるから（→第1部4章2節3(1)・78頁）、実質的には内閣が全員の任命権をもつことになる。

＊憲法制定後最初の最高裁裁判官任命時には、裁判官任命諮問委員会が答申した30名の候補者の中から15名を内閣が任命するという方法がとられた（一回行われただけで廃止された）。内閣による任命を事前にチェックするこうした仕組みの採用は、真剣な検討に値する。

最高裁裁判官の任命資格は、「識見の高い、法律の素養のある年齢四十年以上の者」であり、15名のうち少なくとも10人は一定年数以上裁判官・検察官・弁護士など法律専門職の経験が必要とされている（裁41条）。法律専門職の経験を有する者のみとしない趣旨は、最高裁が最終審として違憲審査を行うことから（81条→第2節・291頁）、法律専門職の視点にのみ偏ることのないようにとの配慮とされる。もっとも、現実には非法律専門職出身者は1～2名程度であり、かつ事実上裁判官・検察官・弁護士などの出身枠が固定化され、定年退官する裁判官の後任人事も各出身母体の意向に基づくことが多いとされる（ただし、第二次安倍内閣では、官邸の意向が任命に強くはたらいたとも指摘されている）。

(イ)　国民審査

憲法は、最高裁裁判官の任命に対し、国民が直接事後的コントロールを及ぼしうる仕組みとして、国民審査制度を設けている（79条2～4項）。この制度は比較法的にみても珍しいものであるが（アメリカの一部の州で行われていた制度がモデルとされる）、国民主権原理からも重要な意義をもつ（→第2章3節3(1)・182頁）。

この審査の性質は、すでに有効に任命された裁判官についてのリコール制（解職制）と理解するのが一般的である（15条1項参照）。もっとも、任命後最初の審査については、内閣による任命の可否についての判断も含むと理解すべきである。

最高裁裁判官は、その任命後最初に行われる衆議院議員総選挙の際に審査を受け、その後も10年が経過するごとに同様の審査を受ける（79条2項）。審査の結果、投票者の多数が罷免を可とした裁判官は罷免される（79条3項）。審査に関する事項は法律で定めるが（79条4項）、現行法は、

審査に付される裁判官の氏名がくじで定められた順番で印刷された投票用紙を用いて、罷免を可とする裁判官に対する記載欄には×印をつけ、それ以外の記載欄は空欄のまま投票するという方式をとる（最高裁判所裁判官国民審査法14〜15条）。○印など×印以外の事項を記入した投票は無効となる（同22条1項）。

運用の実態をみると、これまで審査の結果罷免された裁判官はおらず、×印も多くて有効投票の10パーセント程度である。さらに近時では60歳を超えてから最高裁裁判官に任命されるのが常態化しており、70歳の定年（79条5項、裁50条）までに2度目の審査を受ける者もいない。そこから、国民審査は有効に機能していないとして、廃止論も含めた批判にさらされてきた。もっとも、こうした実態は、現行制度の運用とそれを取り巻く環境に由来するところが大きい。とりわけ、現行法の方式では、×印以外の投票はすべて「罷免を可としない」投票として扱われてしまう。リコール制という制度趣旨からすれば、現行方式が違憲とまではいえないとしても（最大判1952・2・20参照）、○印の記載を認める改正が禁止されるわけではないし、審査対象の裁判官についてほとんど情報が提供されない現実を改め、国民の判断を実質化するための条件整備こそが必要である。

ⅲ）　最高裁判所の権限

最高裁判所は以下の権限を有する。

㈦　審級制度上、最高かつ最終の裁判所として、上告および訴訟法で特に定める抗告についての一般裁判権（76条1項、裁7条）

現行法上の最高裁判所への上告理由は、憲法違反（民訴312条1項、刑訴405条1号）、判例違反（刑訴405条2〜3号。民事訴訟においては上告受理の申立て事由〔民訴318条1項〕）、裁判所の構成の違法など（同312条2項）である。訴訟法の定める抗告には、民事訴訟における特別抗告（同336条）・許可抗告（同337条）、刑事訴訟における特別抗告（刑訴433〜434条）がある。

最高裁の審理および判決は、大法廷（15名の裁判官全員の合議体）または3つの小法廷（5名の裁判官の合議体）で行われる（裁9条1〜2項、最高裁判所裁判事務処理規則2条1項）。事件を大法廷と小法廷のどちらで扱うかは最高裁の定めるところによるが、法律などの合憲性について判断するとき（とりわけ違憲判断を行うとき）、判例変更を行うときなどは、大法廷で裁判しなければならない（裁10条）。実務上は、事件はまず小法廷で審理され、

必要があるときに大法廷に回付される（最高裁判所裁判事務処理規則9条）。
　(イ)　違憲審査権（81条）→第2節・291頁
　(ウ)　規則制定権
　最高裁判所は、「訴訟に関する手続、弁護士、裁判所の内部規律及び司法事務処理に関する事項」について規則を制定する権限を有する（77条1項）。これは実質的には立法作用であり、国会の唯一の立法機関性（41条→第2章4節2(2)・214頁）に対する憲法上の例外である。最高裁に規則制定権を認める根拠は、司法権の独立の観点から、司法部内における最高裁の統制・監督権を強化し、実務に通じた裁判所の専門的判断を尊重することにある。最高裁判所規則には、検察官も従わなければならず（77条2項）、最高裁は、下級裁判所に関する規則制定権を下級裁判所に委任することができる（77条3項）。
　憲法の挙げる4つの規則事項については、法律でも定めることができるとするのが通説である。少なくとも裁判所の内部規律に関する事項は規則の専属事項とする有力説もあるが、とりわけ刑事手続について31条が「法律の定める手続」を要求していることからすれば、刑事「訴訟に関する手続」に関する事項を規則の専属事項と解することはできず、手続の基本構造・被告人の重要な利益になる事項は法律で定めなければならない。
　法律と規則とが矛盾・抵触する場合の効力関係については、(a)法律優位説、(b)同位説（「後法は前法を廃する」の原則による）、(c)規則優位説があるが、国民代表機関たる国会が制定した法律より最高裁判所規則が優越すべき特別の理由がなく、(a)法律優位説が通説的である。
　(エ)　下級裁判所の裁判官指名権（80条1項）→(2)・280頁
　(オ)　司法行政権
　最高裁判所は、下級裁判所の裁判官に対する監督も含む司法行政の監督権を有し（裁80条）、その行使は裁判官会議の議による（同12条）。これは、大日本帝国憲法下においては司法大臣に認められていたものであり、この点で最高裁判所の地位は戦前の大審院と大きく異なる。
　司法行政の監督権は、裁判官の裁判権に影響を及ぼし、これを制限することはない（同81条）。裁判官の職権行使の独立（→4(2)・287頁）からは当然であるが、司法行政権には下級裁判所の裁判官の指名（80条1項→(2)・280頁）・補職（裁47条）など人事事項も含まれ、これを通して裁判官の職

権行使の独立を侵害する可能性が問題とされている（→4(2)・287頁）。

(4) 司法への国民参加

　職業裁判官のみによる裁判は、ともすれば一般社会の良識からかけ離れた判断を生みかねず（強固な司法官僚制をもつ日本ではとりわけその危険性が大きい）、冤罪など不当な権力行使がもたらされかねない。そうした司法の権力性への考慮から、諸外国では裁判権の行使に直接国民が関与する仕組みが設けられてきた。主要な類型としては、英米法系で行われている陪審制（一般市民から選ばれた陪審員が、おもに事実の審理・認定を行う小陪審〔審理陪審〕と刑事事件における起訴の可否を判断する大陪審〔起訴陪審〕とがある）と大陸法系に多い参審制（一般市民から選ばれた参審員が職業裁判官とともに合議体を形成し、裁判を行う）がある。こうした司法への国民参加は、マグナ・カルタにまで遡る自由保護の意義（→第3部5章1節1・461頁）とともに、参加した国民自身にとって「民主主義の学校」としての役割を果たす（トクヴィル）ことからも、重要な位置づけを与えられている（アメリカ合衆国憲法修正5～7条参照）。

　日本国憲法のもとで国民参加の制度が認められるかについては、32条・37条1項にいう「裁判所」を職業裁判官のみによって構成されるものと理解したり、裁判官は「この憲法および法律にのみ拘束される」とする76条3項を根拠に違憲とする説もある。しかし、従来の通説は、陪審の評決に裁判官が厳格に拘束されるものでなければ日本国憲法のもとでも陪審制度を設けることは許容されるとしてきた（裁3条3項参照）。国民が司法について適切な知識・理解を有することが前提となるが、司法への国民参加がもちうる意義に照らせば、一般的に国民参加が否定されているとみることはできず、具体的な制度設計を検証することが重要であろう。

> コラム
> **裁判員制度**
> 　大日本帝国憲法下においては、大正デモクラシーの産物として1923年に陪審法が制定され、刑事小陪審制度（裁判長は陪審の答申に拘束されない）が導入されたが（1928年施行）、利用数も多くなく、1943年には施行が停止された。一方、日本国憲法下では大陪審がモデルとされる検察審査

会を除けば、長らく司法への国民参加制度は存在してこなかったが、「司法制度の意義に対する国民の理解を深め、司法制度をより確かな国民的基盤に立たしめる」ことを課題に掲げた司法制度改革（司法制度改革審議会意見書〔2001年〕）のひとつの目玉として、2009年5月から一部の刑事重罪事件につき裁判員制度が導入された（裁判員法）。この制度は、「司法に対する国民の理解の増進とその信頼の向上」（同1条）を目的とし、一般国民の中からくじで選ばれた6名の裁判員と3名の職業裁判官との合議体が事実認定・法令の適用・有罪の場合の量刑を行う。合議体の判断は裁判官と裁判員の「双方の意見を含む合議体の員数の過半数の意見」による（同67条1項）。この制度にともなって導入された公判前整理手続（同49条、刑訴316条の2〜316条の27）や審理期間の迅速化（裁判員法51条）が被告人の防禦権保障を弱めることにならないか、裁判員への選任が意に反する苦役（18条）にあたらないか、裁判員としての職務が思想・良心の自由（19条）を侵害しないか（裁判員法16条8号、裁判員の参加する刑事裁判に関する法律第16条8号に規定するやむを得ない事由を定める政令6号参照）などの問題が指摘されている。最高裁は、「裁判の民主的基盤」を強調しつつ、憲法は国民の司法参加を許容しており、裁判員法は違憲ではないとした（最大判2011・11・16）。

4 司法権の独立

(1) 司法権の独立の意義

裁判が外部からの政治的干渉・圧力を受けず、法に従って厳正かつ公正に行われること、すなわち**司法権の独立**は、法の支配を実現し、裁判を通して国民の権利を保障するうえできわめて重要な役割を果たす。もちろん、司法権の独立さえ確保されれば、権利の実現・救済が果たされるわけではないが、司法権の独立がなければ、法に従った裁判そのものが存在しえなくなってしまう。ここから、近代司法の大原則として司法権の独立の原理が確立されてきており、日本国憲法下においても当然に認められている。

この司法権の独立の核心にあるのは、司法権の行使としての裁判を直接担当する個々の裁判官の職権行使の独立であり、76条3項がこれを保障する（→(2)・287頁）。また、裁判の内容によって裁判官がその職を失ったり、待遇が悪化したりしては、法のみに従った裁判が困難となるおそれがある。こうして、イギリスの王位継承法（1701年）以来、司法権の独立を担保す

る裁判官の身分保障も近代司法の原則とされてきている（→(3)・288頁）。

さらに、裁判官の人事や裁判所内部の運営・規律について、裁判所以外の国家機関による介入を認めれば、それを通して裁判の内容に対する干渉が生じかねない。そこから、司法権の独立の原理は、政治部門からの司法部全体の独立の要請をも含むと考えられている。行政機関による裁判官の懲戒処分禁止（78条後段→(3)・288頁）のほか、最高裁に規則制定権（77条→3(3)ⅲ)(ウ)・284頁）、司法行政権（→3(3)ⅲ)(オ)・284頁）が認められたのは、司法権の独立からの要請である。ただし、対政治部門での司法権の独立と司法権内部における裁判官の職権行使の独立とは、ときに緊張関係に立つことがありうる点に留意が必要である（吹田黙祷事件〔1953年〕、平賀書簡事件〔1969年〕参照）。

大日本帝国憲法は、裁判官の身分保障に関する規定（58条）をおいていたものの、司法権の独立は明示していなかった。しかし、一般に同憲法施行直後の大津事件（1891年）以来、司法権の独立が認められてきたと理解されている。日本国憲法下において対政治部門での司法権の独立が問題となった事例には、浦和事件（1949年→第2章4節2(1)・212頁）がある。

(2) 裁判官の職権行使の独立

76条3項は、「すべて裁判官は、その良心に従ひ独立してその職権を行ひ、この憲法及び法律にのみ拘束される」として、裁判官の職権行使の独立を定める。ここにいう「良心」は、裁判官としての職責を果たすにあたって従うべき規範であり、裁判官という職務を離れた個人としての主観的良心ではなく、裁判官としての良心（客観的良心）を意味するというのが通説的である。法の解釈はすべて一義的に決定されるとはかぎらないから、ありうる複数の解釈のなかから妥当と考える解釈を選択する場面において個人の主観的良心がその選択に作用する可能性はあるが、それもあくまで裁判官として真摯に法の解釈を探究することが前提となろう。

*1970年代の「司法の危機」の時期（→第1部3章3節3(3)・58頁）に、当時の最高裁長官が、裁判官が従うべき「良心」とは全人格を指し、裁判官として好ましくない「良心」をもつ裁判官は不適格であると述べたが、これによれば個人としての「良心」ゆえに裁判官を排除しうることになり、裁判官の職権行

使の独立を深刻に脅かしかねない。

　裁判官が従うべき「法律」には形式的意味の法律（→第2章4節2(2) i)・214頁）だけでなく、政令・条例など他の形式の一切の法規範が含まれる。一方、判例がここに含まれるかについては議論がある。判例法主義のもと先例拘束性原理（stare decisis）をとる英米にならって、明示的に判例の拘束力を認める見解もあるが（この場合、拘束力をもつ判決理由（ratio decidendi）と拘束力をもたない傍論（obiter dictum）との区別が重要となる）、日本が制定法主義をとり、裁判所による判例の内容もその圧倒的部分は制定法の解釈として示されることからすれば、判例を制定法から独立した法源として位置づけ、裁判官が制定法とひとしく判例にも拘束されるとは理解しにくい。もちろん、制定法の具体化・法解釈の統一・予測可能性の確保といった観点から判例の参照は必要であるが、裁判官が「良心」に従って真摯に検討した結果、既存の判例に従わずに判決を下すことは当然ありうる。現行法は、一般的に判例の拘束力を認める定め方をせず（裁4条）、判例違反を最高裁への上告理由とし、判例変更は大法廷で行うこととして（→3(3)iii)(ア)・283頁）、そのかぎりで判例を尊重すべきものとしている。

＊もっとも、下級審では、事案の相違や判例の射程に十分配慮することなく最高裁判例に追随する傾向が顕著であり、最高裁自身も、先例をいかなる意図で何について参照したのかを明確にせず「判例の趣旨に徴して明らか」との説示ですませることも多く、こうしたおおざっぱな判例の取扱いには問題が多い。

(3)　裁判官の身分保障

　憲法は、裁判官の罷免事由を「裁判により、心身の故障のために職務を執ることができないと決定された場合」と「公の弾劾」に限定し、行政機関による裁判官の懲戒を禁止し（78条）、さらに定期的報酬の保障とその減額禁止を規定して（79条6項・80条2項）、**裁判官の身分保障**を定める。「心身の故障のために職務を執ることができない」場合の罷免手続は裁判官分限法が定める。「公の弾劾」による罷免は、国会の両議院の議員で組織される弾劾裁判所による（64条、国会125～129条、裁判官弾劾法）。法の定める罷免事由は、「職務上の義務に著しく違反し、又は職務を甚だしく

怠つたとき」と「その他職務の内外を問わず、裁判官としての威信を著しく失うべき非行があつたとき」のふたつのみである（裁判官弾劾法2条）。

　裁判官の懲戒については、司法権の自律の観点から、78条が明文で禁止する行政機関による懲戒のみならず国会による懲戒も禁止されると解されている（裁判官分限法3条参照）。78条が罷免事由を限定しているので、懲戒相当の場合も罷免は許されず、戒告または1万円以下の過料である（同2条）。司法権内部における懲戒についても、裁判官の職権行使の独立をおびやかすものでないか、慎重な配慮が求められる（寺西判事補事件、岡口判事事件参照）。

＊**大津事件**
　日本訪問中のロシア皇太子（のちの皇帝ニコライ2世）が警備担当の巡査に切りつけられて負傷するという事件が発生し、政府は旧刑法の皇族に対する罰条（法定刑は死刑）を適用すべきと決定した。これを大審院長・児島惟謙に申し入れたところ、児島は外国の皇太子に対してその罰条を適用することは無理であり、政府の動きは司法への不当な干渉であるとして拒否し、さらに担当裁判官を説得して、結局普通殺人未遂罪による無期徒刑の判決となった。児島の行動は、政府による干渉から司法権の独立を確保するため、担当裁判官には裁判の内容にかかわる干渉を行ったことになり、対政治部門での司法権の独立が裁判官の職権行使の独立と緊張関係に立ちうることを示している。司法権の独立にとってのこの事件の意味を考えるには、大日本帝国憲法制定直後という時期も含む当時の具体的事情、その後同憲法下で司法権の独立・裁判官の職権行使の独立がどのように扱われたかをふまえる必要があろう。

＊**吹田黙祷事件**
　吹田騒擾事件における裁判長の訴訟指揮（公判廷での被告人らの朝鮮戦争戦死者への黙祷を制止しなかった）が国会の裁判官訴追委員会の調査対象とされ、最高裁は司法権の独立を侵害するおそれがあるとして同委員会に申し入れを行ったが、他方で、同事件における裁判長の訴訟指揮は遺憾であったとする通達を全国の裁判官に発した事件。

＊**平賀書簡事件**
　長沼ナイキ基地訴訟（→第1部5章2節5(2)iii・109頁）を担当していた札幌地裁の福島重雄裁判長に対して、平賀健太・同地裁所長が国側の主張を支持し、自衛隊の違憲判断を避けるべきことを示唆する内容の書簡を送ったことが問題となった事件。札幌地裁裁判官会議は、裁判への干渉にあたるとして平賀所長を厳重注意処分にし、最高裁も注意処分に付して東京高裁に転任させた。一方、福島裁判長は、青年法律家協会会員であったため偏向裁判批判の対象と

なり、私信を無断で公開したとして裁判官訴追委員会で訴追猶予処分（平賀所長は不訴追）とされ、札幌高裁から注意処分を受けた。

＊寺西判事補事件

　寺西和史・仙台地裁判事補が、組織犯罪対策法案に反対する市民集会にパネリストとして参加を予定していたところ、同地裁所長より裁判所法52条1号の禁止する「積極的に政治運動をすること」に該当するおそれがあり懲戒処分もありうると警告されたため、パネリストとしての参加は取りやめたものの、当日の集会には参加し、フロアから職名を明らかにしたうえでパネリストとしての発言は辞退する旨発言したことが、「積極的に政治運動をすること」に該当し、職務上の義務に違反した（裁49条）として分限裁判（裁判官分限法3条1項）が申し立てられた事件。最高裁の多数意見（10名全員が裁判官・行政官出身）は、裁判官は独立して中立・公正な立場に立ってその職務を行うだけでなく、外見上も中立・公正を害さないように自律、自制することが要請され、「裁判に対する国民の信頼」を維持すべきことを強調しつつ、寺西判事補を戒告処分とした（最大決1998・12・1）。本件では裁判官職にある者の政治的表現の制約が問題となるが、一般職の国家公務員（→第3部3章3節4(1)ⅲ・405頁）と比べても裁判所法上の禁止はより限定的であり、多数意見の判断は過剰に裁判官を萎縮させないかが問われよう。本決定には、懲戒処分は不相当とする5名の反対意見（いずれも弁護士・学者出身）が付されているが、なかでも河合反対意見で示された「自主、独立して、積極的な気概を持つ裁判官」像は、多数意見のような裁判官像と際立った対照を示している。

＊岡口判事事件

　岡口基一・東京高裁判事が、ツイッター上の自己のアカウントで自己の担当外の民事訴訟に関するツイートをして訴訟当事者の感情を傷つけたことが、「品位を辱める行状」（裁49条）に該当するとして分限裁判が申し立てられた事件。最高裁は全員一致で、「品位を辱める行状」とは、職務上の行為と純然たる私的行為とを問わず、およそ裁判官に対する国民の信頼を損ね、または裁判の公正を疑わせるような言動をいうとした上で、上記ツイートは訴訟の内容を十分に検討せず、表面的な情報のみを掲げて一方的な評価を公然と伝えたものとして、同判事を戒告処分とした（最大決2018・10・17。その後、同判事はフェイスブック上での発言について2度目の戒告処分を受けた〔最大決2020・8・26〕）。最高裁は、裁判官も一市民として表現の自由を有するとしつつ、上記発言は裁判官に許容される限度を逸脱したものとするが、明確性を欠く「品位を辱める行状」という規定に基づく懲戒が裁判官の言動をこれまで以上に萎縮させ（最高裁は、直接の懲戒対象となったツイート以外の事情も考慮している）、裁判官が独立して職権を行使する前提を掘り崩さないかが懸念される。なお、同判事については、2021年6月に弾劾裁判所に罷免の訴追がなされた。この訴追はSNS上の発言など職務と関係のない行為を理由としており、過去

の弾劾訴追事例の多くが重大な刑事犯罪であることと比較しても異様さは否めない。

考えてみよう

1…事件性の要件が司法権の中核にあるとすると、法律で客観訴訟を裁判所の権限とすることは憲法上認められるか、あるいはどのような限界があるか。
2…司法権の限界が認められるべき場合とその根拠について整理せよ。
3…裁判官の身分保障の内容について、職権行使の独立との関係に留意しつつ整理せよ。

Further Readings

・佐藤幸治『現代国家と司法権』（有斐閣、1988年）：司法権の理論的本質を「法原理部門」と把握し、その後の理論動向に大きな影響を与えた著作。本書は純理論的な論文集だが、その後筆者は、「法の支配」を強調して司法制度改革をリードすることになった（『日本国憲法と「法の支配」』〔有斐閣、2002年〕）。
・藤田宙靖『最高裁回想録』（有斐閣、2012年）：行政法学者から最高裁判事となった著者の回想録。「隼町の要塞」＝最高裁内部をうかがい知ることができる。
・寺西和史『愉快な裁判官』（河出書房新社、2000年）：寺西判事補事件の当事者が、生い立ちから裁判官としての仕事ぶり、懲戒処分を受けるまでを率直につづる。本書を読めば、この事件についての見方が変わるかもしれない。岡口判事事件の当事者による岡口基一『最高裁に告ぐ』（岩波書店、2019年）もあわせて読んでほしい。

第2節	違憲審査制度
キーワード	付随的違憲審査、立法不作為、二重の基準、三段階審査、司法消極主義

こんにち、違憲審査制度の導入は世界的な潮流となっている。しかし、その制度や実態、社会における役割は多種多様である。本節では、違憲審査制度の比較法的多様性および日本における現状と課題を検討する。

1 違憲審査制度の型

(1) 違憲審査制度のひろがり

違憲審査制度とは、法令や処分等の国家機関の行為の憲法適合性を判断する権限を特定の機関に与え、違憲の場合にはそれを無効とし、それによ

り憲法が守られることを確保しようとする仕組みである。すでにみたように（→第1部2章3節2(3)・37頁）、この制度の採用は現代の立憲主義の特徴のひとつに数えられる。とりわけ1990年代、社会主義国が体制転換を遂げ権威主義国家の民主化が叫ばれるなかで、旧ソ連・東欧諸国やアジア諸国が違憲審査制度を導入する違憲審査の「第三の波」が到来した。現在、違憲審査制度は世界的広がりをみせるが、その仕組みは一様ではない。

　違憲審査の目的のひとつは「憲法が守られることを確保すること」すなわち憲法保障にある（→第1部6章・126頁）。それを担う機関は事後的な権利救済を主たる目的とする司法機関に限られない。たとえば、フランスが1958年憲法により設立した憲法院は、立法府を監視する政治部門たる性格を有していた。しかし、その憲法院も1971年以降法律の事前審査というかたちで違憲審査機関・人権擁護機関としての機能を強化し、2008年の憲法改正で事後審査権を有するに至るなど、その性格に大きな変容がみられる。比較法的には、現在では、司法機関による違憲審査の制度が主流を占める。

(2)　**違憲審査制度のふたつの型とその接近傾向**

　司法機関による違憲審査制度は、通常裁判所型と憲法裁判所型とに大別できる。通常裁判所型の場合、民事・刑事・行政の裁判を行う通常裁判所が、係属した訴訟事件の審理にあたり必要な限りにおいて違憲審査を行う（**付随的違憲審査**）。通常裁判所が事案の解決のために行うため、その第1の目的は当該事件における個人の権利救済にある（私権保障）。アメリカや、イギリスを除くコモン・ウェルス諸国の多くがこの仕組みを採用する。

　これに対し憲法裁判所型は、違憲審査のための特別な司法機関が、具体的な紛争の解決とは無関係に、特別に法定された提訴権者の訴えに基づいて国家機関の行為の憲法適合性を審査する（抽象的違憲審査）。主な目的は国家行為の憲法適合性の確保にある（憲法保障）。ドイツやオーストリアなどヨーロッパ各国および旧社会主義国の多くはこの型を採る。

　だが、この類型論は理念形にすぎない。実際には付随的違憲審査制を採るアメリカでも当事者適格を緩和し公益実現のための訴訟に道を開いている。逆に、ドイツでは1969年の憲法改正で「憲法異議の申し立て」制度を導入し、憲法裁判所は個人の具体的な基本権侵害の救済の役割も担うようになった。そのため現在では両者の合一化傾向が指摘されている。

＊違憲審査の多様性
　合一化傾向の指摘は一面うなずける。だが、違憲審査制を採用する国の増加とともに多様性が広がっていることも看過すべきでない。たとえば、同じ通常裁判所型の国でも、裁量上訴制度を採るか否かにより、最上級裁判所がどの程度憲法適合性判断機関の役割に傾斜するかは異なる。また、憲法裁判所の管轄事項は国によって異なる。たとえば、韓国ではドイツのような抽象的規範統制は管轄に含まれない。また、ハンガリーやポーランドでは法令の合憲性審査（事後統制）のみならず事前統制も憲法裁判所の管轄とされる。こうした差異は各国の統治機構において違憲審査機関に期待される役割の違いでもある。

2　日本国憲法のもとでの違憲審査制度

　日本国憲法は81条で最高裁判所が違憲審査権を有すると定める。しかし、具体的な違憲審査の仕組みまでも定めるものではなく、制定当初はその解釈をめぐり議論が展開された。しかし、判例や実務での運用等を通じ、現在では一般に以下のように理解されている。

(1)　違憲審査の型

　日本は、現行制度のもとでは**付随的違憲審査制**をとる（最大判1952・10・8〔警察予備隊違憲訴訟〕）。81条が司法権の章にあり違憲審査権は司法権の範囲内で行使しうるものと考えられること、憲法裁判所を設ける場合には憲法に明記するのが比較法的に主流であることがその理由である。ただし、法律を制定して最高裁に抽象的違憲審査権を別途付与することが憲法上可能かどうかは見解が分かれる。抽象的違憲審査機能を司法権とは質的に異なるものとみて、その創出には憲法上の根拠が不可欠とするならば、抽象的違憲審査権の付与には憲法改正が必要となる。判例はこの点につき姿勢を明らかにしていない。司法権が紛争解決という伝統的な役割に必ずしも限られない機能を期待されている現状に鑑み、法律で抽象的違憲審査権を付与することを可能とする説も有力である。

　なお、81条が違憲審査権を有すると明記するのは最高裁のみだが、違憲審査権は司法権の範囲内で行使されるものでありその点において最高裁と下級裁判所の間に異なるところはないため、下級裁判所も違憲審査権を有すると解される（最大判1952・10・8〔警察予備隊違憲訴訟〕）。

(2) 違憲審査の対象

　81条は「一切の法律、命令、規則又は処分」を違憲審査の対象とすると定める。これは一切の国内法規範をさす趣旨と解される。よって、国会制定法および行政各部の定める命令・規則はもちろん、地方自治体の定める条例も含まれる。通説は裁判所の判決も同様と解する。

　問題となるのは国際法規範すなわち条約の違憲審査である。これに関しては、古くは、そもそも法体系として国際法と国内法が同一次元に存在するのかという論点が前提として論じられた（一元論と二元論）。そもそも国際法と国内法が別次元に存在するなら（二元論）憲法適合性を論じる余地がなくなるからである。しかし、こんにち、国際法学では法の適用場面に着目し、国際関係における適用のありかたと国内における適用のありかたをそれぞれ把握する見方（等位理論）が有力である。これにならえば、条約が違憲審査の対象となるか否かは、国内における条約の法的効力および適用のありかたの問題ととらえれば足りる。そして、これは各国の憲法でそれぞれ規定される。

　国内法における条約と憲法の効力関係について、日本国憲法には明文の規定がない。学説は条約優位説と憲法優位説に分かれるが、通説は憲法優位説である。条約優位説に立てば論理的に条約の違憲審査はありえず、憲法優位説に立つ場合のみ議論の要が生じる。

　国内法的効力として憲法が条約に優位するとしても、条約に対する違憲審査は直ちには肯定されない。学説は(a)条約は国家間の合意という特質をもち、きわめて政治的な内容を含むため、審査の対象にならないとする説、(b)条約は「規則又は処分」に含まれるとして審査の対象とする説、(c)人権保障を害するような内容の条約については特別に審査権が及ぶと解する説に分かれるが、通説は(c)である。最高裁は砂川事件（最大判1959・12・16→第1部5章2節5(1)ⅰ・107頁）では、日米安保条約に対する違憲審査について「一見極めて明白に違憲無効であると認められない限りは、裁判所の司法審査権の範囲外のもの」と述べており、裏を返せば「一見明白に違憲無効」であれば司法審査の対象となることを示したといえる。さらに、これは日米安保条約というきわめて政治性の高い条約に関する個別判断であり、より法的性質の強い条約はその限りでないとする余地もある。

　もうひとつの問題は、「法令が存在しないこと」の違憲性、すなわち、

立法不作為の違憲審査の如何である。現に存在する法令の違憲性を審査する場合とは異なり、立法不作為の違憲審査には特有の困難がともなう。

第1に「立法不作為」の定義の不明確さである。法の整備された現代国家では、法的規制のまったく及ばない領域を想定するのは難しい。だとすれば、問題は立法の不在ではなく、現存する法令の不備となる。また、違憲の法令を改廃するのも立法の仕事であり、それがなされないことも立法の不作為ととらえうるし、既存の法令を廃止した（作為）ことで新たに違憲状態を生ぜしめた場合も、立法の不存在に起因する違憲状態という意味では立法不作為といいうる。なお、在宅投票制度廃止事件（最判1985・11・21、→第2章3節3(2)ⅳ）(ｱ)・189頁）は既存の法令を廃止したことの違憲性が争われた事例だが、最高裁はこの判決で「立法行為（立法不作為を含む）」の問題として事案を取り扱っており、立法行為（作為）と立法不作為を特段に区別しないことを示した。

第2に訴訟形式の問題である。現に存在する法令の違憲性を争う訴訟は、国家賠償請求訴訟または行政事件訴訟法に基づく取消訴訟の形式で提起されることが多い。しかし立法不作為は取消訴訟には馴染まない。そこでまず注目されたのがドイツ等にみられる違憲確認訴訟である。日本の行政事件訴訟法に列記された訴訟形式ではないが無名抗告訴訟の一としてこれを提起できるとの学説は、一定の支持を集めた。しかし、立法義務を一義的に画定することは困難であり、付随的審査制の原則にそぐわないという難点もあって、実務は、完全に否定はしなかったものの消極的だった（東京高判1985・8・26など）。しかし、近年この流れは変化しつつある。2004年、確認訴訟の積極的活用を掲げて行政事件訴訟法が改正、公法上の法律関係に関する確認訴訟が明文化され（行訴法4条）、その翌2005年、在外国民選挙権訴訟（最大判2005・9・14）で最高裁は次回選挙時に原告らが選挙人名簿に登録され投票可能な地位にあることの確認の訴えを認めた。これは公職選挙法の直接の違憲確認ではないが、実質的な効果には類似性がある。

違憲確認訴訟以外で立法不作為を争うには、それにより生じた損害につき国家賠償法に基づき賠償請求を行う途が考えられる。先述の在宅投票制度廃止事件はこの可否が主要な争点となった。最高裁は、この判決において、立法行為（不作為を含む）の違法性と当該立法内容の違憲性とは異なる問題だとし、「仮に当該立法の内容が憲法の規定に違反する廉があると

しても、その故に国会議員の立法行為が直ちに違法の評価を受けるものではない」とした。そして、立法行為が国賠法上違法となるのは「憲法の一義的な文言に違反しているにもかかわらず国会があえて当該立法を行うというごとき、容易に想定し難いような例外的な場合」に限られるとして、きわめて厳格にこれを制限する見解を示した。これは事実上国家賠償法を用いて立法不作為を争う道を閉ざすものだとして、学説は強く批判した。

先述の在外国民選挙権訴訟でも最高裁はこの枠組みを維持する。しかし、結果としては国家賠償を認めるという「異例」の判決を下した。この判決の射程はまだ不明確であるが、立法不作為の違憲審査の意義と必要性の認識は高まってきているといえる。

3　違憲審査のプロセス

(1)　訴訟要件

付随的審査制を採る日本の場合、違憲審査は民事や刑事、行政の具体的な訴訟事件に付随して行われる。そのため、憲法訴訟が裁判所に受理されるための訴訟要件も個々の事件の訴訟要件と変わりなく、民事訴訟法、行政事件訴訟法などの個別の訴訟法による。訴訟要件には技術的な側面もあるが、これを充足しない訴えはそもそも裁判所で審理をしてもらえないため、特定の問題について憲法判断を求める当事者にとっては死活問題でもある。民事事件および行政事件の場合は実際にこれが大きな障壁となる。

裁判が司法権の作用である以上、その中核を成すと一般に考えられている「法律上の争訟性」を満たすことが第1である。さらに、原告適格や訴えの利益などが各訴訟法によって訴訟要件として定められている。

憲法は公権力のコントロールを主要な役割とする。そのため、公権力の行使を直接裁判で争う行政訴訟は、憲法訴訟の重要な形態である。しかし、行政事件訴訟法は訴訟要件のハードルの高さがしばしば指摘されてきた。原告適格を備えるには「個別的利益」が必要だが、認定が厳格過ぎて公益目的の訴えが審理の俎上に乗らないとの批判や、通達や行政計画には処分性がなく抗告訴訟で争いうる「公権力の行使」とは認められないために現実に行政を動かすこれらの活動をチェックできないとの批判である。2004年の行政事件訴訟法改正以降、実務では変化の兆しもみられるが、裁判に

よる公権力の統制という観点からはいまだ問題も多い。

これに対し、民事訴訟は私人間の生活関係上の法的紛争の解決を目的としており、直接公権力の行使の違法性を争うものではない。しかし、売買契約のように国や地方自治体が私法形式をとって行う活動の違憲性を争う場合には、民事訴訟による。国家賠償法に基づく賠償請求訴訟も、形式的は違法な公権力の行使によってもたらされた損害の賠償を求めるものだが、当該行為の違憲性を主張するために提起されることが多い。また、私人間の争いのなかに憲法上の争点が含まれる場合もある（→第3部1章4節1・327頁）。民事訴訟でも訴訟要件として当事者適格や訴えの利益が求められるが、そのハードルは行政事件訴訟法に比べると低く設定されている。

また、問題となる紛争が前節 2 でみた司法権の限界を超える場合にも、違憲審査の対象とはならない。

(2) **憲法判断の手法**

ⅰ) 憲法判断回避

当事者が違憲を主張する法令や処分が違憲審査の対象に含まれる場合でも、裁判所は必ず憲法判断を行うわけではない。アメリカでは、1930年代には憲法判断回避の準則が判例を通じて確立され、憲法問題に触れずに事案を解決できる場合には憲法問題には判断を下さないこと（狭義の憲法判断回避）や、法令に複数の解釈が存在する場合には合憲性への疑義を避けることができる解釈を選択すべきであること（合憲限定解釈）がルールとされた（ブランダイス・ルール）。司法権の立法府への敬譲が理由である。

日本でもこのスタンスは基本的には妥当と考えられ、実務上もその姿勢がみられる。恵庭事件一審判決（札幌地判1967・3・29）が示す、裁判所は「当該裁判の主文の判断に直接かつ絶対必要なばあいにだけ、立法その他の国家行為の憲法適否に関する審査決定をなすべき」との見解がその代表である。長沼事件では最高裁は一審二審で争点となった憲法論には一切触れずに、訴えの利益がないとして上告を棄却した（最判1982・9・9）。

しかし、最高裁が常にこの姿勢をとってきたかは疑問である。生活保護法のもとでの処分を争った朝日訴訟（最大判1967・5・24）では被保護者の死亡を理由に訴訟の終了を宣言する一方、括弧書きで「なお、念のため」としたうえで25条解釈を展開、保護処分には広範な裁量が認められる

と述べた。こうした最高裁の姿勢が恣意的であるとの批判は強い。

　合憲限定解釈は、さらに、あらゆる法令で行うべきかが問題となる。アメリカでは、表現の自由を刑罰をもって規制する法令等には「過度の広汎性ゆえに無効の法理」や「漠然性ゆえに無効の法理（明確性の法理）」がはたらき、限定解釈をすることなく法文上違憲とされることがある。

　日本でも、公労法17条1項を限定解釈の上合憲と判断した全逓東京中郵事件（最大判1966・10・26）を筆頭に、合憲限定解釈の手法はしばしばとられてきた。表現の自由の規制にかかわる場合についても、税関検査事件（最大判1984・12・12）や徳島市公安条例事件（最大判1975・9・10）で、当該規定から通常の判断能力をもつ一般国民が判断可能な基準を読み取ることができる場合に限ってではあるが、合憲限定解釈を認めた。最近では広島市暴走族追放条例事件（最判2007・9・18）で同様の手法がとられた。

　法令の文言に解釈の幅が生じるのは必然である。法を解釈適用するという裁判所の機能からも、立法府への敬譲という観点からも、合憲限定解釈は積極的な側面をもつ。しかし、行き過ぎた限定解釈は司法による立法であり、法があらかじめ制定されていることで保障される人々の行動の自由を奪うことになりかねない。前述の判決にはいずれも反対意見が付されているが、それらは限定解釈の行き過ぎを指摘するものである。いかなる種の法令にどの程度の限定解釈が許されるのか、明確な基準が必要である。

ⅱ）　違憲判断の諸類型

　裁判所が違憲の判断を下す場合、当該案件における適用を違憲とする方法（適用違憲）と、法令そのものを違憲とする方法（法令違憲）とがある。事案の解決に必要な限りで憲法判断を行うとの原則を重視するなら、まずは適用違憲が検討される。適用違憲には、法令の合憲限定解釈が不可能または違憲的適用となる部分とその余の部分とが不可分な場合に違憲的適用を含む解釈に基づき法令を当該事件に適用することを違憲とするもの（旭川地判1968・3・25〔猿払事件一審判決〕など）と、合憲限定解釈ができるのにそれを行わず法令を当該事件に違憲的に適用することを違憲とするもの（東京地判1971・11・1〔全逓プラカード事件一審判決〕など）がある。

　なお、法令自体に違憲の疑いはなく行政機関が誤った解釈で違憲的に適用した場合にもその適用は違憲となるが、この場合には違憲な解釈に基づく行政機関の処分が違憲となるため、処分違憲とも呼ばれる。第2次家永

教科書訴訟一審判決（東京地判1970・7・17）はこれにあたる。また、政教分離訴訟である愛媛玉串料訴訟（最大判1997・4・2）や空知太神社訴訟（最大判2010・1・20）は行政機関の財産管理行為を問題とする。

　適用違憲の場合には法令自体は合憲として維持されるのに対し、法令違憲の場合は法令そのものの効力が否定される。憲法判断としてはシンプルだが、立法府と真正面から衝突するため、「法律の違憲的な部分が除去されてしまえば、議会は残りの有効な部分だけでは満足しなかったであろう蓋然性が明白」な場合にだけ、違憲的部分とその余の部分は不可分であるとして法令違憲を選択すべきとされることが多い。尊属殺重罰規定違憲判決（最大判1973・4・4）や衆議院議員定数訴訟（最大判1976・4・14）、近時の国籍法違憲判決（最大判2008・6・4）も法令違憲判決である。

(3)　事実認定

　一般に、裁判所が事案の解決に向けて裁判の過程で明らかにする事実を司法事実（判決事実）と呼ぶ。これは「いつ、どこで、誰が、何を行ったか」という当該事件の個別的な事実のことであり、当事者の主張・立証に基づいて認定される。憲法訴訟であっても事案の解決が第1の目的である以上、当然に司法事実は明らかにされなくてはならない。

　しかし、憲法訴訟の場合には、司法事実だけでなく、そこに適用される法令の違憲性も同時に争われる。法令の違憲性を判断するにあたっては、当該法令の立法目的、社会の背景、そして立法目的と手段との関係などが問題となる。こうした立法の合理性を支える社会的・経済的・文化的一般事実を立法事実と呼ぶ。憲法訴訟においては、立法事実を明らかにすることもまた重要となる。

　だが、弁論主義を原則とする主張立証のルールが確立されている司法事実とは異なり、立法事実を誰が、どのように、どの程度明らかにすべきか、というルールは必ずしも定まっていない。当事者が立証責任を負う場合もあれば、裁判所が職権により明らかにする（司法的確知）場合もある。それは裁判所の裁量的判断に委ねられているのが現状であり、事案や時代によって立法事実の扱いは大きく異なってくる。

　一般に、法令には合憲性の推定がはたらくとされる（合憲性推定の原則）。民主主義や国民主権に基礎づけられる議会の制定する法律には、それを支

える一定の合理的基盤が存在するはずと考えられるからである。そのため、違憲を主張する側に立法事実の立証責任が課される。しかし、アメリカでは、表現の自由のような特定の権利に関しては、それを制約する側、すなわち政府が合憲であることの立証責任を負うとの判例理論が確立している。そしてその合憲性の判断には厳格な違憲審査基準をもってあたるとされている（二重の基準論）。日本でもこうした考えを採用すべきとの声は大きい。

　しかし、日本の裁判実務においてはこうした立法事実の取扱いの慣行は定着していない。社会経済立法に関する裁判（最大判1972・11・22〔小売市場事件〕）はもちろん、表現の自由に関する事件（最判1981・6・15〔公職選挙法戸別訪問禁止規定訴訟〕）でも立法事実に踏み込まず、広範な立法裁量を認めて合憲の結論を導くことがしばしばだった。だが、薬事法違憲判決（最大判1975・4・30）や森林法違憲判決（最大判1987・4・22）のように、立法事実論を仔細に展開して違憲を導いた判決も、数こそ少ないが存在する。また、近時では、国籍法違憲判決（最大判2008・6・4）のように違憲を導く場合はもちろん、衆議院小選挙区比例代表並立制違憲訴訟（最大判1999・11・10）のように合憲の結論を導く場合でも、以前よりは丁寧に立法事実を検討する姿勢がみられる。

(4) 違憲審査の手法

　裁判所は、司法事実と立法事実を明らかにしたうえで法令等の合憲性を判断する。そこで問題となるのが、違憲審査の方法、すなわちいかにして合憲性の審査を行うのかである。

　憲法制定初期には、裁判所が精緻な合憲性の審査を行うことはなかった。言論の自由等についても12条、13条の「公共の福祉」を援用し、その具体的な内容を明らかにすることなく、立法による制約を広範に認めた。食糧緊急措置令事件（最大判1949・5・18）や最初の公職選挙法戸別訪問禁止規定合憲判決（最大判1950・9・27）が例である。その後1960年代頃までは、公共の福祉を一般的制約原理として用いたうえで個別の人権制約に対置される「公共の福祉」の内容に多少言及する「公共の福祉」論が採用されてきた。しかし、これでは「公共の福祉」の名のもとに人権制約が安易に許容され、大日本帝国憲法下での「法律の留保」とかわらない。こうした批判をうけ、裁判所は、1960年代半ばからは抽象的な公共の福祉論を改

め、比較衡量論（個別的衡量の理論）にシフトしていく。

　比較衡量論とは、人権の制限により得られる利益と失われる利益とを比較衡量し、前者が大きい場合には合憲、後者が勝る場合には違憲とする審査手法である。労働基本権が問題となった全逓東京中郵事件（最大判1966・10・26）や取材活動の自由が争点となった博多駅取材フィルム提出命令事件（最大決1969・11・26）などでこれが用いられた。比較衡量論は、事件の具体的状況をふまえて対立する利益を衡量し、妥当な結論を導き出そうとするもので、その限りで積極的な意味をもつ。だが、何と何を比較するのかという基準が明確でなく裁判所の裁量に委ねられてしまう部分が大きい。また、特に人権制約立法の場合には衡量の対象となるべき利益の一方が公益であることが多いため、それと対立する個人の利益は低く見積もられがちだとの指摘もあり、学説を中心に、より基準を明確化する方途が模索された。

　これに対し最高裁は、比較衡量の枠内で、立法目的のために権利の制限が必要とされる程度と、制限される自由の内容・性質および具体的制限の態様・程度を具体的に衡量する手法を、近年積極的に用いている（最大判1992・7・1〔成田新法事件〕、最判2012・12・7〔堀越事件〕など）。これは具体的事案に即して丁寧かつ柔軟に審査を行おうとするもので、実際、最高裁が事案の処理に必要だと判断した場合には厳格な審査が行われている。しかし、基準の不明確さや裁量の比重の大きさなど、比較衡量論固有の問題点は依然残されている。

　ⅰ）　違憲審査基準論

　他方、学説がまず注目したのはアメリカの審査手法だった。アメリカでは、古くから判例を通じて違憲審査にまつわる種々の裁判法理が形成されてきた。そのレベルはさまざまで、権利の性質や侵害の態様に基づいて分類された事案の類型に応じて選択される判断基準に相当するものもあれば、先述した合憲性推定の原則や**二重の基準**論のように判断基準を選択するための原理原則にあたるものもある。前者は個々の判決で裁判所が合憲・違憲の結論を導くに至る理由中に示され、狭義の審査基準と呼ばれる。狭義の審査基準は裁判所の判断すべき要素や審査密度を定めるが、それが判例法主義のもとで明示され類型化されることで、裁判所を拘束し、予測可能性を高め、裁判所による恣意的な審査権の行使を妨げる役割を果たす。

＊二重の基準論

　二重の基準論とは、アメリカでカロリーヌ判決（1938年）を出発点とし1960年代ころまでに形成された裁判法理である。これによれば、裁判所が違憲審査を行う際には、規制対象となる権利が表現の自由をはじめとする精神的自由権か経済的自由権かによって異なる審査基準を用いるべきで、前者は、合憲性の推定が働く後者よりも、より厳格な基準で審査されるべきとされる。その論拠としては、司法能力限界論（経済的自由の規制は社会経済政策と密接にかかわるが裁判所はそれに関する判断能力に乏しい）、民主的政治過程論（精神的自由が侵害された場合には民主政過程そのものが傷つけられることから、民主政過程を維持するためには司法の積極的介入が必要である）、および、個人の自律や自己実現等の精神的自由の価値に由来するとする説などが挙げられる。

　この法理は、日本の裁判実務でも受け入れられているように見える。小売市場事件（最大判1972・11・22）や薬事法違憲判決（最大判1975・4・30）において、最高裁は経済的自由の規制と精神的自由の規制との区別の要を示しているからである。しかし、アメリカとは異なり、日本ではこれまで主に経済的自由の制約を正当化するためにこの区別が用いられてきた。泉佐野市民会館事件のような例外（→第3部3章3節5(2)・420頁）はあるが、精神的自由の制約を厳格な審査に服せしめるという本来の役割を果たしているとはいいがたい。

　審査基準は、ごく大雑把に俯瞰すると、厳格な審査基準・緩やかな審査基準・中間的な審査基準に分類できる。表現の自由を刑事罰をもって規制する場合に用いられる「明白かつ現在の危険」テストや特定の指標に基づく差別の場面で用いられる「やむにやまれぬ政府利益」テストなどは厳格な審査基準に、経済的自由に対する政策的規制について用いられる「合理的関連性の基準」は緩やかな審査基準に、経済的自由に対する制約のなかでも消極目的規制について用いられる「厳格な合理性の基準」や性差別の場面で用いられる「中間審査基準」は中間的な審査基準となる。

　アメリカにおけるこれらの基準は、権利の性質や侵害の態様と結びついて個別に裁判を通じて形成されたものである。よって、基準のみを取り出し一般化することは本来の意味から外れ、また、過度に体系立てて整理しようとしても無理が生じる。実際に、社会権のようにアメリカでは議論そのものが存在しない領域もある。日本で審査基準論を扱う場合にはこの点に留意が必要である。さらに、日本の裁判所はそもそもこれらの基準を学説が主張するように厳格に使い分けてはいない。アメリカの裁判所が用いる審査基準は、日本の裁判所が実際に審査過程でたどる思考プロセスと巧

く噛み合っていないとの指摘もある。

　ⅱ）　三段階審査

　こうしたなかで近時注目されているのが**三段階審査**論である。これはドイツを範型とするもので、防禦権（国家からの自由）について①保護範囲（基本権として保護される範囲の確定）、②侵害（規制の目的や形式が基本権に対する「侵害」と構成できるものか否かの判断）、③正当化（憲法上の権利を「例外的に」制約することが憲法上許される条件を満たしているかどうかの判断）の三段階に区分して違憲性を論証する手法である。このうち③の実質的な部分を担うのが比例原則で、規制の合憲性を判断するにあたり、立法の目的と手段をそれぞれ審査したうえで、手段が目的達成にとって合理的であること・制約が必要最小限度であること・目的と制約の程度とが比例していることを求める。この論証方法は比較衡量に馴染んだ現実の日本の裁判所の思考プロセスに沿う部分もあり、判決をよりよく説明しうる可能性があるが、他方で、二重の基準論登場以前の単純な比較衡量論への先祖がえりを肯定してしまうおそれもあり、注意が必要である。

(5)　効果

　法令の適用の合憲性が争われる場合は、裁判所の判断は当然に当該適用行為のみに及ぶ。だが、法令自体の合憲性を争う場合には、裁判所の憲法判断がいかなる効果をもつのかが問題となる。これは、終審である最高裁が特定の法令に違憲の判断を下した場合に顕著となる。

　これについては、付随的審査制であることを理由に判決は当該裁判の当事者に対する法的効力のみをもつとする個別的効力説と、対世効をもつとする一般的効力説とが対立する。付随的審査制に対世効をもたせることも不可能ではないが、日本ではそのような制度は採用されておらず、一般的効力があるとは解し難い。

　だが実際には、行政は判決後はそれに沿って当該法令の解釈適用を行う傾向にある。尊属殺重罰規定違憲判決（最大判1973・4・4）はその好例であり、最高裁が違憲と判断した刑法200条は、1995年の刑法改正時に削除されるまで法典上は存在したが、検察は同条による起訴を控えていた。また、立法府もほぼ迅速に当該法令の改廃を行っている。国籍法違憲判決（最大判2008・6・4）では判決の約半年後に国籍法が改正された。三権分

立のもと、立法・行政は司法の判断を自主的に尊重してきたといえる。

　違憲の判決が下された場合、訴訟当事者に関しては、原則、当該処分または法令は遡って無効となる（遡及効）。しかし、議員定数訴訟のように、無効の効果を訴訟当事者のみに限定しえない場合もある。こうした個別の判決がもたらす社会的影響が甚大な場合に備えて、行政事件訴訟法31条は事情判決という方法を定めている。これは、取消訴訟について、処分等は違法であるがそれを取り消すことによって「公の利益に著しい障害」を生ずる場合には、特定の条件のもとで、判決主文において違憲であることを宣言したうえで当該請求を棄却することができるとするものである。最高裁はこの規定には一般的な法の基本原則が含まれるとして「事情判決の法理」を認め、同条の規定する場合以外にも、特定の法令を違憲無効とすることが憲法の所期しない結果をもたらすような場合には、高次の法的見地からこの法理を適用することがありうるとした（最大判1976・4・14〔議員定数不均衡違憲判決〕）（→第2章3節3(3)iv・202頁）。ただし、公職選挙法219条は明文で行政事件訴訟法31条の準用を排除しており、この説明には難があるといわざるをえない。

　違憲判決の影響を緩和するには、他に、ドイツの憲法裁判所で採用されている違憲警告判決や違憲判決の効力を一定期間徒過してから発生させる将来効判決などがありうる。違憲審査の活性化につながるとしてこれらの積極的導入を支持する学説もあるが、当該裁判における当事者の救済には繋がらない手法であるため、消極的な見方もある。実務においては、最高裁補足意見で将来効判決の可能性に触れられた（最大判1985・7・17）ことがあるものの、実際に用いられることはなかった。しかし、2012年の衆議院議員選挙をめぐる議員定数訴訟において、下級審においてではあるが、初めて将来効を認めた無効判決が下されている（広島高判2013・3・25）。また、違憲確認訴訟の可能性も指摘される。非嫡出子相続分規定違憲決定（最大決2013・9・4）で最高裁は「確定的なものとなったといえる法律関係までをも現時点で覆すことは相当でない」として遡及効を遮断したうえで、事実上の拘束性として当事者以外にも決定の効力は及ぶとしており、注目される。

4 日本における違憲審査の現状

(1) 司法積極主義と司法消極主義

　日本の違憲審査は消極的だといわれる。実際、最高裁の法令違憲判決・決定は9種10件のみ、処分違憲を含めても僅少であることは否めない。

　一般に、**司法消極主義**は裁判所が政治部門への介入を抑制する姿勢を、司法積極主義はその逆を意味する。しかし、日本の最高裁の違憲判決の少なさは最高裁が憲法判断に抑制的であることに直結しない。事案の解決に直接必要でない憲法判断を傍論で展開したり（最大判1967・5・24〔朝日訴訟〕）、統治行為論に似たロジックで司法判断を回避する格好をとりつつ実質的には合憲論ともとれる見解を判決中に示した（最大判1959・12・16〔砂川事件〕）ことはよく知られている。そのため日本の最高裁は「違憲判断消極主義」であって「司法消極主義」ではないと断ずる論者もいる。

　また、裁判所が憲法判断を積極的に行うことが望ましいとも一概にはいえない。民主的正統性を有さない裁判所は民意の現れである国会制定法を無効にする判断を極力控えるべきだという考え方は古くからある。しかし、第二次世界大戦後「民主主義の失敗」を受け違憲審査制度が世界に広がった歴史を考えれば、とくに少数者の人権保障のために裁判所に期待される役割は大きい。すでにみたように、アメリカで発展した一連の判例法理は、司法権がどの場合にどの程度憲法判断をすべきか、立法府との関係や裁判所の能力等をふまえて歴史的・社会的に構築されてきたものである。日本の違憲審査制度のあるべき姿もこれらをふまえて検討されねばならない。

(2) 最高裁の判例の傾向と展望

　第1部3章で概観したように、最高裁はこれまで一貫した姿勢で憲法訴訟に臨んできたわけではない。憲法制定直後の、大日本帝国憲法期の学説を引き摺った時期の後、1960年代半ばには諸外国の判例学説に近づくような比較的リベラルな判決が登場する。しかし、1970年代の司法反動を契機に、特に1980年代には抑制的・消極的姿勢が顕著になった。

　この傾向には近年変化がみられる。1995年以降下された違憲判決・決定は8つに及ぶ。「一票の較差」をめぐる訴訟では、結論こそ合憲としつつも当該較差は違憲状態であることを示唆した判決が2011年以降3件つづく。

平等や精神的自由の領域でもリベラルな傾向の判決が散見されるようになった。だが、ポスティングなどの政治的表現については表現の自由の制約を容易に認める（最判2009・11・30）など、領域ごとに姿勢が異なる。公権力批判につながる分野では国民の権利擁護に消極的だとの分析もある。

また、少数意見が増加しつつあるのも重要な変化である。少数意見が付されることで、法廷意見の理由づけも明確化される。憲法上重要な論点について裁判所内部でも多様な見方があることが明示されるのは、国民の間でも意見が分かれることの傍証であり、慎重な議論の必要性を示す。

考えてみよう

1…罰則規定の合憲限定解釈の可否について、広島市暴走族追放条例事件（最判2007・9・18）と全農林警職法事件（最大判1973・4・25）多数意見とを比較して論じよ。
2…事情判決の法理の適用を相当でないとし、選挙無効を言い渡した2013年11月28日広島高裁岡山支部判決を論評せよ。
3…憲法81条の枠内で違憲審査の憲法保障的機能をより強化していくためには、どのような方途が考えられるだろうか。

Further Readings

・小山剛『憲法上の権利の作法〔第3版〕』（尚学社、2016年）：近時有力な三段階審査論について、実践的に解説する。
・渡辺康行ほか編『憲法学からみた最高裁判所裁判官』（日本評論社、2017年）：歴代の最高裁判事25名を取り上げ、憲法学の観点からその人物像に迫りつつ、それぞれの司法哲学と法理論とを読み解く。
・戸松秀典ほか編『憲法訴訟の現状分析』（有斐閣、2012年）：1970年代頃から隆盛した憲法訴訟論を受け継ぎ、現時点におけるその到達点と課題を探る論文集。

第3部 権利の保障
―― 各論(2)

第1章 人権総論

キーワード 公共の福祉、制度的保障、私人間効力、法人の人権、特別権力関係

　本章では個別の人権条項を学修する前提として、日本国憲法第3章の保障内容を概観したうえで、人権の享有主体および人権規範の射程を論じる。

第1節　人権とは何か（人権の観念）

1　人権の歴史

(1)　人権の生成と発展

　近代憲法の主たる目的は人権の保障だといわれる。第1部第2章でみたように、18世紀後半、自然権思想の影響を強く受けてフランスやアメリカで成文憲法典がつくられ、人が生まれながらにもつ不可侵の権利である人権のカタログが権利宣言や権利章典のかたちで示された。その中心は、表現の自由や人身の自由、財産権などの古典的自由権だった。

　しかし、資本主義の発達にともない経済格差や社会矛盾が拡大するにつれ、この古典的な人権観は修正を迫られる。1919年に制定されたドイツ・ワイマール憲法はその端緒であり、自由権のみならず社会権、生存権に関する規定をも備えていた。第二次世界大戦後につくられた多くの憲法は、この考え方を採用している。

(2)　日本における人権の歴史

　このように西欧で生成発展した「人権」という概念が最初に日本に継受されたのは、明治期である。「憲法」の概念とともに日本にもたらされたそれは、大日本帝国憲法のなかに端的にその姿をみることができる。

　大日本帝国憲法は第2章「臣民権利義務」に権利に関する諸規定をおい

ていた。しかし、すでにふれたように（→第1部3章1節2(3)・45頁）、それは、多くの権利に法律の留保を付し法律による権利制約を認めるなど、こんにちの人権観からするときわめて不十分なものであり、また、救済手段も充分ではなかった。日本国憲法はこうした戦前の反省のもとに登場する。

(3) 人権の現代的発展と国際化

人権保障は、第二次世界大戦後、さまざまに拡大し多様化していく。ひとつには、人権の質的・量的拡大である。環境問題、科学技術の発展などにともなってそれ以前には想定されなかった問題が生じ、それへの対応として「新しい人権」（→第3部6章3節・515頁）が唱えられるようになってきた。また、女性や子どもといった特定の属性をもった集団の権利など、従前とは異なる性質の権利が主張されるようにもなっている。

もうひとつは保障の多元化である。それまで人権は国内問題と考えられ、国内法による保障が前提とされてきた。しかし、二度の大戦を経てつくられた国際連合は、憲章前文で国際の平和および安全とともに基本的人権の重要性をうたった。これをうけて世界人権宣言が、さらにその具体化としてふたつの国際人権規約（自由権規約・社会権規約）がつくられ、人権を国際的に保障する国際人権の礎が築かれた。その後、女性差別撤廃条約や子どもの権利条約などの個別条約が数多く採択され、現在では主要なものだけで約90に及ぶ。また、国連だけでなく、欧州など地域レベルで人権を保障する仕組みも構築されてきている。

2 憲法で「人権」を保障することの意義

(1) 人権・憲法上の権利・基本的人権

人権は、しばしば「人が人であるがゆえに当然有する権利」だといわれる。人権の自然権的性格を強調した表現である。しかし、こんにち、各国の憲法が保障する権利がすべてこの定義に当てはまるわけではない。たとえば、日本国憲法15条1項は公務員の選定罷免権を保障するが、この権利が意味をもつためには選挙や公務員制度といった仕組みが不可欠で、人であれば当然に有するとは言い難い。また、もし人権が「当然有する権利」

ならば、わざわざ憲法に明記せずとも「当然に」保障されるはずである。

　日本国憲法の文言はこの問題をさらに混乱させる。日本国憲法は11条で「この憲法が国民に保障する基本的人権」が「侵すことのできない永久の権利」だとする。97条は、さらにそれが「人類の多年にわたる自由獲得の努力の成果」であると付け加える。すなわち、文言上、不可侵の「基本的人権」を憲法上保障するという構造をもつ。そのため、人権と憲法上の権利と「基本的人権」という3つの用語がしばしば互換的に用いられる。

　だが、「人権」と「憲法上保障された権利」という言葉のいずれを使うかによって、その保障範囲や権利の性質に違いがでてくる可能性がある。そのため、これらの言葉の定義をはっきりさせておく必要がある。

(2)　「憲法で保障する」ことの意義

　通説的な概説書によれば、日本国憲法の保障する権利は、固有性・不可侵性・普遍性という自然権としての特徴を備えた「人権」であるとされる。11条は、日本国憲法上の権利を「侵すことのできない永久の権利として、現在及び将来の国民に与へられる」とし、97条は「侵すことのできない永久の権利として信託されたもの」とする。「侵すことのできない」とは不可侵性を指し、人権は原則として公権力によって侵されてはならないことを示す（ただし、これは絶対無制限であることを意味しない→第2節2・315頁）。「与へられた」「信託された」とは自然から付与されたものであるという意味で、固有性、すなわちこれらの権利が憲法や君主によって恩恵として与えられたものではなく、人間であるがゆえに当然有する権利であることを表す。また、普遍性とは、人種や性別などの別にかかわらず、人間であればすべての者が有する権利であることを意味する。ただし、ここでいう自然権や「人権」は、自由権のみをさす18世紀の古典的なものではなく、社会権を含む拡大された「人権」であり、それは20世紀以降の社会においては、人間の尊厳に基づく自然権として保障されるべきと解されている。「人権」として保障される権利の範囲が歴史を通じて拡大・発展してきたことをふまえ、日本国憲法の保障する権利と「人権」とを同義であるとする説明である。この説明は現在も広く受け入れられている。

　しかし、「人権」という言葉は憲法を離れて倫理・道徳的な意味で用いられることも多い。そうした広義の「人権」と実定憲法上保障された権利

とを区別する必要性を強調して、「背景的権利」、憲法上保障される「法的権利」、そのなかでもさらに司法の救済の対象となる「具体的権利」に分けてとらえることを提唱する者や、自然権的ないし超実定法的権利としての「人権」（既存の憲法秩序の転覆を企図する抵抗権がその代表である）と実定法上の権利である「憲法上の権利」とを区別すべきと説く者もいる。

　実定法のなかでもとくに「憲法」で保障することの固有の意義としては、その対公権力性が挙げられる。近代立憲主義の出発点に立ちかえるなら、憲法の存在意義は公権力を拘束し、個人の自然権的自由を守ることにあるからである。この点を強調し、憲法上の権利と公権力に対してだけでなく本来あらゆる関係に効力をもつ全方位的性格を有する自然権とを区別すべきとする説もある。また、国家の機能や目的をより広くとらえ、治安の維持や経済発展といった社会全体の利益の実現をも積極的に位置づけたうえで、「憲法上の権利」にはこうした社会全体の利益を理由として保障される権利（したがって、より重要な社会的利益との関係では制約されることもある）と生来の人権の一環として社会全体の利益に反しても保障されねばならない権利との2種類が含まれる、と説く者もいる。この定義によれば、「人権」と呼ばれるべきは個人の人格としての平等というきわめて限られたものだけとなる（「切り札」としての人権）。

3　人権の観念をめぐる問題

(1)　量的拡張説 vs. 質的限定説

　すでにみたように、憲法や国際条約によって保障される権利の内容は時代により変化している。とくに国際人権等の領域では、第1世代の人権（古典的自由権）から第2世代の人権（社会権）、そして「新しい人権」と呼ばれる第3世代の人権へ、と人権概念を発展的・拡張的にとらえる見方が示されている。このように「人権」概念を時代に応じ量的に拡張するものととらえる見方を量的拡張説と呼ぶ。これに対し、「人権」概念が登場した近代市民革命期における歴史的意味を重視し、「人権」を質的に限定されたものととらえる説を質的限定説と呼ぶ。「人権」として保障されるべきものを歴史的・質的な輪郭によってとらえる見方であり、量的拡張説が人権のインフレを招き、人権保障の意義が相対的に低下することを懸念

するものである。量的拡張説は、拡張された「人権」にもあらかじめ一応の「人権」としての保障を与えたうえで当該「人権」の制約の可否を論じるため、人権制約の幅が広がるという批判には一理あるが、他方で、質的限定説についても歴史的に「人権」概念を確定してしまうことの硬直性が指摘されている。

(2) 人権主体としての「強い個人」像？

近代立憲主義の想定する人間像は、自らの意思により自己決定を行う、自律した個人である。この「強い個人」像は自己決定を中核とする人権ドクトリンには適合的であるが、他方で、人権享有主体としてこうした人間像を描くことにはつぎのような疑義も呈されている。

第1に、「強い個人」を範型として人権論を構築することは、子どもや障碍をもつ人々など十全に自己決定のできない「弱い個人」を疎外する危険がある。もとより「強い個人」とは集団主義から個人を解放するためのフィクションであり、実存する個人がそうでないことは折り込み済みだが、それが範型とされることによって、そこから逸脱する者が排除される、あるいは、困難な決定を個人に強いるといった歪みが生じている。第2に、自己決定の徹底は人間の尊厳と抵触する可能性がある。これは特に生命科学の領域で指摘されており、「強い個人」の自己決定の名のもとに人間の生命にどこまで関与することを認めるべきか、いまも議論がつづいている。

第2節　基本的人権の保障と日本国憲法第3章の構成

日本国憲法第3章には、権利を定めた人権規定、憲法上の「義務」に言及する規定、そしてそのいずれにも分類しえない、権利ではなく社会を構成する制度を規定するようにみえる規定が、それぞれ含まれている。

1　人権規定

(1) 総則・包括的権利規定

ⅰ）13条の法的性格

人権規定は、さらに、総則的規定と個別的人権規定とに区別できる。13

条前段は「すべて国民は、個人として尊重される」と定める。これは個人の尊重を保障したものと解され、日本国憲法が基本的人権を保障することを宣言した11条および97条、ならびに、それを保持する国民の「義務」を規定した12条とともに、人権保障の総則を定めた規定ととらえられる。

ここでいう個人の尊重とは、個人が等しく尊重されること（利己主義の否定）と個人よりも全体を優越させる全体主義を否定することにより、すべての人間を自主的な人格として平等に尊重することを意味する。

この個人の尊重と類似する用語に24条の定める「個人の尊厳」やドイツ基本法1条1項の「人間の尊厳」がある。これらはいずれも個人主義の表明であり、同義とする見方もあるが、ドイツ基本法に人間の尊厳条項が加えられたことにも日本国憲法に「個人の尊重」および「個人の尊厳」条項が加えられたことにも固有の歴史的文脈があり、それは追求すべき個人主義のありように影響を与えている。

13条後段は「生命、自由及び幸福追求に対する国民の権利」を定める。これは、アメリカ独立宣言を通じてロックの自然権思想を反映したもので、自然権としての人権を保障する一般原理を表していることに異論はない。

しかし、この規定の法的性格がそれにとどまるのか、それを超えた法的性格をもつのかについては、さまざまに議論が分かれる。初期の学説においては、国政の基本原則を定めたプログラム規定にすぎない、または、各種の個別的人権に通底する自然法的な権利と解すべき、といった理由から、この規定の具体的権利性を否定する考え方が有力であった。

だが、裁判実務は1960年代に入ると新たに生じてきた社会問題への処方箋とすべく13条を利用し始める。「宴のあと」事件（東京地判1964・9・28）では、13条には言及はないものの憲法に明文の規定のないプライバシーを「不法な侵害に対しては法的救済が与えられるまでに高められた人格的利益」であるとし、京都デモ隊写真撮影事件（最大判1969・12・24）では、警察官が正当な理由なく個人の容貌を撮影することを「憲法13条の趣旨に反し、許されない」とした。こうした流れを受け、学界でも13条に具体的権利性を認める説が次第に有力になり、現在では13条を**包括的権利**、すなわち「人格的生存に必要不可欠な権利・自由を包摂する包括的な権利」の根拠ととらえる見解が通説となっている（→第3部6章3節・515頁）。

＊包括的権利の根拠規定

　包括的権利の根拠については、(a)後段の「幸福追求権」に依拠しつつも前段と後段とを融合的に解釈する説が通説だが、(b)前段を根拠とし後段をその例示ととらえる説や(c)前段を公共の福祉によっても制約することのできない「切り札」としての人権、後段をその他の人権ととらえる説も存在する。(b)(c)には、13条の保障範囲を明確にし、「個人の尊重」から導かれる個人主義をより手厚く保護しようという意図が含まれるが、13条の保障範囲の確定は後述のように別途論じることが可能であろう。

　なお、13条を包括的権利規定と解した場合、14条以下の個別の権利規定との重複が生じ、相互の関係が問題となる。これについては、個別の権利規定でカバーしえないものを13条の対象とする補充的保障説が有力である。

ⅱ）　包括的権利規定の保障範囲

　13条を包括的権利規定ととらえることは、14条以下に列挙された権利以外の権利利益に憲法上の保護を与えるものとして肯定的に評価できる。しかし、13条はその文言上、また、「包括的」権利規定という性質上、その保障の外延は不明確とならざるをえない。「人権のインフレ」を招来しないためにも、13条の保障範囲をいかに画定するかが問題となる。

　13条の保障範囲については、個人の人格的生存に不可欠な権利を保障したものとする人格的利益説と人の生存活動全般にわたる自由を広く保障するものとする一般的自由説との対立がある。人格的利益説には個人の尊重や人格の平等の原理に適い「人権のインフレ」を防ぐことができる反面、人格概念が不明確であり、その定義如何ではパターナリズムに陥る危険がある。他方、一般的自由説に立てばより幅広く人間の行動の自由を認めることができるが、基本的人権として憲法上保障するにふさわしくないもの（殺人や麻薬使用の自由など）を含みうるといった批判もなされる。

　もっとも、この両説の対立は単に保障範囲の広狭にあるのではない。その背景には論者の人権観や権力観の対立がある。たとえば、権利の画定にあたっての一段階画定説（人権や自由を歴史的背景によって定められた外延をもつものと解する）と二段階画定説（何をしてもよい自由をいったんは想定したうえで公共の福祉等の制約を加える）の対立もそのひとつであり、前者は人格的利益説と、後者は一般的自由説とそれぞれ結びついている。保障範囲の妥当性のみならず、こうした観点からの評価も必要である。

(2) 人権の種類と類型

　14条の平等規定を筆頭に、以下、憲法第3章には種々の人権が列挙されている。これらの個別的人権規定は、講学上、いくつかの類型に分けて整理される。イェリネックの影響を受けた自由権・社会権・参政権・受益権の4分類法は現在もよく用いられる。この分類は、国家と国民との関係に着目し、憲法上、①法律の定立が禁止されることによって、国民が利益を受ける関係（消極的関係）におかれた国民の地位を自由権、②法律の定立が立法者の義務とされ、それによって国民が利益を得る関係（積極的関係）におかれた国民の地位から導かれるものとして社会権および③「裁判を受ける権利」等の受益権を、④法律の定立その他の国家活動に参加する関係（能動的関係）から導かれるものとして参政権をそれぞれ定義する。

　また、これとは別の視点による分類として、権利の保障目的に着目した分類や資本主義の発展段階とそれぞれの段階で必要とされる人権とを照応させた分類、裁判規範性の強弱に着目した分類なども提唱されている。

　しかし、こうした類型論には批判も多い。類型論は人権をその性質に応じて大まかに区分するが、代表的自由権である表現の自由に情報公開請求権のような請求権的側面が含まれることが端的に示すように、この区分は相対的なものにすぎないからである。分類に縛られず、それぞれの権利の性質を検討しなくてはならない。

　とはいえ、分類論が講学上の整理以上の意味をもたないわけではない。この種の分類は、たとえば、各人権の性質に応じてそれぞれに異なる違憲審査基準を設定しそれに照らして審査を行うことで司法審査をより効果的なものにしようとする違憲審査基準論の前提として有効に機能している。

2　人権制約事由としての「公共の福祉」

　憲法第3章で保障される人権には、文言上、一定の「制約」が付されている。「公共の福祉」がそれである。「公共の福祉」という文言は、12条、13条、22条1項および29条2項に登場する。12条と13条は人権の総則的規定、22条と29条は個別的人権規定である。1節で述べたように、大日本帝国憲法においては、人権は法律の範囲内で保障するという、いわゆる法律の留保が付されていた。日本国憲法における人権の制約原理としてこの

「公共の福祉」をいかに解すべきかが、制定当初より大きな論点となった。

学説は、「公共の福祉」を外在的制約ととらえる説と内在的制約ととらえる説、総則規定に付されたものと個別的人権規定に付されたものとを一元的にとらえる説と二元的にとらえる説との組み合わせにより大別できる。

最初期に有力とされたのは一元的外在的制約説である。個々の人権の内容を考慮せずに、総則規定である12条と13条に付された「公共の福祉」を独自の人権制約の根拠として認めるものであり、22条と29条の「公共の福祉」条項は屋上屋を重ねるもので特段の意味をもたない。この説には法律による人権制限が安易に肯定されてしまう危険があり、大日本帝国憲法とは異なり法律の留保なく人権を保障するとした日本国憲法の趣旨にもとるとの批判がなされてきた。こんにちではこの説は力を失っている。

しかし、13条の「公共の福祉」に法的意味を認め、人権制約の憲法上の根拠となるとする「公共の福祉」説はなお存在する。これは、「新しい権利」等の関係（→第6章・476頁）でこんにちでは13条に法的効力を認める説が有力であること、公権力の果たすべき役割が拡大多様化した現代社会では権利の内在的制約では説明しきれない規制が実際に想定されることなどを理由とする。ただし、この説は「公共の福祉」を一般的な制約原理とするものの、それ自体として具体的な人権制約の正当化事由とはみなさない。正当化事由は各人権の性質に応じて具体的に引きだされねばならない。

これに対し内在・外在二元的制約説は、総則的規定に付された「公共の福祉」は単なる訓示規定であり、これを独自の人権制約事由とすることはできないとする。そのうえで、権利・自由の限界は権利の性質によって異なるとし、自由権については原則的に内在的制約しか認められず、それを越えた規制は22条と29条のようにとくに憲法上根拠が明示されている場合にのみ許されるのに対し、社会権については国家の政策等を理由とする外在的制約も認められる、とする。この説は人権の制約を安易に認めない点がメリットとされる。しかし、先述のように自由権と社会権との区別は相対的であること、内在的制約・外在的制約の境界もまた曖昧であり個々の制約を正当化する基準としては不明確であることなどが批判されている。

これらに次いで唱えられたのが一元的内在的制約説である。これは「公共の福祉」を人権相互間の矛盾・衝突を調整する実質的公平の原理であるととらえ、憲法規定の有無にかかわらずすべての人権に内在的に存在する

制約であるとする。そして、実際の人権の制限は、それぞれの権利の性質に応じて、社会国家を実現するために必要な限度においてのみ認められるとする。しかし、この説に対しても「必要な限度」が具体的にどの程度なのか明確でないといった批判がなされている。

どの説をとるにせよ、最終的に問題となるのは、実際にどの程度の制約が許されるのか、それを具体化し基準を明確化する方法である。それは違憲審査においていかなる手法で憲法判断を行うのか、どんな審査基準を用いるのかという問題として論じられるようになった。違憲審査基準論はここから発展していくことになる（→第2部3章2節3(4)・300頁）。

3　憲法上の義務？

憲法第3章には権利のみならず義務についての記述も存在する。教育の義務（26条2項）、勤労の義務（27条）、納税の義務（30条）である。一般に、これらの義務規定は憲法上特段の意味をもつものではないと解される。教育の義務とは「子女に普通教育を受けさせる義務」であり、これは保護者が子に対して負う義務であって国家に対する義務ではない。国家は、子との関係ではむしろ教育施策を実施しその学習権を実現する配慮義務を負う。勤労の義務はあくまで倫理的・道徳的義務と解される。生活保護法等の社会保障給付のなかには稼働能力を活用することを給付の前提とするものもあるが、それはあくまで法制度上の問題であって、憲法上勤労の義務があることの帰結とはいえない。また、納税の義務は、制裁をともなう法律上の義務ではあるものの、それは他の法律上の義務と径庭ない。むしろ30条は、その淵源から、法律によらなければ課税されないことを保障したものと解されており、いわば財産権の保障規定ととらえられるからである。このように文言上は国民に義務を課しているかにみえる条項であっても憲法上特段の意味を認めないとする解釈は、近代立憲主義型憲法の大きな特徴である対公権力性を強く意識したものといえる（→第1部1章3(2)・12頁）。

4　制度的保障

権利とも義務とも読みづらい規定も、憲法第3章には存在する。たとえ

ば、政教分離の規定（20条3項）や婚姻制度に関する規定（24条1項）は、一見すると、個人の権利そのものではなく特定の制度に関する定めに思われる。23条から導かれるとされる大学の自治や29条の基礎にある私有財産制度も同様である。こうした規定はいかなる意義をもつのか。

これに示唆を与えるのがワイマール憲法下のドイツで提唱された**制度的保障**論である。「制度的保障」とは、憲法が、一定の制度に対して、立法によってもその核心ないし本質的内容を侵害することができない特別の保護を与えることをいう。保護の対象となる制度は憲法以前に存在する歴史的・伝統的に形成された制度であり、保護の範囲は制度の核心部分に限られ、その余の部分は立法等で変更可能である。このような制度それ自体の保護は権利・自由の保護とは異なるが、権利・自由の保護に補充的に機能しうる。当時のドイツの憲法は人権規定の多くに法律の留保が付されていたため、制度的保障は結果的に人権保障を厚くする利点があった。

日本国憲法の上記規定についても、この考え方を受け入れ、制度的保障ととらえる見方が一般的である。しかし、日本国憲法の人権条項には法律の留保はなく、逆に、制度的保障論が保護の対象とする歴史的・伝統的に形成された制度に相当するものはないともいわれる。また、制度の維持は必ずしも権利の保障に資するわけではなく、個人の人権と衝突する場合も存在する。婚姻制度などはその典型であろう。そのため、日本国憲法における各種制度の規定は、ドイツにおける制度的保障と同じと解するべきではない。制度そのものの保障に積極的な意義を与えるのは、少なくとも、大学の自治と大学における教育・研究の自由のように、当該制度とそれに関連する人権とが相補関係にある場合に限る必要があろう。

第3節　人権の享有主体

1　国民

日本国憲法に保障された権利をもつのは誰か。憲法第3章の表題は「国民の権利及び義務」であり、11条から13条までの総則的規定が国民を主語とすることからも、国民が人権享有主体であることに異論はない。

この「国民」について、10条は法律で定めるとしている（国籍法律主義）。

これを具体化したものが国籍法である。国籍法は「日本国民たる要件」は同法の定めるところによるとし（国籍法1条）、日本国籍の保持者を日本国民としている。国籍法は、1950年に制定された当初は父系優先血統主義を採用していたが、女性差別撤廃条約の批准を契機とした1984年の改正で男女両系血統主義に変更された。現在は、出生時に父または母が日本国民である者に対して日本国籍を付与するかたちがベースとなっている。

国籍法はその他に準正による国籍取得を定めた。1984年の改正国籍法は「父母の婚姻及びその認知により嫡出子たる身分を取得した子で二十歳未満のものは、認知をした父又は母が現に日本国民であるとき、又はその死亡のときに日本国民であったときは、法務大臣に届け出ることによって、日本の国籍を取得することができる」（国籍法3条1項〔改正前〕）としていた。これに対し、法律婚関係にない日本人の父と外国人の母から産まれた子が、生後に認知を得て国籍取得届を出したところ、準正要件を欠くとして国籍取得が認められなかったことをめぐる訴訟が起きた。最高裁は国籍を「我が国の構成員としての資格であるとともに、我が国において基本的人権の保障、公的資格の付与、公的給付等を受ける上で意味を持つ重要な法的地位」としたうえで、嫡出・非嫡出という身分は「子にとっては自らの意思や努力によっては変えることのできない父母の身分行為に係る事柄」であり、それに基づく区別の合理性には慎重な検討を要するとし、最終的に当該区別には合理性がなく14条1項に反するとした（最大判2008・6・4）。これを受けて国籍法は改正され、法務大臣への届出により国籍を取得できるのは「父又は母が認知した子で二十歳未満のもの」とされた。従前採ってきた（シャピロ華子事件〔東京高判1982・6・23〕）国籍法制には広く立法裁量を認めるという前提は変わらず、それ自体は批判的に検討されるべきだが、国籍の重要性から違憲の判断を下したことは特筆に値する。

2　外国人

グローバル化の進む昨今、在外国民選挙権訴訟（最大判2005・9・14）で注目されたように国外で生活する日本人が増える一方で、多くの外国人が、日本で、さまざまなかたちで日本社会とかかわり合いながら生活している。こうした国籍国を離れて暮らす人々の人権はどう保障すべきか。伝

統的な主権国家観からすれば国家が国籍保持者たる国民の人権を保障することを第一とするのは当然のようにも思われるが、人権の前国家性や国際協調主義との関係はどうなるのか。難しい判断が必要になってきている。

外国人が憲法第3章の権利主体に含まれるか否かについて、憲法制定直後には憲法が「国民の権利」を定めていることなどを理由とする否定説も説かれたが、こんにちではなんらかのかたちで権利主体性を認める説が圧倒的に有力である。学説はさらに(a)個別の人権条項のうち「国民」ではなく「何人も」を主語とするもののみ外国人にも適用があるとする文言説、(b)権利の性質に応じて可能な限り外国人にも適用を認める権利性質説、(c)人権条項の本来の適用対象は国民であるため外国人にはそれを準用して国民と等しく取り扱うとする準用説、とに分かれる。(a)については制憲者がそれほど厳格に主語を使い分けているとは考えにくいこと、(c)については外国人への適用を原理的に否定していることなどが批判されており、通説は(b)である。なお(b)を採りつつ文言にも意味をもたせる説も有力である。

最高裁は、在留期間中の政治活動を理由とする在留延長不許可処分の合憲性が争われたマクリーン事件（最大判1978・10・4）において、「権利の性質上日本国民のみをその対象としていると解されるものを除き、わが国に在留する外国人に対しても等しく及ぶ」と述べ(b)に立つことを示したが、それはあくまで「外国人在留制度のわく内で与えられているにすぎない」としている。しかし、憲法の保障をうける合憲・合法な行為が在留期間の更新の際に消極的な事情として斟酌されるとすれば萎縮効果は大きく、批判も多い。

(b)に立つならば、個々の権利の性質に応じ、当該権利が外国人に適用されるかを判断することになる。しばしば議論となるのは以下の権利である。

また、一言で「外国人」といっても、日本とのかかわり合い方はさまざまである。一時的な旅行者もいれば、留学など特定の目的で一定期間在留する人もいる。永住資格を認められている人もいれば、難民として受け入れられている人もいる。それぞれの類型に応じた検討が必要である。

(1) 入国の自由

通説は外国人に日本に入国する自由を認めない。外国人の人権は、あくまで、日本に在留する外国人を対象とする。これは、外国人の入国規制を

国家主権の基本的属性とする国際慣習法に則っている。最高裁はマクリーン事件（最大判1978・10・4）でこの立場を明らかにし、さらに、森川キャサリン事件（最判1992・11・16）では外国人の再入国の権利についても22条の保障の範囲外であるとした。

　しかし、いくら在留期間中の自由は保障すると述べても、その行為が後の在留資格認定で考慮されうるとすれば、萎縮効果は甚大である。少なくとも再入国の自由については、国家の自由裁量と解することは問題である。

　　＊外国人の出入国や在留は、出入国管理及び難民認定法（入管法）によって規制されている。入国の自由は別段としても、在留中や出国については憲法または国際人権の保障が及ぶべきところ、入管法のもとで行われている現実の処遇には、多くの問題が指摘されている。
　　　退去をめぐる問題は、なかでも深刻である。入管法は、在留資格を取り消された者や一定の刑罰に処せられた者について、本邦からの退去を強制することができるとする（24条）。退去強制手続において、法は、30日以内（やむを得ない事由があるときは30日に限り延長可能。41条）の収容を可能としているが、逃亡のおそれ等のない場合の長期収容には批判もある。それに加えて、法は、直ちに送還できない場合にも収容を認めており（52条5項）、これには期間の定めがない。そのため年単位で収容される事例もあり、収容時の処遇も含めて、国際人権機関からも懸念が表明されている。

(2)　政治的自由

　マクリーン事件（最大判1978・10・4）では外国人に政治的自由が認められるかが争点となった。最高裁は「わが国の政治的意思決定又はその実施に影響を及ぼす活動等外国人の地位にかんがみこれを認めることが相当でないと解されるものを除き、その保障が及ぶ」としている。

(3)　プライバシー

　森川キャサリン事件（最判1992・11・16）では、指紋押捺の拒否が再入国不許可の理由だったため、指紋押捺によるプライバシーの侵害からの保護が外国人に及ぶかが論点のひとつとなりえたが、最高裁は当該不許可処分は「社会通念に照らし著しく妥当性を欠くとは言えない」としてプライバシーの権利には触れず原告の訴えを退けた。後の外国人登録に係る指紋

押捺拒否訴訟（最判1995・12・15）では正当な理由無く指紋の押捺を強制することは13条に反するとしたうえで、この保障は在留外国人にも及ぶと述べたが、公共の福祉のため必要な制約は認められるとして該外国人指紋押捺制度は一般的に許容される限度を超えないとした。なお、1993年には永住者につき、1999年には非永住者に対しても外国人登録に係る指紋押捺制度は廃止された。しかし、2007年からはテロ対策の名のもとに特別永住者など一部の例外を除き入国審査時に指紋の提供が義務化されている。

(4) 参政権

　古くは、国民主権を理由に、国政・地方、選挙権・被選挙権・公務就任権の別なく一律に参政権を否定する説が有力だった。しかし1980年代以降、定住外国人の選挙権・被選挙権をめぐる訴訟が続々と提起されたのを受け、理論の精緻化が図られる。

　国政レベルでは、憲法上禁止されているとする説（禁止説）が有力である。日本国憲法が国民主権を基本原理とすることがその根拠とされる。なお、国民主権の「国民」を国籍保有者に限る必要はなく生活実態からみて日本国民一般と異ならない外国人には地方国政を問わず参政権を与えるべきとする学説も存在する。

　地方選挙権については、禁止説と並び、立法裁量に属するとする説（許容説）と地方選挙権を認めることは憲法上の要請だとする説（要請説）とがある。要請説はさらに、外国人の地方参政権を認めていない現行法制を違憲とする説（要請・違憲説）と違憲とまではいえないが早急に措置を講ずべき政治的義務を負っているとする説（要請・政治的義務説）に二分される。最高裁は、地方自治制度の趣旨からすれば在留外国人のうち永住者等居住区域の地方公共団体と特に密接な関係をもつに至った者については法律により選挙権を付与することは憲法上禁止されていないとしており、許容説に立つ（最判1995・2・28）。地方選挙の被選挙権は、被選挙権の性質を権利と解するか権利能力と解するかで見方が変わるが、被選挙権の権利性を認める立場に立てば選挙権と同様に認める方向につながり易い。

　公務就任権については、公権力の直接的な行使を外国人に認めないという「当然の法理」から、国会議員や大臣への就任は認めないとする考え方が一般的である。外務公務員を除き法律上特段の規定はないものの、人事

院は、国籍保持者であることを国家公務員の採用試験の受験資格としている。しかし地方では、受験資格から国籍要件を撤廃する自治体も増えている。これに関連する判決としては、在日コリアンであり東京都の公務員たる原告が国籍を有さないことを理由に管理職選考試験の受験資格を認められなかったことについて訴えを起こした東京都管理職選考試験受験資格請求事件（最大判2005・1・26）がある。この判決で最高裁は、国民主権にてらし当該区別は合理的なもので14条違反ではないと述べた。ただし、これには「厳格な合理性の基準」で判断すべきとの反対意見も付されている。

(5) 社会権

通説は、社会権を(a)まず各人の所属する国によって保障されるべき権利であり、当然に外国によっても保障されるべき権利ではないとする。しかし、(b)社会保障給付は社会構成員性の如何により判断されるべきで「すくなくとも日本社会に居住し、国民と同一の法的・社会的負担を担っている定住外国人には妥当する」と解する説や、(c)本筋は(b)であるとしたうえで立法政策の余地を認める説も存在する。通説(a)は無拠出制（全額国庫負担）の社会保障給付は国民に限るとするが、(b)説は定住外国人も国民と同様に租税負担を行っているとしてその対象に定住外国人を含めるべきとする。

現行法上、健康保険や労災保険等の各種保険には国籍要件がなく、内外人平等主義が採られている。国民年金や児童扶養手当は1981年の難民条約加入を機に国籍要件が撤廃された。生活保護については、1954年の厚生省社会局長通達に基づき「当分の間、生活に困窮する外国人に対しては一般国民に対する生活保護決定実施の取扱に準じて」必要と認める保護が行われてきた。しかし、財政悪化や不正受給問題を機に、窓口レベルで保護を認めないケースが増え、各地で訴訟が起きている。大分・外国人生活保護訴訟では、高裁は「一定範囲の外国人も生活保護法の準用による法的保護の対象となる」としたが（福岡高判2011・11・15）、最高裁は、外国人は生活保護法に基づく受給権を有しないとした（最判2014・7・18）。

＊在日コリアン

1910年の韓国併合によって日本国籍を付与された人々は、日本の戸籍とは別に、朝鮮戸籍に登録されることとなった。日本に渡り定住した者も多く、終戦

時にはその数は60万人を越えていた。1952年、サンフランシスコ平和条約が発効し日本が朝鮮の独立を正式に承認したことにともない、朝鮮戸籍登録者は日本国籍を喪失した。彼らのうち戦前から引きつづき日本に在留していた者およびその子孫は、平和条約国籍離脱者およびその子孫として、入管特例法の要件を満たす場合には日本の特別永住者の資格を得る。彼らは一般に在日コリアンと呼ばれ、2014年現在でその数は約38万人に上っている。

　在日コリアンは、本人または父母が過去に日本国籍保持者であり、本人の意思にかかわりなくそれを喪失したという歴史的経緯から、一般の永住者に課される義務が緩和される等の特例措置を受けている。他方で、日本国籍を有しないために、恩給、年金、参政権等において日本国籍保持者と比べ不利な取扱いを受けている。この問題は外国人一般の問題とは別個に検討する必要がある。

　また、民族差別意識も深刻な問題である。国連規約人権委員会・最終見解（2014年）でも示されたように、日本において在日コリアンらに対する憎悪や差別を煽る発言が広がっていることが懸念されている。こうしたなか、2016年には「本邦外出身者に対する不当な差別的言動の解消」のためヘイトスピーチ解消法が制定された（→第3部3章3節4(5)・416頁）。日本における最も深刻な人権問題のひとつとして真摯な対応が求められる。

3　法人・団体

　社会で活動しているのは、かならずしも自然人ばかりではない。会社はもちろん、弁護士会などの職業団体や労働組合など、さまざまな法人・団体が、社会で現実に大きな役割を果たしている。こうした法人・団体が憲法第3章の権利主体に含まれるのか、含まれるのであればどのようなかたちでその権利を行使しうるのかも、考えておく必要がある。「法人の人権」（ここでいう「法人」には法人格のない団体も含まれる）をめぐる問題である。

　この点、日本国憲法が個人の尊厳を基礎におくことや近代憲法は出発点において団体とは敵対的であったことなどを理由に消極的にとらえる見方と、法人が社会・経済的に重要な役割を果たしているという実態を重視して積極的にとらえる見方とが対立する。憲法が保障する権利には生存権のように法人にはそぐわないものも存在するが、判例は「性質上可能な限り」法人にも人権享有主体性を認める立場を採っており（八幡製鉄政治献金事件〔最大判1970・6・24〕）、学説の多くもこの説に立つ。だが、判例が「性質上」といいつつ実際にはほぼ無限定に法人の人権を認めたことへの批判や

日本においてはなお集団からの個の解放が優先課題だといった認識は根強く、安易に法人に人権享有主体性を認めることには警戒的な学説もある。

(1) 法人に認められる人権の種類および範囲

　法人に人権享有主体性を認めた場合、どのような人権をどこまで認めるかが問題となる。生存権や特定の人身の自由、選挙権・被選挙権がその性質上法人に適用できないことに異論はない。逆に、平等や国務請求権、経済的自由権、刑事手続上の権利などは法人にも認められると一般に解されている。問題となるのは精神的自由権や幸福追求権である。

　精神的自由権には否定説もあるが、内心の自由はともかく外部的表現の自由については肯定説が多数である。また、宗教法人における信教の自由や学校法人の教育の自由など、当該法人の性質上保障が必須なものもある。最高裁も博多駅取材フィルム提出命令事件決定（最大決1969・11・26）において、報道機関の報道の自由が21条の保障のもとにあることを認める。

　選挙権・被選挙権と密接にかかわる政治表現の自由については更なる検討が必要である。最高裁は前掲の八幡製鉄政治献金事件（最大判1970・6・24）で法人にも政治的行為をなす自由があり「政治資金の寄附もまさにその一環」だとした。しかし、政治的行為は主権と深いかかわりがあり、後述の自然人の人権との対抗関係についてとくに慎重な配慮が求められる。

　幸福追求権は、その核心を人格に据えた場合には否定的な帰結と結びつくことも考えられるが、実際には、プライバシーの権利や名誉は法人にも認められるとする説が通説となっている。

　ただし、これらの権利も自然人とまったく同様に保障されるわけではない。自然人とは異なり法人には特定の設立目的が存在するため、その目的や団体の性質に応じて保障範囲が異なりうる。さらに、自然人の権利が人権の出発点であることに鑑みれば、自然人の人権と法人の人権が衝突する場合には、自然人の人権同士が衝突する場合とは異なる考慮が必要となる。

(2) 法人の人権と自然人の人権との調整

　法人の人権と自然人の人権が衝突する場合には、①法人の外部に存在する自然人の人権と競合する場合と、②法人（結社）の構成員の人権と衝突する場合とがある。①は、法人の経済力や社会的影響力が大きい場合に問

題となる。巨大な資金を有する株式会社が政治過程に影響力を行使する場合がその典型であり、八幡製鉄政治献金事件（最大判1970・6・24）で最高裁がこの点に特段の考慮を払わなかったことには批判が強い。

②は、法人が法人として行う意思表明と構成員の思想信条とが食い違う場合にしばしば問題となる。古くは、労働組合の統制権と組合員個人の政治活動の自由との衝突が問題となった三井美唄炭坑労組事件（最大判1968・12・4）や、結社の本来的目的を越えて労働組合が政治的活動を行うにあたりその費用負担組合員に義務づけることの可否が問題となった国労広島地本事件（最判1975・11・28）が、近年では、政治献金に使うことを目的とした税理士会の特別会費の徴収決議を無効と判断した南九州税理士会事件（最判1996・3・19）や阪神・淡路大震災で被災した兵庫県司法書士会に復興支援金を寄附するために会員から特別に負担金を徴収することとした決議の有効性を認めた群馬司法書士会事件（最判2002・4・25）などがそれにあたる。ここでは、法人の性質（任意加入の団体か、強制加入またはそれに類する団体か）および法人の設立目的と当該意思表明との関連性が事案を区別するうえでとくに重要である。たとえば、南九州税理士会事件と群馬司法書士会事件で結論を違えたのは、税理士会と司法書士会とがともに強制加入団体である一方、政治献金と他県の司法書士会への援助という支出目的の相違が団体の目的の範囲の内外を分けたからといえる。ただし、前者については献金の目的が税理士法改正の推進という会の目的に密接にかかわるものであることを重視すべきとの批判があり、後者については反対意見が示すように目的の範囲を超える活動であるとの見方もある。判断の難しいところである。

4 特定の属性をもつ人々の人権？

人権条約には、女性差別撤廃条約や子どもの権利条約など、人の属性に応じてとくに保障されるべき権利を示したものが多数存在する。これは、特定の属性をもつ人々が現に権利を侵害されやすい状況にあり、配慮が必要な実態を重視したものである。しかし日本の憲法学では人権の普遍性が強調される傾向にあり、従来、こうした状況は主に平等の問題として論じられてきた。しかしそれでは解決しない問題もある。

アイヌ民族の問題はひとつの試金石となる。明治以降、アイヌ民族は、政府の近代化政策のもとで文化的アイデンティティを否定され深刻な差別を受けてきた。こうした状況を克服する運動が粘り強くつづけられた結果、アイヌの聖地でのダム建設をめぐる訴訟の判決で「民族固有の文化を享有する権利」に言及がなされ（札幌地判1997・3・27〔二風谷訴訟〕）、アイヌ文化振興法が制定される（1997年）などの変化につながった。政府の有識者懇談会が2009年に提出した報告書は、アイヌ民族を先住民族と明記し、アイヌのアイデンティティの尊重および多様な文化と民族の共生の尊重を謳い、そのための具体的施策を求めている。これは平等の観点を越えるものといえる。先住民族の文化権のような特定の属性をもつ集団の「人権」を憲法上認めるべきかは、具体的状況をふまえた検討が必要である。

第4節　人権の妥当範囲

　古典的憲法理論は、人権を公権力との関係において国民に保障される権利・自由と解してきた。その背景には古典的自由主義や法実証主義の影響が指摘されるが、いずれにせよ、憲法の主たる役割は公権力の統御ととらえられ、私人間の関係はもっぱら私的自治を基礎とする私法による規律に委ねられた。しかし、現代社会は必ずしもそれだけでは解決できない問題を抱えており、憲法学もそれへの対応を迫られている。

1　私人間効力

(1)　なぜ「私人間効力」論か

　19世紀後半から20世紀にかけて資本主義が急速な発展を遂げるにつれ、新たな社会問題が浮上してきた。そのひとつが社会的権力の登場とそれによる人権侵害の危険性の増大である。

　近代立憲主義の端緒においては、封建的中間団体や特権的職業団体を解体し、個人を析出し、自由な個人による市民社会を構築することがめざされた。しかし、個人の自由な活動により資本主義が展開するにつれ、国家のなかに、国家類似の組織を有し国家に比肩する支配力を行使する巨大な団体が登場してくる。こうした社会的権力と個人との間の事実上の支配従

属関係を是正する必要性が意識されるなかで、これまで対公権力のものと解されてきた人権規定の私人間への適用の可否が問われるようになった。

(2) 学説

　学説は当初、(a)憲法の人権規定は憲法上特段の定めの無い私人間には適用されないとする無効力説、(b)私法関係においても直接適用されると解する直接適用説、(c)人権規定の趣旨に違背する私人の行為は民法90条のような私法の一般条項を媒介にして排除するという間接適用説に分かれた。しかし、(a)は社会問題に対処しえないこと、(b)は対公権力性という憲法の本質を相対化し私的自治の否定につながる危険があることから、学界の大勢は(c)を妥当とするに至った。(c)は人権の対公権力性を維持しつつ人権規定の効力拡張の要請を満たせること、既存の法理論に比較的馴染み易く実際的な効用があることなどがその理由である。このほかにも、アメリカで確立した(d)人権規定は対公権力のものであることを前提したうえで、私的行為による人権侵害が、国家からの財政援助や監督・規制等を通じて公権力ときわめて重要なかかわり合いをもっている場合に、公権力による侵害と同視して憲法を適用するというステイト・アクションの考え方を日本にも導入すべきとの主張も唱えられたが、現代社会では国家の介在しない私的行為は想定し難く、ステイト・アクションとみなしうる範囲の確定が困難であるといった難点が指摘されてきた。

　学説の対立は、三菱樹脂事件（最大判1973・12・12）で最高裁が間接適用とみられる立場を示して以来、長く落ち着きをみせていた。しかし近年、この領域で理論的な再検討が行われ、私人間効力論は活況を呈している。

　そのひとつが、(e)ドイツの基本権保護義務論の立場から間接適用説を構成し直すものである。基本権保護義務論によれば、憲法の名宛人は国家に限定されるが、人権には国家に対する防御権的側面と国家に対して人権を保護する義務を課す側面とがある。(e)は私人間効力の問題をこの国家の基本権保護義務の一局面ととらえ直し、間接適用を民法90条を解釈する裁判官の保護義務によるものと説明する。

　これに対し、憲法に私人間効力を認めるべきという議論がフランスにはないことに着想をえた、(f)フランス型の無効力説（新無効力説）も登場し論議を呼んだ。(f)は近代的憲法観のもとでは人権規定の名宛人はあくまで

公権力に限定されるとしたうえで、人権衝突を調整する機能は法律に委ねられるとみる。裁判官は私法の解釈を通じて憲法上の人権ではなく自然権を救済する。畢竟、従来私人間効力として論じられてきた問題は日本の場合には民法90条および709条の解釈問題にすぎないこととなる。

(3) **判例**

　これに対し、最高裁は三菱樹脂事件（最大判1973・12・12）以来、間接適用説を採用しているとみられる。三菱樹脂事件は、入社試験で学生運動経験を申告しなかったことを理由とする民間企業による試用期間終了後の本採用の拒否が思想・良心の自由の侵害にあたるかが争われた事案だが、最高裁は、憲法第3章の自由権的基本権は「もっぱら国または公共団体と個人との関係を規律するものであり、私人相互の関係を直接規律することを予定するものではない」としたうえで、私人間における対立の調整は原則として私的自治だと述べ、直接適用説を否定した。さらに私的支配関係においては立法措置で是正を図ることが可能だと指摘し、場合によっては「私的自治に対する一般的制限規定である民法1条、90条や不法行為に関する諸規定等の適切な運用」によって適切な調整を図ることができると示唆した。これにより間接適用の可能性を示したといわれる。しかし、それを私人による人権侵害の「態様、程度が社会的に許容しうる限度を超える」場合に限定していることや、結論としては企業の雇入れの自由ひいては経済活動の自由を優先させ、企業による労働者への思想調査は許されるとしたことから、実質的には無適用説だともいわれる。なお、政治団体への加入等が学則に反する行為だとして退学処分を受けた学生が地位確認を求めた昭和女子大事件（最判1974・7・19）でも、最高裁は三菱樹脂事件を引用し、憲法19条等の規定は「専ら国又は公共団体と個人との関係を規律するものであり、私人相互間の関係について当然に適用ないし類推適用されるものでない」としている。

　間接適用説の立場をより明確化し積極的に私人間の対立の調整に踏み込んだ判断を行ったと思われるのが、日産自動車事件（最判1981・3・24）である。この事件において最高裁は、男女別の定年を定めた民間企業の就業規則について「性別のみによる不合理な差別を定めたものとして民法90条の規定により無効であると解するのが相当である（憲法14条1項、民法

1条ノ2〔現・民法2条〕参照)」とした。

ただし、最高裁は、名誉毀損の場面などでは私人間効力に一切触れず直接的に人権間の衡量を行っているようにもみえる(北方ジャーナル事件〔最大判1986・6・11〕)。最高裁が本当に間接適用説を採ってきたのか、各人権規定の効力をどうとらえているのか、より緻密な検討が必要である。

2 特別な法律関係

(1) 特別権力関係論

大日本帝国憲法のもとでは、公務員など国と特別の法律関係にある者の人権は特別権力関係論に基づいて理解された。特別権力関係論とは19世紀ドイツ国法学の支配的学説であり、特別の公法上の関係(個人の同意に基づく場合と法律の規定に基づく場合とが含まれる)により成立する国家権力と国民との特別の法律関係を「特別権力関係」という観念でとらえ、通常の統治権に起因する一般権力関係と区別する。特別権力関係のもとでは、公権力は包括的支配権を有し、個別の法律なしにこの関係内にある私人を規律し人権を制約でき、それについては司法審査が及ばないとされた。

しかし、この理論は人権保障を基本原理とし法の支配の徹底を指向する日本国憲法のもとでは妥当しえない。憲法制定後しばらくはその修正により調整を図ろうとする動きもみられたが、特別権力関係論は多様な法律関係(公務員関係、刑事収容施設への被収容関係、国立学校の在校関係など)を一括して同じ性質の権力関係に属するものとみる点に無理がある。よって現在では、それぞれの法律関係の性質に即して個別具体的に権利制約の可否を論ずることが一般的である。過去に特別権力関係の代名詞であった公務員関係や被収容関係に性質上特殊な点があることは否めず、実際に種々の法律により権利が制約されている。特別権力関係論への批判をふまえ、その特殊性を具体的に把握し許容される権利制限を検討することが肝要である。

(2) 公務員

公務員には、現行法上、とくに労働基本権および政治的行為の自由(表現の自由)について広範な制限が存在する(→第6章1節4(2)iv・497頁、第3章3節4(1)iii・405頁)。これらの規制は1970年代の諸判決により合憲とされ、

現在も基本的にその枠組みが維持されているが、学界からの批判は強い。2001年以降の公務員制度改革の進展やプライバタイゼーションなど公務員をめぐる環境は大きく変化しており、新たな枠組みの構築が求められる。

(3) 被収容関係

　未決拘禁者や受刑者は刑事収容施設に強制的に収容される。こうした関係はかつては在監関係と呼ばれ、明治期に制定された監獄法が日本国憲法制定後も改正を加えつつ適用されてきた。監獄法には図書・新聞の閲読の制限や信書の発受の制限など国際水準や学説からみて問題とされる規定が含まれており、それに基づく処分の合憲性が裁判で争われてきた。

　図書・新聞の閲読が問題となったのは、よど号新聞記事抹消事件（最大判1983・6・22）である。未決拘禁者が私費で購読していた新聞のうちよど号ハイジャック事件に関する記事を拘置所長が墨塗りにして配布した処分の違法性が争われた事件で、最高裁は、閲読の自由が憲法上保障されるべきことは当然としたうえで、逃亡および罪証隠滅の防止という拘禁目的のほか監獄内の規律および秩序の維持も権利の制約根拠として認めるが、それには「閲読を許すことにより監獄内の規律及び秩序の維持上放置することのできない程度の障害が発生する相当の蓋然性」が必要とされると判示した。監獄法およびその施行規則がこの点につききわめて広範な施設長の裁量を認めているのに対し、最高裁が「相当の蓋然性」という基準で規制の正当性を判断すべきことを提示した点は評価できる。しかし、具体的な当てはめの段階では結局施設長の裁量を優先させたことに批判も多い。

　信書の発受については、死刑確定者が死刑に関する新聞投書への反論を投稿しようとしたところ拘置所長がこれを不許可とした事例がある（最判1999・2・26）。監獄法は信書の発送について内容審査を含む広範な制約を定めており、最高裁は特段の説明もなく当該不許可処分に裁量権の逸脱はないとした。しかしこれには一裁判官による反対意見が付された。その後、受刑者の信書の発信につき刑務所長のなした不許可処分を違法とし賠償を認めた事例がある（最判2006・3・23）。

　その他の権利・自由としては喫煙禁止訴訟（最大判1970・9・16）が著名である。監獄法施行規則（当時）が未決勾留者の喫煙を禁止していることが幸福追求権を害するかが争われた。最高裁は、逃亡および罪証隠滅の

防止のほか、多数の被拘禁者を集団で管理するため秩序維持の必要性を規制目的として認め、その目的に照らし合理的な制限を加えることはやむをえないとしたうえで、比較衡量論により当該禁止を合理的と判断した。

現在では2006年に改正された刑事収容施設法が未決拘禁者、受刑者および死刑確定者の処遇について規定している。同法は収容者の性質に応じて処遇の原則を定める（刑事施設30〜32条）ほか、過去に問題となった図書・新聞の閲覧（同69・70・71条）や面会（同111条以下・115条以下・120条以下）、信書の発受（同126条以下・134条以下・139条以下）について比較的詳細な規定をおく。同法に関しては、既に、性同一性障害により女性として生活してきた受刑者が男性として調髪処分を受けることの差止めを求める訴訟（名古屋地判2006・8・10）などが提起されている。刑事施設は機密性が高く施設長の裁量が広く認められやすい場であるだけに、今後の運用を注視する必要がある。

考えてみよう

1…人権の量的拡張説と質的限定説とにはそれぞれどのような積極面・消極面があるか。比較して論じよ。
2…外国人の人権享有主体性と入国管理制度の関係について、最高裁判所が示した考え方の問題点を述べよ。
3…八幡製鉄政治献金事件と南九州税理士会事件とはなぜ結論が分かれたのか。考えられる理由を述べよ。

Further readings
・木下智史『人権総論の再検討』（日本評論社、2007年）：私人間効力論について、学説の詳細な分析が行われている。
・晴山一穂他著『欧米諸国の「公務員の政治活動の自由」』（日本評論社、2011年）：公務員の政治的自由について比較法的な検討がなされる。
・近藤敦編『外国人の人権へのアプローチ』（明石書店、2015年）：日本に居住する外国籍の人々がどんな権利の制約に直面しているか、幅広く説く。

第2章	平等
キーワード	法内容平等説（立法者拘束説）、相対的平等、合理的区別、特別意味説、目的手段審査

自由とともに近代憲法の基本原理と位置づけられた平等は、歴史の中でその内容をさらに多様なものとさせてきた。本章では、そうした歴史をふまえつつ、平等に関する憲法解釈を学ぶ。

1 平等の観念

(1) 近代憲法における自由と平等

近代憲法・人権宣言において自由と平等とは不可分のものとされ、平等もきわめて重要な基本原理と位置づけられてきた。それは、近代的人権の主体たる個人の尊厳を承認することは、個人が人格的価値において根源的にひとしい存在として認められるべきことを要請するからだけでなく、そうした人権主体としての個人を創出するためには、市民革命によって身分制社会を打破し、生まれによる差別を否定することが求められたという歴史的経緯にもよる（→第1部2章2節・23頁）。しかし、その後の資本主義の展開は、こうした自由と平等との関係に一定の変容をもたらした。すなわち、近代憲法において不可分のものとされた自由と平等は、その歴史的現実においては必ずしも予定調和的ではなく、むしろ自由が不平等をもたらし、あるいは平等が自由の制約をもたらす可能性もあることが示されてきた。こうした事態へのひとつの対応が社会権の登場であるが（→第1部2章3節・34頁、第6章1節・476頁）、さらに平等の内容についても多様な理解が登場することになった（→(2)・334頁、(3)・335頁）。これは一面では、平等が他者との比較を前提とした関係概念であり、それ自体としては何が不平等にあたるのか、いかなる状態が平等であるのかを確定しがたいという事情に由来する（ある者についての人権制約は、同時に他の者との不平等取

扱いと理解することも可能であり、そこから、平等は実体的内容をもたない「空虚」な観念であるとの議論も提起されてきた）。

　日本国憲法は、個人の尊重（13条）を定めた直後に法の下の平等（14条）を掲げて近代立憲主義の正統な系譜を受け継ぎつつ、現代的意義をもつ諸権利をも保障している（→第6章・476頁）。平等に関する解釈論もこうした歴史的経緯・憲法構造を十分ふまえる必要があり、具体的状況においていかなる権利・利益の侵害が問題となっているのか、その解決のために平等という理念を用いるべきか、どのように用いるかを問う姿勢が求められよう。肝心なのは、個人がそれにふさわしい扱いを受けられず、それぞれのかけがえのない生を生きる妨げとなっているものを取り除くために、憲法には何ができるのかを考えることである。

(2) 形式的平等と実質的平等

　近代憲法・人権宣言においてまず確認されたのは、国家はすべての者を法律上均一に取り扱うべきとする形式的平等であった。そこでは、「権利において平等」（フランス人権宣言1条）という表現にもみられるように、各人にひとしく権利を保障することによって自由な活動を保障することが国家の役割とされた。こうした理念の宣言にもかかわらず、現実には奴隷制度・人種差別・男女差別などが維持されてきたが（→第1部2章2節3(2)・29頁）、さらにその後の歴史は、形式的平等のもとで行使された（とりわけ経済的）自由が、巨大な貧富の差・その固定化といった現実の社会的・経済的不平等をもたらすことを明らかにした（→第1部2章3節・34頁）。そこで、こうした各人の実質的・事実上の差異を一定程度考慮し、社会的・経済的に劣位にある者に対し国家による一定の措置（社会権保障など）を通して不平等の是正を図るべきとする実質的平等の考え方が登場することになる。そこでとられる措置は、ある者と別のある者とを区別して扱うことになるから、外見上形式的平等には反するが、それを通して現実の不自由・不平等を是正し、近代立憲主義の理念である個人の自由・平等を実現しようとするものであり、人間が人間らしく生きられる社会を構築しようとする努力の一環ととらえることができる。

　もっとも、日本国憲法の解釈としては、「法の下に平等」という14条の文言からも別途社会権が保障されていることからも、14条は第一義的には

形式的平等を要請するが、実質的平等実現のためとられる不均等取扱いも一定の程度で許容すると理解されている（→2(3)・338頁）。また、現代においても選挙権のように形式的（数的）平等が強く要請される場面があり（→第2部2章3節3・182頁）、社会権保障にかかわって平等の観点が重要となる場面もある（最大判1982・7・7〔堀木訴訟〕→第6章1節1・476頁、2・479頁）ため、具体的な問題状況に即した理解が求められる。

(3) 機会の平等と結果の平等

こうした形式的平等と実質的平等との区別に加えて、機会の平等と結果の平等という語も用いられ、しばしば機会の平等が形式的平等と、結果の平等が実質的平等とそれぞれ同義とされる。一応の区別としては、形式的平等と実質的平等との区別はいかなる措置が平等に値するかという平等保障のありかた（ないし手段）を重視するのに対し、機会の平等と結果の平等との区別はいかなる状態をめざすかという平等保障の目的を重視するものといえよう。また、機会の実質的平等と結果の平等は必ずしも同一ではなく、結果の平等を追求することが個人の自由な活動と両立しないとしても、機会の実質的平等についてはそうとはかぎらず、したがって機会の実質的平等を図るための措置も許容されうると考えられる。

そうした観点からは、アファーマティブ・アクションないしポジティブ・アクション（前者はアメリカでの呼称、後者はEU・国連を中心とする呼称）と呼ばれる積極的差別是正措置（積極的改善措置、暫定的特別措置とも呼ばれる）が重要である。これは、歴史的に差別を受けてきたグループ（人種や女性）に特別枠を設けるなどの積極的な手段によって、差別の解消・是正、実質的平等をめざすものであるが、かえって「逆差別」を生みかねないとの批判もある。日本でも男女共同参画社会基本法が積極的改善措置の採用可能性を認めているが（8条等。定義は2条2号）、憲法論としては、形式的には不均等な取扱いを含む積極的措置がどこまでであれば14条に反しないかというかたちで問われる。

*積極的差別是正措置

こうした積極的措置は、法的根拠、法的強制の有無、対象分野などの違いに応じて多種多様であるが、内容に着目すると、クオータ（人数・割合の割り当

て）制や選挙時の男女同数・交互名簿（フランス1999年憲法改正で導入されたパリテ）などの厳格なもの、ゴール・アンド・タイムテーブル制（目標値設定）やプラス・ファクター制（プラス要素としてジェンダー等を重視）などの中庸なもの、仕事と家事・育児との両立支援や環境整備などの穏健なものに分けられる。これらは例外的・暫定的な措置とされるが（女子差別撤廃条約4条1項ただし書）、その合憲性については具体的な内容に即して慎重に検討する必要があろう（アメリカでは、1978年の連邦最高裁バッキ判決で州立大学入試における人種的マイノリティのクオータ制が違憲とされたが、2003年のグラッター判決では州立大学ロー・スクール入試でのプラス要素制が合憲とされた）。なお、日本でも2018年に、「男女の候補者の数ができるだけ均等となること」を目指し、政党等に努力義務を課す、政治分野における男女共同参画の推進に関する法律が成立した。

＊反差別と反従属

平等の理解に関し、アメリカの議論では、権利・義務等のレベルでの別異・不均等取扱いを対象とすべきとする反差別（反別異）と、権利・義務等の不均等な配分・劣位処遇の背後に社会においてパワーをもたないマイノリティの地位の切り下げをみいだす反従属というふたつのとらえ方が対比されることがある。後者の視点からは、たとえば人種に基づく不均等取扱い（公立学校での人種隔離など）には、マイノリティに劣等の烙印＝スティグマを押しつけ、自尊を大きく損なうという重大な害悪がみいだされる。この反従属というとらえ方は、現実社会における不均等取扱いの背後にあるものを明らかにし、その解消のために何が可能かを考えるさいにも重要な視点を与えるだろう。

2 憲法規定とその解釈

(1) 憲法規定

大日本帝国憲法は、平等に関する一般的規定をもたず、公務就任につき「法律命令ノ定ムル所ノ資格ニ応シ均ク」（19条）と規定するだけであった。また、法制度上も天皇・皇族、華族といった諸制度と身分的特権が存在し（一般の人々は天皇の統治権に服する「臣民」という位置づけにとどまる）、さらに女性については選挙権が認められず、「家」制度などによって低い地位にとどめられるなど、広い範囲で不平等が認められていた（→第1部3章1節2(3)・45頁）。

これに対し日本国憲法は、14条1項で平等に関する包括的・総則的規定をおき、さらに平等原理を個別的場面で徹底・具体化するものとして、貴

族制度の否定（14条2項）、栄典授与にともなう特権・世襲化の否定（14条3項。2項・3項はマッカーサー・ノートに由来する）、「個人の尊厳と両性の本質的平等」に基づく婚姻・家族関係（24条→第6章2節・500頁）といった大日本帝国憲法下における身分的特権や「家」制度を否定する規定のほか、教育の機会均等（26条1項→第6章1節3(1)・484頁）、普通選挙の保障（15条3項）、議員および選挙人資格における差別の禁止（44条但書→第2部2章3節3・182頁）といった規定をおいている。これらの具体的規定については関連箇所で扱い、以下では14条1項の解釈論を中心に説明する。

なお、憲法は、世襲の象徴天皇制度（とくに2条）を設けており、そのかぎりで平等原理は貫徹されていない（→第1部4章2節・71頁、2(5)ⅳ・347頁）。日本国憲法の歴史的性格にかかわるこの問題が、現代の日本社会における平等に関する諸問題にいかなる影響を与えているかには留意が必要である。

＊平等原則と平等権

14条の法的性格については、公権力を拘束する客観的法原則（平等原則）であり、かつ「平等に取り扱われる権利」「差別されない権利」という個人の主観的権利（平等権）を保障したものと理解するのが一般的である（訴訟提起の場面を想定しつつ、両者を区別すべきという見解もある）。もっとも、いかなる取扱いが「平等」に反するかも具体的な場面において他者との比較を通してしか確定できないことからすれば（→1(1)・333頁）、主観的権利としての「平等権」の実体的内容を確定することには困難がつきまとう。より重要なことは、具体的な場面において、いかなる理由に基づき、いかなる権利・利益について不均等取扱いが生じているのか、それが個人の根源的平等を損なうものとなっていないかを精査することである。

(2) 「法の下に」平等の意味

14条1項の解釈については、まず「法の下に」平等であることの意味が問題となる。かつては、これは行政権・司法権による法の適用段階における差別を禁止するものであって、法の内容について平等であることまでは要請されず、法を定立する立法権を拘束するものではないとする法適用平等説（立法者非拘束説）も唱えられた。この説はワイマール期のドイツにおいては通説的であり、「法の下に」という文言にも忠実ではある。

しかし、現在では、法の内容についても平等であることが要請され、したがって平等に関する憲法規定は立法者（国会）をも拘束するとする**法内容平等説（立法者拘束説）**が通説であり、判例もこの立場を前提としている（→3・348頁）。その理由としては、不平等な内容の法をいくら差別なく適用しても現実には不平等が残ること、憲法が設置した国家機関たる国会には平等の要請が及ばないというのは立憲主義・憲法の最高法規性からも不自然であること、さらに違憲審査制（81条）によって国会の定立する法律が内容上憲法に違反するものでないかが判断されることが挙げられる。

(3) 法の下に「平等」の意味

次に、法の下に「平等」であることの意味については、すべての局面において各人をまったく均等に取り扱うべきとする絶対的・機械的平等を意味するという理解と、各人の有する属性・おかれた状況等に実質的・具体的差異があることを前提としつつ、同一の条件のもとでは均等に取り扱うべきであるが、法的な取扱いの差異と実質的・具体的差異との対応が合理的であるかぎりは不均等な法的取扱いも許容されるとする**相対的平等**を意味するという理解（「ひとしい者をひとしく、ひとしくない者をひとしくなく扱うべし」とも表現される）がある。

各人のおかれた具体的状況は千差万別でありえることからすれば、すべての局面において均等な取扱いをすることがかえって不合理な帰結を生みかねないこともあり、通説・判例（最大判1950・6・7、最大判1964・5・27〔公務員待命処分事件〕）は、相対的平等説に立つ。また、およそ立法は一定の要件を設定してそれを満たす者と満たさない者とに異なった法的効果を認めるものであり、相対的平等説は法内容平等説（立法者拘束説）の論理的帰結ともいうべき面をもつ。

> ＊**合理的区別**
> こうした理解からすれば、合理的理由を欠く不均等取扱いは違憲な差別とされる一方、合理的理由に基づき憲法上許容される不均等取扱いは**合理的区別**と呼び、用語上も区別すべきことになる（「合理的差別」なるものが存在するわけではない）。

こうして現在では、法内容平等説を前提とした相対的平等説が通説的であるが、この理解は14条1項の適用範囲を拡大し、現実の社会で生ずるさまざまな問題を憲法論としてとりあげることを可能とする反面、いかなる不均等取扱いが14条1項違反となるのか、その判断基準は何かについて、さらに検討すべき問題を生む。

(4)　**合理性の判断と違憲審査基準**
　相対的平等説をとると、合理的区別として憲法上許容される不均等取扱いとは何か、すなわちそこにいう合理性の内容は何か、さらに合理性の有無をいかなる基準で判断すべきかという問題が、決定的に重要になる。
　ⅰ）　14条1項後段列挙事由の意味
　14条1項により「政治的、経済的又は社会的関係において」包括的に禁じられる差別は、同項後段が列挙する「人種、信条、性別、社会的身分又は門地」に基づくものに限られるのか（限定列挙説）、それともこれらは例示であって、それ以外の事由に基づく差別も禁止されるのか（例示的列挙説）。通説・判例（前掲最大判1964・5・27）は、後段は前段の平等原則の例示的説明であって、後段列挙事由に該当しない場合でも不合理な差別的取扱いは禁止され、また後段列挙事由に該当する場合でも合理的理由がある場合には不均等取扱いも許容されるとして、例示的列挙説をとっている。
　このように後段列挙事由を単なる例示ととらえると、結局合理性の有無のみが問題となり、後段列挙事由は格別の意味をもたないことになる。しかし、これらのうち人種・性別・社会的身分・門地は、個人の意思では変更が不可能ないし困難な生まれに基づくものであって、近代の平等思想はそもそも生まれによる差別を禁止するところにその核心があったはずである。また、信条についてもその変更は容易ではなく、かつ個人の人格の核心部分にかかわるものであって、これによる差別の禁止は個人の尊重（13条）からの帰結であり（19条・21条も参照）、さらには民主政の存立にとって必須の条件でもある。こうしてみると、後段列挙事由は、それらに基づく差別が不当であることが歴史的に検証ずみというべきものである。そこから現在の学説では、例示的列挙説を前提としつつ、後段列挙事由に基づく不均等取扱いは原則的に禁止され、かつ、違憲審査の場面においても違憲の推定がはたらき、より厳格な審査基準によってその合憲性が判断され

るべきという**特別意味説**が有力となっている。この場合、具体的な不均等取扱いの合憲性の検討にあたっては、まずそれが後段列挙事由のいずれかに基づくものであるかが判断され、審査の厳格度を決定したうえで合理性の有無を判断するという過程をとる（単なる例示ととらえる場合は、端的に合理性の有無を判断する）。

　最高裁判決では、基本的に単なる例示的列挙説が採用され、後段列挙事由のいずれかに該当するかをとくに判断せずに合理性の有無を判断するという手法がとられており、特別意味説的理解は時折個別意見にみられるにとどまる（最大決1995・7・5〔非嫡出子相続分差別合憲決定→第6章2節4(1)ⅰ〕・507頁〕の多数意見と反対意見を比較せよ）。

　ⅱ）　合理性の内容

　合理性の内容に関し、初期の最高裁判決には「人格の価値がすべての人間について平等」と述べたものがあるが（最大判1950・10・11〔尊属傷害致死罪事件旧判決〕）、その後は、14条は「差別すべき合理的な理由なくして差別することを禁止」する趣旨だとして、端的に「事柄の性質に即応」して合理性の有無を判断しており（前掲最大判1964・5・27）、「一般社会観念上合理的な根拠に基づき必要と認められるか」（最大判1964・11・18）という程度の基準を示すにとどまる。

　一方、古典的学説では「『人間性』を尊重するという個人主義的・民主主義的理念に照らして不合理と考えられる差別」が禁じられる（宮沢俊義）とされる。一般論としては異論はないとしても、抽象的にすぎるため、その具体化が課題となる。ごく概括的にいえば、14条1項後段列挙事由に該当する場合やそれに準じて扱うべき生まれにかかわる事由による不均等取扱い、封建的・前近代的差別にかかわる事項（→(5)ⅲ）・344頁・ⅳ）・347頁、3(1)・348頁）については、原則として不合理なものと考えられる。一方、社会的弱者の保護、民主政の観点からの要請など、一般的には正当といいうる事由に基づく不均等取扱いの場合は、個々の事実状態の差異・それに基づく法的取扱いの相違につき、誰と誰との間に区別を設けているのか、いかなる権利・利益に関する不均等取扱いであるか、当該取扱いの基礎にはいかなる事実状態の相違があるのか、当該事由に基づく不均等取扱いの程度が基礎にある事実状態の相違に相応したものであるかといった諸点を客観的事実に基づき検証したうえで、合理性の有無を判断する必要が

ある。

iii) 違憲審査基準

こうした観点をふまえた違憲審査の手法としてしばしば用いられるのが、**目的手段審査**である。これは、14条違反が疑われる立法の違憲審査にあたり、立法目的および立法目的達成手段の両面から合憲性を判断すべきというものであり、具体的には、まず当該不均等取扱いにおける区別を正当化する立法目的の合理性を審査し、立法目的の合理性が認められれば、つぎにその目的を達成する手段として当該区別が合理的であるかを審査し、立法目的と当該区別との間に合理的な対応関係がある場合には、当該不均等取扱いは合理的区別として合憲と判断される。

さらに学説では、二重の基準論（→第2部3章2節3(4)ⅰ・301頁）をふまえ、当該不均等取扱いがいかなる事由に基づくかに加え、いかなる権利・利益に関するものであるかをも考慮しつつ、基準の厳格度を変えるべきとされてきた。それによれば、精神的自由や選挙権に関する問題の場合には「厳格審査基準」が妥当し、立法目的が必要不可欠なものであるか否か、立法目的達成手段が必要最小限度のものであるかを検討することが求められる。他方、経済的自由の積極目的による規制立法や社会・経済政策的立法のように一定の国会の裁量権が認められる場合には、立法目的が正当であり、目的と手段との間に合理的な関連性があれば足りるとする「合理性の基準」が妥当する。また、経済的自由の消極目的による規制立法のような場合には、中間的な厳格度の基準として、立法目的が重要であり、目的と手段との間に実質的な関連性があることを要求する「厳格な合理性の基準」が妥当する（中間審査→第4章1節6・444頁）。14条1項後段列挙事由につき特別意味説をとる場合には、これらの事由に基づく不均等取扱いについては「厳格審査基準」または「厳格な合理性の基準」が妥当する（人種・信条は前者、性別・社会的身分は後者によるとされることもある）。

＊アメリカの判例理論では、人種・民族など「疑わしい分類」に基づく区別や、選挙権など「基本的権利」に関する区別には「厳格審査基準」が妥当し（人種に基づくアファーマティブ・アクションについての審査の厳格度には議論がある）、性別など「準・疑わしい分類」に基づく区別については中間審査が妥当するとされる。日本の学説もこうした考え方に影響を受けている。

こうした3段階の基準の使い分けは一応の準則として維持しうるとしても、なお具体的な問題状況を考慮しつつそれぞれの基準の妥当すべき場面を確定することが求められよう。また、目的審査の場面では、特定の集団（とりわけ歴史的に劣位におかれてきたもの）に対する差別的意図に基づくものでないかには注意が払われるべきであるし、手段審査の場面では、当該手段の採用がもたらす（とくに否定的な）効果にまで配慮して、当該手段の合理性を吟味する必要があろう。

最高裁は、尊属殺重罰規定違憲判決（最大判1973・4・4→3(1)・348頁）以降、基本的には目的手段審査の枠組みを採用しているが（最大決2013・9・4〔非嫡出子相続分差別違憲決定→第6章2節4(1)ⅰ・507頁〕は、この枠組みに触れていない）、審査の厳格度を明示的に類型化してはいない。従来の事案には、広い立法裁量を前提として緩やかな審査を行ったものがみられる（最大判1982・7・7〔堀木訴訟〕→第6章1節2(2)・480頁、最大判1985・3・27〔サラリーマン税金訴訟〕、最大決1995・7・5〔非嫡出子相続分規定合憲決定〕→第6章2節4(1)・507頁）。一方、在外国民選挙権違憲判決（最大判2005・9・14→第2部2章3節3(2)ⅳ(イ)・190頁）では選挙権の重要性ゆえに「やむを得ない事由」がないかぎり制限は許されないとし、また、国籍法違憲判決（最大判2008・6・4→3(2)・349頁）では日本国籍が「重要な法的地位」であること等を理由に「合理性」の有無についてかなり厳格な審査を行い、いずれも違憲判断を下した。こうした厳格な審査がこれら以外の場面においても行われるかは、なお明確でない。

(5) **14条1項後段列挙事由の解釈**

前述のように、14条1項後段列挙事由に基づく差別は原則として許されず（→(4)ⅰ・339頁）、さらに特別意味説をとる場合には、これらの事由に該当するか否かは違憲審査の厳格度にも影響するため、各事由が何を意味するかを確定する必要がある。

ⅰ) 人種

人種とは、人の人類学的種別であり、生まれによる区別の典型である。人種差別は歴史的にも深刻な問題を生んできており（アメリカにおけるアフリカ系市民への差別や南アフリカにおけるアパルトヘイトなど）、現在もなお解消ずみではない。国連の人種差別撤廃条約（日本は1995年批准）は、

「人種差別」を「人種、皮膚の色、世系又は民族的若しくは種族的出身に基づくあらゆる区別、排除、制限又は優先」と広く理解しており（1条1）、この趣旨は14条1項の「人種」の解釈にあたっても十分ふまえる必要がある。

日本においては、とりわけアイヌ民族に関する問題、在日コリアンなど旧植民地出身者に関する問題が重要であるが、本書では人権享有主体性との関連で扱う（→第1章3節4・326頁、同2・319頁）。なお、政治的単位としての国家への帰属関係を示す国籍（→第1章3節1・318頁）は、「人種」とは異なるが、社会的実態としては、国籍を理由とする区別が個人・民族のアイデンティティの否認・切り下げにつながる可能性があることに留意が必要である。

＊国籍等に基づく不均等取扱い
　最高裁は14条（の趣旨）の外国人への類推適用を認めるが（前掲最大判1964・11・18）、国籍等に基づく不均等取扱いが問題とされた事例として、障害年金・遺族年金、恩給の支給を日本国籍をもつ者に限定している戦傷病者戦没者遺族等援護法附則2項、恩給法9条1項3号は14条1項に違反しないとした台湾住民元日本兵戦死傷者損失補償事件（最判1992・4・28）のほか、外国人であることを理由とする民営の公衆浴場での入浴拒否（帰化により日本国籍をもつ者も拒否された）は実質的に人種に基づく不合理な差別にあたるとして損害賠償が認められたものがある（札幌地判2002・11・11〔小樽公衆浴場「外国人お断り」事件〕）。

　ⅱ）　信条

信条は、もともとは宗教上の信仰を指すが、現在では広く政治的信念や人生観、世界観をも含むと理解するのが一般的である。思想・良心の自由保障（19条）からも信条による差別は禁止される（→第3章1節2(2)・355頁、同3(1)・357頁）。こうした差別はしばしば労働関係において生ずるため、労働基準法3条は国籍・社会的身分と並んで信条を理由とする労働条件についての差別的取扱いを禁止する（政治的意見・政治的所属関係による差別をも禁止する国公27条、地公13条も参照）。信条にかぎらず私人による差別を憲法上いかに規制しうるかは、私人間効力論、結社の自由保障などもふまえた慎重な検討が必要である（→第1章4節1・327頁、同3節3(2)・

325頁、第3章3節6・424頁)。

ⅲ) 性別

性別は、本来男女の生物学的・身体的性差を意味する。戦前の日本では法制度上も女性差別がはなはだしく、いくつかは戦後改革にともなって廃止・改正され（姦通罪〔刑旧183条〕、男性戸主を標準とする民法上の「家」制度など）、男女の平等取扱い・機会均等が明文化された（旧教育基本法3条1項・5条、労基法4条など）。その一方で、家族に関する民法の諸規定（731条・733条等→第6章2節・500頁）、労働基準法（とくに1997年改正前）の女子保護規定（現在では母性保護規定を除き撤廃されている）など、なお法律上の不均等取扱いが残ってきた。初期の学説は、「男と女とのあいだには、生理的条件のちがいがあるから、そうしたちがいに応じて、女子について男子とちがった取扱いがみとめられることは当然であり、それは、もとより、法の下の平等に反するわけではない」（宮沢俊義）としたり、最高裁も強姦罪（刑旧177条）について「男女両性の体質、構造、機能などの生理的、肉体的等の事実的差異……に基く婦女のみの不均等な保護が一般社会的、道徳的観念上合理的なものであることも多言を要しない」として合憲とする（最大判1953・6・24）など、男女の身体的性差を理由としてこれらの不均等取扱いを簡単に合憲としてきた（なお、2017年の刑法改正によって、強姦罪を強制性交等罪〔刑新177条〕に改めるなど、被害者の性別を問わず処罰対象とすることとされた）。

しかし、こうした合憲論については、それが現在もなお社会に根強く残る女性に対する不利益・差別的処遇を支えてきた可能性を含め、強い疑義が向けられなければならず、その妥当性の精査が必要である。その際重要な視点を提供するのは、社会的・文化的性差としてのジェンダー分析である。そこでは、生物学的・身体的性差と社会的・文化的性差との間には密接な関連があるとされるし、性別役割分担意識に基づき一方の性のみが担うものとされてきた事項については、たとえ法的には均等な取扱いとなっていたとしても、実際上は一方の性にのみ過大な負担を課すことになる。しかも、最高裁がしばしば行うように「社会通念」に照らして「合理性」の有無を判断する場合には、「社会通念」を通して社会において支配的な性別役割分担意識が入り込む可能性が高い。したがって、法律上性別による区別がある場合だけでなく、法文上は両性に中立的であったとしても、

それが実質的に一方の性に過大な負担を課すものでないかは、ジェンダー分析もふまえつつ厳格に検証されなければならない（→第6章2節3(2)・503頁）。

また、従来の学説では、特別意味説をとる場合でも性別については「厳格な合理性の基準」（中間審査）が妥当するとされることが多い。しかし、これは特別意味説としても中途半端であり、むしろ「厳格審査基準」が妥当するとしたうえで、「合理性」の具体的内実を吟味する姿勢が重要であろう。

＊間接差別禁止の法理
　こうした社会になお根強く残る差別（構造的差別とも呼ばれる）を排除し、男女間の実質的平等を実現するためにつくり上げられてきたのが、間接差別禁止の法理である。これは、それ自体には性に基づく差別を含まない中立的な制度や基準であったとしても、実質上特定の性に属する者に差別的な効果・影響をもたらす場合には違法な差別となるとするものであり、諸外国の性差別禁止法では間接差別禁止規定をおく例が多い。間接差別認定の要件については、どの範囲を対象とするか、いかなる効果を差別的と判断しうるかなど検討すべき点が多いが、形式的な男女の均等取扱いにとどまらず、実質的平等を実現するための一手法として注目される。日本では、2006年の男女雇用機会均等法改正によって間接差別禁止が盛り込まれたが（7条）、その対象は募集・採用、配置・昇格などに限られ、かつ同法施行規則でさらに限定されている（施行規則2条。なお男女共同参画社会基本法4条も参照）。

＊女性差別撤廃のための立法
　女性差別撤廃のための広範な措置を盛り込んだ国連の女子差別撤廃条約批准（日本は1985年批准）にともなう国内法整備の一環として、男女雇用機会均等法（1985年成立、1997年・2006年改正）や男女共同参画社会基本法（1999年）などが制定・改正されたほか、育児・介護休業法（1991年制定、2009年改正）、セクシュアル・ハラスメントの防止（均等法11条）、配偶者暴力防止法（2001年）などが制定・改正されている。なお、2015年には女性活躍推進法が制定されたが、成長戦略の一環として提起された同法（1条参照）のもとでの施策が、雇用の場面における女性差別の撤廃にどれほど有効であるかの検証が求められる。

　家族関係にかかわり性別による不均等取扱いを定める民法の規定のうち、女性にのみ6箇月の再婚禁止期間を設けていた同法旧733条1項について、

最高裁は、同規定の立法目的は、女性の再婚後に生まれた子につき父性の推定の重複を回避し、父子関係をめぐる紛争の発生を未然に防ぐことにあるとしてその合理性を認めたうえで、同規定のうち100日までの部分は国会の合理的立法裁量を超えるものではなく、上記立法目的との関係で合理的としたが、100日超過部分については、現在では合理性を欠くものとなっており、14条1項・24条2項に違反するとした（最大判2015・12・16）。かねてから違憲性が指摘されてきた規定についてようやく違憲と判断された意義はあるものの、100日とはいえなお女性にのみ再婚禁止期間を設けることの是非（鬼丸意見・山浦反対意見参照）については議論の余地が大きい（→第6章2節3(2)ⅰ・503頁）。また、最高裁は、同日の判決で夫婦同氏制度（民750条）については、文言上性別に基づく法的な差別的取扱いをするものではないとして、14条1項違反の主張をあっさり斥けた（最大判2015・12・16。最大決2021・6・23もこの判断を踏襲した。→第6章2節3(2)ⅱ・504頁）。

　雇用の場面で女性差別が問題となった事例としては、女性の定年年齢を男性よりも5歳低く定めた就業規則を無効とした日産自動車男女別定年制事件（最判1981・3・24→第1章4節1(3)・329頁）、女性労働者のみを対象とする結婚退職制を違法とした住友セメント事件（東京地判1966・12・20）がある。また、最高裁は、損害賠償訴訟における女児の逸失利益算定にあたっては女性労働者の平均賃金（男性労働者のそれより低い水準である）を基準としているが（最判1987・1・19）、性別という属性のみをとりあげることは性別による不合理な差別として男女をあわせた全労働者の平均賃金を用いるべきとした高裁判決がある（東京高判2001・8・20）。一方、業務災害で顔などに重い傷を負った男性に対しては女性に比して相当低い補償しか認めていない労働者災害補償保険法施行規則の障害等級表を、合理的理由なく性別による差別的取扱いをするものとして違憲とした判決がある（京都地判2010・5・27。本判決を受けて厚生労働省は男女統一基準に改めた）。

　また、地方公務員災害補償法に基づく遺族補償年金の支給につき、妻が死亡した時点で夫が60歳以上であること（夫が死亡した場合妻の年齢に制限はない）を要件とする規定（同法32条1項ただし書）は、共働き世帯が一般的な家庭モデルとなっている今日では、配偶者の性別に基づく差別的取扱いとして違憲とした下級審判決もあるが（大阪地判2013・11・25）、最高裁

は合憲と判断した（最判2017・3・21）。最高裁は、遺族基礎年金の支給対象者を妻または子として、夫を対象外とした国民年金法（2014年改正前のもの）の規定は憲法25条・14条に違反しないともした（最判2018・9・25）。

　iv）　社会的身分・門地

　社会的身分については、学説上、人の生まれによって決定される社会的地位と理解する(a)狭義説、人が社会において一時的ではなく占めている地位と理解する(b)広義説、人が社会において一時的ではなく占めている地位で、自分の力ではそれから脱却できず、それについて一定の社会的評価がともなっているものと理解する(c)中間説がある。最高裁は、(b)広義説をとりつつ「高令」は社会的身分に該当しないとしたが（前掲最大判1964・5・27）、14条1項後段列挙事由を単なる例示と理解する立場（→(4)i・339頁）であることに留意が必要である。

　これに対し、特別意味説をとる場合には、る(a)狭義説ないし(c)中間説と結びつくことになる。(a)狭義説の場合は門地との違いが不明確になることに加え、現代においては法的地位・資格において均等とされてもなお残る否定的・消極的な社会的評価（スティグマ）に基づく事実上の差別的取扱いへの対応も平等原則の重要な課題である（→1・333頁）ことに照らせば、(c)中間説的な理解が相当であろう。こうした観点からは、尊属・卑属の別（→3(1)・348頁）や非嫡出子たる地位に基づく不均等取扱いが「社会的身分」に基づく差別に該当する疑いが強くなる。後者の例として、非嫡出子の法定相続分を嫡出子の2分の1とする民法900条4号ただし書（2013年改正前のもの）につき、最高裁はかつて合憲と判断したが（前掲最大決1995・7・5）、後に違憲と判断した（前掲最大決2013・9・4→第6章2節4(1)i・507頁）。1995年決定反対意見が、同規定は「非嫡出子についての法の基本的観念」を表示するものであり、「非嫡出子を嫡出子に比べて劣るものとする観念が社会的に受容される余地をつくる重要な一原因となっている」と述べていることはきわめて重要な指摘である（尾崎追加反対意見も参照）。

＊また、歴史的に形成されてきた被差別部落にかかわる問題も深刻であり、同和対策事業特別措置法等による生活環境等の改善が図られてきた。一定の成果があったとして同法等は2002年に失効したが、2016年制定の部落差別の解消の

推進に関する法律は、「現在もなお部落差別が存在するとともに情報化の進展に伴って部落差別に関する状況の変化が生じている」（1条）として部落差別解消のための取り組みについて定めている。

門地は、家系・血統に基づく家柄・家格を指し、これに基づく差別も生まれによる差別の一典型である。貴族制度の廃止（14条2項）は、門地による差別禁止の帰結であるが、戦前の華族制度が廃止されることを明示した点に歴史的意義がある。もっとも、世襲の天皇制度（2条）にかかわる天皇・皇族（典範5条）は、憲法自身が認める重大な例外である（→第1部4章2節・71頁）。

3　平等に関する裁判例

(1)　尊属殺重罰規定違憲判決

　1995年改正前の刑法は、いくつかの犯罪類型について尊属が被害者（卑属が加害者）となる場合に刑を加重する規定をおいており（これらは明治民法における「家」制度を色濃く反映したものであった）、このように被告人（加害者）と被害者との特別の関係に着目して刑を加重することは社会的身分による不合理な差別にあたらないかが問題とされてきた。最高裁は初期の判決で、尊属傷害致死罪（刑旧205条2項）につき、親子関係は社会的身分にはあたらないとしたうえで「夫婦、親子、兄弟等の関係を支配する道徳は、人倫の大本、古今東西を問わず承認せられているところの人類普遍の道徳原理、すなわち学説上所謂自然法に属するもの」として14条1項には違反しないとし（前掲最大判1950・10・11）、尊属殺人罪（刑旧200条）についてもこの判決を引用して簡単に合憲とした（最大判1950・10・25）。こうした合憲判断に対しては、旧態依然たる家族観を前提とするものではないか、親への報恩という道徳を法律で強制するものではないか、法定刑（刑旧200条は死刑または無期懲役のみ）が過酷にすぎるのではないかなど強い批判があり、最高裁もようやく1973年に判例変更して、尊属殺規定を違憲とした（最大判1973・4・4）。

　最高裁の違憲判断は14対1という大差であったが、多数意見（8裁判官）は、刑法200条の立法目的を「尊属に対する尊重報恩」を刑法上保護

同性婚を認めていない民法・戸籍法の規定の合憲性が争われた事件において、札幌地裁は、これらの規定は24条・13条には違反しないとしつつ、婚姻によって生じる法的効果を享受する法的利益について異性愛者と同性愛者とを区別するものであり、異性愛者に対しては婚姻という制度を利用する機会を提供しているにもかかわらず、同性愛者に対しては婚姻によって生じる法的効果の一部ですらもこれを享受する法的手段を提供しないとしていることは、立法裁量の範囲を超えた合理的根拠を欠く差別取扱いにあたり、14条1項に違反するとの注目すべき判決を下した（札幌地判2021・3・17→第6章第2節3(3)・506頁）。この判決は、性的指向が自らの意思で選択・変更できるものでないことを重視して、性的指向に基づく区別の合理的根拠について丁寧な検討を行っており、同性婚に限らず性的マイノリティの権利保障一般にとっても重要な意義をもとう。

考えてみよう

1…平等に関する各種の理解を歴史的展開をふまえて整理せよ。
2…14条1項違反が疑われる法律に関する違憲審査基準について検討せよ。
3…助産師を女性に限定すること（保健師助産師看護師法3条）は14条1項に違反しないか、検討せよ。

Further Readings

・安西文雄「平等」樋口陽一編『講座憲法学3　権利の保障【1】』（日本評論社、1994年）：何を「平等」ととらえるべきか、アメリカの議論を参照しながら日本の学説・判例の状況を検証する。平等論の深まりと広がりにふれてほしい。
・キャサリン・マッキノン（森田成也ほか訳）『女の生、男の法　上・下』（岩波書店、2011年）：アメリカのフェミニスト法学の第一人者による論文集。男性による支配と女性の従属に既存の法がどのようにかかわっているか、どう変革すべきかを考えさせられる。
・辻村みよ子『ポジティブ・アクション』（岩波新書、2011年）：ジェンダーに敏感な視点を重視する憲法学者が、ポジティブ・アクションの多様なありかたと日本での導入可能性を探る。実質的平等に向けて法に何ができるのかを考えてみてほしい。

第3章 精神的自由

　人の心のはたらき（精神活動）の自由は、経済的自由、人身の自由と並んで、近代立憲主義・近代憲法が保障する人一般の権利としての人権（→第1部2章・21頁）の重要な一部と考えられてきた。それは、近代市民革命が中世末期における宗教的・政治的支配に対する抵抗に端を発し、資本主義の発展のための基盤整備と新たな政治秩序の構築を目指すなかで、宗教的自由と少数派に対する寛容、言論・出版による意見表明・権力批判の自由が求められ、民主的な政治権力の基盤としても位置づけられたことによる。さらに、一人ひとり心をもつ存在としての個人の精神活動を保障することは、日本国憲法も宣言する個人の尊重（13条）という根本原理からの要請でもある。

　こうした背景をふまえて、日本国憲法は、思想・良心の自由（19条）、信教の自由（20条）、表現の自由（21条）、学問の自由（23条）の4か条で精神的自由を保障している。これらのうち、19条は個人の内心における精神活動（内面的精神活動）そのものを保障し、21条は社会の中で生きる個人が内心で形成したことがらに基づいて行動し、それを他者に伝えるという外面的精神活動を一般的に保障して、両者相まって広く個人の精神活動の自由を保障する。また、20条と23条は、それぞれ宗教、学問という観点から内面（信仰、研究）と外面（信仰に基づく行為、研究成果発表）にわたる精神活動を保障する。もっとも、内面・外面という区分は各条が保障する領域を大まかに把握するものではあるが、現実には外形的行為とのかかわりで19条の保障内容が問われるなど（→第1節・353頁）、この区分を硬直的にとらえてはならない。

　このように憲法は広く精神的自由を保障するが、これらの自由は、憲法が保障する他の権利（奴隷的拘束・意に反する苦役からの自由〔18条→第5章1節・461頁〕、居住・移転の自由〔22条1項→第4章3節・458頁〕、教育を受

ける権利〔26条→第6章1節3・484頁〕、労働基本権〔28条→第6章1節4(2)・492頁〕など）とも密接な関連をもつ。また、上述のような精神的自由の保障の意義は、違憲審査の場面では二重の基準論という考え方と結びつく（→第2部3章2節3(4)ⅰ）・301頁）。精神的自由にかかわる具体的問題を考える際には、こうした憲法構造を十分ふまえる必要がある。

さらに、憲法による精神的自由の保障は、一人ひとりかけがえのない存在としての個人が有する多様な考え方・物の見方、とくに政治的・社会的少数派のそれを尊重すべきことを意味する。これは、多様な考え方の存在を前提とするはずの民主的な政治プロセスが十分機能するためにも不可欠な条件であり、ともすれば「長いものには巻かれろ」というのが美徳とされ、多数派による少数派への強烈な同調圧力がはたらく日本社会のありようとのかかわりでも常に意識しなければならない課題である。

第1節　思想・良心の自由

キーワード	たたかう民主制、絶対的保障、沈黙の自由、内心に反する行為の強制

思想・良心の自由を独自の条文で保障する19条は、比較憲法上珍しい部類に属する。本節では、現代的問題状況をふまえて19条の保障内容を学習する。

1　思想・良心の自由保障の意義

19条は、「思想及び良心の自由は、これを侵してはならない」と規定する。本条は、内面・外面にわたる精神活動の基礎にある内心における精神活動そのものを保障対象とする点で、憲法が保障する精神的自由のなかでも基礎的な規定と位置づけられる。

もっとも、諸外国の憲法では、思想・良心の自由を独自の条文で保障する例は多くなく、良心の自由が保障される場合も、多くは信仰の自由と密接に関連するものとされる。これに対し、日本国憲法が19条という独立の規定を設けたのは、大日本帝国憲法下において、治安維持法や思想犯保護観察法などに基づき支配体制に対する批判的思想をもつこと自体が徹底的に弾圧されたという歴史的経験をふまえ、ポツダム宣言10項が「言論、宗

教及思想ノ自由並ニ基本的人権ノ尊重ハ確立セラルベシ」としたことを受けたものである（→第１部３章１節２(3)・45頁、同２節１(1)・47頁）。

2 保障の内容

(1) 保障対象──「思想及び良心」の意味

19条は「思想」および「良心」の自由を保障する。両者を強いて区別すれば、「良心」は個人の生き方そのものに直接かかわる倫理的色彩が強いのに対し、「思想」はより客観的な論理・思考を指すが、この区別も相対的であるし、保障の程度に差異があるわけでもない。したがって、「思想」と「良心」を強いて区別する必要はなく、個人の内面的精神活動が広く保障されると考えてよい（両者を区別したうえで、それぞれにふさわしい保障内容を考えるべきとする有力説もある）。

もっとも、従来一般的には、内面的精神活動の中でも単なる事実の知不知（これも訴訟における証言強制など他の局面では憲法上の問題となりうる→第３節２(3)ⅲ・391頁）を除いた個人が内心で有する「ものの考え方」、典型的には世界観・国家観・人生観・主義・主張など個人の人格形成にかかわる精神作用が19条の保障対象とされてきた（後掲最判2011・5・30千葉補足意見も参照）。そしてさらに、謝罪広告事件（最大判1956・7・4→3(2)・359頁）において示された、19条の保障対象には謝罪の意思表示の基礎としての道徳的反省や誠実さといった事物の是非や善悪の判断といった事項は含まれないとする狭義説（信条説。田中補足意見参照）とそれらの事項も含むとする広義説（内心説。藤田・垂水両反対意見参照）とがあると説明されてきた。

しかし、19条が精神的自由の基礎的な規定であることからすれば、それが保障する内心の範囲をあらかじめ限定すべきであるかは疑わしい。また、事実に関する告白の強制も内心に対する圧迫・干渉となりうる（1950年代のアメリカで吹き荒れたマッカーシズムにおいては、この種の告白強制が大きな憲法問題となった）。そうすると、19条は内面的な精神活動を広く保障すると理解したうえで、個人の「思想及び良心」のありようを、その形成過程や外部的行動との結びつき、具体的な侵害の状況・態様とのかかわりを重視しつつ、動態的に理解することが重要となろう（→(2)・355頁、(3)・

356頁、3・357頁)。

＊たたかう民主制
　日本と同じく第二次世界大戦の敗戦国である(西)ドイツは、ワイマール憲法の定める議会制を通してナチスが政権を獲得し、ついには憲法体制そのものも破壊してしまったという苦い経験から、1949年制定の基本法において「自由で民主的な基本秩序」の敵には自由を認めないとした（「たたかう民主制」)。これに対し、日本国憲法は無条件に思想・良心の自由をはじめとする精神的自由を保障して、あえて「自由の敵」にも自由を認めるという選択をした。したがって、憲法の定める政治体制自体を否定する思想を有すること自体は19条によって保障されるし、現在の日本で憲法をあしざまにののしる自由があるのは、他ならぬ日本国憲法のおかげである（→第1部2章3節2(3)・37頁、第1部6章1節・126頁、第3節6(2)・424頁)。こうした両国のありかたの違いは、それぞれがおかれた歴史的条件によることを理解する必要があるし、「たたかう民主制」を明示的に採用しない場合でも、体制自体を否定する思想・活動が実質的に制約されることがありうる点にも留意が必要だろう。

(2)「侵してはならない」の意味

　従来、こうした個人の思想や良心は、それが内心にとどまるかぎりは絶対的に自由であると理解されてきた（**絶対的保障**)。これは、そもそも個人の思想・良心が外部的行為と結びつくことなく純粋に内心にとどまるかぎりは、それへの介入や侵害を想定できないことによる。したがって、表現活動など外部的行為の自由が十分保障されていれば、内心の自由も保障されるはずであり、諸外国の憲法が19条のような規定をもたない理由もこの点に求められてきた。しかし、現実には外部的行為の強制や制限が内心に対する侵害をもたらしうるのであり、思想・良心の自由を「侵してはならない」とする19条は、いかなる行為を禁止しているのかが問題となる。これまで挙げられてきたのは、以下のような類型である。

　第1に、公権力による特定思想の強制または禁止は、個人が多様な思想・良心をもつこと自体の侵害であって、絶対的に禁止される。その典型は、戦前の治安維持法の運用にみられた「転向」のように、特定思想の放棄を公権力が強制することである（「転向」においては、社会主義思想の放棄にとどまらず、積極的に「国体」思想を支持することまでが求められた)。さらに、公権力が教育・宣伝などの手段により特定思想を注入・勧奨すること

も、個人の内心操作につながる危険が高いため、同様に禁止される。こうした危険は、学校や刑事施設などそこに属する個人がその関係から退出することが困難であり、かつ施設を管理する側から発せられるメッセージを拒否することも困難な状況（「とらわれの聴衆」）の場合、とくに大きい（教育勅語に基づく戦前の教育は、こうした側面を濃厚に有していた）。現代国家においては公権力の活動範囲がきわめて広範囲に及んでいるだけに、公権力によるさまざまな措置が思想・良心の侵害につながらないよう吟味が必要である（→第3節3(3)・401頁）。

　第2に、個人が有する思想・良心の内容を理由として、公権力が不利益を課すことも禁止される（これは14条の「信条」による差別禁止とも重なる。労基法3条も参照→第2章2(5)ⅱ・343頁）。ここには、特定の思想・良心を有することが不利益取扱いの理由である場合だけでなく、直接には特定の思想・良心を対象としていなくとも実際上特定の思想・良心を有する者に対してのみ不利益が課される場合や、特定の思想・良心を有していないことが公権力による措置の条件とされる場合も含まれる。後二者の場合にも、不利益取扱いが思想・良心を放棄する圧力となりうるからである。

　第3に、公権力による思想・良心の内容告白・開示の強制も禁止される。これを個人の側からみれば、19条は思想・良心についての「**沈黙の自由**」を保障することを意味する（表現をしない自由一般については21条によって保障される）。こうした告白・開示はしばしば思想・良心を理由とする不利益取扱いの前提とされ、さらには少数者に対する異端視・社会的抑圧を生むことにもつながりうるからである（任意とされていても、実際には告白・開示の強制圧力をともなう）。また、こうした観点からは、告白・開示の強制にはいたらなくとも思想・良心を推知しうる措置についても禁止されなければならない。具体例としては、思想内容や支持政党を問うアンケート調査や江戸時代のキリシタン弾圧に用いられた「踏絵」のような措置が挙げられる（これらは、プライバシー〔13条→第6章3節2・516頁〕や信教の自由〔20条→第2節・363頁〕の侵害ともなりうる）。

(3)　**内心に反する行為の強制**

　さらに近時では、外部的行動の強制・義務づけが個人の思想・良心を侵害する可能性が問題とされている。とりわけ議論を呼んでいるのは、ある

行為が義務づけられる場合に、特定の思想・良心をもつ者が、自らの思想・良心に反するとの理由から当該行為を行うことを拒否できるかという問題である（これは、欧米では良心的兵役拒否をめぐって論じられてきた）。こうした場面では、外部的行動と内心とは別だとして、内心に対する制約も許容されるべきとされることも多いが、両者はそう簡単に切り離せるものではない。個人にとって自らの思想・良心に反する行為をとることは、これまで自らがつくり上げてきた内心と衝突し、自己の人格や存在そのものを否定されたと受け止められるほど深刻な影響（しばしば心身の苦痛をともなう）を与えるものともなりうる。したがって、19条は自らの思想・良心に反する行為を強制されないことをも保障していると理解すべきであり、そのうえで、当該行為の性質、実際にとられた行為の態様、思想・良心の自由の侵害の可能性や程度、さらには当該行為の拒否がもたらす他者の権利侵害の有無・程度等の具体的事情をきめ細かく考慮して、具体的な強制・義務づけの合憲性を判断する必要があろう。とくにそこで強制される行為が行為者の自発性に基づいて行われることに意味があるような場合には、行為者の内心との関連性がきわめて強く、そうした行為の強制は19条違反となると考えるべきである（→3(3)・359頁）。

3　思想・良心の自由に関する具体的問題

(1) 特定思想の有無に基づく不利益処遇

　ポツダム宣言受諾に基づく占領開始直後から、占領軍は、同宣言実施のためとして戦争犯罪人・戦争協力者等を公職・教職から追放した。また、冷戦開始後の1950年からは、GHQの指令に基づき総数1万人にのぼる日本共産党員ないしその支持者（と目された者）が官公庁・民間企業から追放・解雇された（レッド・パージ→第1部3章3節1(2)・54頁）。このレッド・パージは、私企業による解雇の形式をとりつつ実質的には国家権力による思想を理由とした不利益取扱いであったが、最高裁は、連合国最高司令官の命令指示は日本の法令に優越する効力を有するとして解雇を有効とし（最大決1952・4・2）、平和条約発効により同指示が効力を失った後も解雇は有効であるとした（最大決1960・4・18）。また、別事件では共産党員またはその同調者であるという理由ではなく、現実的な企業破壊的活動

ゆえの解雇として有効としている（最判1955・11・22）。最高裁の判断からしても、少なくとも占領終了後においてはこうした思想を理由とする解雇は許されないはずである。

＊特定秘密保護法の適性評価制度

特定秘密保護法（→第3節2⑶・390頁）は、特定秘密を取り扱う者（公務員だけでなく民間事業者も対象となる）について適性評価の実施を定める（同11〜17条）。そこでは特定有害活動・テロリズムとの関係（配偶者等家族に関する事項も含まれる）、犯罪歴や薬物・飲酒にかかわる事項等プライバシーにかかわる広範な事項が調査対象となるが、この調査から対象者の思想・良心が推知され、特定秘密取扱い業務から排除されうるとすれば、レッド・パージのような問題も完全に過去のものだと言い切れるだろうか。

大阪市が職員を対象に実施した組合活動や政治活動への参加の有無等についてのアンケート調査が、プライバシー権・団結権侵害として違法とされた事例があるが（大阪高判2015・12・16、大阪高判2016・3・25）、思想・良心自体を対象とする調査であったとの疑いが強い。また、最高裁は、三菱樹脂事件（最大判1973・12・12）において、企業者は「雇傭の自由」を有し、思想・信条を理由として雇入れを拒んでも違法ではない以上、採用にあたって労働者の思想・信条を調査し、その者からこれに関連する事項についての申告を求めることも違法ではないとした。本件は私企業による調査なので、私人間効力が問題となるが（→第1章4節1・327頁）、最高裁の判断は、企業が労働者の心までも支配することを容認し、「企業社会」（→第1部3章3節3⑴・57頁）の維持に一役買ったというべきであろう（→コラム・362頁）。

なお、中学校の卒業生が、内申書に「麹町中全共闘を名乗」ったとか「大学生ML派の集会に参加している」などと記載されたためすべての高校入試に不合格になったとして学校側に損害賠償を求めた事件において、最高裁は、これらの記載は生徒の「思想、信条そのものを記載したものでないことは明らか」であり、生徒の「思想、信条を了知し得るものではない」と述べて19条違反の主張を斥けた（最判1988・7・15〔麹町中学内申書事件〕）。こうした記載は不利益処遇につながる可能性が高いため、その可否については慎重な配慮が求められるが、学説からは本件のような記載は

生徒の思想内容を推知させるものとする批判が強い。

(2) 内心に反する意思表示

　民事上の名誉毀損が成立した場合に救済手段として裁判所が謝罪広告を命ずることによって（民723条参照）、謝罪の意思表明が強制され、良心の自由の侵害となるかが争われた謝罪広告事件において、最高裁は、謝罪広告の掲載強制が債務者の「人格を無視し著しくその名誉を毀損し意思決定の自由乃至良心の自由を不当に制限する」場合がありうるとしつつ、「単に事態の真相を告白し陳謝の意を表明するに止まる程度」であれば代替執行（民執171条）によることが許され、思想・良心の自由を侵害するものではないとした（最大判1956・7・4→2(1)・354頁）。一方、藤田反対意見・垂水反対意見は、こうした謝罪広告は心にもない陳謝・謝罪の意思を表明させることになるとして、19条に違反するとしている（入江意見も参照）。学説上も、事実誤認の訂正をこえ陳謝の意まで強制することは違憲となるという説が有力である。多数意見の判断は、しばしば深い反省をともなわないまま謝罪を意味する言葉が用いられる日本社会の実情には合致しているのかもしれないが（田中補足意見参照）、19条の保障対象、内心と外部的行為のかかわりを慎重に考慮し、内心の侵害をともなわない救済手段を検討する必要があろう（最判1990・3・6は、不当労働行為の救済手段〔労組法7条・27条の12〕としてのポスト・ノーティス命令を19条に違反しないとした）。

(3) 内心に反する行為の強制——日の丸・君が代強制問題

　近年、19条に関する最大の問題となっているのが、公立の小中高の入学式・卒業式などの行事における国旗（日章旗・日の丸）掲揚や国歌（君が代）斉唱の強制である。国旗・国歌への個人の向き合い方は、それらが象徴するとされる国家への向き合い方と直結するものであり、個人の内心の領域に大きくかかわる。とりわけ、戦前の日本のアジア侵略という歴史的記憶と日の丸・君が代との深い結びつき、それらが日本国憲法下での国旗・国歌として適当なのかという疑問（君が代の歌詞を考えてみよ）、さらには教育という場における国旗掲揚や国歌斉唱の強制への反対といった思想・信条をもつ者にとっては、学校行事時の起立斉唱のような行為の強制は、自らの**内心に反する行為の強制**と受け止められうるものであって、19

条に違反しないかが問われる。少なくとも、児童・生徒、保護者に対するこうした行為の強制は19条に反すると考えられるが（後掲最判2011・6・6金築補足意見参照）、現実には国歌斉唱時に不起立等の行動をとった教職員に対する懲戒処分が頻発しており、これらの処分が教職員の思想・良心の自由侵害にあたらないかが多くの訴訟で争われることになった。

＊日の丸・君が代強制問題の経緯
　こうした学校行事への日の丸・君が代のもち込みは、1958年以降文部省主導で徐々に進められ、1989年の学習指導要領改訂以降強化されたが、激論の末日の丸・君が代を国旗・国歌と定めた国旗国歌法（国旗尊重や国歌斉唱を義務づける規定はない）の制定（1999年）以降、処分の裏づけをもってさらに強化された（→第1部4章2節5(3)・85頁）。なかでも2003年10月の東京都教育委員会通達は、入学式・卒業式等の内容を細かく定め、教職員が国旗掲揚・国歌斉唱を命ずる校長の職務命令に従わない場合には服務上の責任を問われることを明記した。実際に不起立（約40秒間の国歌斉唱中静かに着席していたというものであり、行事の進行を積極的に妨げるようなものではない）を理由とする懲戒処分を受けた教職員はのべ約400名以上にのぼり、不起立の回数に応じて処分も重くされている。また、2011年には大阪府・市で公立学校の教職員に対し学校行事における国歌斉唱時の起立斉唱を義務づける条例が制定された（違反時の処分を強化する条例も制定されている）。2006年制定の新教育基本法が、教育目標のひとつに「我が国と郷土を愛する」「態度」を「養う」（2条5号）ことを掲げたこととも相まって、国旗掲揚・国歌斉唱の強制を通した「愛国心」教育の強化が懸念されている。

　こうした訴訟のうち、都教委通達に基づく学校行事での国歌斉唱等の義務不存在確認等を教職員が求めた事件において、東京地裁は、日の丸・君が代は現在なお価値中立的なものと認められるにはいたっておらず、学校行事での国歌斉唱等の実施に反対する世界観・主義・主張をもつ教職員に対して処分をもって斉唱等を強制することは思想・良心の自由に対する許されざる制約になるとしたが（東京地判2006・9・21〔予防訴訟〕）、最高裁は一部の訴えの適法性を認めつつ原告敗訴とした（最判2012・2・9）。
　一方、国旗国歌法制定前の事案であるが、東京都の市立小学校入学式における「国歌斉唱」の際にピアノ伴奏を行う旨の校長の職務命令に従わなかったことを理由とする音楽専科教員への懲戒処分の合憲性が争われた事

件において、最高裁は、この教員がピアノ伴奏を拒否した理由が「『君が代』が過去の我が国において果たした役割に関わる上告人自身の歴史観ないし世界観及びこれに由来する社会生活上の信念等」であることは認めたが、これを理由とする伴奏拒否は「一般的には、これ［上記の歴史観・世界観］と不可分に結びつくものということはでき」ず、校長の職務命令が教員の「歴史観ないし世界観それ自体を否定するものと認めることはできない」と述べ、教員の思想・良心の自由を侵害するものではないとした（最判2007・2・27〔ピアノ訴訟〕）。さらに最高裁は、国歌斉唱時の不起立を理由とした東京都の教職員に対する懲戒処分や再雇用拒否が争われた一連の訴訟において、大法廷を開くことなく3つの小法廷が相次いで判決を下すという形式で統一的な合憲判断を示した（最判2011・5・30、最判2011・6・6、最判2011・6・14。関与した14名の裁判官のうち9名が個別意見を付した点も注目された）。これらの多数意見は、学校行事における国歌斉唱時の起立斉唱は「慣例上の儀礼的な所作」であり、教職員の有する歴史観・世界観それ自体を否定するものではないとしたが、起立斉唱は国旗・国歌に対する「敬意の表明の要素を含む行為」であることから、これらに対する敬意の表明には応じがたいと考える者に対してこうした行為を求めることは、個人の歴史観ないし世界観に由来する行動（敬意の表明の拒否）と異なる外部的行動（敬意の表明の要素を含む行為）を求められることとなり、その者の思想・良心の自由の「間接的な制約」となる面があることを認めた。そして、このような「間接的な制約」が許容されるか否かは、職務命令の目的・内容、制約の態様等を総合的に衡量して制約を許容しうる程度の必要性および合理性が認められるか否かという観点から判断すべきとしたうえで、卒業式等の儀式的行事の意義、地方公務員の地位の性質・その職務の公共性、教育上の行事にふさわしい秩序の確保、式典の円滑な進行等の理由から本件職務命令には必要性および合理性が認められるとして、19条には違反しないとした。

＊この最高裁の判断については、思想・良心の自由侵害について、当該個人の具体的侵害ではなく「一般的」に判断することが適切なのか（ピアノ訴訟判決那須補足意見参照）、起立斉唱命令が「間接的制約」となりうるという判断は、19条が保障する思想・良心の内容を「個人の歴史観・世界観」に限定し、それ

に基づく信条や行為までは保障の対象に含めていないからではないか（君が代斉唱を公的儀式の場で一律に強制することへの否定的評価こそが問題とするピアノ訴訟判決藤田反対意見、斉唱命令は内心の核心的部分を侵害するとする前掲最判2011・6・14田原反対意見参照）、という問題が指摘できる。また、東京都における実態は、国歌斉唱等の強制に反対する教職員を対象として、その歴史観等に反する行為を不利益処分も用いて強制するという狙い撃ち的なものとみる余地が十分あり、そうするとむしろ思想・良心の自由の直接的制約とみるべきものとなろう（前掲最判2011・6・6宮川反対意見、ピアノ訴訟判決藤田反対意見参照）。さらに、「間接的制約」との位置づけから、（必要最小限度ではなく）「必要かつ合理的」であれば制約は許容されるとし、簡単に必要性・合理性を承認している点も、公務員である教職員については子ども・保護者とは異なった制約がありうるとしても（→第1章4節2(2)・330頁）、あまりに簡単に制約を許容することになっていよう（なお最判2012・1・16は、職務命令の合憲判断を前提としつつ、不起立等を理由とする処分の一部を違法としたが、最判2018・7・19は、不起立等を理由とする再任用拒否を違法ではないとした）。

コラム
企業内の思想差別

　本文で触れた三菱樹脂事件だけでなく、日本の企業内ではしばしば労働者がもつ思想・信条を理由とするさまざまな不利益取扱い・差別が問題となってきた。たとえば関西電力事件では、労働者が共産党員・その同調者であることのみを理由として、職制等を通じて職場の内外で継続的に監視したり（ロッカーを無断で開けて私物の手帳を撮影するなど）、労働者の思想を非難し、接触・交際をしないよう他の従業員にはたらきかけたり、職場で孤立させるなど、プライバシー侵害・人格的利益の侵害があったとして企業の不法行為成立が認められた（最判1995・9・5）。さすがにこれほど露骨かつひどい差別的取扱いには法的救済が認められたが、こうした問題の存在自体が、企業内にとどまらず、日本社会には、多様な思想・信条をもつ者の存在を認め合うというありかたそのものが根づいていないことを示してはいないだろうか（特定のイデオロギーを存立の基礎とする傾向企業については、大阪地判1969・12・26〔日中旅行社事件〕参照）。

> **考えてみよう**
>
> 1…日本国憲法が思想・良心の自由を独自の条文で保障した意義について、歴史および他国との比較をふまえて検討せよ。
> 2…思想・良心を「侵してはならない」とは何を意味するか、具体的な制約の類型を挙げつつ整理せよ。
> 3…国旗国歌法を改正して、国民一般に対して国旗・国歌の尊重を義務づける規定をおくことは、憲法19条に違反しないか、検討せよ。

Further Readings

・奥平康弘『治安維持法小史』(岩波現代文庫、2006年〔初版1977年〕)：戦前の日本で精神的自由弾圧に猛威をふるった治安維持法の歴史的展開を憲法学者が追究する。日本国憲法が精神的自由を保障する歴史的意義を確認できる。
・長谷川正安『思想の自由』(岩波書店、1976年)：思想の自由の具体的ありようを戦後日本社会の現実のなかでとらえようとする。そこで描かれた問題状況は完全に過去のものとなってしまっているだろうか。
・西原博史『良心の自由と子どもたち』(岩波新書、2006年)：学校における日の丸・君が代強制をめぐる訴訟にも深くかかわった憲法学者が、子どもの良心の自由を軸として問題状況とあるべき学校のありかたを描き出す。現代の日本において思想・良心の自由を確保することの意味を考えてみてほしい。

第2節　信教の自由と政教分離原則

キーワード	信仰の自由、直接的規制、付随的規制、厳格分離、目的効果基準

　本節では、20条が保障する信教の自由とそれに密接にかかわる政教分離原則について学ぶ。この領域ではとりわけ、前者の保障にとどまらず後者の規定まで求められた歴史的経験への敏感さが求められる。

1　信教の自由保障の意義

(1)　歴史

　近代人権宣言・憲法においては、信教の自由の保障が掲げられるのが通例である。それは、宗教改革後のヨーロッパにおいて宗教戦争にまで発展した宗派間の悲惨な対立・抗争のなかから、多様な宗教の存在を認めつつ、個人の人格的存在・生にとってきわめて重要な意味をもつ信仰の問題は各人に委ねるべきであって、国家権力はそれに干渉してはならないという考

え方が形成されてきたことによる。そこで強く求められたのは、宗教的多数派による少数派の信仰への寛容であり、さらに国家権力と宗教との分離であった。

　こうした信教の自由の考え方は、非宗教的な思想・言論をも含む個人の精神活動の自由の保障を確立するうえで大きな役割を果たしたが、さらに個人ごとにさまざまでありうる善き生き方にかかわる問題については国家権力が干渉してはならず、そうした個人が平和に共存しうる政治体制をつくり上げることが必要であるという近代立憲主義の考え方を生むことにもなった（→第1部2章2節2(1)・25頁）。信教の自由がときに人権宣言の花形とも称されるのは、個人の精神的自由保障と近代立憲主義の成立にとってこの自由が有した格別の意義による。

　一方、大日本帝国憲法も信教の自由を保障する規定をおいていたが（28条）、そこには法律の留保（→第1部3章1節2(3)・45頁）がなく、代わりに「安寧秩序ヲ妨ケス及臣民タルノ義務ニ背カサル限ニ於テ」という留保が付されていた。そこから法律によらずとも行政権の命令によって信教の自由を制限できるという理解が生まれることになった。また、明治維新以降従来の神道を再編するかたちで形成された神社神道が実質的に国教と扱われ（国家神道）、「臣民タルノ義務」として一般国民にも神社への参拝が強制され（「神社は宗教に非ず」）、昭和期には国家神道と相容れない教義をもつ宗教は厳しい弾圧にあった（→第1部3章1節3(3)・46頁）。こうして国家神道は、宗教のかたちを利用して神勅に基づく神権天皇制（→第1部3章1節2(1)・42頁）への国民の服従を調達し、批判的精神そのものも押しつぶすことになった。

＊**国家神道と靖国神社**
　明治維新以降形成された神社神道は神権天皇制を宗教的・思想的に権威づけただけでなく、神宮・神社は公法人、神官・神職は官吏とされ、一般の宗教とは異なり内務省神社局（のち神祇院）が所管するなど特別の地位におかれた。さらに、戊辰戦争の官軍側死者を慰霊するため設立された東京招魂社に起源をもつ靖国神社は、日本が日清戦争以降対外戦争を続けるなかで命を落とした軍人・軍属等（戦争の全犠牲者ではない）を祀り、国家神道の中心的施設として国民を戦争に動員するうえで大きな役割を果たした（そうした結びつきは、境内にある遊就館の展示をみれば明らかである）。敗戦後は靖国神社も一宗教法

人となったが、国家管理を求める動きが繰り返し提起され、また1978年にはいわゆるA級戦犯が合祀された。

敗戦後、占領下における民主化の一環として、神道指令（1945.12.15）によって国家神道体制が解体され、天皇の神性も人間宣言（1946.1.1）によって否定された（→第1部3章2節1(1)・47頁）。上述の歴史をふまえれば、これらは信教の自由のみならず個人の精神的自由を保障し、近代立憲主義・国民主権を導入するため必要な前提条件であったといえる。日本国憲法が信教の自由を保障し（20条1項前段・2項）、国家と宗教との分離（政教分離原則。20条1項後段・3項・89条）をも定めた意義は、こうした近代立憲主義と日本自身の歴史を十分ふまえて理解しなければならず、解釈論にあたっても常にそうした歴史への配慮が求められる。

(2) 「宗教」の定義

個々の解釈論に入る前に、憲法上「宗教」をどのように定義すべきかについてみておこう。もっとも、宗教学者の数だけ「宗教」の定義があるといわれるほど学問的定義は困難とされ、裁判例でも津地鎮祭事件控訴審判決（名古屋高判1971・5・14→3(3)ⅲ・374頁、(4)ⅰ・377頁）が示した「憲法でいう宗教とは『超自然的、超人間的本質（すなわち絶対者、造物主、至高の存在等、なかんずく神、仏、霊等）の存在を確信し、畏敬崇拝する心情と行為』をいい、個人的宗教たると、集団的宗教たると、はたまた発生的に自然的宗教たると、創唱的宗教たるとを問わず、すべてこれを包含する」という包括的な定義がみられる程度である（最高裁判決で定義を示したものはない）。学説では、信教の自由をできるだけ広く保障する観点からこの定義を支持するものが多く、少なくとも「超自然的、超人間的本質の存在の確信」という要素が「宗教」の中核部分にあることは確認しうる。神社神道が明確な固有の教義をもたず、祭祀という儀礼的要素が前面に出ていることからその「宗教」該当性を否定する見解もあるが、そうした理解は妥当でない。

＊信教の自由の保障内容を考える場面における「宗教」と政教分離原則の内容を考える場面における「宗教」とは同義に解すべきか。学説では、(a)両者を一

元的に理解すべきという説と(b)後者の場面ではより限定的に「宗教」を理解すべきという説（二元的定義）とがあり、(b)説では後者の場面での「宗教」は「何らかの固有の教義体系を備えた組織的背景をもつもの」などとされる。これらの妥当性は、政教分離原則と判断基準をどのように理解するかにもかかわる（→3・370頁）。

2　信教の自由の内容と限界

　憲法20条1項前段は、「信教の自由は、何人に対してもこれを保障する」とする。信教の自由の保障の内容として、①信仰の自由、②宗教的行為の自由、③宗教的結社の自由が挙げられる。

(1)　保障の内容
　　ⅰ）　信仰の自由
　信仰の自由とは、宗教を信仰すること、信仰する宗教の選択または変更について、個人が任意に決定する自由である。ここには、特定の宗教さらには宗教一般を信仰しない自由も当然含まれる。この信仰の自由こそが信教の自由の中核にあり、しかもその性質上個人の内心における自由であるから、思想・良心の自由（19条）と同様に内心領域にとどまるかぎり絶対的に保障される（→第1節2(2)・355頁）。ここから、内心における信仰を外部に伝達する信仰告白の自由が保障され、公権力が個人に対し信仰の有無・その内容の告白を強制すること（「踏絵」など）は許されない。また、親が子どもに宗教教育を行う自由もここから派生するとされる。
　　ⅱ）　宗教的行為の自由
　宗教的行為の自由は、礼拝・祈祷など宗教上の祝典・儀式・行事等を行う自由を意味する。ここには個人が単独で行うものだけでなく他の者と共同して行うものも含まれる。信仰の自由の保障からは、個人が自己の信仰しない宗教上の行為を行わないこと、宗教上の行事に参加しないことは完全に自由でなければならず、宗教上の行為・行事等への参加強制を禁止する20条2項は、その趣旨を明文で確認したものである。宗教上の教義の宣伝・普及を行う布教の自由は、表現の自由（21条→第3節・383頁）の宗教的側面とみることができる。

＊宗教的人格権

　殉職自衛官合祀訴訟（→3⑷ⅲ・378頁）において、原告（死亡した自衛官の妻）は、自らのキリスト教の信仰に基づき「自己または親しい者の死について、他人から干渉を受けない静謐の中で宗教上の感情と思考を巡らせ、行為をなすことの利益」（地裁判決）＝宗教的人格権の侵害を主張した。この主張がなされたのは、本件では原告に対して直接的な強制（たとえば護国神社の行事・儀式への参加強制）や不利益処遇があったわけではないが、個人の信仰にかかわりなお保護に値する主観的権利・利益の侵害を問題とするためである（→3⑵・371頁）。しかし最高裁は、「人が自己の信仰生活の静謐を他者の宗教上の行為によって害されたとし、そのことに不快の感情を持ち、そのようなことがないよう望むことのあるのは、その心情として当然」としつつ、こうした宗教上の感情の侵害に対して法的救済を認めることはかえって相手方の信教の自由を妨げる結果となるとし、さらに「信教の自由の保障は、何人も自己の信仰と相容れない信仰をもつ者の信仰に基づく行為に対して、それが強制や不利益の付与を伴うことにより自己の信教の自由を妨害するものでない限り寛容であることを要請している」として原告の主張を否定した（最大判1988・6・1）。この最高裁の判断は、自己の信仰とはまったく相容れない「祭神」として亡夫が祀られたことによって妻の「信仰生活の静謐」が深刻に害されたという事情を軽視するものだろう。また、ここでの「寛容」の要請は宗教的少数者の側に多数者への「寛容」を求める結果となっており、寛容が求められる本来の文脈を逆転させるものである（伊藤反対意見参照）。

　ⅲ）　宗教的結社の自由

　宗教的結社の自由は、信仰を同じくする者が共同して特定の宗教の宣伝や宗教的活動を行う団体を結成する自由であり、結社の自由（21条→第3節6・424頁）の宗教的側面とみることができる。ここには、自己の信仰しない宗教的結社への加入を強制されず、また任意に脱退する自由が含まれる。宗教法人法は、「宗教団体」を「宗教の教義をひろめ、儀式行事を行い、及び信者を教化育成することを主たる目的」とする「礼拝の施設を備える神社、寺院、教会、修道院その他これらに類する団体」およびこれらの「団体を包括する教派、宗派、教団、教会、修道会、司教区その他これらに類する団体」とし（2条）、宗教法人の設立には所轄庁の認証を要求しているが（12条）、認証されない場合も法人格が認められないという効果にとどまるため、違憲とは考えられていない（→⑵ⅲ・369頁）。また、宗教的結社の自律的運営にかかわって、その内部事項への司法権による介

入の可否・程度が問題となる（→第2部3章1節2(3)vi・278頁）。

(2) 信教の自由の制約

　信仰が外部的行為と結びついてあらわれる場合には、公権力による当該行為の規制が信仰に対する制約となる可能性があり（→第1節2・354頁）、信教の自由に対する制約の可否・程度が問題となる。

　こうした制約の合憲性を検討する際には、公権力による規制の態様を考慮することが便宜である。第1の態様として、宗教一般ないし特定の信仰を有していること、あるいは有していないことを理由として特別の不利益を課す場合のように、宗教的行為・信仰自体の制約を目的とした狙い撃ち的規制がある（**直接的規制**）。第2の態様として、宗教一般ないし特定の信仰を規制する目的をもたない（一般的には正当とされうる）規制が、実質的には特定の信仰をもつ者に負担を課す結果をもたらす場合がある（**付随的規制**）。後者は、法律上使用が禁止されている薬物を宗教儀式で使用した行為に当該法律を適用して処罰する場合などが考えられ、一般的な国法上の義務や不利益からの信教の自由を理由とする免除・救済の可否というかたちで問題となる（→4・381頁。社寺が保有する文化財の鑑賞者に課税したことが争われた京都地判1984・3・30〔京都市古都保存協力税事件〕も参照）。

　　＊直接的規制と付随的規制というふたつの態様は他の精神的自由についても問題となりうるが（→第1節2(3)・356頁、3(3)・359頁、第3節3(1)・394頁）、付随的規制も重大な負担・侵害をもたらしうることには十分な警戒が必要である。

　信教の自由保障からすれば直接的規制は原則として許されず、真に必要不可欠な規制目的があり、かつ最小限度の規制でないかぎり違憲とされなければならない（国際人権規約B規約18条3参照）。一方、付随的規制の場合でも信教の自由に対する不当な負担となりうることからすれば、規制目的の重要性と信教の自由に対する実質的負担の程度を具体的事情に即して慎重に考慮しつつ、その合憲性を判断する必要がある。さらに、現代では正面から宗教的行為・特定の信仰を対象とした直接的規制がなされることは多くなく、むしろ外見上は宗教とはかかわりのない付随的規制を装いつつ、実質的には特定の信仰をもつ者のみを狙い撃ちする目的で規制が行わ

れる危険性に注意する必要がある。したがって、付随的規制についてはその点に重点をおいた審査が求められ、審査の結果宗教を狙い撃ちする真の目的がみいだされた場合には、直接的規制として扱わなければならない。

　信教の自由の制約に関する主要な裁判例には、以下のものがある。

ⅰ）　加持祈祷事件

　精神病治療のためとして行われた加持祈祷中に被害者が暴れ出したため、暴行を加えて死に至らしめた行為が傷害致死罪（刑205条）に問われた事件で、最高裁は「信教の自由の保障も絶対無制限のものではない」としたうえで、当該行為は「信教の自由の保障の限界を逸脱したもの」として有罪とした（最大判1963・5・15）。こうした行為が信教の自由保障の対象に含まれるかには議論の余地があるが（→第1章1節3(1)・311頁、同2節1(1)・312頁）、仮に信教の自由に含まれるとしても「公共の福祉」による制約と説明している点は、現在の学説の水準からは問題がある（→第1章2節2・315頁）。

ⅱ）　尼崎牧会事件

　教会の牧師が建造物侵入等の嫌疑を受けた少年をかくまった行為が犯人蔵匿罪（刑103条）に問われた事案（少年は牧師の説得を受けて警察に任意出頭した）につき、牧会活動の目的・手段とも正当な範囲にとどまっており、正当な業務行為として無罪とされた（神戸簡判1975・2・20）。

ⅲ）　オウム真理教解散請求事件

　宗教法人法は、「法令に違反して、著しく公共の福祉を害すると明らかに認められる行為」、「宗教団体の目的を著しく逸脱した行為」等をした宗教法人に対し、裁判所による解散命令を認めている（同81条1項）。大量殺人を目的として毒ガス（サリン）の生成を行った等として宗教法人オウム真理教の解散命令が請求された事件において、最高裁は、解散命令によって同団体および信者らが行う宗教上の行為に支障が生ずるとしても、それは「解散命令に伴う間接的で事実上のもの」にとどまり、「必要でやむを得ない法的規制である」とした（最決1996・1・30）。学説上は、解散命令の効果は法人格の剥奪にとどまり、法人格を有しない宗教団体としての存続や新団体の結成は否定されないことから、上記要件の認定が厳格に行われることを前提として解散命令制度は違憲ではないとされることが多い（→第3節6(2)・425頁）。

3 政教分離原則

(1) 意義と形態

憲法は、「いかなる宗教団体も、国から特権を受け、又は政治上の権力を行使してはならない」（20条1項後段）、「国及びその機関は、宗教教育その他いかなる宗教的活動もしてはならない」（3項）と定める。これらの規定は国家と宗教との分離の原則（政教分離原則）に基づくものであり、さらに89条は「宗教上の組織若しくは団体」に対する公金支出を禁止して、政教分離原則を財政面から裏づける（→第2部2章5節5・253頁）。

憲法が信教の自由保障に加えて政教分離原則をも定めるのは、歴史上しばしば国家権力と特定の宗教とが結びつくことによって少数派の信仰に対する弾圧・抑圧が行われたという経験に由来する。また、国家権力と宗教とが結びつくことはその宗教自身の腐敗・堕落につながること、さらに政治と宗教との結びつきを排除することで民主的な政治過程における理性的討議を維持し、あるいは宗派間の対立が政治過程にもち込まれ、和解困難な対立が生ずるのを避けるという理由が挙げられることもある。こうした考慮からは、国家と宗教との関係のありかたが信教の自由保障にも大きな意味をもつことになるが、その具体的なありようは、それぞれの国の歴史的経験を反映し、一様ではない。

> *政教分離の主要な形態
> ①国教制度をおきつつ（国教会の首長は国王）、国教以外の宗教には広汎な宗教的寛容を認めるイギリス型、②国家と宗教団体（教会）とを分離し、それぞれが固有の領域において独立であることを認めつつ、両者が競合する領域については政教条約（Konkordat）を締結して処理するイタリア・ドイツ型、③国家と宗教とを厳格に分離し、相互不干渉を原則とするアメリカ・フランス型があるとされる。ただし、それぞれの型に属する国同士でもさまざまな相違があり、過度の単純化は禁物である。

日本国憲法の規定は、アメリカにならった厳格な分離（③型）を要請するものと理解するのが一般的である。日本国憲法における政教分離原則がもつ歴史的意義（→1(1)・363頁）に加えて、しばしば国民の宗教的意識の雑居性（初詣には神社へ行き、葬式は仏教式が多く、クリスチャンでなくともク

リスマスを祝うなど）が語られる社会状況のなかで少数派の自由を確保するためにも、厳格な分離をいかに確保するかが重要な課題となる。さらに日本国憲法下で政教分離原則違反が争われた事案の多くは、かつての国家神道との連続性を強く残した靖国神社にかかわるものであり（→(3)・372頁・(4)・377頁）、この種の事案については解釈論上もとりわけ厳格な対応が求められよう。

(2) 法的性格

では、政教分離規定の法的性格をどのように理解すべきだろうか。

この点につき最高裁は、政教分離に関するリーディング・ケースである津地鎮祭事件（最大判1977・7・13→(4)ⅰ）・377頁）において、「いわゆる制度的保障の規定」であり「信教の自由そのものを直接保障するものではなく、国家と宗教との分離を制度として保障することにより、間接的に信教の自由の保障を確保しようとするもの」という理解（制度的保障説）を示した。制度的保障論自体の有用性にも疑義があるが（→第1章2節4・317頁）、政教分離について立法をもっても侵害しえない「制度の核心」なるものを想定するのは困難であり、しかも同判決自体、これにつづけて「現実の国家制度として、国家と宗教との完全な分離を実現することは、実際上不可能に近い」と述べて、制度的保障という概念は政教分離を緩和するための枕詞的役割を果たすにとどまる（→(3)ⅱ）・373頁）。

こうした事情から、学説では、最高裁のように制度的保障論と緩やかな分離とを結びつける理解には批判が強く、政教分離規定を制度的保障と理解する場合でも厳格な分離を求める理解が多数である。また、近時では、制度的保障という概念を用いず、公権力と宗教との分離という憲法上の（客観法レベルでの）制度・原則と理解すれば足りるとされたり、政教分離規定に違反する公権力の行為は、当該宗教を信仰しない少数者にとっては自己の信仰ひいては人格自体を否定するものと受け止められうることから、たとえ直接的な信仰の圧迫・干渉ではないとしても（広義の）信教の自由に対する間接的侵害にあたるとして、政教分離規定はこうした間接的侵害を禁止するものとする理解（人権説）も示されている。

＊こうした議論の背景には、政教分離規定違反が疑われる公権力の行為の違憲

性を訴訟上どのように争うことができるかという問題がある。現行法上、地方公共団体の行為については住民訴訟（地自242条の2）を利用できるが、国の行為についてはこうした訴訟が認められていない。制度的保障説からすれば、（狭義の）信教の自由侵害が認められないかぎり国の行為について訴訟上争うことはできないが、人権説によれば、信教の自由の間接的侵害を理由とする提訴が可能となる（宗教的人格権の主張もこれにかかわる→2(2)・368頁）。もっとも、制度的保障ないし憲法上の制度・原則と理解しつつ国の行為について訴訟上争う手段を認めるべきという説もあるので、法的性格の理解は必ずしも決定的ではない。より重要なのは、政教分離規定に違反する公権力の行為によって誰のいかなる権利が侵害されているのかを具体的状況に即して理解し、それにふさわしい訴訟上の救済手段を考えることである。

(3) 政教分離の内容・限界と判断基準

ⅰ） 憲法規定

憲法の政教分離規定は、公権力と宗教とのかかわり方の態様によって2種類に分けることができる。

㋐20条3項は、公権力自身による宗教的活動を禁止する。「国及びその機関」には地方公共団体も含まれる（20条1項後段・89条も同じ）。「宗教教育」とは、特定の宗教の宣伝・布教を目的とする教育であり、宗教一般の意義等についての教育は含まれない（教育基本法15条参照）。「宗教的活動」とは、広く一切の宗教的意義をもつ活動を指し、特定の宗教の布教宣伝を目的とする行為、祈祷・礼拝等の宗教的行為、宗教上の儀式・行事等が含まれる。

㋑20条1項後段（および89条）は、公権力による宗教団体への「特権」付与および宗教団体による「政治上の権力」行使を禁止する。最高裁は、「宗教団体」（および89条の「宗教上の組織若しくは団体」）とは「国家が当該組織ないし団体に対し特権を付与したり、また、当該組織ないし団体の使用、便益若しくは維持のため、公金その他の公の財産を支出し又はその利用に供したりすることが、特定の宗教に対する援助、助長、促進又は圧迫、干渉等になり、憲法上の政教分離原則に反すると解されるもの」であり、「特定の宗教の信仰、礼拝又は普及等の宗教的活動を行うことを本来の目的とする組織ないし団体」を指すとしている（最判1993・2・16〔箕面忠魂碑・慰霊祭訴訟〕→(4)ⅱ）・378頁）。この理解の前半は、後述の「目的効果基準」（→ⅱ）・373頁）を取り入れた結論先取り的定義であるし、前半と後

半とを等置できるかも疑わしい。近時最高裁は、89条に関し「宗教的行事等を行うことを主たる目的としている宗教団体」との理解を示したが（最大判2010・1・20〔空知太神社事件〕→ⅳ）・376頁）、上記の定義との異同は明確でない（→第2部2章5節5・253頁）。なお、厳格な分離を追求する観点からは、非宗教団体の行う宗教活動についても公権力の関与が政教分離規定違反となりうることにも留意が必要である。

「特権」とは、他の宗教団体または一般国民や団体と比べて特別に与えられる利益を指す。宗教団体に対する法人格の付与や宗教法人に対する非課税措置は、他の公益法人や社会福祉法人と同様の取扱いであることから、「特権」にはあたらないとされる。「政治上の権力」とは立法権・課税権といった統治権の作用を指し、宗教団体の行う政治活動自体ではない。

ⅱ）　政教分離規定の理解と判断基準としての「目的効果基準」

こうした文言理解を前提としつつ、より議論が集中してきたのは、公権力の行為が政教分離規定に違反するか否かをいかなる基準で判断すべきかである。この点に大きな関心が寄せられてきた背景には、現代の福祉国家現象に伴う公権力の活動領域の拡大によって、公権力が非宗教団体のみならず宗教団体ともかかわりをもつ場面が多くみられるという状況がある。ここでは、一方で宗教団体に対しても他の団体とひとしく給付を行う必要があるとしても（宗教団体であることのみを理由として給付がされなければ、かえって信教の自由侵害の可能性が生ずる）、他方で政教分離という憲法上の要請（主に20条1項後段・89条の場面）を無視するわけにはいかない。

そうするとまず、政教分離原則の理解としては、公権力と宗教とが文字通り一切かかわり合ってはならない（完全分離）とまではいえず、一定のかかわりは許容される余地がある（相対分離）ことにはなる。しかし、憲法上は分離が原則であり、かかわり合いが憲法上許容されるのはあくまで例外にとどまるべきという基本的観点（**厳格分離**）を堅持する必要がある。そのうえで、現実に公権力が宗教と一定のかかわりをもつ場合に、それが憲法上許容されるか、許容されるとしてもいかなる程度のかかわり合いが許容されるか、これらをいかなる基準で判断すべきかが重要な問題となる。

この問題は、最高裁が津地鎮祭事件において示した「**目的効果基準**」の当否を中心に議論されてきた。最高裁は、「それぞれの国の社会的・文化的諸条件に照らし、国家は実際上宗教とある程度のかかわり合いをもたざ

るをえない」とし、「そのかかわり合いが、信教の自由の保障の確保という制度の根本目的との関係で、いかなる場合にいかなる限度で許されないこととなるか」が問題だとする。そして、憲法の政教分離原則は国家の宗教的中立性を要求するものではあるが、国家と宗教とのかかわり合いをまったく許さないものではなく、「宗教とのかかわり合いをもたらす行為の目的及び効果にかんがみ、そのかかわり合いが右の諸条件に照らし相当とされる限度を超えるものと認められる場合」にこれを許さないとするものであって、20条3項の「宗教的活動」も「およそ国及びその機関の活動で宗教とのかかわり合いをもつすべての行為を指すものではなく、そのかかわり合いが右にいう相当とされる限度を超えるものに限られ」、「当該行為の目的が宗教的意義をもち、その効果が宗教に対する援助、助長、促進又は圧迫、干渉等になるような行為をいう」とした(「目的効果基準」という名称はここに由来する)。そのうえで具体的行為の「宗教的活動」該当性については、「当該行為の外形的側面のみにとらわれることなく、当該行為の行われる場所、当該行為に対する一般人の宗教的評価、当該行為者が当該行為を行うについての意図、目的及び宗教的意識の有無、程度、当該行為の一般人に与える効果、影響等、諸般の事情を考慮し、社会通念に従って、客観的に判断しなければならない」としている。

＊宗教的中立性
　最高裁判決にもみられるように、しばしば政教分離原則は国家の宗教的中立性を要求するものと理解される。ここでいう中立性には、不介入(国家による宗教への不関与)と公平(宗教と非宗教、あるいは各宗派間で平等な援助)というふたつの異なる要素が含まれており、どちらに重点をおくかによって厳格な分離とも緩やかな分離とも結びつきうることに留意が必要である。

　ⅲ)「目的効果基準」への批判
　最高裁が示した「目的効果基準」は、その後政教分離規定違反が問われた事件においてほぼ例外なく採用されることになった(→⑷・377頁)。しかし、同一の事件についても違憲・合憲の結論が分かれるなど基準としての有用性に疑問があるばかりか、以下のような理論的難点もあって、憲法の要求する厳格分離とは逆に緩やかな分離を正当化するものだとして、学

説からは厳しく批判されてきた。

　もともと「目的効果基準」は、アメリカの連邦最高裁判例で形成されてきた基準（「レモン・テスト」）を参考にしたものとされる。「レモン・テスト」は、①問題となった国家の行為が世俗的目的をもつものかどうか、②その行為の主要な効果が宗教を振興しまたは抑圧するものかどうか、③その行為が宗教との過度のかかわり合いを促すかどうかの3要件を個別に判断し、1要件でもクリアできなければ違憲とするものである。一方、「目的効果基準」は、国家と宗教との「かかわり合い」の存在を前提として、それが許容される限度を行為の「目的」と「効果」から判断するという枠組みであり、論理的には「レモン・テスト」と似て非なるものである。また、具体的判断にあたっては「諸般の事情」を考慮すべきとしており、基準の設定によって考慮すべき事項をできるだけ明確化しようとする努力とは逆を向く。さらに、少数者の権利への敏感さがとくに求められるこの領域において「社会通念」をもち出すことで、多数者による抑圧へ道を開くことにもなっている。

　他方、学説では「レモン・テスト」の3要件を個別にかつ厳格に判断すべきとされることが多い。その際、公権力の行為の根拠が他の憲法条項（14条・26条等）に求められるかには留意する必要があるし、「効果」についても当該行為のもつ象徴的意味にまで配慮することが求められよう。

＊もっとも、いわば量的判断が問題となる20条1項後段の場面については「レモン・テスト」が妥当するとしても、20条3項の場面では「宗教的活動」に該当するか否かといういわば質的判断が求められるという相違には注意が必要であろう（行為の主宰者・順序作法・普遍性に着目する津地鎮祭事件の控訴審判決〔→1(2)・365頁〕と「当該行為の外形的側面のみにとらわれることなく」とする最高裁判決とを対比せよ）。

　こうした批判のあるなか、最高裁は愛媛玉串料訴訟（最大判1997・4・2→(4)ⅴ)(ア)・379頁）において、靖国神社・県護国神社への継続的な県の公金支出を20条3項違反とした。多数意見は、公金支出が一般人に与える影響をも考慮するなど従来より踏み込んだ判断も示しつつ、「目的効果基準」自体は見直さなかった（可部反対意見も参照）。他方、「目的効果基準」

を正面から批判して代替的な基準を提案する尾崎・高橋各意見が付された点も注目された。

> *「エンドースメント・テスト」
> 1980年代以降のアメリカ連邦最高裁判例では「エンドースメント・テスト」と呼ばれる基準が用いられてきた。これは、公権力の行為が特定の宗教を是認（endorse）している場合には、その宗教の信者以外の者（とくに宗教的少数者）に対し、政治的共同体の部外者であり完全なメンバーではないというメッセージを発していることになり、当該行為の目的・効果がこうしたメッセージを発する場合は違憲とするものである。これは公権力の行為の象徴的効果をも問題としうるものであり、愛媛玉串料訴訟大法廷判決との類似性が指摘される一方、このテストの有用性については、アメリカでもなお議論を呼んでいる。

　　iv)　近時の動向

　最高裁は、空知太神社事件（最大判2010・1・20）において町内会の管理する神社用地としての市有地無償提供を違憲と判断した。その際、従来型の「目的効果基準」には言及せず、89条に違反するか否かは「当該宗教的施設の性格、当該土地が無償で当該施設の敷地としての用に供されるに至った経緯、当該無償提供の態様、これらに対する一般人の評価等、諸般の事情を考慮し、社会通念に照らして総合的に判断すべき」とした（同日の富平神社事件〔最大判2010・1・20〕においては、同種の基準を用いて神社施設用地として無償提供されていた市有地の町内会への無償譲与を合憲と判断した）。この判断が「目的効果基準」に代わる新たな基準を示したものであるかが注目されたが、約半年後の白山比咩神社奉賛会事件（最判2010・7・22）においては、従来同様目的・効果に着目するかたちで神社鎮座2100年式年大祭の奉賛会発会式に市長が出席して祝辞を述べるなどした行為を合憲と判断している。

　また、最高裁は、市の管理する都市公園内に儒教の祖である孔子等を祀った施設（孔子廟）の設置を認め、施設を設置・管理する一般社団法人に対して用地使用料を全額免除したことが20条3項に違反するとした（最大判2021・2・24〔那覇市孔子廟用地無償提供事件〕）。ここでも、空知太神社事件と同様に「目的効果基準」に言及することなく、施設の性格、免除の経緯、国公有地の無償提供の態様、一般人の評価等、諸般の事情を考慮し、

社会通念に照らして総合的に判断すべきとした上で、施設の宗教性を肯定し、観光資源としての価値や歴史的価値からも無償提供の必要性・合理性は認められず、特定の宗教に対して特別の便益を提供したとしている。

このように現在では、最高裁も「目的効果基準」を唯一絶対の基準としてはいないが、事案の特殊性にも配慮しつつ適用範囲を限定することはあっても、同基準を廃棄したわけではない。空知太神社事件・那覇市孔子廟用地無償提供事件においても「かかわり合い」の許容限度を「諸般の事情」と「社会通念」に照らして判断するという姿勢に根本的な変化はなく、「諸般の事情」と「社会通念」を重視する判断手法の問題はなお残されたままである。

(4) 政教分離に関する裁判例
　i) 津地鎮祭事件
　三重県津市が、市体育館の建設にあたり神職が主宰する神道形式の地鎮祭を挙行し、そのために公金を支出したことが20条・89条に違反するとして提起された住民訴訟であり、日本国憲法下で本格的に政教分離原則違反が争われた最初の事件である。控訴審判決（名古屋高判1971・5・14→(3)iii)・374頁、1(2)・365頁)は、地鎮祭は社会的儀礼や単なる習俗的行事とはいえず、「宗教的活動」に該当するとして本件地鎮祭を違憲と判断した。最高裁は、「目的効果基準」（→(3)・372頁）を用いて、本件地鎮祭は宗教とかかわり合いをもつ行為ではあるが現在では宗教的意義がほとんどなくなった社会的儀礼として一般人も世俗的行事と評価しており、その目的も工事の無事安全を図るという世俗的なもので、かつその効果も参列者・一般人の宗教的意識をとくに高めるものではなく、神道を援助・助長したり、他の宗教に圧迫・干渉を加えるものでもないとして、合憲とした（最大判1977・7・13）。これに対し5裁判官の反対意見は、政教分離は国家の非宗教性を要求するものとより厳格に理解し、本件地鎮祭はきわめて宗教的色彩が濃く「宗教的活動」にあたるとした（藤林長官追加反対意見も参照）。多数意見が示した政教分離原則の理解・「目的効果基準」のみならず、本件地鎮祭の合憲判断も政教分離を必ずしも厳格に要求しない傾向に影響を与えたといえよう。

ⅱ）　箕面忠魂碑・慰霊祭訴訟

　大阪府箕面市が、市立小学校の増改築のため市遺族会所有の忠魂碑を別の市有地に移設し、敷地を遺族会に無償貸与したこと、および市遺族会が主催し、毎年忠魂碑の前で開催していた慰霊祭（隔年で神式と仏式で実施）に教育長が参列したことが政教分離原則に違反するとして提起された住民訴訟において、一審判決は「目的効果基準」を用いつつ忠魂碑のための市の支出を違憲としたが（大阪地判1982・3・24、大阪地判1983・3・1）、控訴審では忠魂碑は宗教的施設ではないなどとして合憲とされた（大阪高判1987・7・16）。最高裁は、「目的効果基準」を用いて、忠魂碑は戦没者の慰霊・顕彰のための戦没者記念碑的性格をもち、忠魂碑移設・敷地無償貸与の目的は学校用地の確保というもっぱら世俗的なものであり、その効果も特定の宗教の援助・助長等にあたらないとした。また、遺族会は「宗教団体」には該当せず（→(3)ⅰ)(イ)・372頁）、教育長の参列も戦没者遺族に対する社会的儀礼を尽くすという世俗的目的であり、その効果も特定の宗教の援助・助長等にはあたらないとした（最判1993・2・16）。最高裁の判断は、忠魂碑が「村の靖国」として扱われてきたという歴史や遺族会の活動が靖国神社と深くかかわってきたという経緯を軽視するものであろう。なお、町会が建立・移設する地蔵像の敷地としての市有地無償提供を合憲と判断した事例がある（最判1992・11・16〔大阪地蔵像訴訟〕）。

ⅲ）　殉職自衛官合祀訴訟

　公務中の交通事故で死亡した自衛官を慰霊顕彰するため、退職自衛官の親睦組織である隊友会山口県支部連合会（県隊友会）と自衛隊山口地方連絡部（山口地連）とが密接に連携して県護国神社に合祀申請を行い、同神社は祭神として合祀した。これに対し、自らのキリスト教の信仰に基づき合祀を拒否する意思を示していた自衛官の妻が、県隊友会と国を被告として政教分離原則違反、亡夫が「神」として祀られたことによる精神的苦痛・人格権侵害等に基づく損害賠償と合祀申請手続の取消を求めて提訴した。下級審では原告の主張を基本的に認め、損害賠償が認容されたが（山口地判1979・3・22、広島高判1982・6・1）、最高裁は14対1の大差で原告逆転敗訴とした（最大判1988・6・1）。下級審は合祀申請を山口地連と県隊友会との共同行為と認定していたが、多数意見は（法律審としては異例にも）これを覆して県隊友会の単独行為と評価し、かつ合祀申請は「宗教

とかかわり合いをもつ行為であるが、合祀の前提としての法的意味をもつものではない」として、合祀申請への山口地連の関与は「目的効果基準」に照らして違憲ではないとした。また、妻の宗教的人格権侵害の主張（→2(1)ⅱ)＊・367頁）については、県護国神社が行った「合祀それ自体」による侵害の有無を問題とすべきとして、私人間効力論（→第1章4節1・327頁）の枠組みをとりつつ法的利益の侵害を否定した。多数意見の判断は、合祀申請を県隊友会の単独行為と評価したうえで「合祀それ自体」による宗教的人格権侵害を問題とすることによって、合祀という宗教的行為を実質的に推進した山口地連の関与を二重に低く見積もっている。しかも多数意見は、地連職員による合祀申請への関与の目的を「合祀実現により自衛隊員の社会的地位の向上と士気の高揚を図ること」と「推認」しているが、こうした世俗的目的の「推認」によって、日本国憲法が否定したはずの軍事的組織と宗教的権威との結びつきを認めてしまっている。

ⅳ）　天皇代替わり関係訴訟　→第1部4章2節5(2)・84頁

ⅴ）　「靖国」問題

(ア)　愛媛玉串料訴訟

　愛媛県が靖国神社・県護国神社の挙行した例大祭等の宗教上の祭祀に際し、玉串料・献灯料等の名目で22回にわたり計16万6000円を公金から支出したことが争われた住民訴訟において、最高裁は、「目的効果基準」を用いつつ、玉串料等の宗教的意義からすれば県が特定の宗教団体の挙行する重要な宗教上の祭祀にかかわり合いをもったことは否定できず、一般人に対して県が特定の宗教団体を特別に支援しており、それらの宗教団体が他とは異なる特別のものであるとの印象を与え、特定の宗教への関心を呼び起こすものといわざるをえず、さらに戦没者の慰霊・遺族の慰謝が直接の目的であったとしても世俗的目的で行われた社会的儀礼にすぎないとはいえないと判断した（最大判1997・4・2 →(3)ⅲ・374頁）。本件支出は継続的かつ宗教性が明らかなので、判決の結論は当然であるが（違憲の結論は13対2）、当時こうしたかたちでの玉串料支出を行っていたのは全国でも愛媛県のみだったという事情にも留意が必要だろう。なお、「目的効果基準」自体を批判する尾崎・高橋各意見のほか、津地鎮祭事件最高裁判決が挙げた諸要素を個々に判断すれば合憲となるとする可部反対意見、靖国神社の宗教的施設性を認めつつ、戦没者慰霊の施設としては同神社しか存在

しないとして本件支出は社会的儀礼にとどまるとする三好長官反対意見が付されている（三好長官は退官後、保守系団体の日本会議会長に就任した）。

　㈣　内閣総理大臣の靖国参拝

　現職の内閣総理大臣による靖国神社参拝も憲法上重大な問題を含む。中曽根康弘首相は、従来の内閣の解釈を変更して（津地鎮祭事件最高裁判決の「目的効果基準」が援用された）、「戦後40年」の節目である1985年8月15日に靖国神社に公式参拝し（神道上の正式の作法にはよらなかった）、供花料3万円を公費から支出した。これに対しては、中国・韓国などアジア諸国からの厳しい批判が相次ぎ、中曽根首相は翌年以降の参拝を断念した。また、8月15日の靖国神社参拝を公言して2001年に就任した小泉純一郎首相は、在任中毎年1回、計6回の参拝を行い（日にちは毎年異なり、参拝の形式も正式の神道形式にはよらなかった）、在任中最後となった2006年にはついに8月15日に参拝した。これに対しても、アジア諸国からの批判が強く、中国との間では首脳会談が実施されないなどの影響があった（2013年12月26日には安倍晋三首相が参拝した）。

　こうした内閣総理大臣の参拝は憲法論としては政教分離原則違反が問題となるが、国の機関による行為の違憲性を訴訟で争うことには現行法上困難がある（→(2)・371頁）。そこで、参拝を違憲と主張する側は参拝によって自らの主観的権利が侵害されたとして損害賠償を請求するのが一般的である。しかし、こうした主張は法的利益としては認められないとするのが裁判所の大勢であり（殉職自衛官合祀訴訟参照→ⅲ)・378頁）、参拝行為の合憲性の判断にも踏み込まない傾向にある。最高裁も、2001年の小泉首相の参拝行為について主観的権利侵害がないとして合憲性の判断には踏み込まなかったが（最判2006・6・23）、下級審判決には「目的効果基準」を用いつつ違憲と判断したものがある（中曽根首相の参拝につき「違憲の疑い」を指摘した大阪高判1992・7・30、小泉首相の参拝につき違憲と判断した福岡地判2004・4・7、大阪高判2005・9・30）。とりわけ小泉首相の場合には、年1回の参拝によって特定の宗教と特別のかかわり合いをもったことは明白であり、しかもその在任中自衛隊の海外出動を可能とする法整備が著しく進み、実際の海外出動も恒常化した（→第1部第5章第3節2・114頁、同3・116頁）ことからすれば、政教分離原則違反はもとより、軍事と宗教的権威との新たな結びつきを図る客観的意味をもったものといわねばなる

まい。

4 信教の自由と政教分離との「衝突」？

　政教分離原則の意義を信教の自由をよりよく保障することにみいだすのは、歴史的経験からも重要であるが（→3(1)・370頁）、常に両者が予定調和的関係にあるわけではない。それを示すのは、一般的に課される国法上の義務が特定の信仰をもつ者に対する負担となる場面（付随的規制→2(2)・368頁）において、その負担に配慮して当該義務を免除することが許されるかという問題である。この場合に免除を認めれば、公権力が特定の信仰をもつ者をその信仰のゆえに優遇する効果をもちうるため、公権力の宗教的中立性に反し、政教分離原則違反と評価される可能性が生じる。そうすると、このように信教の自由と政教分離とが「衝突」する、あるいは緊張関係に立つ場面での免除は憲法上許されないのだろうか。

　信教の自由保障の核心にある宗教的少数者への公権力（そして社会的多数者）の寛容という基本的要請に照らせば、政教分離原則・公権力の宗教的中立性を硬直的・機械的に理解して一切の免除を認めないとするのは適当でないだろう（このように信教の自由への配慮が求められるならば、あえて政教分離との「衝突」とみる必要はないともいえる）。付随的規制のかたちをとっていても実際には特定の信仰をもつ者への狙い撃ち的規制と評価される場合には、信教の自由が優先され、免除が認められなければならない（→2(2)・368頁）。他方、狙い撃ち的規制には該当しない場合にも、一方で当該義務が課される目的、その不可欠性・代替手段の可能性、他方でそれが信仰にもたらす不利益・負担の程度、義務の免除がもたらす弊害といった点をきめ細かく考慮したうえで義務免除の可否を判断すべきであろう。

　裁判例としては、キリスト教の教会学校に出席するために公立小学校における授業の日曜参観を欠席した児童につき指導要録に欠席が記載されたことが争われた事件で、出席免除は公教育の宗教的中立性を保つうえで好ましいことではなく、授業日の振り替えが宗教教団の集会と抵触することになったとしても合理的根拠に基づくやむをえない制約として容認されるとしたものがある（東京地判1986・3・20〔日曜日授業参観事件〕）。また、「エホバの証人」の信者である公立工業高等専門学校の学生が、その信仰

に基づいて必修科目である体育のうち剣道実技に参加しなかったため留年・退学処分を受けた事案について、第一審判決（神戸地判1993・2・22）は信教の自由を理由として実技に参加したのと同様の評価をすれば、宗教上の理由に基づく有利な取扱いとなり、公教育の宗教的中立性を損ない、ひいては政教分離原則違反ともなりかねないとした。しかし最高裁は、剣道実技拒否の理由は「信仰の核心部分と密接に関連する真しなもの」であり、留年・退学による不利益を避けるためには「自己の信仰上の教義に反する行動を採ることを余儀なくさせられる」ことを認め、他の実技の履修やレポート提出等の代替措置を講じたとしても20条3項に違反するものではなく、また実技拒否の理由の当否を判断するために当事者の説明する宗教上の信条と履修拒否との合理的関連性が認められるかどうかを確認する程度の調査をすることは公教育の宗教的中立性に反するとはいえないとして、処分を違法と判断した（最判1996・3・8〔神戸高専剣道受講拒否事件〕）。この最高裁の判断は、実質的に信仰への過重な負担があり、かつ留年・退学という重大な不利益が課されたことをふまえたものと理解できよう。

＊もっとも、従来最高裁は政教分離原則をそれほど厳格に適用してきたわけではないことからすれば（→3(3)・372頁、(4)・377頁）、この場面についてのみ政教分離原則を厳格に適用し、信教の自由への負担を甘受すべきとはいえないはずである。なお、最高裁は、前掲空知太神社事件（→3(3)iv・376頁）において違憲性の解消手段を検討する際に氏子集団の構成員の信教の自由に配慮する姿勢をみせている（差戻審の最判2012・2・16も参照）。

コラム
ムスリム・スカーフ問題

　イスラム教の聖典コーランでは女性の「性的部位」の露出が禁じられており、イスラム教徒（ムスリム）の女性は、自らの理解に基づいてブルカ（頭部から全身を覆う）、ヴェール（頭髪と顔を覆う）やスカーフ（頭髪のみを覆う）などを着用しているが、近年、欧米諸国では公的空間においてこのような宗教的意味をもつシンボルの着用を禁止すべきかが大きな問題となっている。厳格な政教分離（ライシテ）を基本原理に掲げるフランス（第五共和制憲法1条1項）では、1989年に公立中学校内でスカーフを着用していた生徒に校長がそれをとるよう命じたが、生徒が従わなかったため退校となった事件をきっかけに大きな論争が起こった。校長がスカーフ

をとるよう命じたのは、ライシテの要請である公教育（ひいては公共空間一般）の宗教的中立性を害するとの理由からであったが、そこで提起されたのはフランスにおけるライシテの伝統とムスリムの信教の自由との「衝突」だけでなく、背景にある移民問題、マイノリティの権利・アイデンティティの確保、女性の権利（欧米ではスカーフなどがムスリム女性に対する差別の象徴と理解されることも多い）、さらには公的議論・民主政のあり方等々、「欧米対イスラム」のような単純な図式にはとうてい収まらない多くの問題であった。フランスでは、2004年にスカーフ禁止法、さらに2010年にはブルカ禁止法が制定されて政教分離を優先させるかたちでの解決が図られたが、なお議論は継続している。

考えてみよう

1…信教の自由の保障内容を規制の態様に留意しつつ整理せよ。
2…政教分離原則違反を判断するための基準として、「目的効果基準」にはどのような問題があるか。これに代わる基準としてはどのようなものが考えられるか。
3…現職の内閣総理大臣が毎年年頭に伊勢神宮に参拝することは、憲法に違反しないか。内閣総理大臣個人の信教の自由として正当化できるか。

Further Readings

・高橋哲哉『靖国問題』（ちくま新書、2005年）：日本の近代史・戦後史のなかで「靖国」がいかなる意味づけをもたされてきたかを哲学者が解析する。国家による死者の「顕彰」がもつ意味を考えてみてほしい。
・田中伸尚『合祀はいやです。』（樹花舎、2003年）：殉職自衛官合祀訴訟の原告は、なぜ提訴せざるをえなかったのか。判決の陰に隠れてしばしば見落とされがちな憲法訴訟の当事者の想いを伝えるルポルタージュ。
・内藤正典・阪口正二郎編著『神の法 vs. 人の法』（日本評論社、2007年）：社会学者と憲法学者によるフランスの状況を中心としたムスリム・スカーフ問題の検討。この問題が提起する課題の広がりと複雑さを理解するために。

第3節	表現の自由
キーワード	優越的地位、萎縮効果、知る権利、事前抑制、明確性の理論、表現内容に基づく規制・内容中立規制二分論

21条が保障する表現の自由は、個人の人権としてだけでなく本書が重視

する民主政過程の維持・強化にとってもきわめて重要な役割をもつ。それだけに本節で学習すべき内容も多いが、具体的な論点についても常に表現の自由保障の基本的な意義に照らしつつ考えてみよう。

1 表現の自由保障の意義

(1) 歴史

　表現の自由は、専制政治への抵抗の主要な手段として近代人権宣言に盛り込まれて以来（ヴァージニア権利章典12条〔1776年〕、フランス人権宣言11条〔1789年〕など）、精神的自由のみならず人権宣言全体のなかでも重要な位置を占めてきた。日本でも大日本帝国憲法29条が「言論著作印行集会及結社ノ自由」を保障したものの、他の多くの権利と同様「法律の留保」付きであり（→第1部3章1節2(3)・45頁）、出版法（1893年）、新聞紙法（1909年）などによる出版物の検閲、治安警察法（1900年）による集会の制限、治安維持法（1925年）による結社の制限（→第1部3章1節3(3)・46頁）、軍機保護法（1937年）、国防保安法（1941年）による軍事秘密の保護等々、とくに天皇を軸とする支配体制にとって都合の悪い政治的表現・活動にはきわめて広範かつ容赦のない弾圧が行われた。憲法21条1項が留保なく「集会、結社及び言論、出版その他一切の表現の自由」を保障しているのは、こうした歴史に鑑みてのことである。諸外国の憲法においては、歴史的由来から言論・出版の自由と集会・結社の自由とを別の条文で定める例も多いが、これらは現実の機能においても密接に関連するので、21条1項はこれらを一括して(広義の)表現の自由として保障したと考えることができる。

(2) 表現の自由の原理論／基礎づけ

　表現の自由は、人権のカタログのなかでも**優越的地位**にあるとされ、その制約は厳格な基準によって判断されなければならないが（二重の基準論→第2部3章2節3(4)ⅰ・301頁、具体的な基準については3(2)・397頁）、いったいなぜ、表現の自由がこのように手厚く保障されなければならないのだろうか。そのためには、表現の自由が保障されるべき根拠（原理論）について考えることが必要となる。

表現の自由が保障されるべき根拠には、大きく分けて次のふたつがある。まず、個人がさまざまな意見、情報に接し、それをもとに自らの意見を形成し、他者に伝えることを通して自らの人格を発展させるためには、広く表現の自由が保障されていなければならない（個人の自己実現）。また、個人も社会の中で生きる存在であり、他者と共同して形成される社会のありかたやそこにおける意思決定に無関心ではいられない。民主主義を基本原理とする現在の社会にあっては、社会における共通の関心事について広く情報を得ることができ、それに基づく活発な意見交換を通して形成される公論（公共圏における公論形成）に基づいてはじめてまっとうな民主的な決定も行われうる。すなわち、国民主権原理（→第1部4章1節・62頁）をとる日本国憲法のもとでは、民主的な政治過程自体の確保・維持のために表現の自由の十分な保障が必要であり、それを通して主権者国民の意思を真に反映した国家権力の行使も可能となる（国民の自己統治）。もちろん、憲法の保障する他の権利も個人の自己実現や国民の自己統治に資するものであるが、表現の自由はこの両者と深く結びついており、それゆえに優越的地位にあるとされるのである。

　また、こうした理解からは、表現の自由保障は単に表現を行う個人だけの問題にとどまるものではないことにも十分な配慮が求められる。経験的にも、表現の自由はいったん損なわれれば回復困難な「こわれやすく傷つきやすい」自由とされ、それゆえに、表現の自由に対する規制の問題を考える際には、規制のもたらす**萎縮効果**（chilling effect）、すなわち規制されるおそれから本来規制されないはずの表現までも手控えてしまうという効果に十分な警戒をしなければならない。つまり、ある表現の制約は、単に表現主体の自由制限であるのみならず、萎縮効果をもつことによって公共圏における公論形成にもより大きな歪みをもたらすのであって、そこからも規制の合憲性が厳しく吟味されなければならない。したがって、仮に問題のある表現だとしても安直な規制によって排除するのではなく、それに反論する表現（対抗言論）を含む自由な討論（思想の自由市場）に委ねるのが原則となり（→5(2)・420頁）、表現規制の合憲性を判断するために用いられる法理・基準の内容、その適用にあたっても萎縮効果の除去という視点が重要な意味をもつ（→3(2)・397頁）。

2　保障の範囲

(1)　表現内容の拡大

　21条1項の保障内容については、まず、「表現」の範囲が問題となる。歴史的には、思想内容や政治的意見が表現の自由保障の対象とされ、単なる事実の伝達は含まれないとされたり、他者の名誉を毀損する表現や性的な内容の表現、営利的表現など「価値の低い言論」については、そもそも表現の自由には含まれないとされるか、含まれるとしても手厚く保護する必要はないとされてきた。しかし、21条1項が留保なく「一切の表現の自由」を保障していることに加え、憲法上保障される表現をあらかじめ限定することは、表現の自由保障の意義（→1(2)・384頁）をも限定することになりかねない。したがって、一切の表現が憲法上保障対象となりうると理解したうえで、真にやむをえない理由に基づき制約が認められるか否かを具体的状況をふまえて判断することが必要となる。

(2)　表現媒体の拡大

　ⅰ）　保障対象

　次に、いかなる媒体（メディア）・手段を用いた表現が憲法上保障されるかが問題となる。21条1項は、口頭、印刷による「言論、出版」、集団的表現活動としての意義を色濃くもつ「集会、結社」（→5・419頁、6・424頁）という典型的・伝統的手段を挙げつつ、「その他一切の表現の自由」を保障している。したがって、これらの例示だけでなく、絵画、写真、映画、音楽、芝居、マス・メディア（印刷メディア、電波メディア）、インターネットなど各種の媒体・手段による表現もすべて保障される。

　ⅱ）　マス・メディア

　これらの媒体・手段のうち、20世紀以降の新聞、ラジオ・テレビなどマス・メディアの発達は、多くの一般国民がもっぱらマス・メディアを通して必要な情報を入手するという状況をもたらした。とりわけ、マス・メディアによる事実の報道は、編集作業を通して送り手の意見が表明される点でも、一般国民が自らの意見を形成するために必要な情報を入手し、主権者として活動する前提となることからもきわめて重要な役割を果たす（→(3)・390頁）。したがって、マス・メディアによる報道が公権力による規制

から自由に行われるべきこと、すなわち報道の自由が表現の自由の重要な一部として憲法上保障されなければならない。最高裁も、「報道機関の報道は、民主主義社会において、国民が国政に関与するにつき、重要な判断の資料を提供し、国民の『知る権利』に奉仕するものである」と述べて「事実の報道の自由」が21条の保障のもとにあることを認めている（最大決1969・11・26〔博多駅取材フィルム提出命令事件〕）。

　また、放送についても、「国民の知る権利を実質的に充足し、健全な民主主義の発達に寄与するもの」（最大判2017・12・6〔NHK受信料訴訟〕）と位置づけられるが、放送局開設の免許制（電波法4条）や、放送番組の編集に際して政治的に公平であることなどの準則（公平原則）に従うべきとされる（放送法4条1項。ただし、一般には倫理的な意味をもつにとどまるとされる）など、新聞等の印刷メディアとは異なった法規制がある。こうした番組内容にも及ぶ規制の根拠としては、従来、電波が有限・稀少な資源であること、放送が視覚・聴覚に訴えることで印刷メディアとは異なる強い社会的影響力をもつことなどが挙げられてきた。しかし、こうした正当化論に対しては、近年の多メディア化・多チャンネル化の進展にともない、かつてのような電波資源の有限性は妥当しなくなっており、社会的影響力についても科学的に実証されていないなどの批判がある。

　　＊近時では、従来の正当化論に代わる放送規制の根拠として、印刷メディアを完全に自由とし、放送のみ一定の規制を行うことによって、両者のバランスを通して充実した思想の自由市場が確保されるという議論（部分規制論）や、地上波テレビが現在もなお国民にとって必要な情報を提供するうえで基幹的な役割を果たしていることに着目し、国民の知る権利の充足から放送内容に対する一定の規制を認める議論が主張されている。なお、最高裁は、放送受信設備設置者にNHKとの受信契約締結を義務づける放送法64条1項は、公共放送と民間放送との二本立て体制のもとで前者を担うNHKが民主的かつ多元的な基盤に基づきつつ自律的に運営される事業体たらしめるための財政的基盤を確保する合理的仕組みとして13条・21条・29条に違反しないと判断した（前掲最大判2017・12・6）。
　　＊公平原則と放送への介入
　　　従来から政治家が特定の番組を名指ししつつ、公平原則に違反しているとして是正を求める動きがみられたが、2016年2月には、高市早苗総務大臣が政治的に公平でない放送を繰り返した場合には電波停止（電波法76条。放送法174

条は、放送事業者の違法行為を理由とする総務大臣の業務停止命令を定める）を命じる可能性があると発言して波紋を呼んだ。こうした放送局への法的介入（諸外国では独立性の高い機関が放送規制を担当することが多い）は、実際に発動されなくともその可能性を示すだけで放送メディアを萎縮させ、政策を批判的に検証するような番組を制作しにくくなることが懸念されている。一方、1987年に公平原則を廃止したアメリカでは、党派的主張を鮮明にした放送が増加し、メディアへの信頼が低下したとも指摘されている（自己の主張と相容れない報道を「フェイクニュース」と呼ぶなど）。日本でも公平原則の廃止が主張されることがあるが、それが報道の自由と知る権利（→(3)ⅱ・390頁）にとっていかなる影響をもたらすかは慎重な検討が求められよう。

＊**少年法上の推知報道禁止**

　少年法は、「少年の健全な育成を期」すことを基本理念としており（同法1条）、犯罪を犯した少年の「氏名、年齢、職業、住居、容ぼう等によりその者が当該事件の本人であることを推知することができるような記事又は写真を新聞紙その他の出版物に掲載してはならない」（同法61条）として、いわゆる推知報道を禁止してきた（罰則規定はない）。近年の厳罰化傾向と成人年齢の18歳への引き下げを受けた2021年の少年法改正は、推知報道の禁止を原則として維持しつつ、18歳・19歳の「特定少年」による犯罪については、公訴提起時以降の推知報道を解禁した（68条）。同改正による原則逆送対象事件の拡大（新62条2項2号）とあいまって、少年の更生に悪影響を与える懸念が指摘されている。

　ⅲ）　マス・メディアによらない表現手段の意義

　こうした情報の圧倒的な送り手としてのマス・メディアの役割は、民主政を機能させる前提条件にかかわるものであり、その自由な活動を憲法上適切に保障する必要がある。同時に、マス・メディアが伝える情報は画一的・片面的になりやすく、マス・メディアには乗りにくい政治的・社会的少数派の見解を比較的手軽・安価に伝えることができるビラ配布やポスター掲示（→4(1)ⅱ・404頁）、集会や集団示威運動（→5(1)・419頁）などの表現手段は、なおきわめて重要な意義をもつ。

　この点では、近年のインターネットの普及によって、個人が表現の受け手としての地位から表現の送り手としての地位へと復権する可能性が生じていることが注目される。もっとも、掲示板・SNSなど現実のインターネット上では名誉・プライバシー侵害に加え、誹謗・中傷や世論操作をもねらったデマや「フェイクニュース」（事実に基づいていないが、しばしば

真実らしく受け取られうる）などが氾濫しており、民主政の基盤を掘り崩す懸念が指摘されるとともに法的規制のありかたが議論されている。ここでは、双方向性、アクセス・発言の容易性、匿名性の高さといったインターネット上の表現の特質に照らし、対抗言論（→1(2)・384頁）が成り立つ可能性が高いことに十分配慮する必要がある。最高裁は、個人の開設したホームページ上での名誉毀損的表現についても通常の名誉毀損罪の免責要件（→第6章3節3(2)・520頁）が妥当するとしたが（最決2010・3・15）、上記の特質をふまえたものであるかには疑問の余地がある。一方、犯罪歴にかかる情報の表示をインターネット上の検索結果から削除することを検索事業者に求めた事件において、最高裁は、検索結果の提供は検索事業者自身による表現行為という側面を有するとともに、利用者による情報発信・入手を支援するものであり、現代社会においてインターネット上の情報流通の基盤として大きな役割を果たしているとの理解を示している（最決2017・1・31〔グーグル検索結果削除請求事件〕）。プラットフォーム企業に対する規制は利用者にも大きな影響をもたらしうるものであり、具体的な問題の検討にあたり、こうした基本認識をどのように活かすかが課題となろう。

　　iv)　表現の「場」

　また、表現手段の問題は、表現が行われる「場」（回路・通路）の問題としばしば密接にかかわる。たとえば、集会を行うには公園・道路や公民館といった（物理的）「場」の利用が不可欠であるし、自らの表現を有効に伝えるためにはより効果的に受け手に届く「場」を選択し、利用できなければならない。こうした観点を組み込んだ理論として、1970年代からアメリカの最高裁判例で展開されてきたパブリック・フォーラム論がある。これは、表現の「場」が道路・公園など伝統的に表現活動に開かれてきたパブリック・フォーラムである場合（公会堂など表現活動のために設けられ、利用されてきた施設を含む）には、厳格な要件を満たす場合を除き表現活動の規制は許されないとするものである。こうした「場」の性質・利用可能性への配慮は、形式的な認定が行われればかえって安直に表現規制を認めることにもなりかねないものの、具体的な規制について検討する際にも十分ふまえられるべき視点である（→4(1)・403頁、5(2)・420頁）。

(3) 情報収集－情報発信－情報受領という過程の保障
　ⅰ)　受け手の自由・権利を組み込んだ表現の自由の再構成
　21条1項の文言は表現する側の自由のみを保障しているようにみえるが、それだけでは十分ではない。本来表現行為は表現の受け手の存在を前提としているはずであり、表現の前提となる情報収集行為に始まり、表現内容を形成して表現行為を行い、他者の表現を受け取り、さらにそれをふまえてコミュニケートするという連鎖的な社会過程全体が保障されなければ、表現の自由の意義（→1(2)・384頁）も十全な展開を望めない。このように考えると、表現の自由保障は、送り手の自由のみならず、表現の受け手の自由・権利をも含むものと理解すべきことになる。そこから、受け手の自由・権利の内容が問題となり、また、送り手の自由について考える場合にも常に受け手の存在とその自由・権利への配慮が求められることになる。
　ⅱ)　知る自由・知る権利
　表現の受け手の自由・権利としてはまず、個人が自ら必要とする情報を収集・受領することを公権力によって妨げられないという知る自由が挙げられる。最高裁も、19条や21条の趣旨・目的から「いわばその派生原理として」新聞紙・図書等の閲読の自由、意見・知識・情報を摂取する自由が憲法上保障されることを認め（最大判1983・6・22〔よど号新聞記事抹消事件〕）、裁判の傍聴人がメモを取る自由については「憲法21条1項の規定の精神に照らして尊重されるべきである」とした（最大判1989・3・8〔法廷メモ事件〕→第2部3章1節1(3)・273頁。報道機関にのみメモを認めていたことは14条1項に違反しないとした）。もっとも、結論的にはこれらの自由の制限を容認してしまっている。
　さらに、広く公権力の活動に関する情報を入手することは、主権者国民が国政に参加し、有効なコントロールを行う前提となる。すなわち、主権者国民に情報の受け手として**知る権利**が十分保障されてこそ、表現する自由と相まって国民主権が十全に機能しうると考えられる。したがって、この知る権利は、21条のみならず国民主権原理との密接な結びつきゆえに憲法上保障される権利ととらえられるべきであり、しばしば公権力による情報隠しが問題となることからも（日米安保「密約」、薬害エイズ、SPEEDI、自衛隊イラク派遣日報等々）、その必要性は高い。

＊特定秘密保護法
　2013年に大きな批判のなか制定された特定秘密保護法（特定秘密の保護に関する法律〔2014年施行〕）は、行政機関の長が防衛・外交・特定有害活動（スパイ活動）の防止・テロリズムの防止の4分野に関する情報のうち、とくに秘匿することが必要なものを特定秘密に指定し、刑罰等でその漏えいなどを防止するものである。対象となる情報の広範さ（別表）や指定の有効期間（4条）など特定秘密の範囲（恣意的な指定のおそれもある）、取材活動も対象となりうる刑罰（23～27条）など知る権利・取材の自由の重大な制限に加え、適性評価（11～17条→第1節3(1)・357頁）など多くの憲法上の問題が指摘されている。

　知る権利を保障するためには、マス・メディアの活動のほか（→(2)・382頁）、国・自治体が保有する情報の公開が重要な意義をもつ。これは国民の側からは政府情報公開請求権の保障としてとらえられるが、そのためには公開手続等を定める情報公開制度の整備が必要となる。日本においては情報公開制度の整備は自治体が先行し（1983年に山形県金山町、神奈川県で制定された公文書公開条例が皮切り）、国レベルでは1999年制定の情報公開法（2001年施行）によってようやく整備された。同法は、目的規定で国民主権の理念と政府の説明責任を掲げるが（1条）、本来基本理念として掲げられてしかるべき知る権利への言及を欠く（自治体の条例では知る権利を明記する例が多い）。これは制定過程において知る権利の内容が不明確であるとされたことによるが、しばしば問題となる非開示事由（同5条各号）該当性の判断との関係でも、知る権利を法文上明記することが必要である（情報公開の前提となる公文書の管理については、2009年に公文書管理法が制定されたが、適切な管理がなされているかが疑われる例もみられ、なお課題を残している）。

　ⅲ）　取材の自由
　このように表現の自由保障が情報収集活動をも含めて理解されるべきことからすると、国民の知る権利に奉仕し、ひいては国民主権を実質化すべく報道の自由（→(2)・386頁）を通して大きな役割を果たすマス・メディアが日々行う取材活動についても公権力による規制は原則として許されないこと、すなわち取材の自由が憲法上保障されなければならない。最高裁は、当初「未だいいたいことの内容も定まらず、これからその内容を作り出すための取材」は憲法上保護されないかのような理解を示したが（最大判

1952・8・6〔石井記者事件〕）、後に「報道のための取材の自由」も21条の精神に照らし「十分尊重に値いする」とした（前掲博多駅取材フィルム提出命令事件→(2)・386頁）。この言い回しは、「事実の報道の自由」が「憲法21条の保障のもとにある」のと比較すると、取材の自由はより低い程度の保護にとどまることを示唆しているが、学説では取材の自由も端的に21条によって保障されるという理解が一般的である。

　取材の自由についても、きわめて重要な実質的目的を達成するため必要最小限度の制約を受けることはありうるが、制約の合憲性は、報道に与える影響を十分考慮したうえで判断されなければならない。

　民事訴訟規則77条、刑事訴訟規則215条は法廷での写真撮影を裁判所・裁判長の許可に委ねている（許可・不許可基準の定めもない）。最高裁は、写真撮影が公判廷における審判の秩序を乱し被告人等の正当な利益を不当に害する結果を生ずるおそれがあるとして、簡単に刑事訴訟規則215条を合憲と判断したが（最大決1958・2・17〔『北海タイムス』事件〕）、不許可の実質的根拠と範囲が慎重に検討されなければなるまい。

　国家秘密を対象とする取材については、取材活動の制限が生じやすく、制限の範囲も広くなりやすい。新聞記者が外務省職員に対し沖縄返還にともなう日米間の「密約」（→第1部5章2節2(2)・97頁）に関する公電の漏洩をそそのかしたとして国家公務員法111条違反で起訴された事件において、最高裁は、取材活動が真に報道目的にでたものであり、手段・方法が相当なものであるかぎり、実質的に違法性を欠く正当な業務行為となることを認めたが、本件については正当性を否定して有罪とした（最決1978・5・31〔西山記者事件〕）。通常とられる取材手段から大きく逸脱し、かつそうした手段の利用を正当化する特段の事情もないような場合を除き、原則として正当な業務行為にあたると考えるべきであろう（本件については、記者の起訴が「密約」問題の追及から目をそらす効果をもったことは否めない）。

　取材によって得られた資料（取材メモ、写真、ビデオなど）が報道目的以外の犯罪捜査・刑事裁判の証拠として用いられると、取材対象者との信頼関係を破壊し、将来の取材活動・報道に悪影響を及ぼすおそれが高い。そこから、取材の自由の一内容として取材資料の提出・押収拒否が認められるべきことになり、提出・押収が認められるのは公正な裁判の実現のため真に必要不可欠な場合に限られなければならない。最高裁は、博多駅取材

フィルム提出命令事件において、公正な裁判の実現という憲法上の要請から取材の自由の制約がありうるとしたうえで、裁判所による放送フィルム提出命令によって報道機関が蒙る不利益は「将来の取材の自由が妨げられるおそれがあるというにとどまる」として、比較衡量の結果提出命令の合憲性を認め（前掲最大決1969・11・26→(2)・386頁）、さらにこの趣旨を捜査機関（検察・警察）による取材ビデオテープの差押・押収にまで及ぼした（最決1989・1・30〔日本テレビ事件〕、最決1990・7・9〔TBS事件〕）。取材の自由に及ぼす不利益を過小評価するばかりか、裁判所と捜査機関の差異に無頓着とのそしりは免れまい。

> **＊取材源秘匿**
> 　取材源秘匿の可否についても、取材源開示によって将来の取材活動・報道に悪影響を及ぼすおそれに配慮する必要がある。最高裁は、刑事訴訟における取材源秘匿（刑訴149条参照）については否定しつつ（前掲最大判1952・8・6〔石井記者事件〕）、民事訴訟については報道関係者の取材源の秘密は「職業の秘密」（民訴197条1項3号）に含まれるとしたうえで、当該秘密が保護に値するか否かを比較衡量によって判断するとしている（最決2006・10・3〔NHK取材源秘匿事件〕）。刑事訴訟については被告人の権利保障をふまえる必要があるが（37条2項〔→第5章4節4・471頁〕参照）、被告人の冤罪を防ぐため取材源の特定が必要不可欠と認められるような場合のほかは、原則として取材源秘匿を認めるべきであろう。

　　iv）　アクセス権・反論権
　このように受け手の権利をふまえたかたちで表現の自由保障がとらえられるようになった問題状況を反映して、マス・メディアによる一方的な情報の提供という状況を変革し、市民を情報の受け手から送り手へと復権させるため、市民がマス・メディアに対して自らの意見・主張を発表する場を提供するよう求める権利（アクセス権）の主張が登場することになった。アクセス権の具体的内容としては、意見広告の掲載を求める権利と反論権（マス・メディアで自己の名誉等につき批判・攻撃されたときに、反論文の掲載や反論の機会を提供するよう求める権利）とが考えられてきた。
　しかし、こうしたアクセス権が表現の自由の一部として保障されるかについては、消極的な見解が一般的である。公権力による表現活動への干渉

を排除することを本来の内容とする憲法の表現の自由保障から、多くは私企業であるマス・メディアに対して自らが望む情報の提供を求める権利を導き出すことは、要求の内容も相手方も異なるために困難がある。また、アクセス権を具体化する立法についても、公権力によって特定の表現内容をマス・メディアに強制することにつながり、かえってマス・メディアの自由に対する重大な脅威となりかねない。最高裁は、21条から直接反論文掲載請求権を承認することはできず、反論権の制度が「表現の自由を間接的に侵す危険につながるおそれ」もあり、具体的な成文法なしでは反論文掲載請求権は認められないとして、政党による無料での反論文掲載請求を斥けた（最判1987・4・24〔サンケイ新聞事件〕）。また、訂正放送（放送法4条〔現9条〕）についても、放送の自律性の理念から国民全体に対する公法上の義務として定めたものであって、訂正放送等を求める私法上の請求権を被害者に認めるものではないとしている（最判2004・11・25）。

3　表現の自由の制約

(1)　表現の自由規制の類型

　表現の自由が社会における他者とのかかわり・交わりに直接にかかわる権利であることからすれば、表現行為に由来して他者の権利（たとえば名誉、プライバシー）が害されたり、他者の権利行使との調整が必要になる場合（たとえば集会のための会場利用の競合）には、必要最小限度の制約を受けることがありうる。そこで、表現の自由の制約がいかなる場合に憲法上許容されるか、それをいかなる基準で判断するかが重要な問題となるが、それを考えるためには規制の主な類型について理解する必要がある。

　　ⅰ）　事前抑制と事後規制

　まず、表現規制が行われる時点に着目し、表現行為が行われる前の規制である**事前抑制**と表現行為後の規制である事後規制とが区別できる。事前抑制の典型は、検閲（→ⅲ）・395頁）や出版の事前差止め（→4⑶・414頁）、集会の許可制（→5⑵・420頁）であるが、これらは、特定の表現を公権力が選別することによって、受け手がその表現に接し、判断する機会自体を奪うものであり（こうした配慮からは、表現行為自体の抑制だけでなく、発表後に表現の受領が抑制されることも事前抑制に含める必要がある）、しかも事

前抑制は事後規制に比べて恣意的・広範囲になりやすく、それによる損害は後からでは回復しがたい致命的なものともなりうる。したがって、事前抑制についてはとくに警戒が必要であり、原則禁止としたうえで、許容される場合がありうるとしてもきわめて限定的に考えなければならない。

他方、すでに行われた表現行為について刑事罰や損害賠償責任が問われるなどの事後規制についても、表現行為が実質的な害悪をもたらす場合にあくまで例外として必要最小限度の制約が認められるにとどまる。

ⅱ) 内容に基づく規制と内容中立規制

つぎに、規制の対象に着目した類型として、表現の内容に基づく規制（内容規制）と表現内容にはかかわりのない時・場所・態様（手段）に着目した規制（内容中立規制）との区分がある。前者は、表現内容自体が有する害悪のゆえに当該表現を規制するものであり、特定の政治的見解を表明する表現（→4(1)・403頁）や性的な内容を含む表現（→4(2)・411頁）の規制などがそれにあたる。一方、内容中立規制は、表現の時・場所・態様から生ずる害悪に着目して規制するものであり、別の時・場所・態様であれば同内容の表現は自由であるとされる（表現規制を目的としない規制が表現を規制する結果をもたらす付随的規制〔→第2節2(2)・368頁〕もこれに含まれるとされる）。表現の自由保障にとっては、公権力が思想内容に立ち入る内容規制の方が一般により危険な規制であり、この区分はしばしば違憲審査基準の区別とも結びつけられるが（→(2)ⅳ)・399頁）、具体的な問題の検討にあたっては規制の真のねらい・それがもたらす現実的な効果にまで配慮することが求められる。

ⅲ) 検閲

国家権力による事前の表現内容審査と発表禁止を中核的な要素とする検閲は、歴史的にもきわめて強力な表現規制として用いられ、表現の自由保障も検閲との対抗のなかから確立してきた。戦前の日本でも検閲はその猛威をいかんなく発揮したため（→1(1)・384頁）、憲法は21条2項において明文で検閲を禁止している。

歴史的には検閲は表現の事前審査を中核的な要素としてきたが、そうすると検閲と事前抑制との異同が問題となる。事前抑制一般と検閲とを厳密に区別せず、許容される場合を厳格な要件のもと判断しようとする説（芦部信喜）もあるが、現在では、事前抑制は1項により原則的に禁止される

が名誉やプライバシー保護のため例外的に許容されうるとする一方、2項の存在からも検閲は例外なく絶対的に禁止されるとする説が有力である。

　後者の説からすると、絶対的に禁止される検閲の定義が問題となる。伝統的な学説では「公権力が外に発表されるべき思想の内容をあらかじめ審査し、不適当と認めるときは、その発表を禁止すること」(宮沢俊義)と定義されていたが、現在では以下の点に留意が必要である。まず、検閲の主体は、歴史的には行政権が中心であったが、行政権に限らず公権力による審査の具体的態様（私人の申立てに基づくか、いかなる手続によるか等）を考慮しつつ判断する必要がある。つぎに審査の対象については、思想内容だけでなく事実の記述や誤字などを含む表現内容全般と理解すべきである。また、表現の受け手への到達前の措置（出版物の流通過程における差止めなど）は発表禁止と同等の効果をもつし、審査対象となること自体萎縮効果をもちうることにも配慮が求められる。

　最高裁は、税関検査事件（最大判1984・12・12）において、検閲は公共の福祉による例外も認められない絶対的禁止であると明言したうえで、検閲を「行政権が主体となつて、思想内容等の表現物を対象とし、その全部又は一部の発表の禁止を目的として、対象とされる一定の表現物につき網羅的一般的に、発表前にその内容を審査した上、不適当と認めるものの発表を禁止することを、その特質として備えるもの」と定義した。この定義は一見厳密ではあるが、これに該当するものは事実上存在しないほどきわめて限定的であり、せっかく絶対的に禁止されるとした趣旨にかえって反するものとなっている。さらに、税関の検査に基づく「風俗を害すべき書籍、図画」（関税定率法21条1項3号〔現関税法69条の11第1項7号〕）の輸入禁止は、国外で発表済みの表現物が輸入禁止されても発表の機会は全面的には奪われず、税関の検査は関税徴収手続の一環であって思想内容等の網羅的審査を目的としないなどの理由から、検閲にも違憲の事前抑制にも該当しないとした。この「水際阻止」論については、国外で発表済みであることを検閲該当性を否定する根拠とすることに無理があり、しかもインターネットを通じて露骨な性的描写を含む表現物に容易にアクセスできる現在では、この主張が成り立つ基盤はますます乏しくなってきている。

＊教科書訴訟（家永訴訟）
　このほか検閲該当性が争われた例としては、戦後の大きな憲法裁判の一つである教科書訴訟（家永訴訟）がある。これは、高校用教科書として執筆された『新日本史』が学校教育法に基づく検定（同34条・49条・62条等）に不合格とされたので、著者（家永三郎）が処分取消・損害賠償を求めた一連の訴訟である（→第6章1節3(3)・487頁）。下級審では、検定制度自体は合憲としつつ、本件検定が思想内容に及んだとする違憲判断があるが（東京地判1970・7・17〔第2次訴訟杉本判決〕）、最高裁は、前掲税関検査事件における検閲の定義を引きつつ、検定不合格となっても一般図書としての出版は妨げられず、発表禁止目的や発表前の審査などの特質がないから検閲には該当しないとした（最判1993・3・16〔第1次訴訟上告審〕）。教科書として使用するために執筆された図書が、検定不合格の場合には一般図書として出版できるからといって検閲に該当しないとは言い難い。なお、検定制度については、恣意的な運用実態も問題となりえ、最高裁も検定時の個別の処分（意見）を違法と判断した例がある（最判1997・8・29〔第3次訴訟上告審〕）。

(2) 違憲審査の枠組みと審査基準

　表現の自由の実質的保障のためには、裁判所による違憲審査が厳格に行われなければならず、表現規制の類型・特質に十分配慮しつつ、そこで用いられる厳格な審査基準の具体化とその適切な運用が求められる（→1(2)・384頁）。

　　ⅰ）　最高裁判例の動向

　憲法施行直後から最高裁は、他の権利・自由と同じく表現の自由も公共の福祉によって当然制限されるとし（最大判1949・5・18、最大決1951・4・4など→第2部3章2節3(4)・300頁）、ごく簡単に表現の自由規制立法を合憲と判断してきた（こうした判断手法の集大成ともいうべきものが、『チャタレー夫人の恋人』事件〔最大判1957・3・13〕である→4(2)・411頁）。

　しかし、こうした判断手法には学説からの批判も強く、1960年代以降、最高裁もそれなりに事案に即した丁寧な判断と一定の準則化を図るようになる（たとえば猿払事件〔最大判1974・11・6→4(1)・403頁〕における「合理的関連性の基準」）。これらは、形式的・観念的公共の福祉論と比べれば考慮要素の明確化を図ってはいるものの、具体的適用にあたっては表現の自由の価値に十分配慮せず、かえって一見より精緻な理由づけで合憲判断を正当化することになった。

そして最高裁は、一般論としては二重の基準論を採用するかのような言い回しを時折みせつつ（最大判1975・4・30〔薬事法違憲判決〕→第4章1節6・444頁、最判1995・3・7〔泉佐野市民会館事件〕→5(2)・420頁）、近年では合憲性判断の手法として比較衡量論を一般的に採用している（最大判1992・7・1〔成田新法事件→5(1)・419頁、(2)ⅱ・420頁〕、前掲泉佐野市民会館事件など）。ここには、基準の定立による裁判所の判断過程の拘束を嫌い、比較衡量という枠組みのなかでの柔軟な判断を確保するという志向があらわれている。一方で、最高裁はなお公共の福祉による説明も維持しており（最判1990・9・28〔破防法事件〕→4(1)ⅴ・409頁、最判2008・4・11〔立川テント村事件〕→4(1)ⅱ・404頁など）、本来求められるはずの厳格な基準はいまだ具体化されていない。しかも、最高裁が表現の自由規制を違憲と判断した例はなく、こうした態度には大きな問題がある。

ⅱ）　学説の動向と基本的考え方

一方で学説の側からは、こうした最高裁の態度を批判しつつ、より厳格な基準が提示されてきた。初期には、アメリカの判例理論である「明白かつ現在の危険」（clear and present danger）基準が紹介され、日本にも導入すべきと主張された。

> ＊この基準は、もともとは言論が重大な害悪を発生させる蓋然性が明白であり、かつその害悪発生が差し迫っている場合にのみ処罰可能とする事実認定・法令適用の基準であったが、1940年代には言論規制法令の合憲性判定基準として用いられるようになった。日本の最高裁判決でも類似した言い回しはみられたが（最大判1954・11・24〔新潟県公安条例事件〕→5(2)ⅲ・422頁）、これによる違憲判断はなく、また、アメリカでもこの基準は1950年代の冷戦下で比較衡量論に取って代わられた。

1960年代以降は、アメリカ判例理論を体系的に摂取し、より精緻な審査基準の提示とそれによる裁判官の判断過程の明確化を求めて、芦部信喜らを中心に憲法訴訟論・違憲審査基準論の本格的導入が試みられた（→第2部3章2節3(4)ⅰ・301頁）。表現の自由に関しても、二重の基準論・優越的地位を前提としつつ、表現活動の性質や規制の態様等を考慮してきめ細かく厳格な審査基準を設定すべきことが主張された。現在では、法科大学院設置の影響もあって、従来の違憲審査基準論の再検討が精力的に取り組

まれているが（→第2部3章2節3(4)ⅱ・303頁）、判断過程・考慮要素の明確化による厳格な審査の確保とそれを通した表現の自由の実効的な保障はなお課題である。

ⅲ）文面審査

表現の自由の優越的地位と萎縮効果への配慮（→1(2)・384頁）からすれば、表現規制の合憲性判断に際しては、まず規制立法の文面自体に着目した審査（文面審査）が求められる。とりわけ、規制立法の文言が不明確であって何が規制対象となるかが明らかでない場合には、萎縮効果が生ずるおそれがきわめて高く、それだけで違憲とされなければならない（**明確性の理論**ないし漠然性ゆえに無効の法理。刑事罰をともなう場合は31条の要請でもある→第5章2節2(2)・463頁）。また、文言は一応明確であっても規制対象が過度に広汎である場合には、濫用の危険が高く、表現の自由に対する脅威となるためこれも許されない（過度の広汎性ゆえに無効の法理）。

最高裁も、刑罰法規についての明確性の要請のみならず（最大判1975・9・10〔徳島市公安条例事件〕→5(2)ⅲ・422頁）、表現規制立法についても明確性が要求されることを認めている（前掲税関検査事件→3(1)ⅲ・395頁）。しかし、最高裁は、不明確性・過度の広汎性が疑われる法令につき「通常の判断能力を有する一般人の理解」を基準として合憲限定解釈が可能である場合には、それにより違憲判断を回避できるとして、問題とされた法令をいずれも合憲と判断した（税関検査事件多数意見は「風俗を害すべき書籍、図画」という文言をわいせつな表現物を意味すると限定解釈したが、4裁判官の反対意見がある）。合憲限定解釈という手法自体は必ずしも否定すべきでないとしても（→第2部3章2節3(2)ⅰ・297頁）、萎縮効果の除去という要請からすれば、安直な限定解釈の採用は許されない。最高裁は、広島市暴走族追放条例事件（最判2007・9・18）においても、条例の全体の趣旨に照らせば条例の規制対象は本来的意味の暴走族に加え社会通念上これと同視できる集団に限られるとして、過度の広汎性ゆえ無効の主張を斥けているが、条例の文言上かなり無理のある解釈である（2裁判官の反対意見がある）。

ⅳ）表現内容に基づく規制・内容中立規制二分論

表現内容規制と表現内容中立規制の区分（→(1)ⅱ・395頁）を前提として、それぞれに異なった審査基準を用いるべきとされることがある（**表現

内容に基づく規制・内容中立規制二分論)。これによれば、内容規制は、公権力が特定の表現内容を選び出し、それに他者が触れる機会そのものを制約するものであって、表現の自由に与える脅威がとりわけ高いため、きわめて厳格な基準を用いて規制の合憲性が判断されなければならない。具体的には、「明白かつ現在の危険」基準や、規制がやむにやまれぬほど必要不可欠な政府利益を実現するため必要最小限度のものでないかぎり許されないとする「やむにやまれぬ政府利益」基準によるべきとされる。なお、性表現(→4(2)・411頁)や名誉毀損的表現(→4(3)・414頁、第6章3節3・520頁)の規制については、あらかじめ表現規制の根拠となる保護法益(規制利益)と表現の自由の価値とを衡量したうえで、保護されない類型の表現を限定的に設定する手法(「定義づけ衡量」)が用いられるべきとされる(具体的事案が当該定義に該当するかを判断する)。

これに対し、内容中立規制は、公権力が特定の表現内容を選別しているわけではないため、内容規制ほど厳格に審査しなくともよいとされる。したがって、ここでは、表現内容とは直接かかわらない十分重要な規制目的を達成するために表現の自由を規制する度合いのより少ない他の規制手段が存在しないかを審査する「より制限的でない他の選びうる手段」(LRA)の基準や、重要な政府利益達成のための必要最小限度の規制であって他に十分な表現を行う代替的な機会が残されていなければならないとする「厳格な合理性の基準」のような中間的な厳格度の基準を用いるべきとされる。

この二分論は、規制の特質に照らしてきめ細かく基準を設定するものであり、内容中立規制については、優越的地位をふまえつつも審査の厳格度をある程度緩和しうるとする点にポイントがある。もっとも、最高裁は、二分論を明示的に採用しているわけではないものの、しばしば手段規制ととらえてごくあっさりと合憲と判断しており(→4・403頁)、二分論の考え方は必ずしもこれに対する歯止めにならない。また、内容規制と内容中立規制との区分は現実には困難な場合もあること、内容中立規制といえども表現の制約効果は内容規制と同様であること、さらに内容中立規制を装って実質的には特定内容の表現が狙い撃ち的に規制されるおそれもあることなどから、二分論を批判し、内容規制・内容中立規制ともに厳格な審査基準が用いられるべきとする学説も有力である。二分論の採否にかかわらず、具体的事例の検討にあたっては、規制の(しばしば隠された)ねらい

とそれが表現活動にもたらす効果を実態に即して厳しく吟味しなければならない。

(3) 政府言論／公権力による給付

　以上は、公権力が私人の表現活動を規制（禁止・制限）する場面を念頭におくものであるが、現代において公権力が表現活動にかかわるのは、こうした場面にはかぎられない。第1に、政府（国・地方自治体）自らが表現主体となって、政府公報・各種白書などの刊行物、マス・メディアでの広告、記者会見等を通して、各種の情報を提供するだけでなく自らの政策の正当性を主張している。こうした政府言論と呼ばれる活動は、一面においては、公権力が国民の知る権利に応え、国民に対する責任を果たすために必要なものである。しかし、他面においては、情報の取捨選択・操作を通して、国民に十分な判断材料を与えないまま特定方向に誘導する危険性もつきまとう（政府言論の受け手が「とらわれの聴衆」〔→第1節2(2)・355頁〕の状況にあるときにはとくにその危険が大きい）。したがって、政府が表現主体となること自体は禁止されないものの（政府が表現の自由保障を受けるわけではない）、それは常に批判に開かれている必要があり、かつこの観点からも情報公開制度（→2(3)ⅱ・390頁）が重要となろう。

　第2に、公権力が私人の表現活動に対して資金・施設等の給付（援助・助成）を行うことによって、間接的に表現活動にかかわる場合がある。ここでは、あらゆる表現活動に対して給付を行うことは現実にも不可能であり、給付対象の選択は避けられないが、それを通して公権力にとって都合のよい表現が優遇され、思想の自由市場が歪められる危険がある。表現活動への給付を公権力に求める権利が21条から導かれるわけではないにせよ、具体的な給付の可否の判断に際しては恣意的な差別とならないような仕組みが求められるし、いったんなされた給付の取消し・撤回は、受け手の権利の観点からも無制限には行えないと考えられる。とりわけ、芸術・文化の領域のように給付対象の選択に際し専門職の判断が介在するときには、その専門知識に基づく判断が原則として尊重されるべきであろう。

＊裁判例としては、公立美術館が購入・展示していた昭和天皇の肖像を用いたコラージュ作品について、非公開・廃棄を求める抗議行動があったことから美

術館が他に譲渡し、図録を焼却したことが問題とされた事件で、芸術家は美術館による購入等を求める憲法上の権利を有さず、閲覧等の拒否には「正当な理由」（地自244条2項）があったとしたものがある（名古屋高金沢支判2000・2・16〔天皇コラージュ事件〕）。また、最高裁は、特定図書の内容に対する否定的評価・反感から公立図書館の司書が当該図書を廃棄処分としたことが争われた事件において、公立図書館は住民に資料を提供してその教養を高めること等を目的とし、図書の著作者にとってはその思想・意見等を公衆に伝達する公的な場でもあるとして、本件図書の廃棄は図書館職員としての基本的な職務上の義務に反するとした（最判2005・7・14〔船橋市立図書館事件〕）。さらに、市が設置・管理する公園の使用許可には市の後援等を受けることを要するという仕組みのもと、市の後援のない集会のための公園使用の不許可処分を違法とした事例（大阪高判2017・7・14〔松原市中央公園事件〕）、集団的自衛権行使容認に反対するデモの情景を詠み、秀句として選出された俳句「梅雨空に『九条守れ』の女性デモ」が市立公民館の発行する「公民館だより」に掲載されなかったことが争われた事件で、原告の思想・信条に基づく不公正な取扱いであったとして損害賠償が認められたものがある（東京高判2018・5・18）。

コラム
あいちトリエンナーレ事件

　国際芸術祭「あいちトリエンナーレ2019」（実行委員会会長は愛知県知事）の企画展の一つである「表現の不自由展・その後」は、国内の美術館等で展示が認められなかった作品を集めたものであった。展示作品のうち、とくに「平和の少女像」（日本政府は「慰安婦像」と呼んでいる）や天皇の肖像を燃やす箇所を含む映像作品に対して、名古屋市長（実行委員会会長代行）が同企画展の中止を含む対応を求めたり、電話等による多数の抗議や襲撃予告があったことを受けて、開会後3日で同企画展の展示が中止され（同企画展以外の展示は継続された）、会期末の1週間のみ同企画展の展示が再開された。また、こうした経緯を受け、文化庁は、すでに交付を決定していた「あいちトリエンナーレ2019」全体への補助金全額（約7800万円）を不交付とした。この不交付は、展示内容への否定的評価がもとになっている疑いが濃く、補助金交付決定に関与した審査委員の意見を聴かずに決定されているなど問題が多い（のち、減額の上交付されることになった）。この種の問題については、公金を投入するのであれば政治的中立性を確保すべきと主張されることもあるが、芸術作品を含む特定の表現が物議を醸したり、一部の者に強い不快感を与える可能性をもつとしても、それだけでは助成を拒否する理由とはならない。公権力による表現への助成は、そこに含まれるメッセージを公権力が支持することをただちに

は意味せず、多様な諸価値の存在を示し、開かれた議論の対象とするという意義をもちうる。助成の許否が恣意的・差別的に行われていないか、さらに助成の拒否・撤回がその表現に接し、当否を問う機会自体を損なうことにならないかの吟味が必要である。

4 表現の自由をめぐる具体的問題

(1) 政治的表現

ⅰ) 基本的視点

政治的表現の十分な保障は、憲法が想定する民主政が機能するうえで不可欠の前提条件であり、表現の自由保障のひとつの核心である（→1・380頁）。したがって、とくに政治的少数派が権力担当者・政策を批判する表現は十分保障されなければならないが、一方でこの種の表現は権力担当者にとっては都合の悪いものであり、それゆえに制約を受けやすい。こうした政治的表現の制約は、主張内容に基づく規制という露骨な形態よりも、時・場所・手段に関する内容中立的な規制のかたちをとることが多いが、内容中立規制の形式をとっていても実際には特定内容・特定主体の表現をその主張のゆえに狙い撃ちする規制である危険性が高く、規制の具体的態様やインパクトを慎重に考慮した厳格な審査が求められる。

また、現代においては、表現活動にかかわる個人や結社（とくに時の政権・政策に批判的なもの）が広く公権力による監視対象とされている（仙台高判2016・2・2〔自衛隊情報保全隊事件〕参照）。こうした監視については、プライバシー権侵害（→第6章3節2・516頁）にとどまらず、政治的表現に対する萎縮効果（→1(2)・384頁）、さらに監視されているという意識が少数意見をもつこと自体を抑止するという効果（同調効果）が問題とされており、刑事罰にいたらない段階であっても政治的表現の実質的抑止をもたらしていないか十分な警戒が求められる。

＊中部電力子会社による風力発電事業計画に関連して勉強会を開催した私人につき、大垣警察が収集・保有していた過去の市民運動歴等の個人情報を同社に複数回にわたり提供した事件において、裁判所は、これらの情報は思想信条に関連するものでプライバシーに関する情報のなかでも要保護性が高く、大垣警

察が必要性もないのに積極的、意図的、継続的に同社に提供したのは悪質として、国家賠償を認めた（岐阜地判2022・2・21〔大垣警察市民監視事件〕）。判決は、警察による個人情報提供の目的がこれらの私人が風力発電事業に反対する市民運動を展開する可能性の有無を把握することにあったと認定しており、表現活動の抑止につながる公権力の活動に一定の歯止めをかけたが、個人情報収集については違法とまではいえないとしており、立法的対応も含め、公権力による監視の実効的な統制には課題を残していよう。

ⅱ）ビラ・ポスターの配布・掲示

ビラやポスターの配布・掲示は、街頭での演説などと並ぶ伝統的な表現手段であり、インターネットが普及した現在でもなお大きな意義をもつ（→2(2)ⅲ・388頁）。ビラ・ポスターの配布・掲示規制の合憲性を考える際には、配布・掲示が行われる場の性質も十分考慮する必要がある（→2(2)ⅳ・389頁）。

道路交通法77条1項4号および公安委員会規則によって、道路における演説・ビラ配布・デモ行進等は警察署長の許可を受けなければならないとされているが（→5(2)・420頁）、最高裁は、道路での演説は「場合によっては」道路交通の妨害となり、公共の安全を害する「おそれがないでもないから」、無許可での街頭演説を処罰することは公共の福祉のため必要であり、21条に違反しないとした（最判1960・3・3）。この程度の理由づけで表現行為の処罰が肯定されては、憲法が表現の自由を保障した意義はまったく没却されてしまう（東京地判1965・1・23参照）。

最高裁はビラ配布・ビラ貼りの規制をしばしば表現の手段規制と位置づけている。駅構内で駅係員の許諾なく行われたビラ配布・演説が鉄道営業法35条等違反に問われた事件においては、「たとえ思想を外部に発表するための手段であつても、その手段が他人の財産権、管理権を不当に害するごときものは許されない」と述べ、公共の福祉のための必要かつ合理的な制約として処罰を合憲と判断した（最判1984・12・18〔吉祥寺駅事件〕）。また、電柱等へのビラ貼りについても、屋外広告物法3条および都道府県の屋外広告物条例（同法29条参照）については都市の美観風致を維持するための規制として（最大判1968・12・18〔大阪市屋外広告物条例事件〕、最判1987・3・3〔大分県屋外広告物条例事件〕）、軽犯罪法1条33号前段については他人の財産権・管理権を不当に害する表現手段は許されないとして

(最大判1970・6・17〔愛知原水協事件〕)、いずれも公共の福祉のための必要かつ合理的な制約とした。吉祥寺駅事件・大分県屋外広告物条例事件には、「一般公衆が自由に出入りすることのできる場所」がパブリック・フォーラム(→2⑵iv・389頁)としての性質をももつときには表現の自由と所有権・管理権とを具体的状況のもとで衡量すべきとする伊藤補足意見が付されているが、多数意見は、表現手段の制約と位置づけたうえで財産権・管理権を一方的に優位においている。

　従来ビラ配布等が問題とされた事案は、道路等一般に開かれた場所におけるものであったが、2004年以降集合住宅におけるビラの戸別配布とそのための敷地・廊下等共用部分への立入りが住居侵入罪(刑130条)に問われる事案が生じている。最高裁は、自衛隊イラク派遣に反対する趣旨のビラを自衛隊官舎のドアポストに配布するための敷地・共用部分への立入りは、管理権者の意思に反し、管理権者の管理権・そこで私的生活を営む者の私生活の静穏を侵害するものとして刑法130条前段の適用を合憲とした(最判2008・4・11〔立川テント村事件〕)。さらに、民間分譲マンションのドアポストへの政党機関紙配布のための立入りについても、ほとんど同文で合憲とした(最判2009・11・30〔葛飾事件〕)。ここでも一方的に財産権・管理権を優位におく発想が顕著であるが、ビラ配布・立入りの具体的態様や敷地・共用部分の利用実態などを慎重に考慮しなければならない。

> ＊両事件の地裁判決は、政治的表現としての性質・共用部分の性質を具体的に検討して無罪としていた(東京地八王子支判2004・12・16、東京地判2006・8・28)。とくに立川テント村事件においては、自衛隊部隊のイラク派遣直前に自衛隊員とその家族に向けてビラが配布されたことが摘発の動機であったと推認でき、ビラの内容ゆえに狙い撃ちされた可能性がきわめて高い。

　最高裁はその後も、都立高校卒業式の開式直前に元教諭が会場の体育館でビラを配布し、国歌斉唱時の着席を呼びかけた行為等を威力業務妨害罪(刑234条)により処罰することは憲法に違反しないと簡単に判断している(最判2011・7・7〔板橋高校事件〕。パブリック・フォーラム論に言及する宮川補足意見がある)。ビラ配布等が政治的表現としての性格をもつ以上、手段規制として簡単に合憲とするのではなく、ビラ配布とビラ貼りとの差異やビラ貼りの場所等具体的状況を丁寧に検討して必要最小限度の規制にと

どまっているかを厳密に判断することこそ、最高裁には求められているはずである。

　iii） 公務員の政治活動の自由

　国家公務員法102条1項は「政党又は政治的目的のため」人事院規則で定める「政治的行為」を禁止しており（罰則は111条の2第2号）、これを受けた人事院規則14-7はきわめて包括的に禁止対象行為を定めている（→第2部2章4節2(2)ii）(イ)・217頁）。これは占領下の1948年に官公庁労働組合による政治運動が活発化するなか、GHQの強力な指示に基づき、公務員の政治活動をほぼ全面禁止する当時のアメリカの連邦法をモデルとして導入されたものであり（→第1部3章3節1(2)・54頁）、1950年制定の地方公務員法36条が制限される政治的行為を法文上限定し、かつ罰則をおいていないことと対比してもきわめて特異な規定である。

＊このほか、公職選挙法上の制限として公務員の立候補制限（公選89条）、特定公務員の選挙運動禁止（同136条）、地位利用による選挙運動禁止（同136条の2）、教育者の地位利用の選挙運動禁止（同137条）があり、憲法改正手続法（→第1部6章3節1(2)・134頁）は、公務員の政治的行為の制限に関する特例として公務員による国民投票運動および憲法改正に関する意見の表明を認めつつ（憲法改正手続法100条の2）、公職選挙法上の制限に類する規定をおく（同101～103条）。また、裁判官については積極的な政治運動が禁止されている（裁52条1号→第2部3章1節4(2)・287頁）。

　21条に基づき公務員にも政治活動の自由は保障される。公務員であるがゆえの最小限度の制約はありうるとしても（→第1章4節2(2)・330頁）、国公法のような職階・職務内容との関連等を一切問わない包括的な政治的行為の禁止は過度に広汎な規制であり、違憲の疑いが指摘されてきた。(民営化前の）郵便局員が衆議院総選挙用のポスターを掲示・配布したことが国公法違反に問われた猿払事件において、下級審は、機械的労務に携わる現業国家公務員が、勤務時間外に国の施設を利用せず、職務を利用することもなく行った行為にまで罰則を適用することは必要最小限度の規制とはいえないとして無罪とした（旭川地判1968・3・25、札幌高判1969・6・24→第2部3章2節3(2)ii・298頁）。しかし最高裁は、公務員の政治的中立性を損なうおそれのある公務員の政治的行為の禁止が合理的で必要やむを

えない限度にとどまるかどうかを、①政治的行為禁止の目的、②この目的と禁止される政治的行為との関連性、③政治的行為を禁止することにより得られる利益と禁止することにより失われる利益との均衡の3点から検討するという判断枠組み（「合理的関連性の基準」）を設定し、行政の中立的運営とこれに対する国民の信頼の確保という規制目的は正当であり、この目的と政治的行為の禁止との間には合理的関連性があり、禁止によって得られる利益と失われる利益との均衡を失するものでもないとして、国公法による政治的行為禁止を全面的に合憲とした（最大判1974・11・6）。この判断については、具体的行為の態様や「行政の中立的運営」を損なう程度等をまったく問わない点、国公法による禁止は「意見表明そのもの」の制約ではなく「行動のもたらす弊害の防止」に伴う意見表明への「間接的、付随的制約」にとどまると評価している点に批判が集中している。とくに後者については、国家公務員による意見表明の内容が行政の中立的運営を害するとされる以上、「意見表明そのもの」の内容に基づく制約とみるべきであろう。そうすると国公法の規定自体過度に広汎であり違憲とするか、少なくとも具体的行為への適用は違憲とすべきものである。

　こうした批判を意識してか、猿払判決以降約30年間国家公務員法102条違反で摘発・起訴される事例はなかったが、近年勤務時間外の休日に政党機関紙等を集合住宅の集合ポストに配布した行為が同条違反に問われる事案が生じている。このうち堀越事件控訴審判決（東京高判2010・3・29）は、「国民の法意識」の変化をも考慮して、猿払判決の現時点での妥当性に疑問を呈しつつ（結論としては同条を合憲としている）、本件行為によって同条の保護法益（行政の中立的運営およびそれに対する国民の信頼の確保）が侵害される危険性を否定して無罪と判断した。最高裁は、同条の禁止する「政治的行為」とは、「公務員の職の遂行の政治的中立性を損なうおそれが、観念的なものにとどまらず、現実的に起こり得るものとして実質的に認められるもの」を指すと限定的に解釈したうえで、比較衡量によって同法の罰則規定を合憲としたが、堀越事件については構成要件に該当しないとして無罪判決を維持した（最判2012・12・7。同日の世田谷事件判決では有罪を維持）。この最高裁の判断には、猿払判決との整合性（実質的には判例変更ではないか）や合憲限定解釈という手法（→第2部3章2節3(2) i ）・297頁）との関係など（千葉補足意見参照）、精査すべき多くの論点が

ある。

　ⅳ）選挙運動の自由

　国民主権原理からは、主権者国民が選挙権を行使して代表者を選出する選挙という場面（→第2部2章3節3・182頁）において政治的表現・政治活動が活発に行われることが不可欠である。もちろん、政治的表現・政治活動の自由を選挙の場面に限定する必要はなく、選挙運動は候補者とその支援者のみによって行われるものでもないが、選挙に際しては常にも増してこれらの自由が保障されなければならない。ところが、公職選挙法は、選挙運動期間（公選129条）中の選挙運動について各種の厳しい規制を設けている（「べからず選挙法」とも呼ばれる）。代表的なものは、戸別訪問の禁止（同138条・239条1項3号）、法定外文書図画の頒布・掲示の禁止（同142〜143条・146条・243条1項3号・4号・5号）、事前運動の禁止（同129条・239条1項1号）であるが、これらが選挙運動の自由、ひいては政治活動の自由一般に対する制限として憲法に違反しないかが大きな問題となる。

＊戸別訪問禁止が1925年の普通選挙制導入（→第1部3章1節3(1)・45頁）と同時に規定されたことに象徴されるように、これらの規制は大日本帝国憲法下に起源をもつ。

　とりわけ、「選挙に関し、投票を得若しくは得しめ又は得しめない目的」での戸別訪問を全面的に禁止する公職選挙法138条1項は、候補者・支持者と有権者とが直接対面して意見交換をする機会そのものを制約し、有権者が判断材料を得る機会をも大きく損なうものであって違憲の疑いが強い。最高裁は、最初期の判決で選挙運動としての戸別訪問は「種々の弊害」をともない、21条にも「公共の福祉のためにその時、所、方法等につき合理的制限のおのずから存する」ので、選挙の公正を期するための戸別訪問禁止は憲法に違反しないと判断した（最大判1950・9・27）。後の判決では、「種々の弊害」の内容として買収・利害誘導等不正行為の温床となりやすいこと、有権者の私生活の平穏を害すること、候補者にとっても煩瑣であることが挙げられ（最判1968・11・1）、合憲判断が確認されている（最大判1969・4・23）。しかし、こうした公共の福祉論による簡単な合憲判断には違憲審査の手法としても批判が強く、「種々の弊害」が戸別訪問に必然

的にともなうものか、戸別訪問の全面禁止を正当化しうるものかについて強い疑問が出され、下級審では全面禁止を違憲とする判決も現れた（広島高松江支判1980・4・28など）。

　このような批判に応えるかたちで、1980年代に入ると最高裁の合憲判断にも理由づけの変化がみられるようになる。まず、「種々の弊害」防止は戸別訪問禁止の目的として正当としたうえで、猿払判決（→ⅲ・405頁）流の「合理的関連性の基準」を用いて、戸別訪問禁止によって失われる利益は戸別訪問という手段方法の禁止にともなう意見表明の自由の「間接的、付随的な制約にすぎない」とされ、戸別訪問のもたらす弊害の防止による選挙の自由・公正の確保との比較衡量の結果、合憲とされた（最判1981・6・15）。さらに、同年の別判決に付された伊藤補足意見は、従来の合憲論の理由づけは必ずしも十分ではないとしつつ、選挙に関するルールの内容は47条によって広い立法裁量に委ねられ、戸別訪問禁止も立法裁量の範囲内とする「ゲームのルール」論を提示した（最判1981・7・21。最判1984・2・21伊藤補足意見も同旨）。これらの新たな理由づけは、緩やかな基準を用いて合憲とするものであるが、前者については、選挙運動としての戸別訪問禁止は表現内容規制とみるべきであるし、後者についても、そもそも47条から広い立法裁量を導くことに疑義があり、立法裁量を認めるとしても当然に憲法による制約がある。そうするとこれらの新たな理由づけも全面禁止を正当化しうるものではなく、結局公職選挙法138条は違憲というべきである。

　　＊最高裁は、1950年判決を引いて、法定外文書図画頒布・掲示の禁止、事前運動禁止についても簡単に合憲と判断している（最大判1955・4・6、最大判1955・3・30、最大判1964・11・18、最大判1969・4・23など）。これらについては候補者間の資金力の差による不公平を是正し、選挙運動を公平化・実質化するために必要であるという理由が挙げられることが多いが、選挙資金の制限でなく文書制限の理由として十分であるか、日常的な政治活動と選挙の事前運動とを区別することが可能かには強い疑問があり、必要最小限度の規制とはとうていいえないだろう。なお、2013年にはインターネットを利用する選挙運動が認められたが（公選142条の3～142条の7）、従来からある規制はなお残されたままである。

ⅴ）煽動罪

現行法上、犯罪・違法行為が実行されたか否かにかかわらず当該行為を煽動（法律上の定義として破壊活動防止法4条2項参照。法文上「せん動」「あおり」「そそのかし」を含む）した者を独立して処罰する規定が存在する（爆発物取締罰則4条、破壊活動防止法38条1項・39条・40条、MDA協定秘密保護法5条3項、日米地位協定刑事特別法7条2項、公選234条、国税犯則取締法22条1項、地方税法21条、国公110条1項17号、地公61条など）。こうした煽動罪規定は、表現行為が具体的な社会的害悪を実際に発生させていないにもかかわらず（最判1954・4・27参照）、表現内容の危険性ゆえに処罰するものであり、かつ煽動にあたるとされる表現行為はしばしば政府・政策批判を含む。それだけに煽動罪規定の合憲性は厳しく吟味されなければならない。

しかし最高裁は、最初期の判決で主要食糧を政府へ売り渡すなと煽動することは政府の政策批判・失政攻撃にとどまらず、国民として負担する法律上の重要な義務の不履行を慫慂し、公共の福祉を害するとして食糧緊急措置令11条を合憲とし（最大判1949・5・18）、破壊活動防止法39条・40条についても公共の福祉論でごくあっさりと合憲とした（最判1990・9・28）。学説では、煽動が「明白かつ現在の危険」をもたらす場合、あるいはアメリカの判例に由来する「ブランデンバーグ基準」（違法行為の唱道が処罰されうるのは、それが差し迫った違法行為を引き起こそうとしており、かつその行為を実際に引き起こす見込みのある場合に限られるとする）を満たす場合にのみ処罰が許されるとされることが多い。こうした厳格な基準が用いられるべきことは当然であるが、表現行為をその具体的文脈と関係なく処罰しうるとする煽動罪固有の性格（これは大日本帝国憲法下の法制度に由来する）自体、日本国憲法下における表現の自由保障ともともと相容れないものがある。

コラム
共謀罪（テロ等準備罪）

2017年の組織的犯罪処罰法改正によって、277もの罪を対象として、テロリズム集団その他の組織的犯罪集団の団体の活動としてその遂行を計画した者は、計画に加わった者のいずれかにより対象犯罪実行のための準備

行為が行われたときには処罰されるとする「テロ等準備罪」が設けられた（同法6条の2）。これは、複数人によるコミュニケーション（およびそこにおける合意）である計画に加わった者を、対象犯罪の実行行為はおろか、準備行為を行っていない場合も処罰対象とするものであり、実質的には過去3度にわたり廃案になった共謀罪の法制化といいうる。この規定については、対象犯罪の広範さに加え、対象犯罪の実行行為とは相当距離のある計画を処罰するという煽動罪（→ⅴ）・410頁）とも類似するその性質、合意の有無を認定する際に個人の内心が評価対象となりうること、団体規制としての性格をもつこと（→6⑵・425頁）など、解釈論的にも多くの問題がある。さらに、捜査名目での監視の拡大やそれがもたらす萎縮効果・同調効果（→4⑴ⅰ・403頁）、第5章3節2⑵・467頁、第6章3節2⑵・508頁）によって、異論の存在を不可欠とする公共圏の貧困をもたらさないかといった強い懸念がある（→第2部2章1節・151頁）。

⑵ **性表現**
ⅰ） わいせつ表現

　刑法175条は「わいせつな文書、図画、電磁的記録にかかる記録媒体その他の物」の頒布・公然陳列・電気通信の送信による頒布（1項）、有償頒布目的での所持・保管（2項）を処罰する。歴史的には、わいせつ文書等は、名誉毀損的表現と同じく憲法上保障される表現には含まれないとされており（→2⑴・386頁）、日本国憲法のもとでも初期にはそうした理解が当然視され、あるいは仮に憲法の保障する表現に含まれるとしても低い程度の保障しか受けず、同条は公共の福祉による制限として当然合憲であるとされてきた。

　しかし、わいせつ文書を含む性的な内容の表現であっても、それが個人の自己実現の一環であったり、それを通した政治的批判を意図することもあるし（歴史的にもこうした表現は政治的弾圧の口実とされた）、表現の価値をあらかじめ公権力が決定し、禁止・制限できるという考え方自体、表現の自由保障の基礎にある考え方とは相容れない。したがって、わいせつ文書を含む性表現も憲法の表現の自由保障を受けるものとしたうえで、それが実質的な社会的害悪を確実にもたらす場合に必要最小限度の規制を受けるにとどまると考えなければならない。

　最高裁は、刑法175条の「わいせつ」を「徒らに性欲を興奮又は刺戟せしめ、且つ普通人の正常な性的羞恥心を害し、善良な性的道義観念に反す

るもの」と定義し（最判1951・5・10）、この定義に該当するかは裁判官が良識・社会通念に従って判断すべきとしたうえで、表現の自由も絶対無制限のものではなく公共の福祉によって制限され、性的秩序を守り最少限度の性道徳を維持することは公共の福祉の内容をなすとして、同条を合憲とした（最大判1957・3・13〔『チャタレー夫人の恋人』事件〕）。その後最高裁は、「わいせつ」該当性の判断にあたり問題とされた箇所を文書全体との関連において検討するとし、芸術性・思想性等による性的刺激の緩和の程度等も考慮するとしているが（最大判1969・10・15〔『悪徳の栄え』事件〕、最判1980・11・28〔『四畳半襖の下張』事件〕。最判2008・2・19も参照）、同条の合憲判断は堅持されている（最高裁は、自己の女性器をスキャンした3Dデータファイルの送信・頒布についても有罪とした（最判2020・7・16〔ろくでなし子事件〕）。なお、最判1983・3・8伊藤補足意見は、わいせつ物の範囲をハード・コア・ポルノおよびそれに準ずるものに限定すべきとする）。

　こうした最高裁の合憲論の基礎には、性行為の非公然性は人間性に由来する羞恥感情の当然の発露であり、性道徳と性的秩序の基礎にある規範であるという議論（性行為非公然の原則）がある。しかし、公権力による特定内容の道徳の決定という問題に加え、性行為自体の非公然性と性的描写の公表とを簡単に同一視することはできない。そうするとわいせつ表現が何らかの実質的害悪をもたらすかが問われるが、そうした実質的害悪として想定しうるのは、わいせつ表現に接したくない人の性的感情・性的自己決定権の侵害や未成年者の心身への悪影響（→ⅱ）にとどまる。これらの害悪を防止するためには、わいせつ表現の頒布等の時・場所・方法に関する最小限度の規制で足りると考えられるが、こうした限定をしていない刑法175条は過度に広汎な規制であり、かつ限定解釈も不可能であって、違憲といわざるをえない（性表現全般について取締り・摘発の基準が不明確であり、捜査機関の恣意を許していることにも留意が必要である）。

　ⅱ）　青少年保護のための規制

　青少年（18歳未満の者）の保護・健全な育成を目的とする都道府県の青少年保護育成条例に基づき、わいせつには該当しない性表現が規制されることがある。具体的には、著しく性的感情を刺激し、または著しく残忍性を助長するような文書・DVD等が「有害図書」に指定され（個別指定方式に加え、写真の分量等に基づく包括指定方式もとられる）、青少年に対する販

イバシー等の侵害との調整をいかに図るかが課題となっている。プロバイダ責任制限法は、サービスを提供するプロバイダの損害賠償責任を一定の要件のもと限定しているが（同法3条・4条）、近時インターネット上の誹謗中傷が大きな問題となっており、被害者にとって同法の定める発信者情報開示手続（2021年改正前の4条）が複雑であり、時間や費用面で救済の障害となっていると指摘されてきた。2021年の同法改正によって、発信者情報の開示を一つの非訟手続で行うことを可能とし、開示請求の対象も拡大された（権利を侵害する書き込み以外のログイン情報なども含まれる）。深刻な被害に対する迅速かつ実効的な被害救済の必要性は否定できないが、表現主体側の萎縮をもたらさないか、手続保障に欠けるところはないかの検証が求められよう。

(4) 営利的言論

　商品・サービスの提供、購入を勧誘する商業広告については、現行法上、虚偽広告・誇大広告等の禁止（特定商取引法12条・43条、不当景品類及び不当表示防止法5条、食品衛生法20条、医薬品医療機器等法66条、貸金業法16条など）、必要的広告事項の定めなど広告内容の規制（特定商取引法11条、たばこ事業法40条など）、さらに特定内容を除く広告を禁止する例もある（医療法6条の5・6条の7、あん摩マッサージ指圧師、はり師、きゅう師等に関する法律7条、歯科技工士法26条など）。

　学説では、こうした商業広告は国民が受け手・消費者として生活に必要な情報を入手するために必要であることにかんがみ、表現行為（営利的言論）として憲法上の保障を受けると考えるのが一般的である。そのうえで保障の程度については、(a)自己統治の価値とのかかわりが薄いこと、国民の健康や日常生活に直接影響を及ぼすこと、真否やそれがもたらす害悪について客観的判定になじみやすいことなどから、政治的表現など他の表現よりも低い程度の保障しか受けないと考える説と、(b)表現の価値はあくまで受け手たる国民が判断すべきとして他の表現と同等の保障を受けると考える説がある。違憲審査基準については、(a)説では中間的な審査基準（合法的活動に関する真実で誤解を招かないような表現であって、規制の目的が実質的であり、その目的を直接促進する必要以上に広汎でない規制であるかを検討する）、(b)説ではより厳格な審査が行われるべきとされる（その場合でも営利的言論がもたらす実質的害悪ゆえに規制が合憲とされることは多いとされる）。両説の違いは、表現の自由保障の意義や違憲審査基準に関する考え

方の違いに由来する面がある（→2(1)・386頁、3(2)・397頁）。

最高裁判決には、旧あん摩師、はり師、きゅう師及び柔道整復師法7条（現あん摩マッサージ指圧師、はり師、きゅう師等に関する法律7条）による広告禁止について、国民の保健衛生上の見地から公共の福祉を維持するためやむをえない措置として合憲と判断したものがある（最大判1961・2・15。垂水補足意見、奥野少数意見参照）。この規定が適応症に関する正当な広告も含めて禁止していることは、(a)説からも過度に広汎ではないかとの疑いが生じよう。また、最高裁は、条例による風俗案内所の表示物に関する規制は、公共の福祉に適合する目的のため必要性・合理性があるとして、簡単に合憲としている（最判2016・12・15〔京都府風俗案内所条例事件〕）。

(5) 差別的表現

特定の人種・民族、性別などの属性をもつ集団（数的に少数である場合だけでなく、現実社会における状況など質的な観点も重視する必要がある）あるいはそこに属する個人を侮蔑や排斥の対象とすることで、社会の構成員としての平等な地位を認めず、その従属的地位を固定化するような表現行為を差別的表現という。日本でも、従来から被差別部落出身者を中傷するようなビラ・落書き等がみられたが、近時では在日コリアン等をターゲットにして脅迫・侮蔑・差別・排斥を主張する過激な街宣活動やネット上の発言も多くみられるようになっている。この種の表現は、ヘイト・スピーチ（憎悪表現や差別煽動表現と訳されることもあるが、確立した定義はないともされる）と呼ばれることも多いが、社会における不当な差別を温存・助長することにつながるおそれがあり、かつ対象とされた集団に属する個人の名誉感情や自尊心を損なうものであって、排撃の対象とされた人々に深刻な被害をもたらしていることは否定できない。ナチスによる反ユダヤ主義の宣伝への反省もあり、人種差別撤廃条約（1966年）は、人種差別的思想の流布・人種差別の煽動、こうした差別を助長し煽動する団体・組織的宣伝活動等を処罰すべき犯罪とし、締約国にその処罰を求めている（4条）。この条約も受けつつ、ヨーロッパ諸国では差別的表現の処罰規定をもつのが一般的である（近時では反イスラム的表現の規制が問題となっている）が、逆にアメリカでは差別的表現の処罰を違憲とした最高裁判決（R.A.V.事件〔1992年〕）がある。日本は1995年に同条約を批准したが（1996年

発効)、「日本国憲法の下における集会、結社及び表現の自由その他の権利の保障と抵触しない限度において」条約上の義務を履行するという留保を付しており、この種の表現を処罰する法律も制定されてこなかったが、近時の排外主義的デモなどの高まりを受け、あらためて法規制（とくに刑罰を伴うもの）の是非が議論されている。では、日本国憲法のもとで、こうした差別的表現、ヘイト・スピーチを刑罰も含む法規制の対象とすることは許容されるだろうか。

　差別的表現、ヘイト・スピーチが特定の個人に向けられている場合には、既存の法理上の要件が満たされる限りで、不法行為責任に加え、名誉毀損罪（刑230条）や侮辱罪（同231条）による処罰も許容されうる（民族学校付近での街宣活動につき、学校の業務妨害と名誉毀損を理由に高額の損害賠償と学校付近での街宣活動等の差止めを認めた裁判例〔京都地判2013・10・7、大阪高判2014・7・8〕もこうした場合に該当するといえよう。また、朝鮮学校の校長に対する事実を摘示して学校を経営する学校法人の名誉を毀損したとして名誉毀損罪に問われた事件において、裁判所は、表現行為の公益性を認めつつ、真実性の証明も真実であると信じたことについての相当の理由もないとして有罪とした〔京都地判2019・11・29、大阪高判2020・9・14〕）。しかし、集団そのものに向けられた名誉毀損・侮辱・誹謗のように明確に被害者を特定できない場合については、現行法では対応が困難であり、かつ、この種の表現は歴史認識や法制度の評価をともなうことも多く、文脈によっては政治的主張としての性格をもちうる。こうした場合の法規制の可否については議論が分かれるが、従来の学説では、(a)この種の表現に対しても言論で反論することは可能であって、定義や規制手段を明確に限定することの困難からも、「ブランデンバーグ基準」（→(1)ⅴ・410頁）を満たすような場合を除き法的規制は許されないとする見解と、(b)この種の表現に対しては言論で反論することが困難であり、反論してもかえって差別や偏見を強化することになりかねないことから、差別的意図に基づく少数者集団・そこに属する個人に対する侮辱を限定的に処罰することは憲法に違反しないとする見解とがあった。従来は法規制には慎重姿勢をとる(a)の見解が一般的であったが、最近では明確に限定された範囲での刑事処罰は許容されうるという(b)の見解も広まりつつある。こうした法規制の可否については、現在の日本社会においてヘイト・スピーチが行われる背景（有力政治家に

よってこの種の言動に親和的な発言がなされることも多い）についての冷静な現状認識をふまえ、定義や規制手段の明確性、さらには法規制がもたらす正負両面の影響といった諸論点がなお慎重に検討されなければならないだろう。

コラム
ヘイト・スピーチ解消に向けた法的取り組み

　2016年に制定された本邦外出身者に対する不当な差別的言動の解消に向けた取組の推進に関する法律（ヘイトスピーチ解消法）は、「本邦外出身者に対する不当な差別的言動」を「専ら本邦の域外にある国若しくは地域の出身である者又はその子孫であって適法に居住するもの……に対する差別的意識を助長し又は誘発する目的で公然とその生命、身体、自由、名誉若しくは財産に危害を加える旨を告知し又は本邦外出身者を著しく侮蔑するなど、本邦の域外にある国又は地域の出身であることを理由として、本邦外出身者を地域社会から排除することを煽動する不当な差別的言動」（2条）と定義し、国・自治体による解消のための取り組みを求めるが、表現行為を直接規制するものではない（「本邦外出身者」を対象とする点については規制に積極的な立場からも批判がありうる）。また、自治体レベルでも、拡散防止のための措置・氏名等の公表を認める大阪市ヘイトスピーチへの対処に関する条例（2016年制定）や、この種の言動が行われるおそれが客観的事実に照らして具体的にある場合には警告や公的施設の使用不許可もできるとする指針を定める例がみられ（横浜地川崎支決2016・6・2は、在日コリアンの排斥を訴える内容のデモを繰り返していた団体による在日コリアン集住地域でのデモを一定範囲で禁止する仮処分を認めた）、2019年には本邦外出身者に対する不当な差別的言動を行わない旨の市長による命令に従わなかった者に対する刑事罰（50万円以下の罰金）を初めて定めた川崎市差別のない人権尊重まちづくり条例が成立した（インターネットを利用するものは対象外）。これらの取り組みの実効性については、人種などによる差別解消への取り組み全般（→第1章3節2・319頁、第2章2(5)ⅰ）・342頁）との関係も含めた検証が求められよう。なお、最高裁は、大阪市条例による表現の自由の制限は、過激で悪質性の高い差別的言動を伴うものに限られ、事後的な拡散防止措置等の対象となるにとどまり、制裁や法的強制力を伴う手段もなく、合理的で必要やむをえない限度にとどまるなどとして合憲と判断した（最判2022・2・15）。

5　集会の自由

(1)　保障の意義

　集会とは、複数人が、政治・経済・芸術など共通の目的をもって同一の場所に集うことをいう。これには公園・広場や公会堂・会議室を会場とするもののほか、あらかじめ時間・場所が定められていない自然発生的なものも含まれ、さらに道路などを移動しながら行われる集団行進や集団示威運動（デモ）も含まれる（「動く集会」とも呼ばれる）。こうした集会は、その場での意見表明・交換を通して集団としての意思を形成し、それを外部に表明することによって、個人が単独で表現するよりも強いインパクトを与えうる表現活動としての意義をもつ（→2(2)ⅲ・388頁）。また、マス・メディアによる一方的な情報の氾濫とインターネットを通じた顔のみえないコミュニケーションの進展とが併存する現代において、マス・メディアには乗りにくい見解を表明し、かつ人々の直接的な交流をもたらす集会という表現形態には、なお重要な意義がある。最高裁も、こうした集会の意義を確認しつつ、「憲法二一条一項の保障する集会の自由は、民主主義社会における重要な基本的人権の一つとして特に尊重されなければならない」と述べているが（最大判1992・7・1〔成田新法事件〕）、これが具体的な判断に反映されているかは別途検証が必要である。

> コラム
> **大衆運動としての集会・デモ**
> 　こうした集会・集団示威運動は、日本でも戦後直後から1970年代初頭ころまではきわめて活発に行われたが（1960年新安保条約反対デモでは約30万人ともいわれる人々が国会議事堂を囲んだ）、それ以降は規模も回数も減少し、限られた人々のみが参加する状況にあった。しかし、沖縄では米軍基地縮小・オスプレイ配備反対などたびたび大規模な集会が開催されてきたし、2011年の東日本大震災以降は原発再稼働、特定秘密保護法、安保法制、共謀罪（テロ等準備罪）などに反対する集会・デモが首相官邸や国会前で行われるなど、表現手段としての集会・デモの意義があらためて注目されている。外国でも、大規模な集会・デモが体制転換にまでつながった2010-11年の「アラブの春」、2011年から始まった「われわれは99％だ」を合い言葉に大資本・富裕層優遇策への抗議・転換を求める「ウォー

ル街を占拠せよ」運動など、集会・デモを通した抗議活動が活発化している。こうした近時の集会・デモには、インターネット上での呼びかけ・交流が大きな役割を果たしていることも注目される。

(2) 集会の自由の制約

ⅰ) 制約の可能性

集会の自由保障は、公権力による集会の開催禁止・解散命令・集会への参加の禁止などの介入・干渉を禁止するものである。しかし、集会の開催には場所の確保が必要であり、かつその場所を利用しようとする他者の権利・利益との調整も必要となる（別の集会のための会場利用希望と競合する場合など）。こうした場面では、集会の自由にも必要最小限度の制約がありうるが、とくに会場の確保に関しては事の性質上事前抑制となることに加え、集会の時・場所・態様に関する規制が実質的には集会の内容に基づく制約となる危険も大きい。したがって、制約の合憲性は、規定が明確であるか、重大な害悪を回避するため必要最小限度であるかなどの観点から厳格に審査されなければならず、集会の場所が伝統的に表現活動に開かれてきたパブリック・フォーラム（→2(2)ⅳ)・389頁）であるかをも十分に考慮する必要がある。

ⅱ) 公共施設の管理権

集会の自由の制約は、しばしば集会の場である公園・道路、公会堂などの施設管理権が適正に行使されたかをめぐって争われる。こうした施設では管理規則が定められ、使用については事前の許可を要するとされることが多いが、許可・不許可の基準があいまいであるなど管理権者の恣意的な運用を許すものであれば、それだけ集会の自由の不当な制約がもたらされる危険が大きい。したがって、施設の性質など具体的な事情を十分考慮しつつ、真に必要最小限の規制であるかを検討しなければならない。

最高裁の初期の判決には、メーデー集会のための皇居前広場使用申請に対する厚生大臣の使用不許可処分は公園管理権の適正な行使であったとしたものがあるが（最大判1953・12・23〔皇居前広場事件〕）、処分の根拠とされた国民公園管理規則には許可・不許可の基準が何ら定められていなかったことひとつとっても、この判断は集会の自由の重要性に対する配慮に欠

けるとしかいいようがない。

　しかし、後に最高裁は、集会の自由とこれに制約を加える必要性・程度等を比較衡量して規制の合憲性を判断する姿勢を示すようになった。最高裁は、成田新法事件において、単純な等価値的比較衡量の枠組みを示したうえで（→3(2)ⅰ・397頁）、「国家的、社会経済的、公益的、人道的見地から極めて強く要請される」空港・航空機の航行、乗客等の生命・身体等の安全確保のため必要かつ合理的な規制として合憲とした（前掲最大判1992・7・1）。また、関西国際空港建設に反対する集会を開催するための「公の施設」（地自244条）である市民会館の使用が不許可とされた事件では、集会の制限が必要かつ合理的なものとして認められるかは、基本的人権としての集会の自由の重要性と当該集会の開催によって侵害される他の基本的人権の内容や侵害発生の危険性の程度等を較量して判断するとし、さらに薬事法違憲判決（→第4章1節6(1)・444頁）を引きつつ、こうした較量は経済的自由の制約の場合よりも厳格に行われなければならないとした。そして、本件の具体的事情のもとでは集会開催によって人の生命・身体・財産が侵害され、公共の安全が損なわれる明らかな差し迫った危険が具体的に予見されたとして不許可処分を合憲と判断した（最判1995・3・7〔泉佐野市民会館事件〕）。この判断枠組みは、比較衡量の枠組みを維持しつつ、集会の自由の重要性に配慮して二重の基準論的考え方を取り入れようとしたものであり、成田新法事件のような単純な比較衡量に比べればそれなりに自由保護的ではある。しかし、精神的自由制約の場合に常にこの枠組みが用いられるとはされていないし、「危険」の存在が安直に認定されればかえって安易な不許可を認めることになりかねず、それは比較衡量という枠組みそのものの弱点に由来する。もっとも、本判決は、集会の主催者が平穏に集会を行おうとしているのに、集会・その主催者に反対する他のグループ等が実力で阻止・妨害し、混乱が生ずるおそれがあることから施設利用を拒むことは21条の趣旨に反すると述べており（敵意ある聴衆の法理）、この趣旨から不許可処分を違法とした例がある（最判1996・3・15〔上尾市福祉会館事件〕）。公立学校施設の目的外使用不許可処分〔地自238条の4第7項〕を違法とした最判2006・2・7〔広島県教職員組合事件〕も参照）。

　護憲集会のための市庁舎前広場使用申請に対し、市が不許可とした事件

において、裁判所は、市庁舎前広場は市庁舎と一体をなす公用財産（地方自治法238条4項、国有財産法3条2項1号参照）であり、その管理について市が広範な裁量を有するとして、不許可事由を定める条例および不許可処分を合憲と判断した（金沢地判2020・9・18）。この判断は、市庁舎の利用者のみならず多くの者が自由に通行できる広場の構造や集会・イベントのための広場の使用許可が多数なされていたという実態に照らしても、市の「政治的中立性」確保を過度に強調し、集会の過剰な制約を追認した疑いが濃い（本件広場については、自衛隊の市内パレードに反対する趣旨の集会のための使用申請を不許可とした事案でも同様の判断がある。金沢地判2016・2・5、名古屋高金沢支判2017・1・25）。

＊私人による集会会場使用拒否
　2008年に開催予定だった日教組教研集会の会場としてホテルの宴会場使用契約締結後、集会に反対する右翼団体の街宣活動を理由にホテル側が使用契約を解除し、使用を認める裁判所の仮処分にも従わなかったため、結局教研集会の開催を断念した事件で、裁判所は使用拒否による損害賠償を認めた（東京地判2009・7・28、東京高判2010・11・25〔プリンスホテル日教組教研集会会場使用拒否事件〕）。ここには、公権力でなく私人の会場使用拒否による集会の自由の制約という困難な問題があるが、当該会場の性格もふまえつつ、使用拒否が認められる場合をできるだけ限定的にとらえることが必要であろう。

　ⅲ）　公安条例・道交法による規制
　道路や公園における集会・デモ行進をめぐっては、戦後初期、大衆運動・労働運動の昂揚とともに集会・デモが活発に行われたのに対し、占領軍の強い指導のもと各地の自治体が制定した公安条例による規制の合憲性が問題とされてきた。具体的には道路等における集会・デモについて許可制・届出制をとるのが一般的であるが、制定の経緯からも公安条例には治安立法としての性格が濃厚であり、その合憲性が激しく争われた。
　下級審では違憲・合憲の判断が分かれたが、最高裁は、許可・不許可を公安委員会の裁量に委ねるような一般的な許可制は違憲としつつ、合理的かつ明確な基準のもとでの許可制であれば許され、「公共の安全に対し明らかな差迫った危険」がある場合には不許可・禁止もできるとして新潟県条例を合憲と判断した（最大判1954・11・24〔新潟県公安条例事件〕）。この

判断は、不許可・禁止には「明らかな差迫った危険」が存在することを要求した一般論の部分については、当時公共の福祉による合憲論が猛威をふるっていたという判例の水準に照らしても、集会の自由に対する配慮を示したものではあるが、それが具体的な適用の場面では十分活かされず合憲と判断された点には厳しい批判がある。さらに最高裁は、集団行動による表現は「潜在する一種の物理的力」によって支持されており、平穏な集団であっても「一瞬にして暴徒と化し」警察力をもっても対応できない異常な事態に発展する危険があるという悪名高い集団観（集団暴徒化論）を示して、東京都条例による規制を全面的に合憲と判断した（最大判1960・7・20〔東京都公安条例事件〕）。この判断には、戦後最大規模の大衆運動である新安保条約反対運動の熱気冷めやらぬ時期に下されたという状況が濃厚に反映しているが（→第1部3章3節2(4)・57頁）、集団暴徒化論を仮に前提としてもすべての集会・デモがそのような性質をもつわけではなく、それによる全面的合憲判断には、新潟県条例判決との整合性も含め批判がきわめて強い。

　また、道路の使用については道路交通法が許可制をとっており（同77条）、公安条例をもつ自治体では両者の規制が競合するが（→第2部2章6節4(2)iii・269頁）、最高裁は、道交法は公安条例による合理的規制を許容するとして両者の併存を認め（最大判1975・9・10〔徳島市公安条例事件〕）、同法77条2項は不許可としうる場合を厳格に制限しているとして同法上の許可制も合憲とした（最判1982・11・16〔佐世保エンタープライズ闘争事件〕）。こうして最高裁は、公安条例等を全面的に合憲と判断しているが、学説では、規制が公衆の道路・公園等の利用に危険が及ぶことを回避し、または利用が競合する場合の調整という目的であり、かつ実質的に届出制と同視しうるほど管理権者の裁量が明確かつ厳格に限定されていないかぎり合憲とはいえないとする批判が有力であり、その観点からは現行法・条例は違憲と評価すべきものである。

　なお、暴走族による集会を規制する広島市条例について、最高裁は合憲限定解釈によって規制対象を限定したうえで、猿払判決（→4(1)iii・405頁）で示された基準を用いて合憲と判断したが（最判2007・9・18〔広島市暴走族追放条例事件〕→3(2)iii・399頁）、この文脈で猿払判決の基準を用いること自体説明を要するはずである。

6 結社の自由

(1) 保障の意義と内容

　結社とは、共通の目的のために複数人が継続的に結合すること、およびそうして結合した団体を指し、継続性をもつ点で一時的なつながりである集会とは区別される。もっとも、団体の活動には集会をともなうことが多く、両者は密接な関係にあるし、集会同様人的結合を通して形成される特定の主張を外部に表明するものとして広義の表現の自由に含まれる。

　近代憲法の誕生期には、中世の社会構造のもとで大きな役割を果たしていた教会・同業組合（ギルド）など国家と個人の間に位置する身分制的中間団体を解体し、人権主体としての個人（「人一般」）をつかみ出すことが求められ、結社・団体は個人の自由にとって否定的・敵対的なものととらえられた（→第1部2章2節・23頁、同3節・34頁）。こうした志向を最も徹底したフランスにおいては、いったんあらゆる結社を禁止したうえで（ル・シャプリエ法〔1791年〕）、段階的承認を経て、1901年にようやく一般的に結社の自由が承認されるという歴史をたどった（一方、アメリカでは自発的結社の意義が早くから承認されてきた）。

　しかし、団体を結成し、他者と交流することは、個人にとってきわめて重要な意義をもつし、また、資本主義の展開のなかで労働組合の活動を通して労働者の地位向上が図られてきたことにみられるように、団体の活動を通して個人の自由が確保されるという面も重要である。こうした事情から、現代の多くの憲法では結社の自由を保障するのが一般的であり、日本国憲法が21条1項で一般的に結社の自由を保障し、労働組合（28条）についても保障しているのは、こうした歴史を反映したものである。結社のうち、政党については21条によって保障されるが（→第2部2章2節2・159頁）、宗教団体については20条も根拠となり（→第2節・363頁）、営利的団体については22条1項も適用される。もっとも、結社のなかに個人が埋没し、個人の自由が抑圧される危険性にも目を向けなければならず、とかく集団主義的といわれる日本社会においてはその危険はより大きいことにも十分な配慮が求められる。

　結社の自由の保障内容としては、第1に、個人による団体の結成・不結成、既存団体への加入・不加入、加入した団体からの脱退について公権力

から干渉を受けないこと、第2に、団体による意思の形成、それに基づく団体としての活動について公権力からの干渉を受けないことが挙げられる。団体としての活動が憲法上の権利の保障を受けるかについては、法人・団体の人権享有主体性の問題として論じられ（→第1章3節3(1)・325頁）、団体構成員の権利と団体の活動・権利とが衝突する場合についても慎重な検討が必要となる（→第1章3節3(2)・325頁、第6章1節4(2)ⅲ(ｱ)・494頁）。

(2) 結社の自由の制約

　結社の自由も必要最小限の内在的制約に服する。法律上、一定の職業について職業団体の設立・加入が義務づけられることがあるが（弁護士会、司法書士会、税理士会など強制加入団体と呼ばれる）、高度の専門技術性・公共性をもつ職業について、その専門技術性・公共性を維持するために必要であり、かつ団体の目的・活動が会員の職業倫理の確保・職務の改善等を図ることに限定されているかぎり、こうした義務づけも許されると解されている。なお、結社の自由保障は、法人格の有無にかかわらず及ぶが、法人格の付与・剥奪が差別的・団体抑圧的に行われる場合には、結社の自由制限の問題となりうる。

　諸外国の憲法では保障対象となる結社の範囲を限定する例があり、「たたかう民主制」を採用しているドイツ基本法が、目的・活動が刑事法に違反する団体・反憲法秩序的団体を禁止する（9条2項）のはその代表例である（→第1節・353頁）。日本国憲法はこうした明文規定をもたないが、犯罪行為を行う目的の団体の結成は許されないとされることが多く、反憲法体制的活動を目的とする団体についても一般的・抽象的には許されないとされることもある。しかし、団体としての犯罪行為の規制に加えて団体結成自体を禁止する必要性が問われうることに加え、歴史的にみても、この種の規制は規制対象・方法等を明確に規定することがきわめて困難であり、適用対象の恣意的な拡大・濫用の危険が不可避的につきまとう。それだけに規制の合憲性については慎重な検討が求められる。

　現行法上、結社の自由に対する最も強力な規制として問題とされてきたのは、社会主義・共産主義的団体を取り締まるため占領終結直後の1952年に制定された破壊活動防止法である。同法は、暴力主義的破壊活動（4条1項）を行った団体に対する集団示威運動・集会等の禁止（5～6条）に

加え、「継続又は反復して将来さらに団体の活動として暴力主義的破壊活動を行う明らかなおそれがあると認めるに足りる十分な理由」があり、かつ集会禁止等団体活動の制限によってはそのおそれを有効に除去することができないと認められるときには当該団体の解散指定（7条）を行うことができるとする。解散指定処分の効力発生後は、当該団体の役職員・構成員は当該団体のためにするいかなる行為も禁止される（8条）。こうした強力な団体規制、なかでも団体に対する「死刑」ともいえる解散指定処分には、定義の不明確性、「明らかなおそれ」の認定にあたり切迫性・重大性を要求していない点、裁判所でなく行政機関（公安審査委員会）による処分であることなど、憲法上きわめて重大な問題がある。同法の団体規制は長らく発動されてこなかったが、本来同法の対象とは想定されていなかった宗教団体たるオウム真理教に対する解散指定請求に対し、1997年に公安審査委員会は同法7条の要件を厳格に解釈して請求を棄却した。その後、1999年に実質的には同団体を対象とする団体規制法（→第2部2章4節2(2)ⅰ・214頁）が制定されて、同団体（および後身の団体）に対し観察処分（5条）が課され、役職員・構成員の氏名等や団体の活動状況等について定期的に公安調査庁長官に報告しなければならないとされている。これについても結社の自由・構成員の信教の自由・プライバシーの重大な侵害をともなうものであり、法文の明確性・濫用の危険性について厳格な検証が必要である（東京地判2001・6・13参照）。

7　通信の秘密

(1)　保障の意義

　21条2項後段は、「通信の秘密は、これを侵してはならない」と定める。通信とは特定人の間で行われる情報伝達（コミュニケーション）行為であり、表現行為としての性格を有する。また、通信の秘密の侵害はしばしば検閲（→3(1)ⅲ・395頁）と共通する形態をとり、監視を通した政治的表現の抑圧にもつながりうる点（→4(1)ⅰ・403頁）に憲法が通信の秘密保障を表現の自由と同一の条文で定めた理由がある。
　同時に、コミュニケーションの秘密を保護することは個人の私生活上の自由・プライバシー保護としての意味をもつ。したがって、現在では通信

の秘密保障はプライバシー（→第6章3節2・516頁）保障の趣旨をも含むと理解されており、住居の不可侵（35条→第5章3節2・466頁。なお大日本帝国憲法25条・26条参照）との共通性もふまえられなければならない。

通信の秘密の保障対象は、はがき・封書等の郵便、電報、電話、ファクス、さらに電子メール等のあらゆる手段、通信内容（本文）のみならず、差出人・受取人の氏名・居所、通信の日時・個数等通信にかかわるすべての事項に及び、通信の存在自体に関する事項も含まれる。

通信の秘密を「侵してはならない」とは、公権力が通信の内容および通信にかかわる事実を知得してはならないこと（積極的知得行為の禁止）、および職務上知りえた場合もそれらの事実を他に漏らしてはならないこと（漏示行為の禁止）を意味し、この趣旨は通信業務従事者にも及ぶ。

＊法律による定めの例としては、郵便の検閲禁止（郵便法7条）、信書の秘密の不可侵（同8条1項）、職務上知り得た秘密漏示の禁止（同8条2項・80条）がある（民間事業者による信書の送達に関する法律4条・5条・44条、電気通信事業法3条・4条・179条も参照）。

(2) 通信の秘密の制約

通信の秘密も必要最小限度の制約に服するが、きわめて重要な目的のための必要最小限度の制限にとどまるかを厳密に検討しなければならない。

＊現行法上の制限の例としては、被告人・被疑者の発受した郵便物等の差押え・提出（刑訴100条1項・222条。同99条1項・100条2項と比較せよ）、刑事収容施設被収容者の発受する信書の検査（刑事施設127条・135条・138条・140条・144条・222条）、破産手続における破産者宛の郵便物等の破産管財人への配達および破産管財人による開披（破産法81条・82条）、税関職員による犯則嫌疑者の発受した郵便物等の差押・開封（関税法122条・126条）がある。

また、犯罪捜査のために電話等による通信を当事者の知らないまま傍受する通信傍受（盗聴）も当然通信の秘密侵害の問題となる。通信傍受の合憲性については、重大犯罪に限定し、傍受によるべき特殊事情があることなどの厳格な要件が満たされるかぎりで傍受が許されるというのが学説の大勢であるが、現行の通信傍受法がこうした要件を満たしているかには強

い疑問が残る（令状主義〔35条〕との関係でも重大な問題がある→第5章3節2(2)・467頁）。捜査の実際の必要性以上に広範囲の傍受が必然となるという通信傍受の特質をふまえた検討が求められよう。

考えてみよう

1…最高裁が表現の自由規制の違憲審査において用いる基準・態度の特徴をまとめよ。また、それは学説が主張する基準とはどのような発想の違いがあるか。
2…ウェブサイト・電子メールなどインターネットを利用した選挙運動を認めつつ、戸別訪問・法定外文書図画頒布等を禁止する公職選挙法の規制の合憲性を検討せよ。
3…暴力団規制法や暴力団排除条例による暴力団員の各種行為や暴力団への利益供与などの規制は、結社の自由保障に照らしてどのように評価されるべきか。

Further Readings

・奥平康弘『なぜ「表現の自由」か』（東京大学出版会、1988年）：表現の自由論の第一人者が表題通り表現の自由の原理論を探究し、現代的課題へと斬り込む。常に最先端の課題を切り拓いてきた著者の思考の展開に立ち会うことができる。
・毛利透『表現の自由』（岩波書店、2008年）：ハーバーマス、アレントらの理論とアメリカ、ドイツの判例の綿密な検討を通して表現の自由と民主政との関係を問い直し、萎縮効果論の重要性を主張する。奥平の著書とあわせて読めば、憲法学の奥深さ・面白さを感じられるだろう。
・小熊英二『社会を変えるには』（講談社現代新書、2012年）：いくつもの大著を通して「日本」のありようを描いてきた歴史社会学者が、3・11後の状況の中でデモなど社会運動がもつ意味を考える。議会制にはとどまらない民主政と表現の自由のつながりを考えてみてほしい。

第4節	学問の自由
キーワード	学問研究の自由、研究成果発表の自由、教授の自由、大学の自治、国立大学法人

本節では、23条が保障する学問の自由とそれと密接に関連する大学の自治について学習する。学問の自由が独自の条文で保障された意義をふまえつつ、読者の多くも学ぶ大学という場を憲法上どのように位置づけるべきかについても考えてみよう。

1 学問の自由

(1) 保障の意義

　23条は、「学問の自由は、これを保障する」と定める。真理の探究を目的とする学問研究は、それ自体人間の本性に根ざすものであり、研究の成果は直接・間接に人間社会の発展に寄与してきたことから、歴史上も重要な精神的活動のひとつとされてきた。もっとも、日本国憲法のように独立した明文規定がおかれる例は多くない。イギリスやアメリカにおいては、もともと思想の自由・表現の自由といった市民的自由が保障されれば、研究の自由も当然保障されると考えられてきた。19世紀後半以降、素人（実業家）を中心として大学管理にあたる理事会による不当な干渉から大学に所属する研究者の研究の自由を保障すべきという学問の自由（アカデミック・フリーダム）が確立されたが、その後もなお市民的自由の延長という発想を残している。ではなぜ、思想・良心の自由（19条→第1節・353頁）、表現の自由（21条→第3節・383頁）を保障する日本国憲法は、さらに23条をおいたのであろうか。

　第1に、真理探究を目的とする学問研究は、その本質上、既存の知識・秩序・体制を疑い、時にはそれらと真っ向から対立する成果を示すものであり、それだけに既存の政治的・社会的秩序や権威からの反発や弾圧を受けやすい。戦前の大日本帝国憲法には学問の自由を保障する規定がなく、「国家ニ須要ナル学術」（帝国大学令〔1886年〕1条、大学令〔1917年〕1条）という位置づけにとどまっていた。大学教員の人事などについては慣行上一定の大学の自治が認められるようになったが（沢柳事件〔1913年〕など）、昭和期に入ると、滝川事件（1933年）、天皇機関説事件（1935年→第1部3章1節3(2)・46頁）など、学問の内容に基づいた国家権力による弾圧・大学の自治の侵害が行われた。こうした歴史に照らせば、憲法の明文で学問の自由を保障することには十分な理由がある。

＊沢柳事件
　1913年に沢柳政太郎・京都帝国大学総長が教学の刷新を標榜して7教授に辞表を提出させて免官としたが、法科大学教授会は教授の人事権は教授会にあるとして沢柳と対立し、文部大臣も法科大学側を支持したため、翌年沢柳は辞任

に追い込まれた。教授会の同意なしに大学総長は教授を任免できないことが確認され、大学の自治（人事に関する教授会自治）を前進させたとされる。
＊滝川事件
　京都帝国大学法学部教授・滝川幸辰（刑法）の講演内容が自由主義的であるとして問題とされたことをきっかけに、1933年内務省は滝川の著書を発売禁止処分とし、法学部教授会の反対にもかかわらず文部大臣は滝川を休職とした。これに抗議して法学部全教員が辞表を提出したが、大学当局のはたらきかけもあって辞表を撤回する者もあらわれ、最終的には7教授の辞職で終わった。

　第2に、現代における学問研究は、その高度化・専門分化もあって、個人の独力によって遂行することは困難になっており、圧倒的な部分は大学などの機関（多くは研究だけでなく教育をも行う）に所属し（雇用され）、研究遂行を職務とする職業的研究者（専門職能〔プロフェッション〕を有する専門職）によって、当該機関のみならず機関外からも得られるさまざまな設備・資金を使用しつつ行われている（とくに自然科学系においては、研究自体も集団的に遂行されるのが通例である）。そこでの研究は、各専門領域（ディシプリン＝研究を遂行するうえで必要な修練・規律をも意味する）に固有の手続と方法に則って行われ、研究成果の学問的意義も専門領域を共通にする研究者による学問共同体（各種学会など）における検証を通して確認される。こうした学問固有の手続と方法に則った真理探究の自律的プロセスを学問外的な政治的・経済的理由に基づく介入から守るためには、学問研究の担い手としての職業的研究者の活動だけでなく、職業的研究者が所属し、研究遂行の主要な場となる研究教育機関についても、思想・良心の自由や表現の自由一般には解消しつくせない特別の憲法上の保障を認める必要がある（他方、こうした自律性が認められる専門職にはそれゆえの社会的責任が生ずる。また、研究者の所属する機関によって研究者の自由が制約される可能性にも注意が必要である）。

　このように、23条が明文で学問の自由を保障したのは、歴史的経験と学問研究の固有の性格に基づくと理解でき、また、そこには大学の自治（→2・435頁）の保障も含まれると考えられてきた。もっとも、こうした経緯からすると、学問の自由は、すべての者に普遍的に認められる自由というより、職業的研究者や大学にのみ認められる特権であるようにもみえる。ドイツにおいては早くから「学問の自由」という観念が憲法上認められて

きたが（フランクフルト憲法〔1849年〕152条、プロイセン憲法〔1850年〕20条、ワイマール憲法〔1919年〕142条など）、それは市民的自由の保障が不十分ななかで大学に認められた「教授の自由」という特権としての性格を色濃く有していた。しかし、大学における自由な学問研究と社会における市民一般の権力批判・既成観念への挑戦の自由とは切り離されて存在しているわけではないことからすれば、23条が保障する学問の自由は職業的研究者や大学にのみ認められる特権ではなく、上述のような真理探究のプロセスに参加する者すべてに保障されると考えるべきである（最大判1963・5・22〔東大ポポロ事件〕参照。ドイツ基本法5条3項の「学問、研究および教授」の自由も、現在では学問活動を行うすべての者の自由と理解されている）。

(2) 保障の内容

学問の自由の内容としては、①学問研究の自由、②研究成果発表と教授（教育）の自由、③大学の自治（→2・435頁）が挙げられる。

ⅰ） 学問研究の自由

まず、学問的活動の中核にあるのは、真理の探究・発見を目的とし、新しい認識を追求して行われる研究であり、23条が保障する学問の自由の中核にあるのもこうした**学問研究の自由**である。研究は、事柄の性質上学問固有の手続・方法にのみ則って行われるべきものであり、公権力のみならず、大学など研究者の所属する機関の設置者・管理者からも、さらには機関外の社会的権力からも自由に行われなければならない。さらに、研究の自由を実質的に確保するため、研究機関等に所属する研究者には職務遂行にあたっての独立性と身分保障が認められなければならない（→2(1)ⅰ）。教育基本法9条2項・16条1項参照）。

かつては、研究活動は内面的な精神活動であり、思想・良心の自由（19条→第1節・353頁）と同様絶対的に保障されるという見解が一般的であった。しかし、現代の研究活動は、資料を分析・検討し、思索を重ねるという内面的な活動にとどまらず、調査・実験・臨床等の多様な外面的活動をも含み、研究の自由の保障はこうした外面的活動の自由も含む（→(3)・434頁）。

また、現代においては、とくに自然科学系の学問研究の遂行にはしばしば巨額に及ぶ設備・費用が必要となり、それは研究者個人はもちろん、研

究者が所属する機関でもまかないきれず、科学研究費補助金（科研費）やグローバルCOE、企業からの助成など研究機関外部から得られる資金（競争的資金）に頼らざるをえない状況がある（→(1)・429頁）。研究の自由保障を考える際には、研究を支える物的基盤にも留意しなければならないが、一方で特定分野の研究への重点的な資金配分などを通した研究内容の誘導・干渉のおそれがあることにも注意が必要である。東日本大震災・福島第一原発事故後、産・学・官の資金・人材両面にわたる癒着・もたれ合い構造（「原子力ムラ」）が露わになったが、そこであらためて問われることになったのも、研究遂行の自律性・成果発表の自由（とりわけ「国策」に批判的なそれ）をいかに確保できるかという問題ではないだろうか。

＊**軍事的安全保障研究**
　2013年策定の国家安全保障戦略（→第1部5章3節4(1)・117頁）以降、大学等の研究成果（防衛にも応用可能な民生技術〔デュアルユース技術〕）を防衛装備品の開発のため積極的に活用しようとする政策が推進されており、2015年には防衛装備庁の競争的研究資金制度として安全保障技術研究推進制度が創設された（現在では100億円を超える予算規模）。こうした軍事と学術との接近には学問研究の自律性を損なう危険がはらまれており、さらには平和主義とも強い緊張関係にある。2017年には、日本学術会議が軍事的安全保障研究は学問の自由・学術の健全な発達と緊張関係にあることを明示的に認めた上で提言を行う声明を出しているが、大学等の研究機関や学会等による真摯な検討を通じた学問研究の自律性確保が重要な課題となっている。

> コラム
> **日本学術会議会員任命拒否問題**
>
> 　2020年10月、「わが国の科学者の内外に対する代表機関」（日本学術会議法2条）であり、「内閣総理大臣の所轄」（同法1条2項）ではあるが、「独立して」職務を行う（同法3条）日本学術会議の会員候補者として同会議が推薦した105名のうち、6名の任命を任命権者である内閣総理大臣が拒否した。日本学術会議法は、同会議が「優れた研究又は業績がある科学者のうちから会員の候補者を選考し」、内閣総理大臣に推薦するものとしており（同法17条）、内閣総理大臣は同会議による「推薦に基づいて」会員を任命するとしている（同法7条2項）。1983年に内閣総理大臣による任命制が導入された際には内閣総理大臣による任命は形式的なものとされ、その後も推薦通り任命されるという運用がなされてきた。今回の任命

拒否後、公務員の選定罷免権が国民にあるという15条1項を根拠に、必ず推薦通り任命しなければならないものではないとの理解が2018年に政府部内でまとめられていたことが明らかになったが、内閣総理大臣の任命権は15条1項によって直接認められたものではなく、国民代表である国会の制定した「法律の定める基準」(73条4号)としての日本学術会議法に基づくものである。また、同法の定める「優れた研究又は業績がある」との推薦基準に従って候補者を選考しうるのは学問的知見を有する科学者の集団としての同会議であり、その推薦に従わずに任命を拒否できるとすれば、法の定める基準以外の考慮に基づく恣意的な任命拒否の疑いがきわめて強くなる。政府は任命拒否の理由を明らかにしていないが、その根拠と判断基準を示すことは任命権の適切な行使を担保する最低限の要請であり、理由を明らかにしないこと自体、任命権が不当に行使された疑いを増幅する。今回任命拒否された6名は、3名の法学者を含めいずれも人文・社会科学系であり、政府に批判的な発言をしていたことが拒否の実質的理由であった疑いが濃く、同会議の軍事的安全保障研究に関する声明が人事介入の引き金になったともみられている。この任命拒否問題を契機として、政府・与党内には、同会議に独立した法人格を与えるとしつつ、政策形成に有効な科学的助言を提供する「政策のための科学」という役割の強化を図ろうとする組織見直しの動きもあるが、こうした権力に奉仕すべき科学という観点からの介入に対し、個々の研究者の学問の自由にとどまらない学問研究全体の自律性をいかに確保できるかが問われている。

ⅱ) 研究成果発表・教授(教育)の自由

論文・学会発表などによって研究成果を発表する自由は、表現の自由(21条→第3節・380頁)に当然含まれるが、研究の遂行とその成果の発表は不可分であって、**研究成果発表の自由**も学問の自由の本質的内容と理解すべきである。

また、学問の自由が大学等の研究教育機関に所属する研究者の自由として理解されてきたこと(→(1)・429頁)、さらにドイツ型の大学においては研究と教育とが一体のものと理解されてきたことからは、大学等において研究者が行う講義等の教育内容・教材・方法について研究者自身の自由な判断に委ねられるべきこと、すなわち**教授の自由**が認められなければならない。最高裁は、「教育ないし教授の自由は、学問の自由と密接な関係を有するけれども、必ずしもこれに含まれるものではない」としつつ、「大

学において教授その他の研究者がその専門の研究の結果を教授する自由」が保障されることを認めている（最大判1963・5・22〔東大ポポロ事件〕→ 2(1)・435頁、(2)・437頁）。他方、初等・中等教育における教師についても同様の自由が認められるかは、教育を受ける権利（26条）をふまえて検討しなければならない（→第6章1節3(3)・487頁）。

(3) 学問の自由の制約

　研究活動は多様な外面的活動をも含み（→(2)ⅰ・431頁）、研究遂行の過程では、他者のプライバシー・生命・健康など憲法上保護されるべき権利を侵害する可能性も生ずる。近時では、遺伝子工学や生殖医療・臓器移植等の医療技術など先端科学技術の領域（原子力工学も含まれるだろう）において、人間の生命・健康や生態系への予測困難な影響や人間の尊厳にかかわる倫理的問題、事故発生時の統御困難性・不可能性がもたらすあまりに甚大な被害といった研究のもたらす影響に対処するため、研究の自由を制約することの是非が議論されている。ここには、制約の根拠と可否、程度の問題と、制約が認められる場合の形式の問題とが含まれる。前者については、プライバシー等重要な権利を保護するために研究の自由を制約することが不可欠である場合にのみ、最小限度の制約が認められると考えうる。後者については、学会等研究共同体の策定する指針等の自主的規律、行政機関の策定する指針等に基づく規律、法律による規律といった形式が想定できるが、これらは、前のものほど専門家集団による専門的知見と自主的規律を重視し、かつ状況の変化に柔軟に対応しうる一方、後のものほど拘束力が強く、実効的な規律が図られることになる。一般論としては、研究の制約の可否・程度については、まずは専門的知見を共有する研究共同体の判断に委ねられるべきであり、そうした規律では対応が困難ないし不十分となる重大な害悪に対処する必要がある場合に限定的な法的規律が検討されるべきことになろう（その際にも、研究内容の規制よりも研究遂行の手続に関する規律が優先されるべきであろう）。

＊ヒトに関するクローン技術等の規制に関する法律（2000年）
　本法は、クローン技術がもたらしうる「人の尊厳の保持、人の生命及び身体の安全の確保並びに社会秩序の維持…に重大な影響を与える可能性」（1条）

から、人クローン胚・ヒト動物交雑胚等を人または動物の体内に移植することを罰則つきで禁止し（3条・16条）、特定胚の取扱いについて文部科学大臣の策定する指針に基づくべきこと（4条以下）等を定めている。こうした法律による規制の必要性が十分示されているかにはなお議論の余地があろう。

2 大学の自治

(1) 意義と内容

前述のように、学問の自由は歴史的にも大学における研究・教育の自由と結びついて理解されてきた（→1(1)・429頁）。そして、大学における研究・教育の自由を十全に保障するためには、個々の研究者の研究・教育の自由を保障するだけにとどまらず、研究・教育の主要な場であり「学術の中心」（教育基本法7条、学校教育法83条1項）たる大学の運営についても、公権力等からの干渉なく大学の構成員による自律的決定に委ねられなければならない。こうした理由から、23条は**大学の自治**をも保障すると考えられてきた。最高裁も、「大学の学問の自由と自治は、大学が学術の中心として深く真理を探求し、専門の学芸を教授研究することを本質とすることに基づく」ことを認めている（最大判1963・5・22〔東大ポポロ事件〕。ただし、大学の自治が憲法上保障されるとは明言していない）。こうした観点からは、設置主体（現在の国立大学は国立大学法人、私立大学は原則として学校法人）による区別なく大学の自治が保障されるとしたうえで、法的規律の差異をふまえつつ自治の内実を考えることになろう。もっとも、従来の大学の自治論は、戦前の帝国大学以来ドイツ型大学をモデルとして構築されてきた国立大学を念頭におくことが多かったが、近時の大学改革によって従来のありかたは法制上も大きく変化しており（→コラム・438頁）、これが大学の自治に及ぼしている影響に留意が必要である。

大学の自治の保障の法的性格については、かつては学問の自由を確保するための制度的保障と説明するのが一般的であったが、制度的保障論自体の有用性に疑義があることからすれば（→第1章2節4・317頁）、学問の自由の性質と歴史から憲法上自治が認められると理解すれば十分であろう。

大学の自治の内容として、伝統的には①学長・教授その他の研究者の人事の自治、②大学の施設の管理の自治、③学生の管理の自治が挙げられて

きたが、これに加えて④教育研究の内容および方法に関する自治、⑤予算管理（財政）に関する自治も挙げることができる。

ⅰ）人事の自治

研究・教育を担う教授その他の研究者の採用・昇任・懲戒等を外部からの不当な干渉なく大学構成員が自ら決定するという人事の自治は、研究教育機関たる大学にとって根幹的な重要性を有し、これは学問の自由を担う研究者の身分を手続面で保障することでもある。人事の自治の主要な担い手は、大学におかれる教授会（学校教育法93条）であり、評議会等の大学管理機関も関与するものとされてきた（教育公務員特例法3-10条参照）。法人化後の国立大学（→コラム・438頁）、私立大学ともに就業規則等による人事の自治の確保が必要である（国立大学法人法21条3項4号参照）。

ⅱ）施設・学生管理の自治

既存の価値や秩序をも根底から疑い、検証することを含む学問研究を遂行するためには、外部からの圧力を排除し、自由に学問研究が行われる環境を確保する必要がある。そこから、施設や学生の管理についても大学による自治が認められなければならない（→(2)・437頁）。

大学の自治が教員人事・教育研究内容を主要な要素とすることから、自治の主体としては伝統的に教員団（教授会・評議会など）が想定され、（かつての国立大学の）学生は大学という営造物の利用者と理解されてきた（前掲最大判1963・5・22）。しかし、学生も大学における学問研究・学習の主体であり（学校教育法92条6～8項参照）、大学の不可欠の構成員であるから、大学の意思決定を最終的には教員団が担うとしても、学生（および職員）が意思形成過程に参加することを否定すべきではない（仙台高判1971・5・28〔東北大学事件〕参照）。もっとも、大学生が自らを「生徒」と呼ぶことがごく当たり前になっている現在では、こうした学生の位置づけ自体が問われているのかもしれない。

ⅲ）教育研究の内容・方法、財政に関する自治

教育研究の内容・方法についても大学による自主的決定が認められなければならない。文部省令たる大学設置基準は、教育課程（19～26条）・卒業要件（27～33条）について大綱的基準を定めるが、具体的編成は各大学に委ねられている。もっとも、近時の大学改革の動きのなかで、2002年に大学の活動状況に関する評価制度（自己評価＋認証評価機関による評価）が

導入され（学校教育法109〜111条）、2007年には教育研究活動の状況の公表も法定化された（同113条）。これらは、大学間競争を通した研究・教育の質の向上、（しばしば短期的な）成果の社会への還元、社会に対する説明責任という観点から説明されるが、これに対応するために大学教職員が相当の時間と労力を割かれているという実態からも、学問の自由・大学の自治への悪影響が懸念される（→コラム・438頁）。

　財政に関する自治に関しては、日本においてはかねてから高等教育に対する公金支出の割合が低く、国公私立大学を問わず自由な研究・教育のための財政的基盤の確立が課題とされてきたが、改善の見通しは明るくない。

＊2015年に下村文部科学大臣が全国の国立大学の入学式・卒業式での国旗掲揚・国歌斉唱を要請したが、大学の自治への介入ではないかとの強い疑念がある。

(2)　大学の自治の制約

　大学の自治の制約に関し、大きな議論を呼んできたのは警察権との関係である。とくに警察権が大学内で警備公安活動（公共の安寧秩序を保持するため、犯罪の予防・鎮圧に備えて各種情報を収集・調査する警察活動）を行うことは、治安維持の名目で自由な研究教育活動を阻害するおそれがきわめて高く、大学の了解なくこうした目的で警察が大学構内に立ち入ることは許されない。最高裁は、東大ポポロ事件において、本件演劇発表会は「真に学問的な研究と発表のためのものでなく、実社会の政治的社会的活動であり、かつ公開の集会またはこれに準じるもの」であって「大学の学問の自由と自治は、これを享有しない」とし、警察官の立ち入りも大学の学問の自由と自治を侵すものではないとした（最大判1963・5・22）。しかし、この判断は、警察による長期の大学内での情報収集活動を考慮しておらず、また、大学が正規の手続を経て教室の使用を認めていた点からも、大学の自治に対する配慮にあまりに欠けるものである。

＊東大ポポロ事件
　占領末期の1952年2月に大学内の教室で大学公認の学生団体が主催した松川事件（1949年に発生した列車転覆事件。労働組合員が逮捕・起訴されたが、最終的に最高裁で全員の無罪が確定した）を素材とする演劇発表会開催中、観客

の中に私服警察官がいるのを学生が発見し、警察手帳の提示を求めた際に暴行があったとして、学生が暴力行為等処罰ニ関スル法律違反に問われた事件。警察官は警備公安担当であり、長期にわたり大学構内で情報収集活動を行っていたため、警察権による学問の自由・大学の自治の侵害として問題となった。

また、犯罪捜査のための警察の大学構内立入りについても、現に行われた犯罪の捜査に必要な限度を超えて警察が警備公安活動を行うおそれがあることから、正式の令状に基づく場合でも捜査は大学構成員の立会いのもとで行われるべきである。さらに、大学構内で発生した不法行為に対処するため警察力の援助が必要な場合にも、大学による要請が前提となり、警察独自の判断による大学構内立入りは認められないと考えるべきだろう。

> コラム
> ### 国立大学法人法
> 　明治期以来、日本の国立大学は国の内部機関と位置づけられ、教職員も国家公務員の身分を有していた。しかし、20世紀末からの大学改革の流れのなかで、国立大学に国から独立した法人格を付与して、競争的・自律的な環境下でより個性豊かな魅力ある大学の実現をめざすとして、2003年に国立大学法人法が制定され、2004年4月に全国の国立大学が一斉に**国立大学法人**に移行した（公立大学についても、同様の仕組みをとる公立大学法人に移行する道が設けられた）。
> 　そこでは法人の長である学長を中心とするトップダウン式の運営が強調され、民間的発想の経営手法を導入するため、経営に関する重要事項を審議し、過半数の学外委員を含む経営協議会が設けられた（教育研究については、学内委員からなる教育研究評議会が審議する）。教職員は非公務員とされ、学長は、従来大学の自治の重要な要素とされてきた大学構成員による選挙に代わり、学外者を含む学長選考会議によって選考される（多くの国立大学法人では従来のような投票が実施されているが、投票結果は学長選考会議を法的に拘束しないものと扱われている）。さらに、各国立大学法人につき、文部科学大臣が6年の期間中に達成すべき中期目標を定め（あらかじめ国立大学法人の意見を聴き、当該意見に配慮すべきとされている）、それに基づき各国立大学法人は中期計画を作成し、期間終了後は業務実績の評価を受け、評価結果は予算配分等に反映される。
> 　こうした設置形態・組織・運営方法の変更は、国立大学における研究・教育に大きな影響をもたらしている（目標達成の圧力もあって外部資金の獲得がこれまで以上に求められ、国庫から支出される運営費交付金も毎年

削減されている)。また、2014年の学校教育法改正(2015年施行)により、教授会の審議事項を限定し、かつこれらの事項についても学長が決定を行うにあたり意見を述べるにとどまることとされた(同93条)。法人化に加え、すべての大学について学長のリーダーシップを中心とするガバナンス強化を目的とするこうした手法が学問の自由・大学の自治にとって望ましい方向への変化であるのかは、今後も不断の検証が求められよう。

考えてみよう

1…憲法23条が学問の自由を独立の条文で保障する意義を整理せよ。
2…遺伝子工学など先端科学技術に関する研究について、被験者の生命・健康に重大な影響を及ぼすおそれがある場合には、研究中止を命ずることができるとする規則を大学が定めることの憲法上の問題点を検討せよ。
3…学長選出に際し、教職員による投票の前段階として学生による投票を実施していた大学において、学生による投票を廃止することには、憲法上どのような問題が考えられるか。

Further Readings

・広渡清吾『学者にできることは何か』(岩波書店、2012年):「わが国の科学者の内外に対する代表機関」(日本学術会議法2条)である日本学術会議は、東日本大震災・福島第一原発事故にどう向き合ったのか。副会長・会長として立ち会った法学者の目を通して、学問・科学者の社会的使命と責任を考える書。
・吉見俊哉『大学とは何か』(岩波新書、2011年):中世ヨーロッパで誕生した大学(最古の大学は1158年設立のボローニャ大学とされる)の歴史をたどり、「メディアとしての大学」という視点から現代のグローバル化のもとで果たすべき役割を探求する。現代における知とその場のありかたを考えてみてほしい。
・高柳信一『学問の自由』(岩波書店、1983年):歴史と理論から学問の自由の本質を追求する本書は、憲法23条について考える際、現在もなおまず参照すべき古典的研究である。きわめて高度な内容だが、ぜひチャレンジを。

第4章 経済的自由

第1節 職業の自由

キーワード	営業の自由、内在的制約、政策的制約、小売市場判決、薬事法違憲判決

　本節では、22条1項が保障する職業の自由について、その保障の内容、保障の意義を考えるとともに、精神的自由とは異なる制約が許容されるもとで、いかなる制約が正当であるかを考えてみよう。

1　「職業」の意味

　22条1項は「何人も、公共の福祉に反しない限り……職業選択の自由を有する」と規定する。ここでいう「職業」については、最高裁は「人が自己の生計を維持するためにする継続的活動であるとともに、分業社会においては、これを通じて社会の存続と発展に寄与する社会的機能分担の活動たる性質を有し、各人が自己のもつ個性を全うすべき場として、個人の人格的価値とも不可分の関連を有するものである」（最大判1975・4・30）とし、個人の経済生活、経済的分業体制、個人の人格の3つの観点から特徴づけている。

　この定義からすれば、生計の維持を目的としない活動、それを目的としても単発的に行う活動、社会の他の構成員と無関係に自己完結的に行われる活動、といったものは「職業」ではないことになる。前記の経済的分業体制に組み込まれていればその活動自体が集団で行われる必要はなく、単独で行う活動であってもよい。

　27条1項の勤労権の保障との関係で、職業の自由が他人に雇用される形態で行う活動の選択の自由を含むかどうかについては、職業の自由が経済体制の観点からだけではなく個人の人格的価値との結び付きによっても意

義づけられるものであるので、他人に雇用される場合も含むと考えてよい。

2　職業の自由の内容

　22条1項が「職業選択」の語を用いているのでわかりにくいが、単に職業の選択（＝就職、転職、退職）だけに自由が保障されているだけでは、前述した職業の意義を発揮できないので、22条1項は、単に各人が自己の従事すべき職業を選択することを国家により妨げられないことだけではなく、各人が選択した職業の遂行を国家により妨げられないことも保障している。

3　営業の自由は憲法で保障されるか？

　職業の自由との関係で、「営業の自由」という言葉をたびたび見かける。そこでいう営業とは、就職活動の際に意識する「営業」、「総務」、「経理」といった職種のなかの営業のことではなく、憲法学の世界では伝統的に上記の「職業の遂行」の言い換えとして「営業」という言葉が使われてきた。そこでは、職業遂行の自由＝営業の自由ということになり、営業の自由は22条1項で保障されているということになる。それに対して、営業は営利を目的とする自主的な活動をさすものとする見解があり、それによれば営業は職業の一形態ということになる。ただし、この見解によっても実質的には職業遂行の自由は営業の自由と重なり合うので、営業の自由は22条1項で保障されることになる。

　営業の自由を職業の自由の内容としてとらえることに対しては、1960年代末にある経済史学者から、歴史的には営業の自由は人権としてではなく、「公序（public policy）」として追求されたものであり、そこでは社会における営業の独占と制限からの自由がより重要であること、憲法の解釈論としては「国家からの自由」を本質とする人権に営業の自由は含まれないこと、が指摘され、その後、法学者との間で「営業の自由」論争が展開された。

　その論争のなかで経済史学者の批判の対象のひとつとなったのは、営業の自由は22条1項の職業の自由に含まれるとする通説（22条説）および判例（最大判1972・11・22）である。その考え方は論争を経てもなお通説・

判例の位置にあるが、その論争に法律学の側から参加した者が、営業の自由とは狭義では「開業の自由、営業の維持・存続の自由、廃業の自由」を内容とする「営業をすることの自由」を意味するが、広義ではこのほかに「現に営業している者が、任意にその営業活動を行い得る自由」である「営業活動の自由」を含み、このうち22条1項が保障するのは狭義の営業の自由のみであり、営業活動の自由は財産権行使の自由として、29条によって保障されると解する説（22条・29条複合説）を展開し、その後この見解が有力になっている。

4　職業の自由を憲法で保障する理由

　歴史的にみれば、近代市民革命では封建制のもとでの君主・領主による経済活動の規制やギルド等による業種の独占を打破し、自由な経済活動を実現するために、居住移転の自由や財産権の保障等とともに職業の自由が主張されたし、現在でも資本主義経済体制を維持発展させる役割を担っていることは否定できない。それは、事業を営む者による業種の選択、活動方法などの決定において自由が保障されるからというだけではなく、雇用される側にも選択の自由な余地が広がることで労働力の自由な売買が保障されることになるからである。

　しかし、職業の自由を憲法で保障する理由はそうした社会にとっての必要性からだけで説明しきれるものではない。人がその生計を維持するため、という個人の経済生活にとっての必要性はもちろん、やはり何と言っても、個人の人格との関係で「各人が自己のもつ個性を全うすべき場」として重要である。かりにただ生計を維持するためだけが保障の理由であれば、職業の自由は必要でなく国によって職業を指定されてよいともいえる。しかし、人は就職する前に、就職関連企業や大学の就職支援担当部門がお膳立てをしなくても、自分の能力、適性、志望を見極め、業界や企業のそれぞれの特徴を調査・把握し、それなりにミスマッチにはならない就職を求めるのではないだろうか。そこには、睡眠時間以外の生活時間の大半を占めることになる職業に関することを自分で決めることができなければ、いくら「自分らしく生きることが大切」などと言われても画に描いた餅にひとしいとの思いがおそらくあるはずである。

5　職業活動に対する規制の種類

　そのように職業の自由が憲法で保障されるだけの理由はあるのだが、実際には職業活動はさまざまなかたちで規制されている。

(1)　選択・参入に対する規制

　職業を選択し、その事業分野に参入することに対する規制としては、①必要事項を事前に監督官庁に届け出ることを必要とする届出制、②必要事項を記載した申請書を提出し公簿に登録されることが必要な登録制、③必要事項を記載した申請書を提出しその内容が所定の許可基準を満たしている場合に行政庁の許可を受けることのできる許可制、④国家試験に合格するなどの法定の条件を満たして資格を得た者だけが当該職業につくことのできる資格制、⑤公共性が高く安定した事業展開が求められる分野において種々の厳しい条件を満たす者だけに特別に参入を認める特許制、⑥税収確保やサービスの安価公平な提供のためにひとつの会社にのみ参入を認める私的独占、⑦私的独占と同様の理由で私人がその職業活動を行うことを禁止していたかつての公的独占、⑧その職業活動を行うことを国を含めて何人にも禁止する全面禁止、といった種類がある。この説明の順に規制の程度がだんだんに強くなる。

(2)　態様等に対する規制

　職業を選択し、その事業分野に参入することが認められれば、そのあとは何をしてもよいかといえばそうではない。刑法上の犯罪（詐欺、恐喝など）にあたる行為をすれば処罰されるのはもちろんだし、そのほかそれぞれの規制法令において職業活動を行うことについてさまざまな点に関する規制が存在する。

　たとえば、風俗営業は午前0時から午前6時まで営業が禁止されるし（風営法13条）、薬局の管理は薬剤師が行う（医薬品医療機器等法7条）などスタッフの配置に関する義務付けもある。食品衛生法のように、飲食店営業等について許可制を定めた（食品衛生法52条以下）うえで、食品及び添加物の衛生安全（同5条以下）、器具及び容器包装の衛生安全（同15条以下）、食品、添加物、器具、容器包装に関する検査（同25条以下）、食品等に関す

る表示及び広告（同19条以下）など幅広く態様等に対する規制を定めるものもある。

　一般的に態様等に対する規制は、選択・参入に対する規制に比べて緩やかな規制だといわれる。時間、場所、方法等に対する規制が行われても、それぞれについて規制されていない時間等が残されており、職業活動自体が不可能になるわけではないからであるが、たとえば、飲食店が０時から23時まで営業を禁止されたり、直近の住宅から50km以上離れていることが必要とされたりすれば、それは営業が禁止されているにひとしい。態様等に対する規制が緩やかであるというのはあくまでも一般論としてである。

6　職業活動に対する規制の目的

(1)　規制の目的が問われる理由

　以上のような規制の類型化とは別に、職業活動に対する規制については規制目的による分類が行われるのが通例である。

　それは、12条、13条の「公共の福祉」による人権制約とは別に、22条１項が職業の自由を「公共の福祉に反しない限り」保障するとしていることを理解するにあたって、前者の公共の福祉を権利に当然に内在する**内在的制約**を意味するものと解し、後者の公共の福祉を国家の政策的配慮から加えられる**政策的制約**を意味するものと解すると、職業の自由に対する制約が内在的制約か政策的制約のいずれかに属さなければ違憲な制約ということになるため、職業活動に対する規制が職業の自由に対する内在的制約あるいは政策的制約にあたるかを考えるうえで規制目的を明らかにする必要があるからである。

　さらに、判例が職業活動の規制に関する違憲審査にあたって、規制目的によって審査基準の使い分けをすることの理解（**目的二分論**）がいったんは普及したことが大きく影響している。

　すなわち、最高裁は**小売市場判決**において、個人の経済活動の自由に関しては個人の精神的自由等に関する場合と異なって、積極的な社会経済政策の実施の一手段として一定の合理的規制措置を講じることは憲法が予定し許容するところであるとして「二重の基準」論（→第２部３章２節３(4)ⅰ）・301頁）を採用し、そのうえで、経済活動に対する規制を規制目的によ

って、社会公共の安全と秩序の維持の見地から看過することのできない弊害を除去・緩和するために行う消極的規制と、福祉国家的理想のもとで社会経済の均衡のとれた調和的発展を企図する見地から経済的劣位に立つ者に対する適切な保護政策が要請されていることをふまえた積極的な社会経済政策の実施のための積極的規制があることを示した（最判1972・11・22）。

そのうえで最高裁は、小売市場の適正配置規制が積極的規制だとした場合には「立法府がその裁量権を逸脱し、当該法的規制措置が著しく不合理であることの明白である場合に限って、これを違憲」とする「明白性の原則」を採用し（最大判1972・11・22）、薬局等の適正配置規制が消極的規制だとした場合には「許可制に比べて職業の自由に対するよりゆるやかな制限である職業活動の内容及び態様に対する規制によっては右の目的を十分に達成することができないと認められること」が必要だとし（いわゆる「LRAの基準」）、「厳格な合理性の基準」を採用した（最大判1975・4・30〔薬事法違憲判決〕）。

(2) **消極目的と積極目的**

一般に、消極目的による規制は他者の生命・健康等への侵害を防止するなど消極的・警察的目的を達成するための規制であると考えられている。

判例で、賍物の古物商への流れを阻止する等により被害者保護、犯罪の予防等を容易にするためものとされている古物営業の許可制（最大判1953・3・18）、「人の健康に害を及ぼす虞がある」ことが理由とされた医師やあん摩師等の免許を受けた以外の者による医業類似行為を業とすることの禁止（最大判1960・1・27）、悪質暴利等の不正な金融が一般大衆に及ぼす弊害が極めて大きいことが理由とされた貸金業のかつての届出制（最大判1961・12・20）、不良医薬品の供給から国民の健康と安全を守るためのものと認定された薬事法による規制（最大判1975・4・30）、などがその例といえる。その他、岩石の採取による災害の未然防止を目的に掲げる採石法による採石業の登録制、飲食に起因する衛生上の危害の発生を防止することで国民の健康の保護を図ることを目的とする食品衛生法による規制、なども消極目的規制に分類されよう。

他方、積極目的による規制については理解が多様である。最も狭くは社会・経済的弱者の保護のための規制に限定して理解されるが、それに加え

て、最高裁（最大判1975・4・30）のように「国民経済の円満な発展や社会公共の便宜の促進」を目的に入れる見解が多数を占め、さらに後述する財政目的等もこれに含める見解も少なくない。

判例で、道路運送事業の適正な運営および公正な競争の確保、道路運送に関する秩序の確立という目的にそうものとされた自動車運送事業の免許制（最大判1963・12・4）、小売商の共倒れから小売商を保護する中小企業保護政策の一方策とされた小売市場の許可制（最大判1972・11・22）、また、下級審で養蚕業および蚕糸業とりわけ養蚕農家のための保護政策であるとの判断が示された生糸の輸入制限措置（京都地判1984・6・29）、などが積極目的による規制の例といえる。

(3) 目的二分論の妥当性

ⅰ) 消極・積極の併有

以上のように規制目的が消極目的か積極目的かの判断が一応可能な場合はもちろんあるが、公害規制や建築規制などのように、消極目的による規制と目されてきたが積極目的も併せもつ立法も増加していると指摘される分野もある。また、公衆浴場の適正配置規制については、消極目的と判断されたり（最大判1955・1・26）、積極目的と判断されたり（最判1989・1・20）したうえで、「国民保健及び環境衛生の確保」および、「自家風呂を持たない国民にとって必要不可欠な厚生施設である公衆浴場自体を確保しようとすること」のふたつの目的を併せもつと判断されるに至っている（最判1989・3・7）。

ⅱ) 「第3の目的」？

消極目的と積極目的を併せもつ場合のほかに目的二分論を揺さぶるのは、職業活動に対する規制の目的が、消極目的と積極目的のいずれにも分類できない場合があるのではないか、という疑いである。

そのひとつが、たばこ事業や酒類製造・販売業にみられる税収確保という財政目的である。酒類販売業の許可制について最高裁は、「租税の適正かつ確実な賦課徴収を図るという国家の財政目的」と目的を認定した（最判1992・12・15）。学説のほうでは積極目的に分類するもののほか、目的二分論によらない例に挙げるものがある。また、地球環境問題に対応する規制のように保護の対象が個人や社会でない場合はどのように考えることが

できるか、ということが問題となる。

　そのように考えると、規制目的を二種類に分けることには無理がありそうだ。ある論者は、一般的に消極目的と理解されているものを細かく分類することを意図してではあるが、自由制約正当化事由を、①他者の権利・利益（治安・公衆衛生などを含む）の確保、②本人の客観的利益の保護、③公共道徳の確保、④経済取引秩序の確保、⑤自然的・文化的環境の保護、⑥国家の正当な統治・行政機能の確保、⑦社会政策的・経済政策的目的の実現（財政政策に基づくものや、事業の公共性を理由とするものも含む）、の７つの範疇に分ける。これは、合憲のものとして疑いの挟まれていない人権制約を無理やり２種類に分けることなく、人権制約の全体像を描き出す試みといえ、その範疇設定や各範疇に含める制約の選択などに同意するかどうかは別として、妥当な人権制約を考えるひとつの足掛かりといえるだろう。

　ⅲ）　違憲審査基準との直結？

　判例が規制目的を二分し、規制目的によって審査基準の使い分けをすることを明らかにしたと理解したうえで、そのような判例に対して学説からは批判が出されたが、すでに指摘されているように、**薬事法違憲判決**（最大判1975・4・30）は、職業の多様性に応じて、その規制を要求する社会的理由ないし目的も千差万別で、職業の自由に対する規制も各種各様のかたちをとるので、その合憲性を一律に論ずることはできず、諸々の要素を比較考量したうえで慎重に決定されなければならないとの一般論を述べていた。

　違憲審査についてその基準を明確化する作業は裁判所の恣意的審査をなくすために必要な作業であるが、過度の単純化は逆に硬直した対応を正当化することにもなる。職業選択の自由に関する違憲審査についていえば、規制目的のみならず、「選択」に対する制限か「遂行」に対する制限か、「選択」、「遂行」それぞれで選択される規制の種類、規制される職業またはその内容といったことも審査の厳格度を左右する要素となるだろう。

7　規制緩和

　1980年代以降の第二次臨調とそれに続く第一次から第三次までの行革審、

経済改革研究会(「平岩レポート」)、行政改革委員会までは規制緩和の名のもとで、2000年前後以降は行政改革推進本部、総合規制改革会議、規制改革・民間開放推進会議、規制改革会議(2007年設置)、行政刷新会議、規制改革会議(2013年設置)、現在の規制改革推進会議といった機関では規制改革の名のもとで、行政改革、グローバル化対応、経済成長等と関連づけながら経済活動の規制の見直し・撤廃が検討・実施されてきた。

　この種の議論のなかでは経済活動に対する規制について、上述の消極目的規制、積極目的規制という分類ではなく、「社会的規制」と「経済的規制」という区分が用いられる。「社会的規制」とは、消費者や労働者の安全・健康の確保、環境の保全、災害防止、保健衛生の維持・改善などのために課せられる規制をさし、「経済的規制」とは、資源配分の効率性や分配の公正の確保を主な目的として、企業の参入・退出、価格、サービスの質および量、投資、財務などに関して課せられる規制をさす。当初は経済的規制の緩和に重点があったが、その後社会的規制についても緩和策がとられることになり、電気通信事業の民間開放、労働者派遣事業の民間開放、大規模小売店舗開設の届出制への変更、などさまざまな項目について規制緩和が行われた。

　職業の自由に対する内在的制約および政策的制約は、憲法が「許容」しているものではなく「要請」している。憲法が要請していない制約が職業の自由に課せられていたのであれば、その規制は当然に撤廃されなければならないが、憲法が要請している制約にあたる経済活動の規制については、その内容・程度等が適切なものである限り維持される必要があろう。

コラム
薬事法違憲判決と議員立法

　薬局の開設等につき許可制を定める薬事法(当時。現在の医薬品医療機器等法)には、1963年改正により許可条件のひとつに薬局等の適正配置が設けられた。この改正法は当時の日本薬剤師会会長、全国薬業士会連合会会頭を含む20名の参議院議員により提案された議員立法であった。それ以前から国会において、スーパーマーケットの医薬品販売業への進出などにより既存業者との対立が生じ、医薬品の乱売が行われていることが問題視されているなかでの改正であった。具体的には各都道府県条例で既存の薬局等からの最短距離を定めていたが、最大判1975・4・30は「競争の激化

－経営の不安定－法規違反という因果関係に立つ不良医薬品の供給の危険が、薬局等の段階において、相当程度の規模で発生する可能性があるとすることは、単なる観念上の想定にすぎ」ないなどとして、適正配置規制を違憲と判断し、1975年6月の改正により適正配置規定は削除された。

同判決は最高裁史上2例目の法令違憲判決として有名であるだけでなく、違憲審査の手法として立法事実論を採用したことで名高い（→第2部3章2節3(3)・299頁）。しかし、そもそも十分な根拠を示すでもなく議員立法として提出された法案をきわめて短時間で審議して成立したものに対して、観念上の想定にすぎないと指摘することは赤子の手をひねるようなものであったろう。その意味では、ここでは未だ立法事実論の真価は発揮されていなかったといえるだろう。

考えてみよう

1…職業活動は実際にどのような目的で規制されているか。
2…タトゥー施術行為を「医師が行うのでなければ保健衛生上の危害を生ずるおそれ」があるからという理由で、医師に限定して認める規制を行うことは憲法22条1項に違反するか。
3…規制緩和で実現したことのメリット・デメリットについて。

Farther Readings

・岡田与好『経済的自由主義──資本主義と自由』（東京大学出版会、1987年）：「営業の自由」論争の発端となった「営業の自由＝公序」論を唱えた経済史学者が、経済的自由主義とはどういうものであり、それが資本主義の歴史のなかでどのように変化していったかを検討する。
・「特集・憲法と経済秩序」季刊『企業と法創造』第6巻第4号（商事法務、2010年）：早稲田大学グローバルCOEプログラム「企業と法創造」の憲法部会による「憲法と経済秩序」をテーマに行われた研究会の報告・討論に基づく論文集。日本国憲法の想定する経済秩序を追求する。以後、経済的自由にとらわれない広いテーマをとりあげつつ、「特集・憲法と経済秩序Ⅱ」（同第7巻第5号）、「特集・憲法と経済秩序Ⅲ」（同第8巻第3号）、「特集・憲法と経済秩序Ⅳ」（第9巻第3号）が公刊されている。
・野坂泰司「薬局等の適正配置規制と職業の自由」同『憲法基本判例を読み直す』（有斐閣、2011年）209頁以下：憲法の基本判例を読み直し、当の判例に関する理解を深めるとともに、日本の憲法訴訟のありかたを明らかにするという同書のコンセプトのもと薬事法違憲判決を中心に職業の自由に関する判例動向を検討する。

第2節	財産権
キーワード	私有財産制、制度的保障、森林法違憲判決、正当な補償、農地改革

　本節では、29条が保障する財産権について、その保障の内容、保障の意義、制約のありかたを考えるとともに、公共目的で行われる私有財産の収用とそれに対する損失補償をどのようにとらえたらよいかを考えてみよう。

1　29条の構造

　財産権は、近代の人権宣言においては、フランス人権宣言（1789年）が所有を「神聖かつ不可侵の権利」（17条）と性格づけたように、諸々の権利のなかでもっとも基本的かつ優先的なものとして扱われた。また、思想的にはJ・ロックの自然権論において財産に対する権利は、生命、自由に対する権利とならんで自然権の内容として主張された。29条1項が「財産権は、これを侵してはならない」としたところには、近代におけるそうした財産権の位置づけが反映している。

　しかし、19世紀から20世紀にかけての資本主義経済体制の発達のなかで、自由な資本の活動の結果として失業、貧困、疾病などさまざまな弊害が生じた。そのなかで、ドイツのワイマール憲法（1919年）で「所有権は義務をともなう。その行使は同時に公共の福祉に役立つべきである」（153条3項）と規定されたように、財産権の保障は相対化することになる。そして、第二次世界大戦後になるとさらに進んで、資本主義経済体制のもとで土地、天然資源、生産手段の社会化、国有化を容認する憲法も現れた（ドイツ、フランス、イタリアなど）。29条2項が「財産権の内容は、公共の福祉に適合するように、法律でこれを定める」としたところに、こうした財産権保障の性格の変化が反映している。

　なお、29条3項は「私有財産は、正当な補償の下に、これを公共のために用ひることができる」として私有財産の公用と補償について規定しているが、これは私有財産のなかには土地のように公共性の観点から利用に供されなければならないものもあるからであり、近代当初のフランス人権宣言においても、公の必要の適法性・明白性と正当かつ事前の補償を条件に所有の剥奪を認めていた（17条）。

2　財産権保障の内容

　29条1項でいう「財産権」は、財産的価値を有する一切の権利を意味し、そこには所有権その他の物権や債権のほか、著作権・特許権などの知的財産権、鉱業権・漁業権などの特別法上の権利が含まれる。

　そして、1項での財産権の保障は、個人が現に有する具体的な財産権の保障を意味するのみならず、財産権を享有できる法制度としての**私有財産制の保障**をも意味していると解されている。前者の具体的な財産権の保障の対象となる財産について、1960年代以降、公害問題や独占問題を背景に、「大きな財産」・「小さな財産」、「独占財産」・「生存財産」といった二分論が唱えられ、それぞれ後者についてこそ財産権が保障されるべきと説かれ、その問題意識への理解が広まった。

　また、後者の私有財産制の保障を**制度的保障**と考えるならば、2項が財産権を定める法律の内容が「公共の福祉に適合する」よう求めていても、私有財産制の本質を侵害する法律は1項違反となるので、その本質が何かが問題となる。多数説である(a)説は資本主義経済体制であることを前提に生産手段の私有であるとするが、これに対して(b)説は、人間として価値のある生活を営むために必要な物的手段の享有ととらえる。資本主義経済体制といっても、その具体的なありかたは国により時代によりさまざまであり、そこにおける生産手段の所有形態も一様ではない。財産権を人格的な観点で基礎づける理論が台頭するなか、(b)説が有力に唱えられている。

3　財産権の種類と規制

(1)　財産権の内容は「法律で」これを定める

　29条2項は財産権の内容を法律で定めなければならないとしている。

　現在の日本においては物権、債権については民法によって、知的財産権のうち著作権については著作権法、産業財産権（特許権、実用新案権、意匠権、商標権の総称）については特許法、実用新案法、意匠法、商標法によって具体化されている。その他、鉱業法、漁業法などで具体的な権利が規定されている。

　それでは法律以外の法規範によって財産権の内容を定めることは29条2

項に違反するであろうか。国会の「唯一の立法機関」性から独立命令の禁止が導かれることと相まって、規範構造において法律より下位の命令等によって財産権の内容を直接規定することはできないが、法律の具体的・個別的な委任があれば話は別である（→第 2 部 2 章 4 節 2(2)ⅱ・216頁）。また、地方公共団体の条例は、直接公選された議員で構成される地方議会で制定される点で準法律的な自主立法の性格を有すること、財産権の規制の必要性、程度等は地域ごとに異なることなどから容認される。判例も、地方公共団体の特殊な事情により法律で一律に定めることは困難または不適当なことがありうることを理由に条例による規制を認めている（最大判1963・6・26〔奈良県ため池条例事件〕）（→第 2 部 2 章 6 節 4(2)ⅱ・268頁）。

(2) 財産権の内容は「公共の福祉に適合するやうに」これを定める

29条 2 項は財産権の内容が公共の福祉による制約に服することを定めるので、財産権は職業の自由とともに、内在的制約のみならず政策的制約にも服する。

職業の自由に対する制約を論じる際には、職業活動に対する規制をその局面と手段で整理したが（→第 1 節 5・443頁）、財産権の行使にあたる行為の規制は、そもそも財産権の種類が多種多様であり、その規制の内容も財産権の種類に応じてさまざまなものがあるので、職業活動に対する規制のときのように局面と手段ごとに整理するのは困難である。規制目的も千差万別ではあるが、通例に従い、その規制目的による分類を紹介するにとどめる。

まず、消極目的による規制、すなわち国民の生命、健康等に対する危険を防止するために課される規制の例として、感染症まん延の防止のために建物への立ち入りを制限・禁止すること（感染症予防法32条）、火災の予防上必要な場合に建築物等の改修、移転等を命ずること（消防法 5 条）、消火・延焼の防止や人命救助のための建築物や土地の使用等（同29条 1 項）、宅地造成にともなう災害の防止のため宅地造成工事規制区域内の宅地についての擁壁等の設置等の命令（宅地造成等規制法17条）などがある。

積極目的による規制の例としては一般に、独占禁止法による私的独占の排除、農地法による耕作者保護のための規制、都市計画法による土地利用規制、文化財保護法による文化財保護のための規制、自然環境保全法・自

然公園法による自然環境保全のための規制などが挙げられる。しかし、職業活動に対する積極目的規制のところで述べたように、福祉国家の理念に基づいて社会・経済的弱者を保護するために課される規制をその中核としつつも論者によって広狭あり、財産権に対する正当な制約をどう考えるかがやはり課題となる。

さらには、職業の自由の場合と同様に、消極目的と積極目的を併有するものがあり、また、自然公園法、自然環境保全法や文化財保護法などによる土地利用規制の目的も積極目的と言いきれるかどうかも議論のあるところである。

ただし、規制目的の分類と違憲審査基準との関係については、職業の自由の場合とは違って、判例が規制目的二分論によっているとの一般的理解が成立せず終わっている。なぜならば、小売市場判決、薬事法違憲判決のあとに出された森林法の共有林分割制限規定を違憲と判断した**森林法違憲判決**（最大判1987・4・22）は、財産権に対する規制が29条2項に違反するかどうかの判断を規制の目的、必要性、内容、その規制によって制限される財産権の種類、性質および制限の程度等を比較衡量して行うとして、規制目的は衡量すべき要素のひとつにすぎないものとし、さらに、違憲とするための基準は、規制目的が公共の福祉に合致しないか、規制目的が公共の福祉に合致していても規制手段が規制目的を達成するための手段として必要性または合理性に欠けていることが明らかであることが必要であるという基準に一元化されており、積極目的による規制については「明白性の原則」を、消極目的による規制については「厳格な合理性の基準」をそれぞれ適用するという二分論には従っていないからである。

この判断枠組みは、いわゆるインサイダー取引を規制する証券取引法（当時。現在の金融商品取引法）164条1項の合憲性が争われた事件の上告審においても踏襲されている（最大判2002・2・13）。

4　損失補償

(1) 「賠償」と「補償」

29条3項は「私有財産は、**正当な補償**の下に、これを公共のために用ひることができる」として損失補償を定めている。損失補償とは、伝統的な

定義によれば適法な公権力の行使により財産権が侵害され特別の犠牲が生じた者に対して、公平の見地から全体の負担において行われる財産的補償のことであり、17条で定める国家賠償が違法な公権力の行使を原因とし、公務員の故意・過失を要件とし、侵害される権利の種類や損害の程度に所与の限定がない（→第2部2章3節2・179頁）のとは対照的である。

(2) **補償の対象**
　ⅰ）　財産権の侵害
　29条3項による損失補償の対象となるのは、私有財産を公共のために用いる場合であるが、ここでいう「公共のため」とは学校、公園、道路、ダムの建設のような公共事業のためを意味するとともに、自作農創設を目的として地主から強制的に農地を買収して特定の農業者個人が受益者となるように、ある個人の私有財産が最終的に他の個人の私有財産になる場合でも、その事業の目的が公共性のあるものであれば、ここでいう「公共のため」に含まれる（最判1954・1・22〔自作農創設特別措置法事件〕）。
　このように「公共のために用いる」という定義の段階では補償の対象がいったんは広がるものの、上記のように損失補償の要件として「特別の犠牲」があるため、一般的に受忍すべきものとされる程度の犠牲に対しては補償を必要としないとされ、それによって補償の対象は絞り込まれる。
　特別の犠牲とは何かについて、かつては、①侵害が一般的か個別的かという形式的基準と②侵害が財産権の剝奪や財産権の本来の効用の発揮の妨げになるような本質的なものかどうかという実質的基準のふたつの基準をもとに判断すると考えられていた（形式・実質二要件説）。しかし、法律による侵害は基本的に一般的なものであるため形式的基準は実際には機能しないことから、実質的基準だけで判断すべきとの学説が現れた。その学説は、侵害が本質的であるならば補償が必要とし、さらに、侵害が本質的でない場合、①当該財産権が社会的共同生活との調和を保ってゆくために必要とされる程度の制限であれば補償は不要であるが、②他の特定の公益目的のために当該財産権の本来の社会的効用とは無関係に偶然に課せられる制限であるときには補償が必要であると説く（実質要件説）。この説における実質的基準は、私有財産の公用が多様なかたちで行われる現在において個別的・具体的に判断するのに適しているので、現在ではこの説が有力と

なっている。

判例は、ため池の堤とうの使用制限についても（最大判1963・6・26）、河川附近地での砂利採取が都道府県知事の許可のもとにおかれていることについても（最大判1968・11・27）損失補償は必要としないとした。

　ⅱ）　生命・身体に対する侵害

上記の損失補償と国家賠償の対比において、原因となる公権力の行使の違法・適法の違いが基本的な相違点であったが、損害賠償の場合には侵害される権利の種類や損害の程度に所与の限定がないのとは対照的に、損失補償の場合には伝統的見解では、財産権の侵害に対象が絞り込まれ、かつ、特別の犠牲といえる侵害でなければ補償の対象とならない、ということであった。また、国家賠償については公務員の故意・過失が要件となるが損失補償の場合にそのような限定はない。そうすると、違法な公権力の行使であっても公務員に故意・過失がない場合に加えて、適法な公権力の行使の結果として財産権以外の権利について特別の犠牲といえる程度の侵害が発生した場合でも国に金銭の支払を請求できないことになる。後者の場合、それが人の生命、身体に対する侵害であっても補償されなくてよいであろうか。

それが争点となった予防接種禍訴訟を例にとると、被害者の救済に関する学説には、(a)生命、身体に対する侵害を違法行為と位置づける損害賠償説、(b)適法行為による特別の犠牲と解する損失補償説、(c)国家賠償と損失補償の谷間の問題とする結果責任説、などがある。下級審判決では、29条3項を類推適用するのが相当であるとしたもの（東京地判1984・5・18）や憲法が国民の生命、身体を財産権よりも格段に厚く保障していることが明らかであるとして、29条3項の勿論解釈により損失補償を認めたもの（大阪地判1987・9・30）など、損失補償として構成するものが主流であった。しかし、最判1991・4・19が、特段の事情が認められない限り被接種者が禁忌者に該当していたと推定して国家賠償責任を広く認める方向性を打ち出し、東京高判1992・12・18において被害者全員を禁忌者と推定したうえで、厚生大臣の制度的過失を認定したうえで賠償責任を国に認めた。

(3)　補償の程度

29条3項は「**正当な補償**」を条件として定めるが、これについては、客

観的な市場価格を全額補償することをいうとする「完全補償説」と合理的に算出された相当な額であれば市場価格を下回っても是認する「相当補償説」との対立がある。

最高裁は、**農地改革**事件では、その当時の経済状態において成立することを考えられる価格に基づき合理的に算出された相当な額をいうとして相当補償説の立場をとり（最大判1953・12・23）、土地収用法に関する事件では、「土地収用法における損失の補償は」、完全な補償、すなわち収用の前後を通じて被収用者の財産価値を等しくならしめるような補償をなすべきだとした（最判1973・10・18）。そして、比較的最近の土地収用法71条の合憲性が争われた事件では、同条の価格固定制につき完全補償を受けることができると認定する一方で、憲法29条3項の正当な補償については農地改革事件での判断を「当裁判所の判例……とするところである」として相当保障説に立った（最判2002・6・11）。

学説では、上記のふたつの説のほかに、完全補償を原則としながらも、農地改革のように既存の財産権秩序を構成するある種の財産権に対する社会的評価が変化したことに基づき、その財産権が公共のために用いられるという例外的な場合には相当補償であってもよいとする「完全補償原則説」もあり、有力となっている。ただし、「相当補償説」も完全補償を否定するものではないことに注意を要する。

補償の程度に関しては上記の論点のほかに、金額面で完全補償をするだけでは従前の生活を継続できないような場合に、現物補償や生活再建措置のような「生活補償」あるいは「生活権補償」も「正当な補償」に含まれるかどうか、という論点もある。

(4) 憲法に基づく直接請求？

25条の「健康で文化的な最低限度の生活」のために何らかの金品の支給を求めたり、国の行為による損害に対して賠償を求めたり、国にその保有情報の公開を求めたり、国民はさまざまなことを国に請求できるが、たいていの場合はその請求できる内容、手続等を定めた法律がなければ行使できないことになっている。

しかし、損失補償については判例・通説ともに29条3項に基づいて直接請求できると解釈している。最高裁は河川附近地制限令事件で、被告人が

従来から行ってきた行為が許可制のもとにおかれたことでできなくなったことにともなう損失については、補償の対象となると解すべき余地があるが同令では補償の対象になっていないことにかかわって、同令で規定がなくてもあらゆる場合に一切の損失補償をまったく否定するという趣旨ではなく、29条3項に基づいて補償請求する余地がまったくないわけではないと判示している（最大判1968・11・27）。

コラム
農地改革

　農地改革は、第二次世界大戦後の連合国による占領下での民主化政策の一環として取り組まれた改革である。

　1873年の地租改正により「地主的土地所有」が生まれ、それにより形成された地主－小作関係のもとで小作人の地位向上、自作農創設は戦前においても課題とはされていたが目立った成果はなかった。1945年12月の連合国最高司令官の覚書は、「数世紀にわたる封建的圧政のもと農民を奴隷化してきた経済的桎梏を打破」するための改革を指示したが、日本政府が当初実施した内容が不十分だったため（第一次農地改革）、1946年4月から6月の対日理事会で審議決定された内容をふまえた勧告が日本政府になされ、同年、農地調整法改正案と自作農創設特別措置法案からなる農地改革関連法案が成立して第二次農地改革が行われた。

　それによれば不在地主の所有する小作地全部と在村地主の有する1町歩（＝約1ha）（北海道は4町歩）を超える小作地などが政府による強制買収の対象となり、小作地の8割以上が買収された。また、買収金額がかなりの低額であり、その後、訴訟が頻発することになった。

考えてみよう

1…電力会社を国有化することは、日本国憲法のもとで可能だろうか。
2…津波の被害に遭った住民に宅地を提供するために高台に宅地を造成し、当該住民を強制的に移住させることの是非について。
3…新型コロナウイルス感染防止のために営業の規制を行う場合、損失補償をしなければならないか。

Further Readings

・中島徹「財産権保障における『近代』と『現代』(1)〜(8)」法律時報84巻1号〜84巻8号（2012年）：『財産権の領分』（日本評論社、2007年）で現実の規制緩和路線と向き合いながら経済的自由の問題を論じた著者が、東日本大震災と TPP 問題を視野に入れながら、農地所有権、漁業権を焦点に財産権保障の現代的問題を考える。

・安念潤司「憲法が財産権を保護することの意味」長谷部恭男編『リーディングズ現代の憲法』（日本評論社、1995年）137頁以下：森林法違憲判決について検討する際にしばしば参照が求められる論文であり、この判決が前提としている財産権の保障についての考え方は何かを追求する。

・今村成和『損失補償制度の研究』（有斐閣、1968年）：公刊されて半世紀が過ぎたが、この著書における「特別の犠牲」など29条3項の解釈は現在の有力説の端緒となったもので、なお振り返る価値がある。

第3節　居住、移転、外国移住、国籍離脱の自由

1　居住・移転の自由

憲法22条1項は、居住・移転の自由を保障する。この自由は、①自己の住所・居所を自由に決定する自由（自らの意思に反してそこから移されない自由を含む）と、②移動の自由（旅行の自由を含む）を内容とする。

近代以前の身分制社会において人々は、特定の職業と一定の土地に緊縛されていた。この身分制的拘束を打破した近代市民革命は同時に、人と物の自由な流通を不可欠な前提とする資本主義経済体制への移行を可能にするものであった。そのため、職業選択の自由と居住・移転の自由の特別な関連性が意識されたのである。職業選択の自由と居住・移転の自由の両方を保障する憲法22条の条文構造は、この歴史的沿革を反映している。

歴史的沿革と憲法の条文構造に従えば、居住・移転の自由は経済的自由に位置付けられる。しかし、居住・移転の自由に対する制約の中には、ハンセン病患者に対する隔離政策のように、人身の自由に対する侵害としての性格をもつものがある（熊本地判2001・5・11〔ハンセン病国家賠償訴訟熊本地裁判決〕）。また、ベルリンの壁の建設とその崩壊が象徴するとおり、人間の移動は、自由な精神活動とも密接にかかわっている。ミャンマー（ビルマ）でアウンサンスーチー氏に対して行なわれた自宅軟禁措置も、移動の自由と精神的自由の密接な関連性を示すものである。

以上のとおり、居住・移転の自由は、経済的自由、人身の自由、精神的自由といった多面的・複合的性格を有する権利であるため、その制約の合憲性を、経済的自由と同一の審査基準で一律に判断するのは妥当ではない。

居住・移転の自由が、人身の自由や精神的自由と密接に関連する場合には、より厳格な審査基準が適用されると解すべきである。

2　外国移住・国籍離脱の自由

(1)　外国移住の自由・海外渡航の自由

　憲法22条2項は、外国移住の自由を保障している。海外渡航の自由（外国旅行の自由）について、「旅行」と「移住」の言葉の差異にこだわり、海外渡航の自由は憲法22条1項で保障されるとの説もあるが、外国移住の自由に含まれると解するのが、判例・通説である（後掲の帆足計事件最高裁判決を参照）。

　海外渡航には旅券（パスポート）の所持が義務づけられているため（入管法60条1項）、旅券が発給されないと、海外渡航ができないことになる。元参議院議員（帆足計）が、1952年にモスクワで開催される国際経済会議に出席するため、旅券を請求したところ、外務大臣は、「著しく、かつ、直接に日本国の利益又は公安を害する行為を行うおそれがあると認めるに足りる相当の理由がある者」（旅券法13条1項5号。現行旅券法13条1項7号）に該当するとして、旅券の発給を拒否した。そのため、本件規定の合憲性が争われることになった。最高裁は、海外渡航の自由も、憲法22条2項の外国移住の自由に含まれるが、「公共の福祉のために合理的な制限に服する」とし、本件規定はその合理的な制限を定めたものであり、漠然たる基準ともいえないと判示した（最大判1958・9・10〔帆足計事件〕）。

　しかし、外国旅行を含めて移動の自由は、各自の精神活動や人格形成と密接に関わる場合が少なくないことを勘案すると、旅券法の本件規定は明確性を欠いており、違憲の疑いが強い（「漠然性ゆえに無効の法理」については→第2部3章2節3(2)ⅰ・297頁）。かりに本件規定を法令違憲とは解さないとしても、精神的自由としての側面をもつ以上、個別的具体的な条件のもとで、本件規定の定める害悪発生の相当の蓋然性が客観的に存在することを政府の側で立証する必要があり、その立証ができない場合の拒否処分は適用違憲（→第2部3章2節3(2)ⅱ・298頁）になると解すべきである（最判1985・1・22の伊藤正己裁判官の補足意見も参照）。

(2) 国籍離脱の自由

　国籍は特定の国家の構成員であることを示す資格である。大日本帝国憲法下の国籍法は国籍離脱の自由を認めず、原則として政府の許可を必要としていたから、憲法22条2項が国籍離脱の自由を明文で定めたことの意義は大きい。国籍法は、①外国の国籍を取得した場合、日本国籍を喪失する（国籍法11条1項）、②外国の国籍を有する日本国民は、外国の国籍を選択した場合、日本国籍を喪失すると定めて（同11条2項）、国籍離脱の自由を具体化しているが、無国籍や重国籍になる自由は認めていない（重国籍の解消に関する規定として、同12〜16条を参照）。

　国籍は、人権保障の範囲・程度を決める基準としても利用されており、判例も認めるとおり、「重要な法的地位」である（最大判2008・6・4〔国籍法違憲判決〕）。よって、個人が少なくともひとつの国籍をもつ権利を論ずる意味はあっても、無国籍になる自由を論ずる意味は乏しいと考える。学説上も、国籍離脱の自由は、無国籍になる自由を含まないと解するのが一般的である。他方、重国籍の問題について現行制度は違憲であるといえないとしても、本人の意思に反して（日本）国籍を奪うものであり、国際的には重国籍を積極的に容認する動きもあるので（1993年にストラスブール条約が改定され、締約国の間で重国籍が認められた）、重国籍になる自由を立法政策のレベルで論ずる意義を否定する必要はないであろう。

第5章 人身の自由と適正手続の保障

| キーワード | 適正手続、罪刑法定主義、告知と聴聞、令状主義、弁護人接見交通権 |

　本章では、人身の自由と適正手続の保障に関する憲法の基本原則と基礎知識を、なるべく刑事裁判の実態と関連させつつ、学習する。

第1節　人身の自由の意義

1　人身の自由の歴史と現在

　イギリスのマグナ・カルタ（1215年）以来、立憲主義の基本原理を定式化したとされる古典的な文書のほとんどが、人身の自由の保障とかかわる条項を含んでいる。これは当然のことである。なぜなら、不法な逮捕・監禁・拷問や恣意的な刑罰権の行使を容認するのが専制主義であり、それらを徹底的に忌避するのが立憲主義だからである。

　大日本帝国憲法にも、逮捕・監禁・審問・処罰の法定（23条）、住所の不可侵（25条）、信書の秘密（26条）など人身の自由や刑事手続上の人権にかかわる規定は存在したが、いずれも「法律の留保」をともなっており、戦前日本の司法警察・検察による権力の逸脱濫用を抑止しえなかった。たとえば、『蟹工船』の著者、小林多喜二は築地署の特高課員によって正午に逮捕されて拷問を受け、その日の夕刻に死亡した（1933年）。大日本帝国憲法下における人身の自由への過酷な侵害・制約の経験をふまえて、日本国憲法は、18条で奴隷的拘束からの自由を定め、31条以下で刑事手続上の権利について諸外国の憲法に例をみないほどの詳細な規定をおいた。

　とはいえ、人身の自由の侵害は、過去の話でも、遠くの国の話でもない。警察官が捏造された親族名義のメッセージが書かれた紙（父・義父・孫の立場から、自白しない被疑者を非難する言葉が書かれていた）を被疑者に踏ま

せて虚偽の自白を強要した事件が起きたのは最近のことである（志布志事件。2007年に被告全員に対する無罪判決が出た）。

2 人身の自由の考え方

憲法31条以下の条文の特徴は、「○○の自由を保障する」のではなく、国家による個人の自由の侵害・剝奪という「例外」を正当化する条件（手続要件）を特記している点にある。よって、自由権の保障は一般に内在的制約や対抗する利益との調整が必要とされるが（「人権の限界」の問題→第1章2節2・315頁）、「例外の例外」を安易に認めるべきではないから、社会の治安状況等を対抗利益として31条以下が定める手続要件を緩和することは許されない。また、国家観の転換（消極国家から積極国家へ）を根拠として人権体系の変化を論ずる場合もあるが（→第1部2章3節2(1)・35頁）、人身の自由や適正手続の保障の場合、「自由国家から安全国家へ」等々の空虚なスローガンによって憲法的保障の水準を低下させてはならない。

3 奴隷的拘束からの自由・苦役からの自由

憲法18条は、「奴隷的拘束」からの自由と、「意に反する苦役」からの自由を定めている。奴隷的拘束や意に反する苦役の強制は、個人の人格的自律を根底から否定するものであり、公権力はもちろん、私人によるものも禁止される。よって、本条は私人間にも直接適用される。

「奴隷的拘束」とは、自由な人格の主体であることを否定するような身体の拘束をいう（戦前の炭坑・鉱山にみられた「監獄部屋」がその例）。拘束に労役がともなうか否かは問題にならず、人身売買もこれに該当する。「意に反する苦役」とは、広く本人の意思に反して強制される労役をいう。

奴隷的拘束は一切の例外なく禁止される。他方、意に反する苦役の強制は、「犯罪に因る処罰の場合」にのみ例外的に許容される（懲役刑における一定の労働強制）。徴兵制は、本人の意思に反して一定の労役に従事させるものであり、本条に違反する（政府見解も同旨）。

第 2 節　適正手続の保障

1　憲法31条の意義

　憲法31条は、「何人も、法律の定める手続によらなければ、その生命若しくは自由を奪はれ、又はその他の刑罰を科せられない」と定めている。本条はアメリカ合衆国憲法のもとでの人権保障のひとつの柱である「法の適正な手続（due process of law）」を定める条項（第5修正・第14修正）に由来するといわれる。「適正な刑事手続の保障」を考える場合、①科刑手続が法律で定められていること、②その手続が適正であること、③刑事罰の内容（実体）が法律で定められていること（**罪刑法定主義**）、④その実体が適正であることの4点が問題となる。本条の文言自体は、①のみを保障しているように読めるが、通説は、①から④のすべてを保障していると解する。ただし、刑事上の実体・手続の適正の要求の一部は、個別の規定（実体について36条の残虐刑の禁止、手続について35条の令状主義など）によって保障されているので、31条は個別規定によってはカバーされない**適正手続**の要求を定める補充的・一般的条項であると理解されている。

2　適正手続の内容

(1)　手続の適正

　手続の適正の内容としてとりわけ重要なのが、**告知と聴聞**（notice and hearing）を受ける権利の保障である。公権力が国民に刑罰その他の不利益を科す場合、当事者に事前にその内容を告知し、弁解と防禦の機会を与えるべきという要求である。最高裁も、密輸に利用された船舶等が第三者の所有に帰属する場合にも、その者に対して告知・弁解・防禦の機会を与えることなく没収することを認める関税法の規定は憲法31条・29条に違反すると判示している（最大判1962・11・28〔第三者所有物没収事件〕）。

(2)　実体の適正

　本条は、刑罰法規（犯罪構成要件）は不明確なものであってはならないという要請（法律の明確性）の根拠となる。最高裁もこのことを認めてい

る（最大判1975・9・10〔徳島市公安条例事件〕）。最高裁の多数意見が刑罰法規の不明確性を理由として違憲判断をした例はないが、「淫行」を処罰する条例について不明確性を理由として本条違反とした反対意見がある（最大判1985・10・23の伊藤正己・谷口正孝裁判官の反対意見）。

　本条は、犯罪と刑罰の均衡の要請の根拠となる。最高裁もこのことを認めている（最大判1974・11・6〔猿払事件上告審〕）。この要請は憲法14条と36条で説明しうるとの有力な批判もあるが、14条は明快な比較対象（たとえば、尊属殺人罪に対する普通殺人罪）がないと役に立ちにくく、罪刑の均衡という相対的な問題を、「残虐な刑罰」を「絶対」に禁ずる36条で処理するのも困難なので、罪刑均衡も本条の要請と解すべきである。

3　行政手続と憲法31条

　「その他の刑罰を科せられない」という文言から明らかなとおり、31条は本来、刑事手続を念頭においた規定である。しかし、行政国家の出現により、行政権による国民の権利の侵害の危険性が高まっている今日、行政手続に対しても、本条の保障を及ぼす必要がある。とはいえ、国家刑罰権の発動と比べて、行政活動は多種多様であるため、すべての行政活動に対して刑事手続と同様の適正手続を要求することは不合理であろう。そのため、行政手続の適正性に関して、(a)憲法31条の適用もしくは準用を認める説と、(b)幸福追求権（13条）を根拠とする説が対立する。

　この点に関して最高裁は、行政手続が刑事手続ではないとの理由のみで、当然に本条の保障の埒外にあると判断すべきではないとしながらも、行政手続と刑事手続は性質を異にし、行政目的は多種多様であるから、行政処分の相手方に対して告知と聴聞の機会を与えるかどうかは、「行政処分により制限を受ける権利利益の内容、性質、制限の程度、行政処分により達成しようとする公益の内容、程度、緊急性等を総合較量して決定されるべき」と判示した（最大判1992・7・1〔成田新法事件〕）。本判決は行政手続に対しても憲法31条の保障が及ぶことを一般論として認めたが、私有財産の使用禁止という重大な財産権侵害についても告知と聴聞は不要としたため、行政手続における適正手続保障の具体的内容は不明確なままである。

　なお、行政手続法は、不利益処分に対しては原則として同法の定める

「聴聞」や「弁明の機会の付与」の手続をとることを要求している（行手法13条）。ただし、同法は多くの適用除外を認めており（同3条・4条）、個別法による適用除外もありうるので（同1条2項）、行政手続に対して憲法31条の保障を及ぼすことの意義が失われたわけではない。

第3節 令状主義

1 逮捕と令状主義

(1) 令状主義の原則

憲法33条は逮捕に関する**令状主義**の原則を定めている。逮捕の可否を司法官憲の事前の判断に服せしめることで、行政権（捜査機関）による恣意的な身体の自由の侵害を抑止することを目的とする。本条にいう「権限を有する司法官憲」とは、裁判所または裁判官をいう。「理由となつてゐる犯罪を明示する令状」とは、一般令状の禁止を意味し、容疑の犯罪名のみならず、その犯罪事実を明示するものでなければならない。

令状主義の原則は現行犯の場合は適用されない（現行犯とは、「現に罪を行い、又は現に罪を行い終わつた者」のこと。刑訴212条1項。「準現行犯人」に関する同条2項も参照）。現行犯の場合、犯罪と犯人が明白で、逮捕権濫用のおそれがないと解されるからである。

(2) 緊急逮捕の合憲性

刑事訴訟法210条は、一定の「重罪事件」について、現行犯でない者を事前の裁判官の令状なしに逮捕することを認めている（緊急逮捕）。判例は、「厳格な制約の下に、罪状の重い一定の犯罪のみについて、緊急已むを得ない場合に限り、逮捕後直ちに裁判官の審査を受けて逮捕状の発行を求めることを条件とし、被疑者の逮捕を認める」ものであり、憲法33条の趣旨に違反しないとするが（最大判1955・12・14）、これでは条文の言い換えにすぎず、同条の合憲性を実質的に論証するものではない。

学説は、(a)一種の令状主義とみて合憲とする説、(b)一種の現行犯として合憲とする説、(c)社会秩序に対する重大な侵害を排除する緊急の措置（緊急行為）として合憲とする説、(d)緊急逮捕は違憲であるとする説に分かれ

る。(a)説は令状主義の精神を没却するものであり、(b)説によれば、事後の令状も不要となるはずなので（現行犯なら令状は不要）、現行制度と齟齬する。よって、両説をとることはできない。かりに(c)説に立つとしても、①「死刑又は無期若しくは長期3年以上の懲役若しくは禁固にあたる罪」(刑訴210条1項) では「重罪事件」の絞りが不十分であること、②欧米と比べて逮捕後の捜査機関の「手持ち時間」が長いこと（72時間。刑訴203条1項、205条1項）を勘案すると、現行制度の合憲性には疑義が残る。

2 捜索・押収と令状主義

(1) 憲法35条の意義

　住居は各人の私生活の中心であり、他者の侵入・捜索から自由な私的空間を確保することが、人間的な生活のために必要不可欠である。そこで憲法35条は憲法33条による逮捕の場合を例外として、住居・書類・所持品への侵入・捜索・押収について、「権限を有する司法官憲」(→1(1)・465頁) の令状を要求している。捜索・押収の理由・場所・対象を明示しない一般令状は認められない (35条1項)。ただし、軽犯罪法違反（ビラ貼り）等の軽微な事件を理由に政党・労働組合・市民団体等の事務所に対して大がかりな捜索・押収が行われる事件も起きており、令状主義の形骸化という問題も指摘されている。

　なお、令状主義を潜脱するなど違法な手続によって獲得された証拠の証拠能力を否定する証拠法則を、違法収集証拠排除法則と呼ぶ。最高裁も、憲法33条と31条に基づき、証拠物の押収等の手続に、①令状主義の精神を没却する重大な違法があり、②当該証拠物の証拠能力を認めることが、違法捜査の抑制の見地からして相当でない場合、当該証拠物の証拠能力は否定されるとする（最判1978・9・7)。

　また、GPS捜査について最高裁は、個人のプライバシーの侵害を可能とする機器を本人の承諾なしに装着させる捜査方法である以上 (→第3部6章3節2(2)・516頁)、憲法35条との関係で、手続的保障のための手段を具体的に定める新たな立法が必要であるとした（最大判2017・3・15)。

(2) 犯罪捜査のための通信傍受と令状主義

　犯罪捜査のための通信傍受（電話盗聴等）は、通信の秘密やプライバシー権の侵害だけではなく、憲法35条1項の定める「一般令状の禁止」との関係でも問題となる。なぜなら、盗聴に関する令状は事柄の性質上、一般令状になるし（聴取する会話の相手方や会話の内容を事前に特定することは事実上不可能）。そもそも、捜索・押収の前に相手方に対して令状を示すこともできないからである（盗聴を告知されたら、電話での犯罪の相談をやめるだろう）。そのため、盗聴は憲法35条に違反するので絶対的に許容されないとする学説もある。他方、憲法35条は有体物の捜索・押収に関する規定であり、同条のみを理由として盗聴の絶対的禁止を帰結するのは疑問であるとして、厳格な要件のもとで盗聴を認める立場もある。

> *犯罪捜査のための通信傍受に関する法律（通信傍受法）の問題点
> 1999年制定の通信傍受法は、「数人の共謀によって実行される組織的な殺人、薬物及び銃器の不正取引に係る犯罪等の重大犯罪」（1条）に関連する電話等の通信が、①「行われると疑うに足りる状況があり」、かつ、②「他の方法によっては、犯人を特定し、又は犯行の状況若しくは内容を明らかにすることが著しく困難であるとき」、裁判官の発する傍受令状による通信傍受を認めている（3条1項）。しかし、対象となる通信（会話）は令状発布段階には存在しないのであるから、①の判断は必然的に不確実なものとなる。②の要件を裁判官が適切・的確に判断できるのかも疑問である。2016年改正により、対象犯罪の範囲が窃盗・詐欺・児童ポルノなどに拡大されたため、濫用される危険性も高まった。

3　行政手続と令状主義

　憲法31条の場合と同様、行政手続に対しても令状主義の保障が及ぶかが問題となる。収税官吏による所得税に関する検査（拒否者に対して罰則あり）が憲法35条に違反するかが争点となった事件において最高裁は、35条は本来、刑事手続を念頭においた規定であるが、「当該手続が刑事責任追及を目的とするものでないとの理由のみで、その手続における一切の強制が当然に右規定による保障の枠外にあると判断することは相当ではない」との一般論を述べた。しかし、①刑事責任の追及を目的とする手続ではな

いこと、②刑事責任追及のための資料の取得収集に直接結びつく作用を一般的に有するものではないこと、③強制の態様も検査拒否者に対して刑罰を科すことで間接的心理的に検査を受忍させるものであること、④所得税の公平確実な賦課徴収等の公益目的を実現するために実効的な検査制度が必要不可欠であることを理由として、裁判官の令状を一般的要件としなくとも違憲ではないとした（最大判1972・11・22〔川崎民商事件〕）。

第4節　その他の刑事手続上の権利

1　不当な抑留・拘禁に対する保障

　身体の拘束のうち、一時的なものが抑留（逮捕・勾引につづく留置）、より継続的なものが拘禁（勾留・鑑定留置）である。憲法34条は抑留・拘禁について、①理由の告知と弁護人依頼権の保障を直ちに与えること、②拘禁の場合、公開法廷において拘禁理由の提示を求める権利を保障している。②は不当な拘禁の防止を目的としており、勾留理由開示制度として具体化されている（刑訴82条以下）。

　身柄の拘束によって人は突然、外界との関係を遮断される。また、その状況下で必要な知識をもち、的確な判断ができる人はまれである。よって、①の弁護人依頼権は、被疑者が弁護人と実際にコミュニケイトする権利、すなわち、**弁護人接見交通権**を含むと解すべきである。刑事訴訟法39条3項は、「捜査のため必要があるとき」、検察官や司法警察職員に接見の日時・場所・時間を「指定」する権限を与えている。従来は自由接見と例外的指定の原則が逆転した運用（一般的指定制度）が行われてきたが、現在では運用が若干改善されて、弁護人から接見の申し出があれば、その都度、個別に「捜査の必要性」を判断することになった。

2　自白の強要からの自由

(1)　自白と冤罪

　栃木県で起きた女児殺害事件（1990年。足利事件）の「犯人」として無期懲役判決を受けて服役していたAさんのDNAを再鑑定したところ、

DNAの型が不一致であることが判明し、Aさんは17年半ぶりに釈放され、再審で無罪判決を受けた（2010年）。この事件から学ぶべき教訓は多いが、ここでは、Aさんが捜査段階で「自白」をしていた事実に注目したい。「本当に無実なら、自白をしないはず」という思い込みが、いかに根拠の乏しいものであるかがわかるであろう。よって、「自白の強要からの自由」を憲法が明文で保障することの意義は大きい。

(2) 自己負罪拒否特権の意義

憲法38条1項は、「何人も、自己に不利益な供述を強要されない」と定める。この規定は、英米法の自己負罪拒否特権（アメリカ合衆国憲法第5修正を参照）の保障に由来するとされる。「自己に不利益な供述」とは、刑事責任に関する不利益な供述（有罪判決の基礎となる事実や量刑上不利益となる事実等の供述）をさすと解するのが通説である。ただし、刑事訴訟法は被疑者・被告人に対して、有利・不利にかかわらず、供述を拒否する権利（黙秘権）を保障している（刑訴198条2項、311条1項）。「強制」は法律上の強制のみでなく、捜査段階における事実上の強制も含む。

行政手続についても、本項の保障が及ぶかが問題となる。最高裁は川崎民商事件（前掲）において、憲法38条1項は、「純然たる刑事手続においてばかりではなく、それ以外の手続においても、実質上、刑事責任追及のための資料の取得収集に直接結びつく作用を一般に有する手続には、ひとしく及ぶ」が、所得税法上の税務検査と質問は、そのような作用を一般に有するものではないので本項に違反しないとしている。他方、国税犯則取締法上の犯罪嫌疑者に対する質問調査の手続には、本項の保障が及ぶと解している（最判1984・3・27）。行政手続と本項の関係について、①交通事故の報告義務や②麻薬取扱者の記帳義務も問題となるが、判例はいずれも合憲と判断している（①最大判1962・5・2、②最判1954・7・16）。

(3) 自白の証拠能力・証拠価値の制限

憲法38条2項は、「強制、拷問若しくは脅迫による自白又は不当に長く抑留若しくは拘禁された後の自白は、これを証拠とすることができない」と定める。任意性のない自白の証拠能力を否定する自白排除法則を定めたものである。なお、同項は、任意性を疑う余地のある手段・方法の典型例

を挙げているのであり、限定列挙ではない（刑訴319条1項を参照）。判例は、捜査官の偽計によって被疑者が心理的強制を受け、その結果虚偽の自白が誘発されるおそれのある場合には、自白の証拠能力を否定すべきとしている（最大判1970・11・25）。

憲法38条3項は、「何人も、自己に不利益な唯一の証拠が本人の自白である場合には、有罪とされ、又は刑罰を科せられない」と定める。この原則を自白補強法則という。自白の証拠価値を限定することで、自白の強要を防止しようとするものである。公判廷における自白について判例は、任意性が担保されているとして、本項の「本人の自白」に当らないとしてきた（最大判1948・7・29等）。現行の刑事訴訟法は、公判廷の自白についても補強証拠を要求しているが（319条2項）、判例の立場では、これは立法政策上の解決とされる。しかし、憲法38条3項の趣旨からみて、公判廷の自白について補強証拠を不要とするための法改正は違憲と解する。

3　公平な裁判所の迅速な公開裁判を受ける権利

憲法37条1項は、刑事裁判の被告人に対して、「公平な裁判所の迅速な公開裁判を受ける権利」を保障している。

(1)　公平な裁判所・迅速な裁判

「公平な裁判所」について判例は、「構成其他について偏頗の惧なき裁判所」を意味するとしている（最大判1948・5・5）。「公平な裁判所」といえるためには、刑事事件における裁判官の中立性（第三者性）を確保する必要がある。刑事訴訟法は、裁判官の予断・偏見を排除するため、起訴状一本主義を定め（刑訴256条6項）、証拠調べ等における当事者主義を採用している（同298条等）。なお、個々の裁判において法律解釈の誤りや事実誤認があったとしても、本項に違反するものではないと解されている。

「遅れた裁判は、裁判の拒否である」といわれる。有罪・無罪が不確定なまま放置するのは、被告人の個人の尊厳を軽視するものである。「迅速な裁判」について従来はプログラム規定的にとらえる見解が支配的であったが、最高裁は高田事件判決（15年にわたって審理が中断）において、審理の著しい遅延の結果、迅速な裁判を受ける被告人の権利が害せられたと認

められる異常な事態が生じた場合、これに対処する具体的規定がなくとも、憲法37条1項に基づいて、審理を打ち切る非常的救済手段をとることができるとして、免訴を言い渡した（最大判1972・12・20）。

(2) 公開裁判

憲法82条1項とは別に、「公開裁判を受ける権利」（37条1項）を憲法が保障したのは、裁判の公開（秘密裁判の禁止）が被告人の利益になるとの考えに基づく（裁判の公開については→第2部3章1節1(3)・273頁）。刑事訴訟法は性犯罪の被害者等を保護するため、証人と被告人の遮へい措置（刑訴157条の5）やビデオリンク方式（証人を裁判所内の別室に在席させ、テレビモニターを通じて尋問を行う。刑訴157条の6）による尋問を行う制度を導入したが、これらの措置が公開裁判の原則に違反するのかが問題となる。最高裁は、遮へい措置とビデオリンク方式がとられても（併用の場合も含む）、審理が公開されていることに変わりはないから、公開裁判の原則に違反するものではないとした（最判2005・4・14）。

4　証人審問権と弁護人依頼権

憲法37条2項は、刑事被告人に対し、前段で証人審問権を、後段で証人喚問権を保障している。また、同条3項は弁護人依頼権を保障している。これらの権利は、被告人の防禦活動にとって必要不可欠であるのみならず、公正な裁判を確保するうえでの基礎的条件となる。

(1) 証人審問権

刑事訴訟法は証人審問権を実質化するため、反対尋問の機会のない伝聞証拠を排除する原則を定めている（刑訴320条）。しかし、①反対尋問に代わる客観的担保と、②一定の伝聞証拠を使用する特別の必要性があれば、一定の例外も認められる（刑訴321条以下）。この観点からみて、検察官面前調書の証拠能力が認められるのは、例外的な場合に限ると解すべきである（同321条1項2号。同号後段および但書を参照）。証人と被告人の遮へい措置やビデオリンク方式による尋問は、被告人の証人審問権を侵害するかが問題となる。前掲2005年判決は、遮へい措置をとっても、被告人は証人の供

述を聞くことはでき、弁護人による証人の供述態度等の観察は妨げられず、ビデオリンク方式による場合も、被告人は映像と音声の送受信を通じて反対尋問をできるから、憲法37条2項に違反しないと判示した。しかし、遮へい措置とビデオリンクの併用まで安易に合憲とした点は疑問である。

(2) 弁護人依頼権

　憲法37条3項は、①被告人の弁護人依頼権と、②国選弁護人制度を保障している。②は被告人が経済的理由等で自ら弁護人を依頼できない場合、公費で国が弁護人を付ける制度である（刑訴36条、272条を参照）。なお、刑事訴訟法は、「死刑又は無期若しくは長期3年を超える懲役若しくは禁錮にあたる事件」は、弁護人を付さなければ審理を行うことができない旨を定める（同289条。必要的弁護制度）。被疑者についても、抑留・拘禁がなされる場合には弁護人依頼権が保障されている（憲法34条）。また、2004年の刑事訴訟法改正により、一定の重罪事件について被疑者国選弁護制度が導入された（刑訴37条の2〜37条の5）。

5　拷問・残虐刑の禁止

　憲法36条は、①公務員による拷問と、②残虐な刑罰を絶対に禁止する。「絶対に禁止」とは、公共の福祉を理由とする例外を一切認めないという趣旨である。

(1) 拷問の禁止

　拷問とは、被疑者・被告人から自白を得るため、肉体的・精神的な苦痛を与えることをいう（拷問等禁止条約1条も参照）。日本では大日本帝国憲法のもと、拷問は法律上禁止されていたが、実際にはしばしば行われたため（第1節1・461頁で触れた小林多喜二の事件を参照）、日本国憲法は明文で拷問を「絶対に」禁止し（36条）、さらに、拷問による自白の証拠能力を否定する規定を置いて、拷問禁止の実効性を確保した（38条2項）。

(2) 残虐な刑罰の禁止

　残虐な刑罰とは、「不必要な精神的、肉体的苦痛を内容とする人道上残

酷と認められる刑罰」（最大判1948・6・23）とするのが、一般的な理解である。学説では、犯罪と刑罰とが極端に均衡を失する場合、残虐な刑罰にあたるとする立場も有力である（→第2節2(2)・463頁）。

　死刑は残虐な刑罰にあたるか。判例は、具体的な死刑の執行方法が、「その時代と環境とにおいて人道上の見地から一般に残虐性を有するものと認められる場合」（火あぶり、はりつけ、さらし首、釜ゆで等）には残虐な刑罰にあたるが（最大判1948・3・12）、現在の絞首方法は該当しないとする（最大判1955・4・6）。学説上も死刑が憲法の禁ずる残虐な刑罰にあたると解する立場は有力とはいえないが、前掲1948年判決の実質的な正当化論、すなわち、①死刑の威嚇力・犯罪抑止効果や、②多数の文化国家における死刑の存置という理由は、現在では説得力に欠ける（2019年末の時点で、142ヶ国が死刑を法律上・事実上廃止している）。誤判の際の回復不可能性を考えると、死刑をただちに違憲とはいえないとしても、「国民感情」のみを理由として死刑を存置することの合理性は疑わしい。

6　事後法の禁止・二重の危険の禁止

(1)　事後法の禁止

　憲法39条前段は、「何人も、実行の時に適法であつた行為……については、刑事上の責任を問はれない」として、事後法（遡及処罰）の禁止を定めている。この原則は、**罪刑法定主義**の重要な帰結のひとつである。

(2)　「一事不再理」と「二重の危険」

　憲法39条前段後半部分と後段は、何人も、「既に無罪とされた行為については、刑事上の責任を問はれない。又、同一の犯罪について、重ねて刑事上の責任を問はれない」とする。本条の前段と後段の関係について、(a)両者を合わせて英米法でいう「二重の危険（double jeopardy）の禁止」の原則を定めたとする説と、(b)両者ともに大陸法でいう「一事不再理」の原則を定めたとする説が対立する。(a)説は、被告人の物質的・精神的負担の観点から、「危険は1回のみであるべき」と考えるので、検察官上訴（下級審の無罪判決や有罪判決の量刑を不服として検察官が上訴すること）は本条に違反することになる。他方、(b)説は、無罪・有罪を問わず、判決が確定

した以上、「蒸し返し」はしないという原則なので、検察官上訴は合憲とされる。判例は、「危険とは、同一の事件においては、訴訟手続の開始から終末に至るまでの一つの継続的状態」と解して、検察官上訴は二重の危険に該当しないとする（最大判1950・9・27）。「危険」を判例のように解するのであれば、(a)説と(b)説の差異を論ずる意味は失われる。

ただし、検察官上訴は、被告人に不利なかたちで裁判を長期化させるばかりか（甲山事件や名張ぶどう酒事件）、無罪判決を受けた人間を勾留するという不条理な事態を生む（東電OL殺人事件）。「疑わしきは被告人の利益に」の原則を重視するならば、明白な法律解釈の誤りや著しい量刑不当の場合は別として、無罪の事実認定に対する検察官上訴は原則として違憲であると解すべきであろう。よって、(a)説を基本としつつ、例外的に検察官上訴が許される場合を類型化していくべきである。

市民が参加して事実認定を行う裁判員制度が導入された現在、無罪判決に対する検察官上訴を原則として認めない運用が確立される必要がある。最高裁は、裁判員裁判における控訴審の事実誤認の審査のありかたについて、「第一審判決の事実認定が論理則、経験則に照らして不合理であることを具体的に示すことが必要」としたが（最判2012・2・13）、裁判所はこの考え方を厳格に運用して、安易な検察官上訴を抑止すべきである。

＊東電OL殺人事件
不法滞在外国人のMが第一審で無罪判決を受けたが、検察側が控訴したため、再勾留された事件（退去強制手続がとられると、控訴審が維持しにくくなる）。最高裁は無罪判決を受けた人間の勾留を容認した（最判2000・6・27）。Mは控訴審・上告審で無期懲役の有罪判決を受けて服役していたが、再審請求審での鑑定の結果、被害者から採取されたDNAが第三者のものであることが判明し、東京高裁の再審開始の決定を受けてMは釈放された（2012年6月）。再審初公判では検察側がMの無罪を主張し、同年11月に再審無罪が確定した。

7　刑事補償請求権

憲法40条は抑留・拘禁された者が「無罪の裁判を受けたとき」、国に対して補償を請求する権利を保障している。大日本帝国憲法下で制定された旧刑事補償法（1931年）は恩恵的性質のものであり、実際の補償も不十分

であったが、本条によって刑事補償請求権は憲法上の権利となった。本条に基づいて刑事補償法が制定された（1950年）。被疑者として身体を拘束された者が不起訴になった場合にも本条の適用はあるか。「無罪の裁判を受けたとき」という文言との関係で、これを否定するのが通説であるが、正義・衡平の観点から立法的解決が望ましいとするのが一般的である。一方、根拠のない自由の拘束に対しては広く補償を認めるべきとの立場から、被疑者が「無罪の裁判を受けたとき」に匹敵する事態のもとで不起訴処分になった場合には本条の適用を認めるべきとする学説も有力である。

考えてみよう

1…適正手続の保障（31条）や捜索・押収の際の令状主義（35条1項）を行政手続にも及ぼすべきか。
2…捜査機関による自白の強要を防止するため、憲法はどのような規定を設けているか。関連する条文をすべて挙げなさい。
3…具体的な制度設計と実際の運用を踏まえて、犯罪捜査のための通信傍受の合憲性を検討せよ。

Further Readings

・杉原泰雄『基本的人権と刑事手続』（学陽書房、1980年）：「適正手続の保障」を日本国憲法下の刑事手続の基本原理ととらえて、従来の学説・実務のありかたを根本的に再検討した労作。現在でも有力説として言及されることが多い。
・奥平康弘『憲法Ⅲ』（有斐閣、1993年）290-399頁：精神的自由の大家による解説。本章の「人身の自由の考え方」（第1節2）は奥平説を参考にしている。
・白取祐司『刑事訴訟法〔第10版〕』（日本評論社、2021年）：日本国憲法の条文・理念を実務に生かすための刑事訴訟法の解釈論が体系的に示されており、憲法の該当条文の理解にも役立つ。
・朝日新聞「志布志事件」取材班『虚罪――ドキュメント志布志事件』（岩波書店、2009年）：自白偏重が冤罪や深刻な人権侵害の温床であることがわかる。「本当に無実なら、自白をしないはず」と考えている人にぜひ読んで欲しい。

第6章 現代的人権

第1節 社会権

| キーワード | 抽象的権利、立法裁量、堀木訴訟、旭川学力テスト事件、全農林警職法事件 |

　本節では、人権の分類で社会権とされるものの特徴は何かを考えたうえで、25条から28条で保障される諸権利について、その法的性格、その保障の内容、保障の意義を考えてみよう。

1　社会権というもの

(1)　社会権に分類される人権

　日本国憲法で規定された人権のうち、社会権に分類されるのは生存権（25条）、教育を受ける権利（26条）、勤労権（27条）、労働基本権（28条）の4つである。

　そもそも、ドイツのワイマール憲法（1919年）で「経済生活の秩序は、すべての者に人間たるに値する生活を保障する目的をもつ正義の原則に適合しなければならない」（151条1項）と規定されて以来、経済的自由の保障は相対化し、人間らしい生活の確保を理由とする制約が広範囲にわたって認められるようになり、生存権をはじめとする社会権はそうした歴史的背景のなかで登場した（→第1部2章3節2(1)・35頁）。

　第二次世界大戦が終わったのち、ドイツ基本法（1949年）は労働者の団結権の保障（9条3項）を除けば権利保障規定をおかず、国家目標として社会国家の理念を掲げる（20条1項）ことによって政府に人間らしい生活を確保するための活動を義務付けるかたちをとったが、イタリア共和国憲法（1947年）、フランス第四共和制憲法（1946年）では、日本国憲法制定と同じ時期に各種の社会権が規定された。

それらの国でも社会権の保障の対象は労働と生活保障が中心であるが、人権の種類が多く、内容が具体的である。イタリアでは憲法で比較的詳細なかたちで、報酬を受ける権利、休日と年次有給休暇に対する権利、勤労における男女の同権、職業教育・職業訓練への権利などが規定され、フランスでは今でも効力を有する第四共和制憲法前文で、勤労や雇用における平等保障、健康、休息や余暇の保障などが規定されており、社会権の保障のありかたにも国々の特徴がある。

また、「経済的、社会的及び文化的権利に関する国際規約（国際人権規約A規約）」では、労働条件を享受する権利の具体的内容としての同一価値労働同一賃金、休息・余暇、家族への保護と援助の一環としての産前産後休暇、生活条件の保障における食糧・衣類及び住居の明示、など多様な内容が盛り込まれており、私たちが社会権の広がりをイメージし、また具体化を考える際に参考になる。それにとどまらず、日本政府は1979年にこの規約を批准しており（またその批准の際に付した「無償教育の漸進的な導入」についての留保の撤回を2012年9月11日に国連に通告しており）、政府はこの規約の内容を実施する責務を負っている。

(2) 社会権に分類される人権のもつふたつの側面

日本国憲法制定直後に唱えられ、現在の自由権と社会権の区分についての通説的な考え方の基礎となった学説は、人権を「自由権的基本権」と「生存権的基本権」に大別し、その区別の指標のひとつに人権の保障の方法を挙げた。すなわち、前者については「国家権力の消極的な規整・制限」を、後者については「国家権力の積極的な配慮・関与」を指摘した。また、実際にも社会権の保障対象である生活、労働、教育については国の積極的な施策によってその保障が図られることが多い。

その結果、自由権は国の不当な関与を排除することによって保障されるものであり、社会権は国の積極的な関与によって保障されるものであるとのイメージがある時期まで一般的であった。「〇〇権の自由権的側面」とか「△△権の社会権的側面」という用語もそのイメージを前提としている。

しかし、「自由権的基本権」と「生存権的基本権」の区別を提唱した学説においてすでに「生存権的基本権」の「侵害」の「抑制」について触れられていたし、その後、教育内容や労働者の団体行動などへの国の過剰な

関与が「教育の自由」や「ストライキの自由」の侵害の問題として論じられ始めた。その結果現在は、社会権に分類される人権について「給付請求権」的側面とともに「介入排除請求権」的側面があることが承認されている。自由権についてもことは同様である。

(3) 社会権が保護する範囲

上記の生存的基本権論は生存権的基本権の保障の内容について「生存」という色彩にいろどられていると述べていたし、伝統的に多くの学説も、25条の生存権を社会権の総則的規定と位置づけ、生存権の保障を理念として他の社会権の内容を理解してきた。すなわち、教育を受ける権利について当初は、教育の機会均等を実現するための経済的配慮を国家に対して要求する権利としてもっぱらとらえられていたし（→3(1)・484頁）、勤労権が労働の機会の獲得・維持が中心的な内容として理解される（→4(1)ⅰ・489頁）ところにも生存権との強い関連が見出される。労働基本権についても生存権保障を理念とするものとして労働条件の維持・改善を目的とする権利とされ、そのために団体交渉が中心的な舞台と理解されてきた（→4(2)ⅰ・492頁）。

このような伝統的理解からすれば、社会権の保護する範囲は個人の生存、生活の維持・発展に必要な諸条件の確保であると統一的に説明することが可能である。

しかし、すでに1970年代に「下からの社会権」論が「生存」と「自由」の二項対立的な把握を批判し、社会権も自由を基底とするものとしてとらえ直すことを提起し、学説のなかで基本的にその問題提起は受容された。さらに、近年は自律や自己決定を理念として生存権や労働基本権を理解することが提起されているし、自己決定権志向の生存権論に批判的な論者も自己決定の困難な者にとっての社会権の保障というかたちでやはり自己決定の理念を組み込んでいる。

教育を受ける権利について学習権説が通説となっている（→3(1)・484頁）ことをあわせて考えれば、社会権に分類されるすべての人権を生存を基点に説明することは困難となっており、社会権に分類される個々の権利のそれぞれの特徴を正確におさえる必要がある。

2　生存権

(1)　25条の意義

　疾病、老齢、失業などさまざまな理由から貧困に陥っても、かつてはそれは個人の問題とされ、政府が出る幕とはされなかった。しかし、19世紀から20世紀にかけての資本主義経済体制の発達のなかで、自由な資本の活動の結果として労働者にさまざまな弊害が生じると、労働者がその改善を求めたのはもちろんのこと、資本の活動にとっても労働力の供給源の衰退などとなって現れるので、放置できない問題として意識されるようになった。また、ソビエト社会主義共和国連邦の誕生により資本主義体制をとる国では、体制を維持するための妥協的な対応も求められていた。

　日本においてもそうした動向とは無縁ではなく、第二次世界大戦前に恩恵的な制度は設けられていたが、日本国憲法の制定にあたって25条で生存権の保障が規定されることとなった。

　25条は1項で国民に「健康で文化的な最低限度の生活を営む権利」を保障し、2項で「すべての生活部面について、社会福祉、社会保障及び公衆衛生の向上及び増進」に努める責務を国に課している。多くの学説は、1項では目的を2項ではそのための手段を規定したものとして一体的にとらえている。手段規定のなかで「向上及び増進」が語られていることからすれば、保障される内容も「健康で文化的な最低限度の生活」はもちろんのこと、それにとどまることなく、より人間らしい生活を営むことまでが含まれていよう。

　それでは、1項の「健康で文化的な最低限度の生活」は何をさすか。憲法学においてはこれまで、次に紹介する法的性格の議論のなかで、「健康で文化的な最低限度の生活」の内容を理論上確定できると解するかどうかをめぐって論争してきた。片方では、国民の生活水準や社会的・文化的な発達の程度などを考慮して一定の水準を確定できると解するが、通説的見解は、それが抽象的概念であることを承認し、国の財政事情等のさまざまな要素を考慮して判断せざるをえないこと、それらの諸要素も時代の進展に応じて変化することから、時代通貫的に一義的に示せるものではないとする。ただし、後者においてもまったく実務に委ねられるものとは考えず、だいたいどの程度の水準であるかを示すことは可能であると語られること

が多い。

　いずれにしてもそれを確定するための理論的作業は憲法学以外の学問分野の理論に依拠することになる。また、以上のことは生存権規定の法的性格の議論、すなわち司法審査の場面を想定しての議論のなかで語られてきたことであり、立法部、行政部はまさに上の議論のなかで司法部には困難とされている諸要素を考量する作業をするべき部門であることは忘却されるべきではない。

(2)　25条の法的性格をめぐる学説の対立
　ⅰ）　法的性格を議論する意味
　すでにみたように、日本国憲法は裁判所に違憲審査権を付与し、裁判所は具体的事件の裁判にあたってその事件に関連する法令等についてその合憲性を審査することができる。その際、社会権を保障する条文を根拠条文とすることができるか、法令等がその条文に違反しているかどうかを裁判所が審査してくれるかをめぐって争われてきた。
　ⅱ）　4つの学説
　日本国憲法施行後最初に唱えられた学説は、25条はプログラムすなわち国政の指針を示したものであるとするプログラム規定説である。この説は、憲法の生存権の規定は個々の国民に対し法的権利を保障したものではなく、立法によって具体化する政治的・道義的責務を国に課したにとどまるとする。つまり、法律が合憲か否かの基準にはならないということである。
　その理由は、①日本国憲法が予定する経済体制は資本主義体制であり、そこでは個人の生活維持は自己責任においてなされることが期待されること、②相当の生活費を国に請求しうるとする趣旨が明確にされておらず、方法、手続についての具体的規定がないこと、③生存権の具体的実現に必要な予算の配分は国の財政政策の問題であるから、政府の裁量にゆだねられていること、である。
　判例においても当初は、「憲法25条により直接に個々の国民が国家に対して具体的、現実的な権利を有するものではなく、社会的立法・社会的施設の創造拡充に従ってはじめて個々の国民の具体的、現実的な生活権が設定充実される。」（最大判1948・9・29〔食糧管理法違反事件〕）、「憲法25条1項は、すべての国民が健康で文化的な最低限度の生活を営みうるように国

政を運営すべきことを、国の責務として宣言したにとどまり、直接個々の国民に対して具体的な権利を付与したものではない。」(最大判1967・5・24〔朝日訴訟〕)と基本的にこの立場に立っていると受け止められてきた。

プログラム規定説を批判して、生存権は法的な権利であると主張する学説が登場する。そのうち抽象的権利説は、憲法の生存権の規定は国民に法的権利を保障したものであるが、それはなお**抽象的権利**にとどまっており、それを具体化する法律によって初めて具体的な権利となるとするものである。この説によれば、具体化する法律がないなかで25条だけを根拠にして国民が給付請求訴訟を起こしても裁判所は相手にしてくれないが、給付申請を却下した行政機関の決定を裁判で争う場合に、その決定の根拠となった法律の合憲性を問題にできる。

朝日訴訟一審判決(東京地判1960・10・19)はこの立場に立つものであり、また、この判決が出されてから学説のほうで活発に議論されるようになった。

生存権を法的権利であると考える学説のふたつめは具体的権利説であり、この説は憲法の生存権の規定に具体的権利性を認めたもので、そのうちひとつの説は、25条を具体化する法律が存在しない場合に25条のみを根拠に立法不作為の違憲確認訴訟を提起することができるとする。ただし、この説に対しては、もし一定の内容の立法を国会に義務付けることになれば立法権侵害の問題が生じ得るし、違憲であることをただ確認するだけにとどまるのであれば、そこにどれだけの意味があるかとの批判がある。もうひとつの「言葉どおりの具体的権利説」は、「最低限度」に満たない生活水準であることが訴訟で立証されれば、裁判所が25条だけを根拠に金銭の給付を命じることができるとする。

なお、かねてから抽象的権利説に適合的な原則として、制度を創設するか否かには国の裁量が広く認められるとしても、いったん創設された制度を廃止・後退させることは憲法上、原則として許されないとする制度後退禁止原則が唱えられていたが、近年の生活保護制度における老齢加算の廃止などの動きのなかで注目が寄せられている。

iv) 法的性格論を超えて

言葉どおりの具体的権利説は、それまでの3つの学説のなかでいわば消去法的に抽象的権利説が選択されてきた感もあるなかで、法的性格の議論

に新風を吹き込むものであったが、それ以前にそもそも法的性格はいずれかという議論の意味が問い直されていた。そして、そこでは、25条が違憲審査の際の参照条文になる、すなわち生存権に法的権利性があることを前提としたうえで、生存権をめぐって提起される訴訟を、①生存権の「妨害排除請求権」的側面の法的効果を求める場合、②25条を具体化する法律の存在を前提に行政処分の合憲性を争う場合、③25条を具体化する法律の規定の合憲性を争う場合、④立法の不作為の合憲性を争う場合、に分類したうえで、それぞれの場合にふさわしい違憲審査基準を考えることが提唱された。

　朝日訴訟（最大判1967・5・24）が純粋なプログラム規定説に立つわけでなく例外的に司法審査の余地を認め、**堀木訴訟**（最大判1982・7・7）が広い**立法裁量**を認めつつ裁量権の逸脱・濫用が明白な場合には違憲とされることがあることを認めている。そうした判例の動向をふまえれば、訴訟の場合分けをしたうえで、さらにそれが「最低限度の生活」に関するものか「より人間らしい生活」に関するものかといった要素などを掛け合わせながら、きめ細かく違憲審査基準のありかたを考えていくという提案は首肯できるものである。

(3)　生存権の具体化

　まず、社会保険は、政府があらかじめ国民から保険料を徴収して、一定の給付事由が発生した場合に金銭や現物の給付を行うものを指し、保険技術を用いている。日本では、医療、年金、雇用、労働者災害補償、介護といった幅広い分野で用いられており、関連法として、たとえば、健康保険法、国民健康保険法、厚生年金保険法、国民年金法、国家公務員共済組合法、雇用保険法、労働者災害補償保険法、介護保険法がある。

　つぎに、公的扶助は社会保険とちがい国民からあらかじめ金銭を徴収することなく、すべて国庫負担でまかなわれる社会保障であり、扶助される者の所得保障にかかわっている。関連法として、生活保護法がある。

　3つめに、社会手当は基本的には国の拠出、一部は事業主などの拠出によってまかなわれる所得保障であり、定型的な給付が行われる。現在の日本においては、児童の養育や健康被害などの分野で、児童手当法、児童扶養手当法、特別児童扶養手当等の支給に関する法律、公害健康被害の補償

等に関する法律、原子爆弾被爆者に対する援護に関する法律などの法律が存在する。

　最後に、社会福祉は金銭給付以外の公的サービスの提供であり、身体的、精神的ないし社会的に未成熟、能力減退ないし障害状態にある者を対象に、社会生活上の不利益をなくすために必要なサービスの提供を行うものである。対象とする分野は、児童福祉、老人福祉、障害者福祉、地域福祉などがあり、関連法として、たとえば、社会福祉法、民生委員法、児童福祉法、母子及び父子並びに寡婦福祉法、老人福祉法、身体障害者福祉法、知的障害者福祉法、障害者基本法などがある。

　1946年の旧生活保護法、1950年の現行の生活保護法の制定はあったものの生活の保障のための制度整備は当初遅々として進まず、高度経済成長を背景に、また、朝日訴訟、堀木訴訟など国民的な関心を集める訴訟も提起され、ようやく社会保障に関する法律の整備が進んだ。その結果、制度の種類はかなり整備され内容もそれなりに充実したが、1980年代以降は行財政改革、規制緩和の進行のなかで、さらにグローバル化の名のもとの経済の国際競争力の追求のかげで、後退を余儀なくされ、個々の制度による保障の内容や手続においてはなお指摘される問題点が多い。

コラム
生活保護水準の切り下げ

　生活保護制度をめぐっては、1980年代初頭の第2次行政改革の結論を先取りするかのように、1981年に厚生省（当時）から「生活保護の適正実施の推進について」と題する通知が出され、「水際作戦」と呼ばれる生活保護の申請に厳しく対応する運用が始まり、それは今なお問題視されている。支給の内容については、1984年から生活扶助の基準の算定方式が現在の「水準均衡方式」に改められ、生活扶助基準の改善が停滞する時代に入った。

　しかし、2000年代に入ると「改革」は支給内容の削減にまで及び、母子加算制度、老齢加算制度が相次いで廃止された（なお、母子加算制度は復活）。そして、「本丸」の生活扶助基準の段階的引き下げが2013年度から行われ（3年間で平均6.5％減額）のに続き、2018年度からも実施された（3年間で平均1.8％減額）。生活保護受給世帯数は2017年11月に164万2977世帯と過去最高を更新した後、増減を繰り返していたが、2021年12月には、

この間のコロナウイルス禍での申請増のなかで、164万4884世帯に達しており、また最低賃金制度のように生活保護の水準との関係が議論の焦点になるものもあるだけに、与える影響は大きいと思われる。

　2013年度からの生活扶助基準の引き下げに関する訴訟では、名古屋地裁は、それが適法であると判断したなかで、生活保護費の削減などを内容とする政策は、国民感情や国の財政事情を踏まえたものであり、厚生労働大臣はそれらの事情を考慮することができるとしたが（名古屋地判2020・6・25）、大阪地裁は、最低限度の生活の具体化に係る判断の過程及び手続に過誤、欠落があり、裁量権の範囲の逸脱又はその濫用があるので、生活扶助基準の引き下げは違法であるとした（大阪地判2021・2・22）。その後は、厚生労働大臣の裁量権の範囲の逸脱、濫用がないとして原告の訴えを退ける判決が続いている（札幌地判2021・3・29、福岡地判2021・5・12、京都地判2021・9・14）。

3　教育を受ける権利

(1)　教育を受ける権利とは？

　教育と一口に言っても家庭教育、社会教育、学校教育などがあり、教育の対象は全年齢にまたがり、教育内容についてもさまざまなものが考えられる。26条の教育を受ける権利の主体も、子どものみならず、すべての世代の国民である。ただし、教育を受ける権利に関する議論が、学校に通うことが想定される年代を対象とする学校教育に主に焦点を当てて行われたことをふまえて、以下でも学校における子どもの教育という舞台を中心に概観する。

　日本国憲法制定後しばらく、教育を受ける権利を「能力に応じてひとしく」有することとは、25条の生存権の理念を教育に関して反映させるべく教育の機会均等を実現するための経済的配慮を国家に対して要求する権利を有することであるととらえられていた（生存権説）。

　しかし、1960年代になるとそうした経済的側面があることを認めつつ、教育学での議論もふまえて、教育を受ける権利を子どもが教育を通じて学習し、成長、発達する権利であるとする考え方が登場した（学習権説）。この考え方はその後多くの学説の支持を受けている。

　また、判例においても、「教育を受ける権利について定める憲法26条1

項の背後には、国民各自が一個の人間として、また一市民として成長、発達し、自己の人格を完成、実現するために必要な学習をする権利を有すること、とくに自ら学習することのできない子供は、その学習要求を充足するための教育を自己に施すことを大人一般に対して要求する権利を有するとの観念が存在している」（最大判1976・5・21〔旭川学力テスト事件〕）というかたちで受容された。

また、26条では「能力に応じてひとしく」としているので、各人の適性や能力の違いによって異なった内容の教育をすることは教育の機会の均等に反しない。

(2) **親の教育権**
　ⅰ) 教育の自由
　そもそも公教育が成立する以前には子どもに対する教育は家庭や地域で担われていたし、公教育が存在するからといってそうした私教育が行われなくなるわけではない。とくにそのなかでも重要な役割を担うのは親であり、民法においても「成年に達しない子」の親権は基本的に「父母」にあるとしたうえで（818条）、「親権を行う者は、子の利益のために子の監護及び教育をする権利を有し、義務を負う」（820条）と規定している。

　憲法においては26条2項で「保護する子女に普通教育を受けさせる義務」を負う者として親が想定されているが、親の教育の自由を明文では定めていない。しかし、子どもの教育を受ける権利をよりよく保障するために、子どもの教育にかかわる一主体として、国に妨害されないでその判断に基づいて教育をする自由が認められて然るべきであろう。ただし、後に述べるように子どもの教育にかかわる主体はその他にもあり、それらとの関係でその自由の内容や程度には制約が及ぼされる。

　親の教育の自由として一般に言われるのは、家庭における教育の自由、学校選択の自由、私立学校設立の自由である。判例も、「主として家庭教育等学校外における教育や学校選択の自由にあらわれものと考えられる」（前掲最大判1976・5・21）としている。主たるものとはされなかった学校内における教育についての親の自由の内容は明らかではない。

　ⅱ) 教育制度整備請求権
　教育を受ける権利に経済的な配慮を求める側面があることは学習権説に

おいても否定されてはいない。ただし、子どもの場合、自らが経済的配慮を国に求めることは難しいので、もっぱら親が経済的条件のいかんにかかわらず子どもが教育を受けることのできるよう教育制度を整備充実させることを要求する権利を有するものと考えられている。25条の生存権の給付請求権的側面と同様に、原則として「法律待ち」の権利ということになる。

ただし、26条2項で「義務教育は、これを無償とする」としているので、義務教育を無償で受ける権利は憲法上直接保障されたものと考えられている。26条2項で無償とされる範囲は、一般に授業料であるとされ、現在「義務教育諸学校の教科用図書の無償措置に関する法律」に基づき教科書が無償で給付されているのは憲法上の要請ではなく、立法政策上の問題と解されている。判例も「同条項の無償とは授業料不徴収の意味と解するのが相当で」あり、「授業料のほかに、教科書、学用品その他教育に必要な一切の費用まで無償としなければならないことを定めたものと解することはできない」としている（最大判1964・2・26）。

＊義務教育ではない高校の授業料についても、2010年にいわゆる高校無償化法が制定されたが、これに対しては「ばらまき政策」等の批判が出され、2014年4月からは「高等学校等就学支援金の支給に関する法律」（支給法）に基づいて、国公私立問わず高等学校等に通う生徒のうち所得要件を満たす世帯の生徒に対して、高等学校等就学支援金が給付されている。

　これらの制度は、「専修学校及び各種学校」のなかで「高等学校の課程に類する課程を置くものとして文部科学省令で定めるもの」に在学する者も対象とするが、朝鮮学校は、文部科学省令が外国人学校について定める「文部科学大臣が定めるところにより、高等学校の課程に類する課程を置くものと認められるものとして、文部科学大臣が指定したもの」という要件に該当しないとして、また、後には、その要件が削除されたことによって、朝鮮学校の生徒は無償化の対象外とされている。

　上記要件の削除については、文部科学大臣（当時）が自らの外交的、政治的意見に基づき朝鮮学校を適用対象から除外するために当該規定を削除したと認定した判決（大阪地判2017・7・28）があるように、北朝鮮による拉致問題などの政治問題を背景とするものであり、それらの学校に通う生徒の教育を受ける権利の保障の視点は後景に退いている。

　なお、上記の指定をめぐる訴訟では、関連規程の定める「高等学校等就学支援金の授業料に係る債権の弁済への確実な充当など法令に基づく学校の運営を適正に行わなければならない」との要件との関係で、朝鮮学校と朝鮮総連、北

朝鮮との関係が焦点となった。朝鮮学校とそれらとの一定の関係性を認定しつつ、それが学校運営の適正さに疑念を生じさせる「特段の事情」はないとする判決（大阪地判2017・7・28）も出されたが、文部科学大臣の判断に裁量権の逸脱・濫用はないとする判決が続いた（広島地判2017・7・19など）。

(3) 教師の教育内容決定権

ⅰ) そのことが議論される背景となった問題

旧憲法下での国家主義的な教育勅語体制にかわって、現行憲法のもとで早い時期に旧教育基本法（1947年）が制定され、個人の尊厳を基調とする新たな教育体制が始まり、教育に対する不当な国家介入が禁止されることとなった。また、教育委員会法（1948年）によって、公選による教育委員により構成される教育委員会が発足し、教育行政の民主化・地方分権化が図られることとなった。

しかし、戦前のような国定教科書はなくなったものの、学校教育法（1947年）に基づく教科書検定制度が創設され、民間会社作成の小中高校用の教科用図書が学習指導要領等を基準として内容の事前審査を受けることとなった。その学習指導要領は当初試案としてつくられ単なる指導・助言文書にすぎないものとされていたが、1958年から文部大臣告示のかたちで定められ、法的拘束力を有するものと位置づけが変更された。また、地方教育行政の組織及び運営に関する法律（1956年）の制定によって教育委員の公選制が廃止されるなど教育委員会制度が見直され、1950年代後半から、それまで同じ公務員でも教員の場合はその職務の性格から実施されていなかった勤務評定が各地で始まった。

1960年代になると学習指導要領に沿って作成された全国中学校一斉学力調査が4年にわたって行われた。

このように、日本国憲法制定直後から取り組まれた教育の民主化が数年のうちに見直され、教育に対する政府の介入が行われるようになると、そのような政府の施策に対して、教員、父母を中心とする広範な反対運動が沸き起こり、そのなかで教育内容の決定権の所在に関する論争が展開されることとなった。

ⅱ)「国家の教育権」説対「国民の教育権」説

教育内容の決定権の所在に関しては、一方では、国が国民の信託を受け、

教育内容について関与・決定する権能をもつとする「国家の教育権」説が唱えられた（その立場に立つ判決として、たとえば、東京地判1974・7・16〔家永教科書検定第一次訴訟〕）。それに対しては、教育内容の決定は、議会制・政党政治・多数決には親しまないことなどから、教育内容の決定権は、親およびその付託を受けた教師を中心とする国民全体にあり、国家は教育内容について決定権をもたないとする「国民の教育権」説が唱えられた（その立場に立つ判決として、東京地判1970・7・17〔第2次家永教科書訴訟〕）。

＊歴史学者である家永三郎は、自らが執筆した高等学校日本史用教科書『新日本史』（三省堂）について教科書検定により不合格処分または条件付合格処分を受けたことについて国家賠償請求訴訟（第一次・第三次）、不合格処分の取消訴訟（第二次）を提起した。裁判においては、個々の修正意見の妥当性が争われるとともに、教科書検定制度じたいについても憲法26条、23条、21条等に違反することを主張して争われた（→第3章3節3(1)ⅲ・395頁）。これらの訴訟は国民的関心を集め、また、教育内容決定権の所在に関する理論的検討を促した。

ⅲ）裁判所の判断

このふたつの考え方は教科書検定訴訟を中心として裁判の場でも激しく戦わされたが、最高裁は教科書検定訴訟ではなく、全国中学校一斉学力調査の実施に反対する活動にかかわる刑事裁判において、判例となる考え方を示した（前掲最大判1976・5・21）。

すなわち、普通教育において教育内容を決定する権限の所在に関して国家教育権説と国民教育権説が対立しているが、両説とも極端かつ一方的であり、どちらも全面的に採用することはできないとした。そして、教育に関わる各主体について教育に関する自由の領域を述べるなかで、教師については一定の範囲における教授の自由が保障されるべきことを肯定できないではないとした。その消極的な言い回しの理由は、①普通教育においては児童生徒に教授内容を批判する能力がなく、教師が児童生徒に対して強い影響力、支配力を有すること、②普通教育においては子どもの側に学校や教師を選択する余地が乏しく、教育の機会均等を図るうえから全国的に一定の水準を確保すべき強い要請があること等、である。

他方で国については、親、私学、教師それぞれの自由が認められる領域

以外のところで、国政の一部として広く適切な教育政策を樹立、実施する者として、子ども自身の利益の擁護のため、子どもの成長に対する社会公共の利益と関心に応えるため、必要かつ相当と認められる範囲において、教育内容についてもこれを決定する権能を有するものと解さざるをえないと判断している。

そして、国家的介入は抑制的であるべきであるとし、国が義務教育に属する普通教育の内容および方法について遵守すべき基準を設定する場合には大綱的なものでなければならないとする。ただし、この裁判でも争点のひとつであった当時の中学校学習指導要領が大綱的なものにとどまるかどうかという点では、教育における機会均等と一定水準の維持の目的のための必要かつ合理的な大綱的基準であると認定したことから、最高裁の言うところの大綱的という水準については疑問が提起された。

4　労働者の権利

(1)　勤労の権利と勤労条件の法定

　ⅰ)　勤労の権利

27条は1項で「すべて国民は、勤労の権利を有」するとしているが、ここでの勤労は働くこと一般をさすのではなく雇用労働を意味している。勤労の権利は、労働の意思と能力を有する者が国に対して労働の機会の提供を要求する権利と労働の機会を得られない場合に相当の生活費の支払いを請求する権利を含む給付請求権である。ただし、権利の法的性格については生存権の場合と同様の学説の対立が存在し、抽象的権利説が通説となっている。すなわち、労働の機会の提供、それがない場合の生活費の請求のいずれについても法律による具体化が必要となる。

現在、勤労の権利の保障を具体化する法律としては、雇用促進については労働施策の総合的な推進並びに労働者の雇用の安定及び職業生活の充実等に関する法律、障害者の雇用の促進等に関する法律、高年齢者等の雇用の安定等に関する法律、地域雇用開発促進法、建設労働者の雇用の改善等に関する法律、職業紹介については職業安定法、職業訓練については職業能力開発促進法、職業訓練の実施等による特定求職者の就職の支援に関する法律、雇用保険については雇用保険法などがある。

ⅱ）勤労条件の法定

27条は2項で「賃金、就業時間、休息その他の勤労条件に関する基準は、法律でこれを定める」として、勤労条件が古典的には私的自治の原則に基づく契約自由の原則によって労使間の合意に委ねられていたところを修正している。ここでの基準は標準とか目安ということではなく最低基準を意味しているので、法定基準に達しない勤労条件を定めた労働契約は無効である。このことは、労働基準法13条で、「この法律で定める基準に達しない労働条件を定める労働契約は、その部分については無効とする。この場合において、無効となつた部分は、この法律で定める基準による」というかたちで確認されている。

恒常的に一定数の失業者群が存在するなかで、使用者は良くない労働条件を定めても予定する数の労働者を雇用することができ、雇用された労働者が労働条件に不服があって退職してもその補充は可能である。そのもとで労働者が単独で労働条件の改善を求めても、その実現は容易ではない。そのような実質的には不対等な力関係にある労使の間では、結果的には労働者に不当な労働条件が押しつけられやすい。また、それが社会的に広く行われれば、労働力の質が低下したり、資本主義社会そのものに不満の矢が向けられるなど、使用者側にとってもよろしくない事態が生じる可能性がある。したがって、契約自由の原則に修正を施すことになる。

それを受けて、まず労働基準法が制定され、その後、最低賃金法、労働安全衛生法、雇用の分野における男女の均等な機会及び待遇の確保等に関する法律（男女雇用機会均等法）、育児休業、介護休業等育児又は家族介護を行う労働者の福祉に関する法律などが制定された。

しかし、それらの法律が十分に機能しているかというと話は別である。たとえば、労働基準法は労働時間の規制について週40時間労働制を原則としつつも（労基法32条1項）、最初から使用者と労働組合または過半数代表者との合意による残業や休日労働を認めているし（同36条）、その後、変形労働時間制（同32条の2、32条の4）、フレックスタイム制（同32条の3）、専門業務型裁量労働制（同38条の3）、企画業務型裁量労働制（同38条の4）など弾力的な労働時間制が次々と認められるに至っており、最低基準のほうが現実に向かって歩み寄っている感がある。

また、最低賃金法では、地域別最低賃金（9条1項）については「中央

最低賃金審議会又は地方最低賃金審議会（…）の調査審議を求め、その意見を聴いて」、厚生労働大臣又は都道府県労働局長が決定する（10条1項）こととなっているが、最低賃金を決める際には「地域における労働者の生計費及び賃金並びに通常の事業の賃金支払能力を考慮」（9条2項）することとされ、最低賃金審議会が「労働者を代表する委員、使用者を代表する委員及び公益を代表する委員各同数をもつて組織する」（22条）こととされているなかで、最低賃金の実態を見ると、2016年以降、0.1％の上昇にとどまった2020年を除き、毎年3％上昇している。

> コラム
> **「働き方改革」**
> 　1980年代以降、労働時間の弾力化、労働者派遣事業の拡大、非正規雇用の増大が進行し、また、過労死問題が取りざたされ、近年でも、高齢者の非正規雇用化、派遣労働の恒常的利用の容認などのように、雇用・労働条件をめぐる様々な変化があるなかで、2018年6月29日に成立した働き方改革関連法は、時間外労働の上限規制、勤務間インターバル制度などを内容とする労働時間規制、高度プロフェッショナル制度（高プロ）の創設、非正規雇用労働者に対する不合理な待遇の禁止を柱としている。
> 　法案当時から、規制緩和となる高プロへの批判的な意見はもちろん、時間外労働の規制のように規制強化と目される部分についても、基準や例外措置などについて様々な疑問が出され、また、そもそも「同一労働同一賃金」との触れ込みとは異なる、非正規雇用労働者に対する不合理な待遇の禁止（均衡規制）にとどまることにも注意が向けられた。
> 　関連法は2019年4月から段階的に施行されている。高プロの導入の届出が22社858人（2020年9月末現在）にとどまっているのは、そもそも導入の必要性が高かったのかとの疑問を生じさせ、残業規制が強化されたものの私立学校、民間企業、中央省庁などでの違法残業の実態が報道されている。
> 　また、均衡規制については、いわゆる「パート有期法」が労働契約法の旧20条の均衡規制を受け継いでいるが、その労働契約法の旧20条への違反が問われた訴訟の上告審判決が2020年10月に相次いで出された（最判2020・10・13〔大阪医科大学事件〕、最判2020・10・13〔メトロコマース事件〕、最判2020・10・15〔日本郵便3事件〕）。それらの訴訟では、賞与、私傷病による欠勤中の賃金、退職金、夏期冬期休暇、年末年始勤務手当、祝日給、扶養手当、病気休暇に関する相違の是非が争われたが、各種の手

当、休暇については、その趣旨や目的が非正規雇用労働者にも妥当すれば相違が不合理であるとされたが、賞与、退職金については不合理とは判断されなかった。

(2) 労働基本権
ⅰ) 保障の意義

　以上のように、法律または法律に基づいて定められる労働条件はあくまでも最低基準であって、それをどの程度上回る水準で労働条件を決めるかが実際には大切な問題となる。そこは使用者と労働者との間での合意に委ねられているが、労働者個人が使用者に向き合って個別交渉をするとしても労働者の立場は弱い。そこで28条では労働者の側にだけ集団を形成し、その集団の活動を通じて労働条件の維持・改善を要求する権利を保障している。判例においても、労働基本権の保障は生存権の保障を基本理念とし勤労者の経済的地位の向上を目的とするものと位置づけられている（最大判1973・4・25〔**全農林警職法事件**〕）。

　勤労者の経済的地位は、企業の経営方針、経営実態、当該企業が属する業界の動向、ひいては国の経済、財政、社会保障、労働の各分野の政策などのさまざまなものに影響されるので、経済的地位の向上のための活動の内容としては多様なものが考えられる。

　28条では団結権、団体交渉権、争議権の3つの権利が保障されているが、この3つの権利を統一的にとらえる視点を労働条件の維持・改善のためというところにおかずに、それを狭くとらえて労働条件の維持・改善のために行われる団体交渉を首尾よく運ぶためのものととらえる「団交中心論」と呼ばれる考え方が有力に唱えられている。しかし、28条は「団体交渉その他の団体行動」というように団体交渉を明示しているものの、団体交渉とその他の団体行動をそのような目的・手段の関係にあるものという規定の仕方をしておらず、そもそも歴史を振り返れば、争議行為のほうが団体交渉に先行して取り組まれたことは明らかであり、団結や争議行為の目的を団体交渉のためと限定するのは正しくない。

　28条は権利の主体を「勤労者」としている。勤労者は使用者に対して経済的に従属的地位にある者をさす。現実には、企業の経営者や自営業者で

あっても、たとえば大企業の下請けで一方的に不利な条件で仕事をせざるをえないなど労働者に近い従属関係にある場合もあるかもしれないが、それらの者はここでいう勤労者には含まれない。さらに、他人に雇用されて働いていた者、そのようにして働くことを希望している者も実際に就労していないという理由でやはり勤労者には含まれないと考えられている。公務員は勤労者に含まれると考えられている。

労働基本権は社会権のひとつに数えられているものの、それは具体的権利であると一般に考えられている。また、私人間効力（→第1章4節1(2)・328頁）に関しては、通説である間接適用説においても、28条は例外的に使用者対労働者という私人間においても直接適用されるとされている。

ⅱ）労働基本権の保障は誰に対して何を求めるか

先に述べたように労働基本権を保障する28条は私人間においても直接適用される規定であると考えられているので、その保障の効果についても対政府、対私人に分けて述べる。

(ア) 政府に対して

労働基本権は介入排除請求権の側面を強く有しており、その介入排除請求権の側面からの効果として、労働基本権として保障されたことを正当な理由のない、また過度の規制を法律で行うことが禁止される。とくに、労働基本権を行使した結果発生したことにつき、それが労働基本権保障の趣旨を考慮してもなお許容できない場合を除いては処罰しないこと、すなわち刑事免責が認められる。労働組合法1条2項では、「労働組合の団体交渉その他の行為」について、同条1項に掲げる目的を達成するためにした正当なものについては、「正当な業務による行為」を罰しないとする刑法35条の規定が適用されるとしている。

また、給付請求権の側面からの効果として、使用者による労働基本権の侵害があった場合に労働者、労働組合から政府にその救済を請求できる。現在の法律においては、集団的労働紛争の解決において主たる役割を果たす機関として労働委員会が設置され（労組法19条）、不当労働行為（同7条）からの救済（同27条以下）、争議のあっせん、調停、仲裁等（同20条、労働関係調整法）が行われている。労働委員会は使用者委員、労働者委員、公益委員の三者で構成され、裁判所による救済が権利義務関係を明確にするかたちで行われるに対し、侵害からの回復や良好な労使関係の構築に向

けて弾力的に救済を図るところに特徴がある。
　(イ)　使用者に対して
　労働基本権が保障されたことにより、使用者に対しては、労働者が労働組合を結成すること等の団結権の行使を妨害しないこと、労働組合からの団体交渉の要求に応じること、労働基本権の正当な行使を理由として解雇などの懲戒罰を加えたり民事上の債務不履行による不法行為責任を追及しないこと、いわゆる民事免責が認められる。労働組合法では、不当労働行為というかたちで使用者による労働者、労働組合に対して禁止される行為を規定し（労組法7条）、また、「同盟罷業その他の争議行為であつて正当なもの」に限定し、さらに「損害を受けたことの故をもつて、労働組合又はその組合員に対し賠償を請求することができない」と賠償責任に限定したうえではあるが、民事免責を規定している（同8条）。
　ⅲ)　保障の内容
　(ア)　団結権
　28条は「団結する権利」を保障している。この団結権とは、労働条件の維持及び改善のために使用者と対等の交渉ができる団体を結成し、又はこれに加入する権利である。ここでいう団体には労働組合のような永続的な団体のみならず特定の課題のために一時的に結成されるいわゆる「争議団」形式のものも含まれるが、以下では一般に意識される労働組合の用語を使って説明する。
　団結権をやや具体的にみれば、まず労働者個人には、労働組合を結成する権利や既存の労働組合に加入する権利とともに、労働組合から脱退する権利（脱退の自由）が保障されると考えられている。また、団結権は労働者により結成された団体それ自体の自由の保障をも含むと解されており、団体内部の問題に国や使用者が不当に介入することは許されない。
　しかし、労働者個人の労働組合を結成しない権利、労働組合に加入しない権利といった消極的な権利は保障されないと考えられており、日本においてこれまで労働組合の活動において広く採用されてきたユニオン・ショップ協定などの組織強制にも従来はほとんど疑問が呈されることがなかった（ただし、組合併存下でのユニオン・ショップ協定の適用範囲に限定を付す判例として最判1989・12・14）。しかし、場合によっては加入させられている労働組合が労働条件の改善に熱心でなかったり、国政・地方選挙の際に

企業と一体となって労働者を企業が支持する候補者の選挙活動に駆り立てたりすることもある。それほどでなくても、求める労働条件の内容や取り組む活動内容が自らの考えと合わない場合もある。またそもそも集団一般を敬遠する意識が強いがために、労働組合に所属しないことを希望することもある。そのような状況の中では、団結権について消極的な権利を含むと解釈することの意義を否定することはできない。

ただし、そもそも経済的には弱い立場にある労働者のために労働条件の改善を図ることを目的に、あえて結社の自由（→第3章3節6・424頁）と別に団結権が明文で保障されたのであるから、組織強制の問題を一般の結社の場合と同様に考えて憲法違反だと簡単に判断しさるわけにはいかない。そこで最近の有力な考え方は、団結権のうちに積極的な権利と消極的な権利の両方があることを承認したうえで、両者を同じレベルでとらえるのではなく、積極的な権利が第一次的な意味をもつと考え、その権利の実現のために必要不可欠な範囲で消極的な権利を制約することが許されると考えている。たとえば、明らかに使用者からの切り崩しによって労働組合からの脱退が相次ぐとき、表面的には個々の労働者の自発的な脱退のかたちをとっていようとも、労働組合がその脱退を認めないことが許されることもありえよう。

また、労働組合の団結維持のために労働組合の組合員に対する統制権が保障されているなかで、組合員の人権との調整は重要な問題である（→第1章3節3(2)・325頁）。判例では、労働組合の方針に反して市議選に立候補した組合員への懲戒処分事件では、団結維持と立候補の自由の重要性とを比較衡量したうえで権利停止処分は違法であるとし（最大判1968・12・4〔三井美唄労組事件〕）、労働組合が総選挙で特定候補者を支援するための臨時組合費を徴収した際に納入を拒否した組合員への組合費請求事件では、当該組合活動の内容、組合員の協力の内容等を比較考量して協力の範囲に限定を加える手法で審査し、どの政党、どの候補者を支援するかは組合員個人が自主的に決定すべきとして、納入義務を無効とした（最判1975・11・28〔国労広島地本事件〕）。

　(イ)　団体交渉権

28条は「団体交渉その他の団体行動」というかたちで労働組合が権利として行うことのできる行動の典型例として団体交渉を挙げている。憲法で

団体交渉の権利を明示する例は珍しく、日本の場合は、団体交渉を重視するアメリカ法の影響のほか、労働組合の力量が十分でなく使用者が容易に団体交渉の拒否の態度に出る国では憲法の明文で保障することが必要とされたといわれている。

　団体交渉権は、労働組合が使用者と対等の立場で、労働条件の維持・改善を目的として交渉すること、そして、交渉の結果、合意した内容について労働協約を締結することを権利の内容とする。したがって、使用者には団体交渉に応じる義務が生じるので、労働組合法7条では団体交渉することを正当な理由なく拒否することは不当労働行為のひとつとされている（2号）。そして、交渉に入ったあとは、労働組合の要求で合意に達することは権利の内容ではなく、自由な交渉に委ねられるが、合意に達した場合に労働協約を締結すれば、労働協約のうち「労働条件その他の労働者の待遇に関する基準」の部分は規範的効力を有し、それに違反する労働契約は無効となる（労組法16条）。

　なお、労働組合代表または従業員代表が労働条件に限定されない企業内の諸問題について使用者と協議する労使協議制がある場合、それが労働条件を対象事項に含む場合には、団体交渉の意義を没却するものとして批判される。また、近年では労働組合の組織率の低下のなかで、労働者代表制度の創設が議論の対象になっている。

　㈦　争議権

　前述の通り28条では「団体行動をする権利」を保障しているが、一般にこの団体行動は争議行為をさすものと解されており、したがって団体行動権という呼称も使われないではないが、一般に争議権と称されており、ここでもそれに従う。

　争議行為は業務の正常な運営を阻害する行為であることを要素とするが、そもそも争議行為制度といったようなもので定型化されているわけではなく、労働組合が要求の実現のために創意工夫して取り組んできたものを総称するものなので、そこに含まれるものは多様である。一般的には、ストライキ（罷業）、サボタージュ（怠業）、ピケッティング、職場占拠は異論なく争議行為と考えられている。

　ただし、争議行為は無制限に認められるものではなく、正当なものでなければならない。

まず、争議行為の目的の正当性については、先に述べたように団交中心論はとりえないので、団体交渉を有利に進めるということに正当な目的を限定するのは正しくない。以前から議論されているのは、政府に特定の立法や政策を採用することを要求するための争議行為である「政治スト」（取り組まれる行為がストライキに限定されるわけではないが、一般にこのように呼び議論されている）や、他の企業の労働者の労働争議の支援を目的として行われる「同情スト」である。

　「政治スト」については、全面違法説、全面合法説もあるが、政治ストを労働者の経済的地位の向上にかかわる政治問題に関する経済的政治ストとそれ以外の純粋政治ストに分けて、前者を合法とする経済的政治スト合法説が有力に唱えられている。判例は純粋政治ストに関する事件でその正当性を否定している（最大判1973・4・25〔全農林警職法事件〕）。

　つぎに、争議行為の手段の正当性については、暴力の行使は労働組合法1条2項で正当な行為ではないとされ、この点について学説でも異論はない。議論の対象となるのは、争議行為のなかでもストライキのような労務の不提供にとどまらない争議行為である。ストライキ中の労働者の就業や使用者の操業を実力で妨げるピケッティング、争議行為中に使用者の意思に反して企業施設に滞留し、またはそれを占拠する職場占拠、労働組合が一時的に経営施設や資材等を占拠して自ら経営を行う生産管理がそれにあたる。いずれの場合も正当性の判断にあたっては、行為の性質、行為をめぐる具体的諸事情を考慮する必要がある。

　　ⅳ）　公務員の労働基本権

　旧労働組合法（1945年12月制定）では警察、消防、監獄の職員を除いて広く公務員にも労働基本権が保障されていた。しかし、1948年7月のマッカーサー書簡を受けて公布・施行された政令201号（1948年）によって公務員の団体交渉権が否認され、争議行為が全面的に禁止され、それを受けた国家公務員法の1948年11月の改正により争議行為の禁止（国公98条2項）、団体交渉権の制限（同108条の5）が規定された。あわせて1948年に公共企業体労働関係法、1950年に地方公務員法、1952年に地方公営企業労働関係法などが制定され、それぞれ職員・公務員について労働基本権の制限が定められた。

　その結果、自衛官、警察官、消防官、海上保安庁職員、刑事収容施設職

員が団結権、団体交渉権、争議権の三権すべてを禁止され、その他の公務員について現業・非現業、国家・地方を問わず一律に争議行為が禁止されるなど、公務員は何らかのかたちで労働基本権が制限されることになった。

法律学においてよく比較の対象とされる英米独仏の4か国をみても、警察、消防、刑事収容施設の職員に団結権を否認する国はなく、アメリカを除いて争議権を一律に否認する国はない。日本の公務員の労働基本権の制限は他に類を見ないといっても過言ではない。なお、ILO87号条約（結社の自由及び団結権の保護に関する条約）では、軍隊と警察について例外を認めているだけである。

しかし、公務員労働組合は戦後直後から日本の労働組合運動の重要な部分を担い、かつては争議行為に訴えることも少なくなかったので、争議行為の禁止をめぐって多くの裁判が争われることとなった。最高裁は現行法による争議行為の禁止について、一貫して合憲の判断を下してきたが、合憲である理由、争議行為を行った者への刑事罰の可否などについては時期により異なる判示がなされている。

まず国鉄弘前機関区事件（最大判1953・4・8）以降、「公共の福祉」や公務員の「全体の奉仕者」性（15条）といった抽象的な根拠で合憲とする判断がつづいていた。

しかし、全逓東京中郵事件（最大判1966・10・26）において、「国民生活全体の利益の保障」という見地からの内在的制約があることを認めつつ、その制限は合理性の認められる必要最小限にとどまること、制限は公共性の強い業務の停廃による重大な障害を避けるために必要やむをえない場合について考慮されること、刑事制裁は必要やむをえない場合に限られること、制限に見合う代償措置が講じられること、という制約の4基準を示した。また、都教組事件（最大判1969・4・2）では、地方公務員法が争議行為を禁止するとともに争議行為のあおり行為等に刑事制裁を規定することについて、禁止される争議行為と処罰の対象となるあおり行為等の双方を厳格に解釈する「二重のしぼり」論を採用した（同日の全司法仙台事件判決も同旨）。こうして、政治ストを理由とする刑事制裁（全司法仙台事件）は別として、公務員は争議行為に対する刑事制裁から事実上解放されることとなった。

しかし、全農林警職法事件（最大判1973・4・25）では「二重のしぼり」

論を批判したうえで、新たな論理を展開した。すなわち、公務員の労働基本権は、勤労者を含めた「国民全体の共同利益」の見地からの制約を免れないとし、その根拠として、公務員の地位の特殊性と職務の公共性からして必要やむをえない限度の制限を加えることは十分合理的な理由があること、政府に対する争議行為は的はずれであると同時に議会制民主主義に背馳すること、公務員の争議行為には「市場の抑制力」がはたらかないため一方的に強力な圧力となることを挙げた。また、労働基本権の制約と罰則が最少限度であること、代償措置が整備されていることを理由に、労働基本権の保障と国民全体の共同利益との均衡がとれており、争議行為のあおり行為等を罰することは「原動力」であるがゆえに十分な合理性があるとした。

そして、全逓名古屋中郵事件（最大判1977・5・4）では、全農林警職法事件（最大判1973・4・25）以降の判決を三公社（当時）の職員の争議行為禁止までも視野に収めて「総括」した。すなわち、団体交渉に「共同決定」という過大な意義を担わせたうえで、団体交渉権の付与を「財政民主主義」を理由とする立法政策によるものとしたうえで、市場の抑制力論、職務の公共性論（地位の特殊性論は脱落）、代償措置論を引き継いだ。

なお、労働基本権の保障と国民全体の共同利益との均衡との関係で言及された代償措置の整備に関して、その主軸ともいえる人事院勧告について政府が完全凍結する事態がその後生じたが、それを契機に行われた争議行為に対する懲戒処分事件で最高裁は、懲戒権者の裁量権の範囲を逸脱したものとはいえないと判示している（最判2000・3・17〔全農林人勧完全実施闘争事件〕）。

考えてみよう

1…20歳以上の学生の国民年金への加入が強制されていなかった頃に、国民年金未加入の学生が障害を負っても障害基礎年金は支給されなかった。これは生存権の保障に反しているだろうか。
2…教育内容に関する政府の介入を排除する場合、教育内容はどのように決定されるのがよいであろうか。
3…全農林警職法事件最高裁判決が公務員の争議行為の禁止を正当化する

論理のもとで、公務員に部分的にでも争議行為を解禁する余地はあるだろうか。

Farther Readings
・葛西まゆこ『生存権の規範的意義』（成文堂、2011年）：生存権規定の制定過程、生存権に関する学説および判例の展開を丁寧に跡付けたうえで、裁判規範性の弱い生存権が憲法上の権利として規定される意義について、アメリカの福祉関連の判例法理との比較をふまえて検討する。
・米沢広一『憲法と教育15講〔第4版〕』（北樹出版、2016年）：教育や学校について憲法との関係で論じるべき問題は、26条の教育を受ける権利と関連してのみ生じるわけではない。本書は、日の丸・君が代問題、宗教の信仰、個人情報保護など幅広く素材をとり、学校教育について考える。
・渡辺賢『公務員労働基本権の再構築』（北海道大学出版会、2006年）：公務員の労働基本権の制限に関する判例は、学説から多くの批判が投げかけられながらもゆるぎのない地位を保っている。本書は団体交渉権と争議権を手続的権利として構成することを通して新たな地平を切り開こうとする。

第2節	家族をめぐる法と権利
キーワード	「家」制度、婚姻の自由、両性の本質的平等、パートナーシップ、家族形成権

　社会の変化は家族のありかたにも変容をもたらす。少子高齢化の進展、離婚件数および未婚率の増加、人工生殖技術の発展等により、現在の日本にはこれまでの「標準的」な家族モデルに収まらない家族のありかたが広がってきている。その一方で、近時の改憲論には「行き過ぎた個人主義」を批判して家族を「一番身近な公共」と位置づけ直そうとする動きもみえる。本節では、24条が制定された史的意義を再確認したうえで、こうした新しい家族像や家族と個人の関係にまつわる法的問題を検討する。

1　「家族」と憲法

　個人の尊重を基礎とする近代立憲主義型の憲法において、家族は、当初より両義的な存在だった。すなわち、国家と個人の二極構造の狭間に中間団体として位置づけられることで、家族は、一方では国家の介入から私的領域を守る防波堤の役割を、他方では人々を国民として統合する鋳型、公序としての役割を果たしてきた。さらに、現在では社会の変化にともなうライフスタイルや家族関係の多様化によって従来型の家族のありかたに疑義が呈されるようになり、1970年代以降のフェミニズム／ジェンダー法学

の発展によってこの問題が認知されるようになったことと相まって、家族をめぐる法と権利の問題はきわめて現代的な課題となっている。

現在、多くの国の憲法が家族の保護を規定した家族条項を備える。だがその目的は一様でない。発展途上国の場合には貧困問題への対処という国家政策を背景とした青少年の保護や母性の保護がその目的とされるのに対し、先進資本主義諸国ではそれは社会権のひとつと位置づけられている。また、先進資本主義諸国の憲法では家族保護と個人主義原理との調和が模索されている。そこには上述の現代的課題への各国の苦心がみてとれる。

しかし、日本国憲法における家族の問題を考えるうえでは、現代的課題と同時に歴史への視点も欠かせない。なぜなら、大日本帝国憲法下での家族のありかたが日本国憲法の制定過程で大きな争点となったからである。

戦前、民法（1947年改正前。民法旧規定と呼ぶ）は戸主とその戸主権に服する者からなる「家」を社会の構成単位とし、長男がそれを家督相続として単独で引き継いでいく制度を定めていた。この「家」の名称が氏であり、「家」を単位に編成された身分関係の公証システムが戸籍である。戸主には戸主権として家族の居所指定権（民法〔1947年改正前〕749条）や婚姻・養子縁組への同意権（同750条）などが与えられ、家族は戸主の扶養を受けるとともに、戸主の命令・監督に服従する義務を負った。また、家庭内において妻は無能力とされ、離婚や相続において女性が劣遇されるなど、両性の不平等も顕著だった。大日本帝国憲法は両性の平等規定も家族条項も備えておらず、こうした「家」制度を黙認する状況にあった。

これに対し日本国憲法は、13条で個人の尊重を定め（→第1章2節1(1)・312頁）、個人主義を基本原理として採用した。それと同時に、24条で「家」制度に代わる新しい家族法の基本原理を定めている。

24条は1項で婚姻の自由と夫婦の同等の権利を、2項で家族法における個人主義と両性の本質的平等とを保障する。家族そのものの保護については規定をおいていない。制定過程では家族の保護を社会権と位置づける左派と「家」制度の存続を図る保守派の双方から「家族生活の保護、尊重」という文言を入れるべきとの意見があがったが、最終的にそれらは退けられた。そのため、24条は、両性の平等の実現に加え、「家」制度の廃止と家族法における個人主義原理の採用とを主な目的としたものと解される。

日本国憲法の制定にともなう法改正およびその後の訴訟等を通じて、多

くの性差別は是正された。しかし、今もなお婚姻の場面等において性別による異なる取扱いが存在している。これらが合理的区別といえるのかについては、議論の余地がある。

「家」制度そのものは1947年の民法第4編・5編の全面改正により廃止された。だが、それによって「家」制度が完全に克服されたわけではない。夫婦単位に形を変えた戸籍や氏の制度は「家」制度の名残りであり、夫婦別氏制度導入や婚姻していないカップルからうまれた子に関する差別の克服の妨げとなっているといった指摘は、繰り返しなされてきている。24条の目的が実現されているかどうか、なおも検証が必要である。

他方、現代的課題としては、リプロダクティブ・ライツや法律婚以外の親密な共同体のありかたが議論されている。そこでは、夫婦とその子どもからなる近代的な家族像、婚姻制度そのものへの疑義も呈される。この場面においては、婚姻関係について定める24条の規定と個人の尊重を定める13条との関係が新たな課題として立ち現れてくる。

2　24条の法的性格

家族をめぐる諸課題に24条がどんな役割を果たしうるかは、24条の法的性格による。24条のとらえ方には、(a)平等原則の具体化、(b)制度的保障、(c)公序、(d)消極的自由権、(e)社会権、(f)国務請求権などがある。従来は(a)および(d)ととらえるのが一般的であり、24条は主に「家」制度によって奪われていた婚姻の自由を保障するものであって、「両性の本質的平等」と「個人の尊厳」はそれぞれ14条と13条を婚姻・家族の領域で具体化したものと解されてきた。そのため、婚姻適齢（民731条）や再婚禁止期間（同733条）の男女差の問題は14条、両性間で法律婚をする自由・しない自由は13条の問題として扱われ、24条固有の意義はあまり見出されてこなかった。

しかし、現代における家族関係の多様化を考えれば(b)および(c)が前提とする婚姻・家族像の如何が改めて問われることになり、現代的な親密圏の保障を考えるならば(e)および(f)の淵源としての24条の意義が見直されることとなる。また、24条の役割を13条および14条に還元してしまうことを是とせず、性や婚姻関係の平等の場面において14条と24条の保障範囲に相違があるとする見方や、私生活の自由の局面においては13条と24条との間に

相克が生じることを指摘する声も広がっている。再婚禁止期間をめぐる2015年最高裁決定は、14条と同時に、24条2項との関係も問題とした（→3(2)参照）。24条の意義は、近年、見直されつつある。

3　婚姻関係

(1)　婚姻の自由

24条1項は、婚姻は両性の合意のみによって成立すると定める。これは法律婚制度を利用する・しない自由であり（→(2)ⅱ・504頁）、「両性の合意のみ」を要件として婚姻関係を結ぶ自由およびその消極面としての婚姻をしない自由・婚姻を解消する自由（非婚・離婚の自由）を含む。同様の保障は13条でも可能で、この場面では13条と24条とは重畳関係にある。

「両性の合意のみ」が婚姻の要件とされるため、民法旧規定で認められていた戸主の婚姻への同意権のような制度は認められない。また、事実上の制約についても、市役所で事実上の結婚退職制がとられていることの合憲性が争われた事例（千葉地判1968・5・20）においてこれを婚姻の自由を害すると認めた。他方、婚姻適齢を定めること自体や未成年の婚姻に関する父母の同意要件（民737条）については未成年者の保護の観点から24条には抵触しないと考えられる。合意による離婚の自由を具体化したのが協議離婚の制度（同763条）であるが、婚姻関係の性質に鑑みれば、破綻主義に基づく裁判離婚を認めることも必ずしも不合理とはいえない。

(2)　婚姻に関する両性の本質的平等

24条1項は夫婦同権を、2項は婚姻・家族法が**両性の本質的平等**に立脚して定められねばならないことをそれぞれ規定している。そのため、民法旧規定に存在したような夫権（旧規定801条〔財産管理権〕、813条〔姦通を理由とする離婚〕）は認められない。しかし、1947年に改正された民法は婚姻適齢（民731条）および再婚禁止期間（同733条）において男女に異なる定めをおいており、その合憲性が争われてきた。

ⅰ）　婚姻適齢・再婚禁止期間

婚姻適齢については、同規定が男女の身体的発達の相違という生物学的性差に基づくことを理由に合理的区別ととらえられている。しかし、身体

的発達は個人差も大きい。また、婚姻にあたって男性には「一家の大黒柱」としての経済的自立能力が求められる伝統的な性別役割分業観が同規定の背後にあるのだとすれば、24条との抵触を免れない。2018年改正により、女性の婚姻適齢が2歳引き上げられ、男女ともに18歳で統一された（2022年4月施行）。

再婚禁止期間については、民法733条（2016年改正前）が女性のみに6ヶ月という定めをおいていることの合理性が問われてきた。最高裁は当初、父性の推定の重複を避け、父子関係をめぐる紛争の発生を未然に防ぐことが立法趣旨であり、憲法14条の一義的な文言に反するものではないとしていた（最判1995・12・5）。しかし、医学の進歩によって父子関係の確認が容易になっていることや、再婚の制約を少なくする国内外の機運の高まりをうけ、2015年に、民法772条（嫡出の推定）との関係で必要とされる100日を超える部分については憲法14条1項および24条2項に違反するとの判断を下すに至った（最大判2015・12・16）。24条2項は婚姻・家族に関する事項について具体的な制度構築を立法に委ねるとともに、個人の尊厳と両性の本質的平等によってそれを枠づけようとしたものと解されるが、実際には立法裁量が広く認められる傾向にあった。本判決が初めて法令の24条2項違反を認めた意義は小さくない。現在では、再婚禁止期間は100日に短縮されている。嫡出推定をめぐっては、離婚後300日以内に出生した子は前夫の子と推定されるため、それを避けるべく母が子の出生届を出さないケースが問題となっており（300日問題）、現在検討が進められている。

ⅱ） 夫婦同氏制度

民法は夫婦同氏制度（民750条）を定め、婚姻後夫婦は「夫又は妻の氏」を名乗るとする。これは形式的には平等な規定だが、婚姻夫妻のうち96.0％（2015年時点：厚生労働省「平成28年度『婚姻に関する統計』の概況」より）が夫の氏を選択している現状に鑑みれば、その実質的平等は疑わしい。また、「氏の変更を強制されない権利」において夫婦が同等でないとして24条1項との抵触を問題とする見方や13条の保障する氏名権の侵害を指摘する声もある。しかし最高裁は、再婚禁止期間に関する判決と同日に下された判決において、「家族は社会の自然かつ基礎的な集団単位と捉えられ、その呼称を一つに定めることには合理性が認められる」ことや氏の公示機能などを理由に、同制度はただちに合理性を欠くとはいえず24条に

は違反しないとした。また、「家族の呼称」としての氏の性質およびその選択が協議に委ねられていることを理由に13条・14条違反の主張をも退け、同規定を改廃しなかったことに対する賠償請求を認めなかった（最大判2015・12・16）。ただし、同規定の憲法適合性そのものについては5裁判官が24条に反すると断じており（岡部ほか意見、木内意見、山浦反対意見）、多数意見も論旨は選択的夫婦別氏制度に合理性がないとするものではないとあえて断りを入れ、この問題は立法過程で解決すべきものであることを強調している。2021年の決定でも、最高裁多数意見は、立法政策としての相当性と憲法適合性の審査の問題とは次元を異にすると述べ、再び、この種の制度のありかたは国会で論じられるべき問題であることを強調している（最大決2021・6・23）。しかし、1996年に法制審議会が発表した民法改正案要綱ですでに選択的夫婦別氏制度が提案されているにもかかわらず、国会における対応は進まぬままこんにちに至っている。

　2021年決定には、1つの意見と3裁判官による2つの反対意見が付された。その1つである宇賀・宮崎反対意見は、24条1項のいう「婚姻」を法律婚から切り離し、「婚姻の自由」の射程を拡げる。そのうえで、同項が夫婦が「同等の権利」を有すると定めていることに着目し、夫婦同氏を婚姻成立の要件とすることで、氏名に関する人格的利益について、双方が生来の氏を称することを希望する場合には夫と妻とが同等に享有することができない状況が作出され、婚姻をするについての自由かつ平等な意思決定が抑圧されることを24条1項に反するとした。同反対意見は、立法による規定整備が必須となる戸籍の記載等の取扱いと婚姻届の受理とは区別できるとして、救済方法として婚姻届の受理を命ずべきとしている点も、注目に値する。

　なお、2015年判決でも触れられているように、実務においては、旧姓使用を広く認めることでこの問題を緩和している。国家公務員については2001年以降旧姓使用が制度化され、地方公務員や民間企業にも同様の対応が広がっている。とはいえ、給与や社会保険、税、免許証、パスポートなど旧姓使用が認められない場面はなお多い。

　2で触れたように、従来は、これらの問題は14条でカバーできるため24条は特段の意味をもたないとみられてきた。たしかに、14条の規範は婚姻・家族法にも及ぶため、24条を用いる必然性はないともいえる。しかし、

民法が改正され制度としての「家」が廃止されて半世紀以上が経過した現在でも、男女間における育児休暇の取得率や家事労働時間の差が示すように、婚姻・家族関係における性別役割分担意識はなお根強い。平等保障の実質化のためには、24条が特に婚姻・家族内における両性の平等を目的として制定されたことを重くみて、24条を14条に還元してしまうことなく両者を相補的にとらえることが必要である。

(3) 異性婚を超える

現行民法の定める法律婚は、異性婚を前提としている。しかし、2002年にオランダが初めて同性カップルに婚姻の途を開いて以降、2020年までに、28カ国で、同性カップルに婚姻または婚姻と同一の法的保護が与えられるようになっている。日本でも、2019年、同性カップルが婚姻できないことは憲法違反だとする訴えが全国で提起された。

2021年、民法および戸籍法の婚姻に関する諸規定を憲法違反とする判決が、札幌地裁によって下された（札幌地判2021・3・17）。同判決は、婚姻によって生じる効果の一部ですらも享受する手段を同性愛者に提供しないことは14条に違反するとした点で画期的なものであるが（→第2章3(3)・350頁）、24条については、異性婚について定めたもので、同性婚について定めるものではなく、同性婚を認めないことが24条1・2項に違反すると解することはできないとした。また、婚姻および家族にかんする具体的な制度構築は第一次的には国会の立法裁量に委ねられていることから、24条によって、特定の婚姻・家族制度を求める権利が保障されていると解することもできないとしている。

ただし、これは、24条は異性婚保護主義を規定したものとみることも、日本に同性婚を導入する場合には24条の改正が必要と見ることも意味しない。判決は、法律婚が異性婚を前提にしていることのほか、条文に「両性」と「夫婦」という文言が登場することを指摘し、同性婚には24条の保障は及ばないとした。同条が同性婚を積極的に排除する趣旨で制定されたとはいえないが、制定当初において同性婚は当然に婚姻には含まれないと解されていたのは確かである。しかし、24条は同性婚を許容しているとする解釈も十分に成り立つ。先に述べたように、婚姻が「両性の合意のみ」に基づくという文言は、当事者が望む婚姻を戸主の同意権等によって制約

されないという趣旨で用いられたものである。また、24条が個人主義を基本原理とすること、24条が「平等」という文言で従来の「男性による支配」を否定していること、その「男性による支配」のひとつが強制的異性愛主義であることからも、許容説が支持されよう。さらに、染色体上の性と異なる性を選択する可能性が拓(ひら)かれたことや、生物学的な意味での「性」が例外を多く含む不安定な基準であることが明らかになってきたことなどから、「両性」という文言そのものの意味も一義的でないとの指摘もある。これによれば、24条の保障を同性間に拡張することも不可能ではない。

4　法律婚以外の親密な関係

(1) 法律婚の特権化？

　24条は制度として婚姻をおく際の基本原則を規定するものであるが、その具体化は民法による。民法は事実婚主義を排して法律婚主義を採用しており、戸籍の届出によって婚姻は効力を発するとされる。婚姻は、相互扶助義務（民752条・770条1項2号）や相続（同890条）といった民法上の効果のほかにも、配偶者控除のような税制上の優遇措置や年金、医療保険等の社会保障の受給権などと結び付いている。これは、一方で家族の保護を実現するものだが、他方では法律婚以外のかたちで親密な関係を取り結ぶことを選択する者に対する不利益な取扱いともなる。

　ⅰ）　婚姻していないカップルの間にうまれた子

　この矛盾が最も顕在化するのが、婚姻していないカップルの間にうまれた子をめぐる諸問題である。法律婚制度のもとでは、子どもは必然的に嫡出子と嫡出でない子（非嫡出子）にラベリングされてしまう。そのため、その法的地位をめぐってこんにちまで多くの訴訟が提起されている。

> ＊「非嫡出子」・「婚外子」
> 　民法は、法的な婚姻関係にあるカップルの間にうまれた子を「嫡出子」、そうでない子を「嫡出でない子」（非嫡出子）と区別する。「非嫡出子」はもともと私生子・私生児という差別的意味を含む言葉に代えて用いられるようになった言葉だが、嫡出子との非対称的な制度とも相まって、差別的な呼称だとの批

判があり、婚外子という呼称で代替されることも増えた。だが「婚外子」という呼称も「婚内子」から逸脱したものというニュアンスを含むことには留意してほしい（本書では、法律上の用語として「非嫡出子」を用いている）。

民法900条4号（2013年改正前）は非嫡出子の相続分を嫡出子の2分の1と定めていた。下級審レベルでは同規定に違憲の判断を下した例もみられたが（東京高決1993・6・23）、最高裁は、民法が法律婚主義を採用していることを前提として、同規定は法律婚の尊重と非嫡出子の保護の調整を図るものであるとして違憲の主張を退けてきた（最大決1995・7・5、最判2003・3・31など）。これに対して学説からは、法律婚の尊重という立法目的そのものは肯定されるが手段としての合理性を欠く、あるいは、非嫡出子の保護は法律婚の尊重とは別個に検討されるべきとの批判がなされ、最高裁の内部にも同規定を違憲とすべきという反対意見があった。

最高裁は2013年、この規定を14条に反するとした（最大決2013・9・4）。判断枠組は必ずしも明確でないが、家族をめぐる社会状況や国民意識の変化等を総合的に考慮し嫡出子と非嫡出子を法定相続分において区分することの合理性はこんにちでは失われていると断じた。24条が婚姻・家族法について「個人の尊厳」への立脚を求めていることを考えれば非嫡出子の尊厳は何よりも尊重されねばならず、その点でこの決定は高く評価できる。

また、住民票や戸籍の続柄欄の記載が嫡出子と非嫡出子とでは異なることをめぐっても、訴訟が提起されている。住民票に関しては、下級審では非嫡出子を嫡出子と区別して記載することがプライバシーの侵害にあたるとされたが（東京高判1995・3・22。請求自体は訴えの利益喪失により不適法却下）、最高裁は、当該住民票の記載は国の定める事務処理要領に従って行われたものであり14条を考慮にいれるとしても同要領に違法性はないとして訴えを却下した（最判1999・1・21）。戸籍続柄記載については、非嫡出子を嫡出子と区別した記載がプライバシーの侵害とはいえないとした下級審の判断がある（東京高判2005・3・24）。これら続柄記載に関する争いは訴訟要件上の困難もあり裁判上の救済は得られなかった。しかし、社会の要求に応えるかたちで、1995年に自治省通達によって住民票の記載が、2004年に戸籍法施行規則の改正によって戸籍の記載方法（ただし、すでに記載された続柄の変更については本人の申出が必要とされる）がそれぞれ変更

されている。これにより続柄記載の問題は大きく改善された。

　しかし、出生届には現在も嫡出子と非嫡出子の別を記載する欄がある。これは戸籍法49条の定めに基づく。これに対し、同欄を空欄としたまま提出した出生届が受理されず、出生届に基づいて調製される住民票へ記載がなされなかったことについて、同不記載処分の取消を求めた事案では、最高裁は、不適式な届出を行った側にけ怠があること、住民票への記載をしなかったことによってもたらされうる不利益がまだ現実化していないこと等を理由に、不記載処分は違法でないと判断している（最判2009・4・17）。なお、2013年の相続分規定違憲判決の直後に、最高裁は、戸籍法49条を改正しないという不作為に基づく国賠訴訟の事案について、戸籍法49条それ自体は嫡出子・非嫡出子の法的地位に差異をもたらすものでないこと等を理由に同条項は14条に反しないとの判断を示している（最判2013・9・26）。民法900条4号が改正された際、戸籍法49条の規定も同時に検討されたが、改正は見送られた。

　ⅱ）租税・社会保障制度

　日本では、租税における人的控除や社会保障は、夫婦と子ども2人で構成されるいわゆる「標準世帯」を基準として設計されている。社会保障については、事実婚にも保障の範囲が拡大されてきているが、法律婚との差異はなお残っている（→(2)ⅱ）。また、未婚率の増加や核家族化の影響により、単独世帯の割合も年々増加しており、2040年には約40％に達するとの推計もある。「標準」から逸脱した人々に不利益を与えない仕組みを模索していく必要がある。

(2) 親密な関係性の保護のありかた

　ⅰ）24条の保障範囲

　24条と民法の定める法律婚との関係は従来あまり自覚的に問い直されることがなく、24条の解釈も法律婚制度が採用されていることを前提になされてきた憾みがある。そのため24条は男女を一組とする法律婚を制度的に保障したもの、あるいは公序として定めたものととらえる見方も存在した。

　しかし、現代社会においては、非婚や事実婚、同性間のパートナーシップなど、親密な関係のありかたが多様化し、法律婚制度と個人の自己決定権、ライフスタイル選択の自由との衝突が強く意識されるようになってき

た。そのため、法律婚以外の親密な関係を法的にどう位置づけるかが問題となってきている。

　24条の解釈として、24条は法律婚保護主義を規定したとする見方がある。同条を制度的保障または公序としてとらえる見方や、24条と法律婚とを無自覚に結びつけて論じる最高裁のスタンスはこれに連なる。この立場に立った場合、法律婚以外の親密な関係は13条で保障されることとなるが、特定の場面では13条と24条との矛盾が生じるため両者の調整を図ることが必要になる。結果として、法律婚制度を危ぶませるようなライフスタイル選択の自由は認められにくくなろう。しかし、24条の定める婚姻は必ずしも法律婚を意味しないとの見方も存在する。24条が個人主義を基本原理とすることを強調するこの説によれば、24条は法律婚を特権的に保護する条文とは解されない。少なくとも、法律上制度化された「婚姻」と同程度の保護をそれ以外の親密な関係にも及ぼすことが24条からも導かれる。

ⅱ）　親密な関係を保護する仕組み

　フランスでは PACS（民事連帯契約）やコンキュビナージュ（同棲）、スウェーデンにはサンボ（同棲婚）と呼ばれる、親密な関係に一定の法的保護を与えるしくみがある。これらの国では、こんにちでは、カップルの約半数が非婚を選択しているとみられる。日本は、かつては皆婚規範が強いと言われていたが、各種意識調査の結果からは、状況が変わりつつあることがうかがえる。

　事実婚に対しては、実務上、法律婚と同様の保護を与えられる領域が広がっている。民法上の相互扶助義務や年金、健康保険など各種社会保障の受給権、公営住宅への入居等に関しては、事実婚は法律婚と同様の取扱いを受けるようになってきた。しかし、相続や税制上の優遇措置については、現在も法律婚のような保護は与えられていない。

　同性間のパートナーシップについて日本の取組みは遅れていたが、2015年に初めて渋谷区で同性パートナーシップ条例が定められるなど、変化の兆しも見られる。2015年に初めて渋谷区で定められたパートナーシップ条例は、2021年4月には、100の自治体にまで広がった。しかし、これらの条例は、欧米諸国のように婚姻に類似した法的保護を与えるものではなく、効果は極めて限定的である。また、同性間の場合には、異性間であれば事実婚と認められる関係にあってもそうとは認められず、事実婚に与えられ

ている保護が受けられないことも問題となっている（名古屋地判2020・6・4〔犯罪被害者給付金不支給裁定取消請求訴訟〕）。ただし、2021年、最高裁によって、同性間に内縁関係に準じた法的保護を認めた判決が確定されており（最決2021・3・17）、今後、この領域での司法判断の進展が期待される。

＊比較法的にみた同性間のパートナーシップ

　世界に目を向ければ、とくに1990年代以降、同性婚に先駆けて、同性間のパートナーシップに法的保護を与える国が増えていった。国によって保護の範囲は異なるが、婚姻に準ずる地位を認めるものが多い。同性婚の法制化に伴い、パートナーシップ制度を廃止した国（ノルウェーなど）もあるが、どちらも選択可能な国（イギリス、フランスなど）もある。また、フランスのPACSのように、同性間でも異性間でも利用可能な、保護の範囲が限定された、より柔軟にパートナー関係を保護する制度を併せ持つ国もある。

＊性同一性障害特例法

　性的マイノリティの総称としてLGBTという言葉がしばしば用いられる。多様な性的指向を表すLGBに、自己の生物学的性と自己認識における性（性自認）との不一致を抱える（性別違和）人々を指すTransgenderを加えたものである（多様性をより強調するためLGBTsと記すこともある。また、性的指向（Sexual Orientation）と性自認（Gender Identity）の頭文字を取ったSOGIという略称を使って、性的マイノリティへの差別・偏見をSOGIに基づく差別としてより包括的にとらえようとする試みも登場している）。同性パートナーシップの問題は個人のアイデンティティと深く結びつく性的指向にかかわる問題だが、性別違和の問題は、人が己の「性」を生きる、その生き方そのものにかかわる問題である。生物学的な性をもって法的な性を男・女に二分することは長く当然と考えられてきたが、性別違和を抱える人々の存在が認知されてきたことにより、各国で対応が模索されるようになってきている。

　日本では、2003年に性同一性障害特例法が制定され、①20歳以上であること、②現に婚姻をしていないこと、③現に未成年の子がいないこと（2008年改正以前は「現に子がいないこと」とされていた）、④永続的に生殖機能を喪失した状態にあること（不妊要件）、および、⑤性器について近似する外観を備えていること（外観要件）という5つの法律上の要件を満たした者につき、家庭裁判所の審判によって性別の取扱いの変更が認められるようになった。しかし、不妊要件は身体的・経済的負担が大きいことや、そもそも「性の生き方」は多様であり、性別適合手術をどの範囲で行うかの選択は本人の意思を尊重しつつ決定すべきであるところ、特定の型を押し付けることになってしまっていることなど、残された問題点も多い。

　④の合憲性が争われた訴訟において、最高裁は、規定の憲法適合性について

は不断の検討を要するとしつつも、現在の社会的状況等に照らして合憲と判断した（最判2019・1・23）。③についても、家庭秩序の混乱や子の福祉を理由に合理性を認めた2007年決定（最決2007・10・19）を踏襲し、合憲と判断した（最決2021・11・30。ただし、1裁判官による反対意見がついた）。しかし、性自認が女性の場合にも出願を認める女子大学が登場するなど、社会は少しずつ変化している。最高裁が言うように、不断の検討が求められる。

5 家族

(1) 家族の保護と家族のなかの個人

　第二次世界大戦以降に制定された多くの憲法は、家族を保護する規定をもつ。1でも触れたように、先進資本主義諸国の多くは社会権のひとつとしてこれを位置づける。24条は文言上直接に家族保護を定めるものではないため、同条を家族保護の規定と位置づけるか否か、かりに家族保護の規定とすればそれは社会権的なものか政策的なものかが論点となりうる。

　24条が制定過程において明示的に「家」制度の擁護も社会権的な家族保護も否定し、個人主義を原理として成立したことに鑑みれば、集団としての家族の保護を個人の尊重に優先させる解釈をとるのは困難であり、実際、学説の多くは24条を社会権としてとらえることに否定的である。しかし、個人主義に抵触しない限りにおいて24条に社会権的側面を認める説も存在する。この説によれば、租税制度や各種社会保障を通じて家庭生活の安定を経済的に保障することも排除されない。ただし、それは個人の非婚・離婚の自由やシングルマザーで子どもを産む自由などを事実上侵害するものであってはならない。4で述べたように、現在、日本の社会保障は世帯を単位とする制度が多いが、それが一方で単身世帯等に不利益をもたらし、他方で世帯内における性別役割の固定化を生み出しているとの指摘もあり、シングル単位に制度を組み替えるべきとの主張も有力である。

　日本では、介護保険制度に代表されるように、家族に社会保障を代替させる傾向が強く、性別役割分担意識も根強い。このように「家族からの自由」がなお十分に達成されていない社会では、家族の保護が個人の抑圧に繋がる危険にセンシティヴであらねばならない。しかし、複雑化した現代社会においてこそ人と人との親密な絆を保護する必要があるのも事実であ

る。国境を跨ぐ家族や離婚、複合家族の増加により、公権力による家族の「引き離し」に対抗する家族の形成・維持の権利の重要性も増している。個人主義に立脚しつつも親密な関係を保護するみちを模索する必要がある。

　また、1で述べたように、家族を国家と個人の間の防波堤と位置づけ、公権力は家の内部には及ばないとすることが近代においては積極的に評価されてきた。それはたしかに公権力の介入を受けない私生活を確保する機能を果たしたが、他方で、その私的空間において現実に存在するさまざまな差別や暴力を温存することにもつながった。こうした私的空間での問題を社会問題化することをめざした第2波フェミニズムの成果もあって、1970年代頃から、私的空間の内部において女性が家事・育児等の無償労働を強いられていること、ドメスティック・バイオレンスにさらされていることなどが徐々に表面化してくる。日本では1990年代ごろからその機運が高まり、伝統的な民事不介入の原則に楔を打つDV防止法が2001年に、児童虐待防止法が2000年に制定された。これらが、これまで公私二分論によって隠蔽されてきたさまざまな差別・暴力の問題をあぶり出し、被害者の救済へとつながっていることは確かであり、今後もとくに被害者救済には積極的に取り組む必要がある。ただし、それが国家による過剰な私生活への干渉にならないよう留意することも忘れてはならない。

(2)　リプロダクティブ・ライツ

　家族を形成する権利のひとつとして、生殖（リプロダクション）に関する自由を挙げることができる。子どもを産む・産まないに関する決定は個人の人格的利益に深くかかわるものであり、論者によって広狭はあれども一般に13条の保障する（狭義の）自己決定権に含まれると解されている。しかし、人工生殖技術の発展にともなって、リプロダクションの自由がどこまで認められるのかが徐々に社会的関心を呼ぶようになってきた。

　こんにち、技術的には、第三者から精子および卵子（第三者配偶子）の提供を受けること、体外で受精すること、ならびに第三者の子宮を胎生の場所として選択することがいずれも可能である。それをどこまで医療として提供しうるかは、現在のところ、法的規制ではなく医学界の自主規制に委ねられている。第三者配偶子を用いた生殖医療については、2009年に、日本生殖医学会が一定の条件下での実施を提言している。代理懐胎につい

ては、日本産婦人科学会が2003年に見解を示し、現時点ではこれを認めないとしている。

　第三者配偶子の利用については出生した子の「出自を知る権利」が問題となり、代理懐胎の場合には代理母契約の倫理性が問題となるなど、生殖補助医療の利用をめぐってはさまざまな問題が交錯している。性別変更により男性となった者の妻が、第三者配偶子の提供を受けて懐胎した子について嫡出推定（民772条）の適用を認めた最高裁決定（最決2013・12・10）は、こうした技術や新しい家族のあり方と既存の法制度とのひずみを浮き彫りにした。これらの問題への法的、社会的対応もまだ十分とはいえない。

　また、同技術を利用することができる対象を、法律婚、事実婚、同性間のパートナーシップ、単身者のどこまで認めるのかも問題となる。日本生殖医学会は当初法律婚の夫婦にしか不妊治療の利用を認めなかったが、2006年にガイドラインを改正し、その対象を原則として事実婚のカップルにまで広げた。しかし、事実婚の場合には一部の治療や各種自治体の補助金給付などが受けられないとの指摘もある。

　4で論じたように、こんにちでは世界的に、多様なパートナーシップの形が等しく認められるようになってきている。リプロダクティブ・ライツの及ぶ範囲に関しても、こうした観点からの再検討が求められよう。

考えてみよう

1…法律婚と事実婚を区別し法律婚のみに一定の保護を与える仕組みには、現在、どのようなものがあり、憲法上どう評価されるか。
2…同性間のパートナーシップに法的保護を与える制度を創設した場合、24条の観点からはどう評価できるか。13条からはどうか。
3…現行の家族・婚姻制度について、子どもの権利という観点からみた場合にどのような問題点が指摘できるか。

Farther Readings

・辻村みよ子編『ジェンダー社会科学の可能性(1)かけがえのない個から』（岩波書店、2011年）：ジェンダーの視点から国家と社会、個人のありかたを問い直す。
・伊田広行『シングル単位の恋愛・家族論』（世界思想社、1998年）：日本の諸制度をシングル単位で構築し直すことを平易に提言する。
・ワレン・ファレル［久米泰介訳］『男性権力の神話』（作品社、2014年）：範型の押しつけは女性のみが負う軛ではない。見落とされがちな男性差別を論じる。

第3節	新しい人権
キーワード	包括的基本権、人格的自律、一般的自由、プライバシー、自己決定権

　憲法第3章に列挙された人権ではカバーできない社会問題が生じたとき、憲法はどう対応すべきか。明文改正により新たな人権条項を付加すべきか。解釈で「新しい人権」を保障すべきか。それとも法律による保護で足りるのか。本節ではその一処方箋である包括的基本権をめぐる問題を扱う。

1　新しい人権

　社会は日々変化する。それにともない、憲法制定時には想定されなかった問題が生起し、人々に害悪や侵害をもたらすことがある。それは「新しい人権」のニーズを生み出す。

　日本でも、科学技術のさらなる発展や情報社会化の進行により、1960年代ごろから既存の人権ではカバーできない問題が表出してきた。環境問題や個人の私生活の保護の在りようといった問題がきっかけとなり、これらの「新しい人権」はそもそも憲法上保護されるのか、保護されるとしたら根拠条文は何かが論じられ始めた。こんにちでは、13条を根拠に、いくつかの「新しい人権」が憲法上の保護を認められてきている。

＊**環境権・平和的生存権・氏名権**
　高度成長の負の側面として公害や環境破壊が注目されるなか、13条または25条を根拠とした環境権の訴えが各地で起こった。裁判所は環境権を認めることに消極的だが、環境権を用いずとも差止や損害賠償を認めた例がある（大阪地判1974・2・27〔大阪空港訴訟〕、神戸地判2000・1・31〔尼崎公害訴訟〕）。また、自衛隊関係訴訟では平和的生存権が主張されている。（→第1部5章2節4・104頁、同5(2)・109頁）
　最高裁は、比較的早い時期に、氏名が人格権の一内容を構成するものであることを認めている（最判1988・2・16）。しかし、夫婦同氏制度をめぐる訴訟では、婚姻の際に「氏の変更を強制されない自由」については人格権の一内容であるとはいえないとしており（→第6章第2節3(2)ⅱ・504頁）、保障の内実が問われる。

2　プライバシーの権利

(1)　プライバシーの権利の登場

　プライバシーの権利は、アメリカでは1920年代後半から裁判のなかで発展してきた。初期には「ひとりにしてもらう権利」、私生活に干渉されない権利と定義されたこの権利は、後に、避妊や堕胎等の私的領域での個人の選択を国家に干渉されない権利として展開していく。さらには、情報化社会の進展にともない、自己に関する情報をコントロールする権利（情報プライバシー権）が現代的なプライバシーの権利として認められてきた。

　日本でも、1960年代にプライバシーの権利を認める判決が出始める。「宴のあと」事件（東京地判1964・9・28）では私法上保護される人格権のひとつとして「私事をみだりに公開されない権利」が認められ、京都デモ隊写真撮影事件（最大判1969・12・24）では「承諾なしに、みだりにその容ぼう・姿態を撮影されない自由」を最高裁は13条を根拠として認めた。また、立法においてもプライバシーの権利を保障する仕組みが整えられてきている。2003年に制定された行政機関個人情報保護法をはじめとする個人情報保護法制は、個人情報を大量に抱える行政機関や民間の個人情報取扱事業者に対して、その取得や保有、本人開示や訂正等、各プロセスにおける適正な取扱いを求めるものである。これは自己情報コントロール権を保障するものとして積極的に評価できるが、他方で、同法制の整備が社会の過剰反応を引き起こし社会生活上のトラブルが生じているとの指摘や、民間事業者の私的な活動の自由を制約しかねないとの懸念もある。

(2)　プライバシーの権利の射程

　前述のように、「プライバシー」はアメリカでは私的領域における自己決定権を含む広義のものとして用いられることが多いが、日本においては学説は分かれる。(a)狭義の自己情報コントロール権（「ひとりにしてもらう権利」は含まれない）に限定し、その余の部分は自己決定権として論じる説が通説であるが、(b)私生活への不干渉という古典的な中核を維持したうえで情報プライバシー権を中心にとらえる説、(c)多様な自己イメージを使い分ける自由とする説や(d)他者による評価の対象となることからの自由とする説といった有力な異論も存在する。

裁判上保障されるプライバシーの権利の範囲は、時代によって変化している。「宴のあと」事件では、みだりに公開されない保障を受ける「私事」の範囲を①私生活上の事実または事実らしく受けとられるおそれのある事柄で、②一般人の感受性を基準にして公開を欲しないであろうと認められる、③一般の人々に未だ知られていない事柄（非公知性）、とした。しかし、前科照会事件（最判1981・4・14）は、原告と利害関係にある弁護士が弁護士会を通じて原告の前科情報をもつ区役所に前科照会を行い、区役所がこれに応じたことで自らのプライバシーが侵害されたとして損害賠償を請求した事例であるが、この事件において最高裁は前科や犯罪歴について「みだりに公開されないという法律上の保護に値する利益」を有するとした。また、10数年前の刑事事件を題材としたノンフィクション作品で実名を記されたことがプライバシーの侵害に当たるかが争点となった「逆転」事件（最判1994・2・8）でも、前科や犯罪歴は裁判の公開等によって一度は公開された情報であるが、それを再び、別のかたちで公開されないことが保護の対象になるとしている。「逆転」事件の判決には直接プライバシーという文言は登場しないが、実質的には、非公知性よりも情報のセンシティヴィティを重くみた、自己情報コントロールとしての意義を包含したものとなっている。検索サイトで検索すると自らの犯罪歴が記されたウェブサイトの URL 等が表示されることによる人格権侵害を争ったグーグル検索結果削除請求事件（最決2017・1・31）では、当該事実を公表されない法的利益が当該 URL 等情報を検索結果として提示する理由に関する諸事情に優越することが明らかな場合には、検索事業者に対し、当該 URL 等情報を検索結果から削除することを求めることができるとしている（この事件では削除は認められなかった）。また、早稲田大学講演会名簿提出事件（最判2003・9・12）は、大学が講演会の参加者の氏名・住所・電話番号等の記された名簿を警察の求めに応じて提出したことにつき、これらの個人情報が「プライバシーに係る情報」として法的保護の対象になるとした。氏名等は、それ自体としては単純な個人識別情報でありセンシティヴィティの高いものではないが、「自己が欲しない他者にはみだりにこれを開示されたくないと考えることは自然」だとしており、自己情報コントロールとしての色彩が一層強く現れている。住基ネットへの接続によるプライバシー侵害を争った住基ネット訴訟において、下級審では、一般には秘匿性

の高くない4情報（氏名・生年月日・性別・住所）等についても自己情報コントロール権の対象となると認めたものもある（大阪高判2006・11・30）。

　これに対し、何をもってプライバシーの侵害が生じたと判断するかという点においては、最高裁はなお、「みだりに公開されない」こと、つまり古典的な公開・開示という場面にこだわりつづけているようだった。自己情報コントロール権の考え方からすれば、情報の収集や伝達の過程も保護の対象となりうるところ、上述の住基ネット訴訟において最高裁は、情報の秘匿性が高くないことに加え、住基ネットは技術的・法制度的に安全性が確保され、情報が漏洩する具体的な危険はないため、個人に関する情報をみだりに第三者に開示または公表するものではないとして、権利侵害を認めなかったからである（最判2008・3・6）。同様の姿勢は、社会保障や税の分野で、複数の機関に存在する個人の情報が同一人の情報であることを確認するために導入されたマイナンバー制度をめぐる訴訟でも見られる（横浜地判2019・9・26）。ただし、プライバシーの文言を用いなかったとはいえ、京都デモ隊写真撮影事件は情報の取得が侵害を構成する可能性に言及されていた。さらに、無令状でのGPS捜査の違法性が争われた訴訟において、最高裁は、プライバシーが強く保護されるべき場所・空間にかかわるものを含めて行動を継続的・網羅的に把握することをもってプライバシーを侵害しうると認めた（最大判2017・3・15）。これは、プライバシーが強く保護されるべき場所にかんする位置情報のセンシティビティを強く意識したものではあるが、情報の収集過程をもプライバシーの射程に収めている点は看過すべきでない。また、マイナンバーを証明するマイナンバーカードについて、政府が利用場面の拡大を推し進めていることにも留意する必要がある。

　また、自己情報コントロール権の立場からは真実でない個人情報の訂正・抹消請求権が主張されることもある。この点、在日台湾元軍属身元調査事件（東京高判1988・3・24）では請求そのものは認められなかったものの、当該情報の性質およびそれによって被る損害の如何によっては訂正を認める可能性があることが示唆された。なお、前述のように現在では個人情報保護法・条例に基づき訂正請求が制度として開かれていることも多い。この運用に関しては、診療報酬明細書上の個人情報につき訂正を認めないとした首長の決定を争った個人情報非訂正処分取消訴訟（最判2006・3・

10）が注目を集めた。

(3) プライバシーの権利の限界

　プライバシーが権利として保障されるとしても、無制約に認められるわけではない。たとえば、かつては外国人登録法上、指紋押捺制度が存在した。この制度はプライバシーを害するとの強い批判があったが、最高裁は「外国人の公正な管理」を正当な立法目的であるとして、同制度は13条に反しないとした（最判1995・12・15）。なお、同制度は1999年に廃止されたが、2006年に改正された出入国管理法では、一部の例外を除き、原則すべての外国人に対して日本に入国する際に指紋の提供を義務づけている。これはテロ対策等の入国管理を立法理由としているが、それがもたらす人権侵害については充分に注意を払わねばならない（→第1章3節2(3)・321頁）。

　また、私人間ではとくに、プライバシーの権利と表現の自由との衝突が問題となる。表現の自由にはいわゆる「優越的地位」が認められるが、プライバシーもまたいったん侵害されてしまうと事実上回復が不可能だからである（→第3章3節4(3)・414頁）。

コラム
ビッグデータと監視社会

　イギリスの小説家ジョージ・オーウェルは、代表作『1984年』においてテレスクリーンによる監視社会の到来を描いた。しかし21世紀のいま、わたしたちはさらに高度な「監視」に日常的にさらされている。インターネット・サービスやスマートフォン・ICカードなどの各種デバイスはすでに暮らしのなかに組み込まれ、わたしたちは自覚すると否とにかかわらず生活活動に伴い膨大なデジタルデータを発信している。それらのビッグデータを分析し、ビジネスに利用したり交通渋滞の対策など公共サービスの向上につなげたりするさまざまな取組みが、急速に進展している。古典的な意味で「ひとりにしてもらう」ことは、このようなビッグデータ社会の防波堤とはなりえない。さらに、かつての写真撮影や監視カメラのように被侵害意識を強く喚起するかたちではなく、一見ソフトなかたちでデータが収集され、集積・利用されていることから、自己情報コントロール権の「侵害」が認識されにくいことが、問題をいっそう難しくしている。ビッグデータ社会において個人が自律的な存在であるためには何が必要か、改めて考えなくてはらない。

3 名誉権

(1) 憲法上の名誉権

　名誉も、プライバシーと同様、個人の人格の尊重に基礎をおく。プライバシーが私的領域を主な保護の対象とするのに対し、名誉は人の社会的評価を対象とする。不当に社会的評価を低下させられることは、人格を否定されることにつながるからである。

　名誉は、歴史的・比較法的に、民法や刑法による保護の対象となってきた。日本においても、民法710条、723条および刑法230条にはそれぞれ、名誉が保護法益であることが明記されている。しかし、全体主義の経験を経たこんにちでは、各種人権条約が示すように名誉は人権のひとつと考えられるようになってきた。日本でも、13条を根拠に名誉を憲法上の権利として保障しようという考え方は広く受け入れられている。最高裁も、北方ジャーナル事件（最大判1986・6・11）において、「人格権としての個人の名誉」が保護の対象となることを、13条を根拠として認めている。

(2) 名誉権の限界

　名誉権は、主に、表現の自由との調整が問題となる。刑法は230条で名誉毀損罪を定め、230条の2にその特例をおく。すなわち、当該行為が公共の利害に関する事実に係り、その目的が専ら公益目的であった場合、内容が真実であることの証明（真実性の証明）がなされればこれを罰しない（1項）。公訴提起前の犯罪に関する事実は公共の利害に関する事実と看做し（2項）、公務員又は公選による公務員の候補者に係る事実については真実性の証明があれば罰しない（3項）。これは、公共の事実にかかる表現の自由は特に社会的意義が大きいことに鑑み、特別に保護しようとしたものと解される。判例はさらに、真実性の証明について「行為者がその事実を真実であると誤信し、その誤信したことについて、確実な資料、根拠に照らし相当の理由があるとき」は名誉毀損罪の成立を否定した（最大判1969・6・25〔夕刊和歌山時事事件〕）。民法上の不法行為の場合も基本的に同様である（最大判1986・6・11〔北方ジャーナル事件〕）。ただし、名誉（社会的評価）のみならず名誉感情（主観的自己評価）の侵害も民法上の不法行為となりうる（最判2002・9・24〔『石に泳ぐ魚』事件〕）などの違いもある。

インターネットやSNSの広がりは、名誉毀損と表現の自由の関係にも影響を与えている（→第3章第3節7(1)も参照）。インターネットでは一般個人も情報の発信者となり、マスコミとは発信する情報の信頼性に違いがあることを重くみて「相当性の基準」を緩和した下級審判決（東京地判2008・2・29）も見られたが、最高裁はこれを否定した（最決2010・3・15）。また、SNSにおいて、リツイート（他人がした投稿を引用する形式で自己のアカウントから投稿したもの）について、名誉毀損に当たると認めた下級審判決（大阪地判2019・9・12）もある。匿名性・拡散性・即時性といった特質は、表現手段としてのインターネットやSNSの強みである一方、名誉等が侵害された場合にはその被害を増幅させ、回復を困難にする。SNSによる誹謗中傷やデマの拡散は深刻な社会問題にもなっており、表現の自由との関係が改めて問われている（→第3章3節2(2)ⅲ・388頁）。

名誉とプライバシーは概念上保護法益を異にするが、実際には、当該事実が社会的評価に係るものか私的領域に属する事柄かは曖昧なことが多い。「月刊ペン」事件（最判1981・4・16）では、国内有数の宗教団体の活動を批判するに際し同会会長の私生活上の事実を摘示したことについて、私人の私生活上の行状であっても、その関与する社会的活動の性質如何によっては刑法230条の2の「公共の事実」に該当する場合があることを示した。ただし、これには、プライバシーの問題としたうえで、その場合にも名誉毀損のような例外が認められるかを検討すべきだったとの指摘もある。

4　自己決定権

(1)　自己決定権とその内容

現代社会ではさまざまな理由により、個人の活動に制限が課されている場面が少なくない。**自己決定権**は、個人の尊重の立場からそれに異を唱えるもので、一定の個人的な事柄について、公権力に干渉されることなく自ら決定する権利をいう。アメリカでは広義のプライバシーとして、遅くとも1970年代までには裁判を通じて認められるようになった。

この影響を受け、日本でも13条を根拠に自己決定権を主張する声が高まる。個人消費用の酒類製造を規制した酒税法の合憲性を争った訴訟（最判1989・12・14〔どぶろく訴訟〕）や、髪型の自由（最判1996・7・18〔修徳学園

高校パーマ禁止校則事件〕）やバイクの免許取得の自由を求める一連の校則裁判（最判1991・9・3など。下級審では13条による保障を認めた例もある〔高松高判1990・2・19〕）、特定の治療を拒否する権利を争ったエホバの証人輸血拒否事件（最判2000・2・29）などの当事者の訴えにそれはみてとれる。また、在監者の喫煙の自由が争われた事件もある（最大判1970・9・16）。

　このように、自己決定権の具体的な内容については多様なものが挙げられているが、便宜上、①自己の生命、身体の処分にかかわる事柄、②家族の形成、維持にかかわる事柄、③リプロダクションにかかわる事柄、④ライフスタイルその他、の４つに分けてその保障範囲をみていく。

　①については、治療拒否や安楽死・尊厳死等の臨死介助が問題となる。エホバの証人輸血拒否事件（前掲最判2000・2・29）では、宗教上の信念から無輸血での手術を希望した患者に対し、医師が、他に救命手段がない場合には輸血をする旨の説明を怠ったまま手術をし、輸血を行ったことに対して、患者が信仰に基づいて医療行為を拒否する明確な意思を有している場合には「このような意思決定をする権利は、人格権の一内容として尊重」されねばならず、説明を怠ったことはその権利を奪ったものだと判示した。この判決が認めたのは憲法上の自己決定権ではなく私法上の権利だが、自らの身体を危うくする決定をも患者の意思決定とした点は、憲法の保障する自己決定権の射程を考えるうえでも注目に値する。

　②に関しては婚姻の自由が問題となる。再婚禁止期間（民法733条）や異性婚主義など婚姻の自由と衝突しうる現行家族法の諸制度と自己決定権との関係は、家族関係の多様化が進む今後、ますます問題になろう。③についても、進歩する生殖補助医療の利用がどこまで認められるかという深刻な問題がある。現在は医学界の自己規制に多くを委ねているこの領域について、憲法の観点から論じる必要に迫られている（→第２節・500頁）。

　①から③が自己決定権の範囲に含まれることについて、学説はほぼ一致している。しかし、④については状況が異なる。包括的権利規定としての13条の保障範囲（→第１章２節１(1)ⅱ・314頁）について、人格的利益説に立つ場合には、自己決定権の範囲は個人の人格的生存に不可欠なものに限られる。そのため、④については、これを憲法上の保護の対象には含まないとする説や、髪型や服装の自由は含まれるが喫煙やバイクに乗る自由は含まないとする説などに分かれる。逆に、一般的自由説の場合には、いった

んは人の行動の自由が広く認められるため、喫煙の自由等はむろん、自家消費用の酒類製造の自由といったものも自己決定権に含まれることとなる。

なお、髪型の自由については、下級審レベルで例外的に13条によって保障されるとした判決（東京地判1991・6・21〔修徳学園高校パーマ禁止校則事件〕）もあるが、最高裁は特定の髪型を禁止した当該校則を「社会通念上、不合理とは言えない」とした（最判1996・7・18〔同事件〕）。喫煙の自由については「憲法13条の保障する基本的人権の一に含まれるとしても、あらゆる時、所において保障されなければならないものではない」として未決拘禁者の喫煙の制限を認めている（最大判1970・9・16）。酒類製造の自由についても、規制が「著しく不合理であることが明白であるとは言え」ないとして酒税法は13条に違反しないと判示した（最判1989・12・14）。

＊旧優生保護法による強制不妊手術

1996年に改正される以前の旧優生保護法は、不良な子孫の出生を防止するという優生思想に基づき、特定の遺伝性または非遺伝性の精神疾患等を有する者について、本人の同意なく優生手術を行なうことができる旨を定めていた。同法のもとで不妊手術を受けた者は約2万5000人にも及ぶと言われる。こうした被害の存在は2000年代にはすでに認識されていたにもかかわらず、政府の救済立法制定の動きは鈍かった（2019年に「旧優生保護法による優生手術を受けた者に対する一時金の至急等に関する法律」が制定された）。そこで、2018年、不妊手術を受けた者およびその配偶者らが、当該手術が違憲なものであるにもかかわらずそれを立法したことおよびそれに対する救済措置を行なわなかったことが国家賠償法上違法であると主張して全国の裁判所に訴えを提起した。

2019年以降、各地方裁判所で判決（仙台地判2019・5・28、大阪地判2020・11・30など）が下されているが、原告らの訴えは除斥期間や立法行為の国家賠償法上の違法性にかかる判断枠組み（→第2部3章2節2(2)・294頁）に基づき退けられてきた。しかし、当該手術が憲法13条および14条に反することは明確に言及されている。とりわけ、13条については、子を産み育てるかどうかの決定を「個人の尊厳と密接に関わる事柄」とし、それについて「意思決定をする自由」を幸福追求権ないし人格権の一内容を構成する権利と位置づけている（大阪地裁判決など）点は注目に値する。後者は自己決定権についての言及だが、前者は当該手術が13条の核心にある「個人の尊重」原理（→第1章2節1(1)・312頁）そのものに背くものであることを意識したものとも見える。

2022年、国家賠償請求を認める初の判決が下された（大阪高判2022・2・22）。差別に由来する情報へのアクセスの困難さ等を理由に、除斥期間の適用は著しく正義・公平に反するとしてこれを制限している。

(2) 自己決定権の違憲審査

　かりに特定の選択の自由が自己決定権に含まれるとしても、制約が一切許されないわけではない。逆に、含まれないとしても、公権力による不当な侵害は許されない。問題の核心は、権利の射程もさることながら、当該自由が制約された場合にそれをいかなる密度で審査するかである。

　これについては、アメリカの判例法理にならって、人格の核心にかかわるものについては規制利益に「やむにやまれぬ政府利益」までを要求するいわゆる「厳格な審査基準」または規制利益との慎重な比較衡量の基準をもって違憲審査を行い、周縁部分については規制手段と規制目的との間に形式的な合理性があれば足りるとする緩やかな合理的関連性のテストを、その中間では規制が重要な政策目的と事実上の関連性を有することを規制する側が論証すべきとする中間的な審査を採用すべきとの主張がある。どの事案にどの違憲審査基準を用いるべきとするかは論者によって異なるが、13条が扱う問題は非常に多岐にわたり、さまざまな性質のものが含まれている。したがって、形式的な分類論に陥ることなく、問題となっている自己決定権あるいは自由の実質的な内容と規制の態様とをふまえたうえで、個々の問題領域ごとに、違憲審査の密度を検討する必要があるだろう。

考えてみよう

1…狭義のプライバシーの権利の保障が及ぶ射程は、1960年代から現在に至るまでにどう変化したか。具体例を挙げて説明しなさい。
2…刑法230条の2はどんな目的で定められたか。また、表現の自由をより手厚く保障するためには、同条をどう改正することが考えられるか。
3…自動車免許の取得を校則で禁止することは、憲法上の自己決定権を侵害するものと言えるか。人格的利益説と一般的自由説、それぞれの立場から説明しなさい。

Further Readings

・辻村みよ子『憲法と家族』(日本加除出版、2016年)：憲法制定時の家族像から直近の裁判例まで、家族の問題に対する憲法・憲法学の向き合い方を展望する。
・山本龍彦『プライバシーの権利を考える』(信山社、2017年)：ビッグデータ社会におけるプライバシーの保護のありようを模索する。入門編として『おそろしいビッグデータ』(朝日新書、2017年) も。
・仲正昌樹『自己再想像の〈法〉』(御茶の水書房、2005年)：生命等に関わる限界領域における「自己決定」権論の難しさに政治哲学の観点から光を当てる。

最判1984・12・18（吉祥寺駅事件）
　　刑集38-12-3026 ……………………………… 404
最判1985・1・22民集39-1-1 ……………… 459
最大判1985・3・27（サラリーマン税金訴訟）
　　民集39-2-247 ………………………………… 342
最大判1985・7・17民集39-5-1100 …………… 304
最大判1985・10・23刑集39-6-413 …………… 464
最判1985・11・21（在宅投票制度廃止事件）
　　民集39-7-1512 ………………… 180, 189, 295
最大判1986・6・11（北方ジャーナル事件）
　　民集40-4-872 ………………… 330, 414, 520
最判1987・1・19民集41-1-1 ……………… 346
最判1987・3・3（大分県屋外広告物条例事件）
　　刑集41-2-15 …………………………………… 404
最大判1987・4・22（森林法違憲判決）
　　民集41-3-408 ……………………… 300, 453
最判1987・4・24（サンケイ新聞事件）
　　民集41-3-490 ………………………………… 394
最判1988・2・16民集42-2-27 …………… 515
最大判1988・6・1（殉職自衛官合祀訴訟）
　　民集42-5-277 ……………………… 367, 378
最判1988・7・15（麹町中学内申書事件）
　　判時1287-65 …………………………………… 358
最判1988・12・20（共産党袴田事件）
　　判時1307-113 …………………… 168, 278
最判1989・1・20刑集43-1-1 ……………… 446
最決1989・1・30（日本テレビ事件）
　　刑集43-1-19 …………………………………… 393
最判1989・3・7判時1308-111 …………… 446
最大判1989・3・8（法廷メモ事件）
　　民集43-2-89 ……………………… 273, 390
最大判1989・6・20（百里基地訴訟）
　　民集43-6-385 ………………………………… 110
最判1989・9・8（蓮華寺事件）
　　民集43-8-889 ………………………………… 275
最判1989・9・19（岐阜県青少年保護育成条例
　　事件）刑集43-8-785 ……………………… 413
最判1989・11・20民集43-10-1160 ……… 74
最判1989・12・14（どぶろく訴訟）
　　刑集43-13-841 ………………… 521, 523
最判1989・12・14民集43-12-2051 …………… 494
最判1990・3・6判時1357-144 ……………… 359
最決1990・7・9（TBS事件）
　　刑集44-5-421 ………………………………… 393
最判1990・9・28（破防法事件）
　　刑集44-6-463 ……………………… 398, 410
最判1991・4・19民集45-4-367 …………… 455
最判1991・7・9民集45-6-1049 …………… 218
最判1991・9・3判時1401-56 ……………… 522

最判1992・4・28（台湾住民元日本兵戦死傷者
　　損失補償事件）判時1422-91 …………… 343
最大判1992・7・1（成田新法事件）
　　民集46-5-437 ………… 301, 398, 419, 421, 464
最判1992・11・16（森川キャサリン事件）
　　集民166-575 ………………………………… 321
最判1992・11・16（大阪地蔵像訴訟）
　　判時1441-57 …………………………………… 378
最判1992・12・15民集46-9-2829 …………… 446
最判1993・2・16（箕面忠魂碑・慰霊祭訴訟）
　　民集47-3-1687 ……………… 253, 372, 378
最判1993・3・16（第1次家永教科書訴訟）
　　民集47-5-3483 ……………………………… 397
最判1994・2・8（ノンフィクション逆転事件）
　　民集48-2-149 ………………………………… 517
最判1995・2・22（ロッキード疑獄丸紅ルート
　　事件）刑集49-2-1 ………………………… 237
最判1995・2・28（地方参政権訴訟）
　　民集49-2-639 ……………………… 257, 322
最判1995・3・7（泉佐野市民会館事件）
　　民集49-3-687 ……………………… 398, 421
最判1995・5・25（日本新党繰上補充事件）
　　民集49-5-1279 ………………… 168, 195, 278
最大決1995・7・5（非嫡出子相続分規定合憲決
　　定）民集49-7-1789 ……… 340, 342, 347, 508
最判1995・9・5判時1546-115 …………… 362
最判1995・12・5集民177-243 …………… 504
最判1995・12・15（外国人指紋押捺拒否事件）
　　刑集49-10-842 …………………… 322, 519
最決1996・1・30（オウム真理教解散請求事件）
　　民集50-1-199 ………………………………… 369
最判1996・3・8（神戸高専剣道受講拒否事件）
　　民集50-3-469 ……………………… 276, 382
最判1996・3・15（上尾市福祉会館事件）
　　民集50-3-549 ………………………………… 421
最判1996・3・19（南九州税理士会事件）
　　民集50-3-615 ………………………………… 326
最判1996・7・18（修徳学園高校パーマ禁止校
　　則事件）判時1599-53 ……………… 521, 523
最判1996・8・28（沖縄県知事職務執行命令訴
　　訟）民集50-7-1952 ……………………… 108
最大判1996・9・11民集50-8-2283 ……… 206
最判1997・3・13民集51-3-1453 ……… 188
最大判1997・4・2（愛媛玉串料訴訟）
　　民集51-4-1673 …………… 299, 375, 379
最判1997・8・29（第3次家永教科書訴訟）
　　民集51-7-2921 ……………………………… 397
最判1997・9・9民集51-8-3850 …………… 230
最大決1998・12・1（寺西判事補事件）

民集52-9-1761 ･････････････････････ 290
最判1999・1・21集民191-127 ･･･････････ 508
最判1999・2・26判時1682-12 ･････････････ 331
最大判1999・11・10（衆議院小選挙区比例代表並立制違憲訴訟）民集53-8-1557
　　････････････････････ 169, 195, 200, 204, 300
最判2000・2・29（エホバの証人輸血拒否事件）
　　民集54-2-582 ･･････････････････････ 522
最判2000・3・17（全農林人勧完全実施闘争事件）集民197-465 ･････････････････････ 499
最判2000・6・27刑集54-5-461 ･･･････････ 474
最大判2002・2・13民集56-2-331 ････････ 453
最判2002・4・25（群馬司法書士会事件）
　　判時1785-31 ･････････････････････････ 326
最判2002・6・11民集56-5-958 ･･････････ 456
最判2002・7・11（大嘗祭訴訟）
　　民集56-6-1204 ････････････････････････ 84
最大判2002・9・11（郵便法違憲判決）
　　民集56-7-1439 ･･･････････････････ 180
最判2002・9・24（石に泳ぐ魚事件）
　　判時1820-60 ････････････････････ 414, 520
最決2003・3・31家月55-9-53 ･････････････ 508
最判2003・9・12（講演会名簿提出事件）
　　民集57-8-973 ･････････････････････ 517
最大判2004・1・14民集58-1-1 ･･････ 195, 201
最判2004・11・25民集58-8-2326 ････････ 394
最大判2005・1・26（東京都管理職選考試験受験資格請求事件）民集59-1-128 ･･････ 323
最判2005・4・14刑集59-3-259 ･･･････････ 471
最判2005・7・14（船橋市立図書館事件）
　　民集59-6-1569 ･････････････････････ 402
最大判2005・9・14（在外国民選挙権訴訟）
　　民集59-7-2087 ･･･････ 187, 190, 295, 319, 342
最判2006・2・7（広島県教職員組合事件）
　　民集60-2-401 ･･････････････････････ 421
最大判2006・3・1（旭川市国民健康保険条例事件）民集60-2-587 ･･･････････････････ 248
最判2006・3・10（個人情報非訂正処分取消訴訟）判時1932-71 ････････････････ 518
最判2006・3・23判時1929-37 ･････････････ 331
最判2006・6・23判時1940-122 ････････････ 380
最判2006・7・13判時1946-41 ･･･････････ 190
最決2006・10・3（NHK取材源秘匿事件）
　　民集60-8-2647 ････････････････････ 393
最判2007・2・27（ピアノ訴訟）民集61-1-291
　　････････････････････････････････････ 361
最判2007・9・18（広島市暴走族追放条例事件）
　　刑集61-6-601 ･････････････ 298, 306, 399, 423
最決2007・10・19家月60-3-36 ･････････････ 512

最判2008・2・19民集62-2-445 ･･････････ 412
最判2008・3・6（住基ネット訴訟）
　　民集62-3-665 ･････････････････････ 518
最判2008・4・11（立川テント村事件）
　　刑集62-5-1217 ･･････････････････ 398, 405
最大判2008・6・4（国籍法違憲判決）
　　民集62-6-1367 ･･･････ 299, 300, 303, 319, 342, 349, 460
最判2009・4・17民集63-4-638 ･･･････････ 509
最判2009・11・30（葛飾事件）
　　刑集63-9-1765 ･･････････････････ 306, 405
最大判2010・1・20（空知太神社事件）民集64-1-1 ･･･････････････････ 253, 299, 373, 376
最大判2010・1・20（富平神社事件）民集64-1-128 ･･･････････････････････････････ 376
最決2010・3・15刑集64-2-1 ･･････････ 389, 521
最大判2010・7・22（白山比咩神社奉賛会事件）
　　判時2087-26 ･･････････････････････ 376
最大判2011・3・23民集65-2-755 ････････ 204
最判2011・5・30民集65-4-1780 ･･･････ 354, 361
最判2011・6・6民集65-4-1855 ･････ 360, 361, 362
最判2011・6・14民集65-4-2148 ･･････ 361, 362
最判2011・7・7（板橋高校事件）
　　刑集65-5-619 ･･････････････････････ 405
最大判2011・11・16刑集65-8-1285 ･･･････ 286
最判2012・1・16裁時1547-10 ･･･････････ 362
最判2012・2・9民集66-2-183 ･･･････････ 360
最判2012・2・13刑集66-4-482 ･･･････････ 474
最判2012・2・16（空知太神社事件差戻審）
　　民集66-2-673 ････････････････････ 382
最判2012・4・20判時2168-45 ･･･････････ 264
最決2012・10・9（関ケ原町署名簿事件）判例集未登載 ･･････････････････････ 179
最大判2012・10・17民集66-10-3357 ･････ 206
最判2012・12・7（堀越事件）
　　刑集66-12-1337 ･････････････････ 301, 407
最判2013・3・21（神奈川県臨時特例企業税訴訟）民集67-3-438 ･･･････････････････ 269
最大決2013・9・4（非嫡出子相続分規定違憲決定）民集67-6-1320 ･････････ 304, 342, 347, 508
最判2013・9・26民集67-6-1384 ･･････････ 509
最大判2013・11・20民集67-8-1503 ･･････ 204
最判2013・12・10民集67-9-1847 ･･･････ 513
最判2014・7・18訴月61-2-356 ･･･････････ 323
最判2014・11・26民集68-9-1363 ･････････ 206
最大判2015・11・25民集69-7-2035 ･････ 205
最大判2015・12・16民集69-8-2427 ･････ 346
最大判2015・12・16民集69-8-2586
　　･･････････････････････････････ 346, 504, 505

最判2016・12・15（京都府風俗案内所条例事件）判時2328-24 …………………… 416
最決2017・1・31（グーグル検索結果削除請求事件）民集71-1-63 …………… 389, 517
最大判2017・3・15刑集71-3-13 ……… 466, 518
最判2017・3・21判時2341-65 ………………… 347
最大判2017・9・27民集71-7-1139 ………… 206
最大判2017・12・6（NHK受信料訴訟）民集71-10-1817 ……………………… 387
最判2018・4・26判時2377-10 ……………… 278
最判2018・7・19判時2396-55 ……………… 362
最判2018・9・25判例集未登載 …………… 347
最大決2018・10・17（岡口判事事件）民集72-5-890 ………………………… 290
最大判2018・12・19民集72-6-1240 ……… 205
最判2019・1・23判時2421-4 ……………… 512
最判2020・7・16（ろくでなし子事件）刑集74-4-343 …………………………… 412
最大決2020・8・26（岡口判事事件）判時2472-15 ………………………… 290
最判2020・10・13（大阪医科大学事件）判時2490-75 ………………………… 491
最判2020・10・13（メトロコマース事件）民集74-7-1901 …………………………… 491
最判2020・10・15（日本郵便3事件）判時2494-70 ………………………… 491
最大判2020・11・18民集74-8-2111 ……… 206
最大判2020・11・25判例集未登載 ……… 278
最大判2021・2・24（那覇市孔子廟用地無償提供事件）民集75-2-29 ……………… 376
最決2021・3・17判例集未登載 …………… 511
最大判2021・6・23判時2501-3 ……… 346, 505
最決2021・11・30裁時1780-1 ……………… 512
最判2022・2・15裁判所ウェブサイト …… 418

高等裁判所裁判例

札幌高判1969・6・24（猿払事件）判時560-30 …………………………… 406
名古屋高判1971・5・14（津地鎮祭事件）行集22-5-680 …………………… 365, 377
仙台高判1971・5・28（東北大学事件）判時645-25 ……………………………… 436
札幌高判1976・8・5（長沼ナイキ基地訴訟）行集27-8-1175 ……………………… 109
札幌高判1978・5・24（在宅投票制度訴訟）高民31-2-231 ……………… 181, 189
広島高松江支判1980・4・28判時964-134 … 409
東京高判1981・7・7（百里基地訴訟）判時1004-25 ……………………… 110

広島高判1982・6・1（殉職自衛官合祀訴訟）判時1046-3 ……………………… 378
東京高判1982・6・23（シャピロ華子事件）行集33-6-1367 ……………………… 319
東京高判1985・8・26判時1163-41 ………… 295
大阪高判1987・7・16（箕面忠魂碑・慰霊祭訴訟）行集38-6-7-561 ……………… 378
東京高判1988・3・24（在日台湾元軍属身元調査事件）判時1268-15 ……………… 518
高松高判1990・2・19判時1362-44 ………… 522
大阪高判1992・7・30判時1434-38 ………… 380
東京高判1992・12・18高民45-3-212 ……… 455
東京高決1993・6・23判時1465-55 ………… 508
東京高判1994・11・29（日本新党繰上補充事件）判時1513-60 ……………………… 168
東京高判1995・3・22判時1529-29 ………… 508
東京高判1997・9・16（東京都青年の家事件）判タ986-206 ……………………… 350
名古屋高金沢支判2000・2・16（天皇コラージュ事件）判時1726-111 ……… 84, 402
東京高判2001・8・20判時1757-38 ………… 346
東京高決2004・3・31（週刊文春事件）判時1865-12 ……………………… 414
東京高判2005・3・24判時1899-101 ……… 508
大阪高判2005・9・30訟月52-9-2979 ……… 380
大阪高判2006・11・30判時1962-11 ……… 518
名古屋高判2008・4・17（自衛隊イラク派遣違憲訴訟）判時2056-74 ………………… 111
東京高判2010・3・29（堀越事件）判タ1340-105 ……………………… 407
東京高判2010・11・25（プリンスホテル日教組教研集会会場使用拒否事件）判時2107-116 ……………………… 422
福岡高判2011・11・15判タ1377-104 ……… 323
福岡高判2011・11・25判タ1377-104 ………
名古屋高判2012・4・27（関ケ原町署名簿事件）判時2178-23 ……………………… 179
広島高判2013・3・25判時2185-36 …… 204, 304
広島高岡山支判2013・3・26判例集未登載 … 204
大阪高判2013・9・27判時2234-29 ………… 187
広島高岡山支判2013・11・28訴月61-7-1495 … 306
大阪高判2014・7・8（京都朝鮮学園事件）判時2232-34 ……………………… 417
大阪高判2015・12・16判時2299-54 ……… 358
仙台高判2016・2・2（自衛隊情報保全隊事件）判時2293-18 ……………………… 403
大阪高判2016・3・25判例集未登載 ……… 358
名古屋高金沢支判2017・1・25判時2336-49 … 422
大阪高判2017・7・14（松原市中央公園事件）

判時2363-36 ……………………………… 402
東京高判2018・5・18判時2395-47 ………… 402
大阪高判2020・9・14判例集未登載 ………… 417
広島高岡山支判2022・1・27判例集未登載 ‥ 224
大阪高判2022・2・22判例集未登載 ………… 523

地方裁判所裁判例

浦和地判1948・7・2（浦和事件）
　　判例集未登載 ……………………………… 213
東京地決1954・3・6判時22-3 ………………… 229
東京地判1957・2・26判例集未登載 ………… 264
東京地判1959・3・30（砂川事件伊達判決）
　　下刑1-3-776 ………………………………… 107
東京地判1960・10・19（朝日訴訟）
　　行集11-10-2921 …………………………… 481
東京地判1963・11・12行集14-11-2024 ……… 216
東京地判1964・9・28（宴のあと事件）
　　下民15-9-2317 ……………………… 313, 516
東京地判1965・1・23下刑7-1-76 ……………… 404
東京地判1966・12・20（住友セメント事件）
　　判時467-26 ………………………………… 346
札幌地判1967・3・29（恵庭事件）
　　下刑9-3-359 ………………………… 109, 297
旭川地判1968・3・25（猿払事件）
　　下刑10-3-293 ……………………… 298, 406
千葉地判1968・5・20行集19-5-860 ………… 503
大阪地判1969・12・26（日中旅行社事件）
　　判時599-90 ………………………………… 362
東京地判1970・7・17（第2次家永教科書訴訟
　　杉本判決）行集21-7別冊1 … 299, 397, 488
東京地判1971・11・1（全逓プラカード事件）
　　判時646-26 ………………………………… 298
札幌地判1973・9・7（長沼ナイキ基地訴訟）
　　判時712-24 ………………………………… 109
大阪地判1974・2・27（大阪空港公害訴訟）
　　判時729-3 …………………………………… 515
東京地判1974・7・16（第1次家永教科書訴訟）
　　判時751-47 ………………………………… 488
札幌地小樽支判1974・12・9（在宅投票制度訴
　　訟）判時762-8 …………………… 181, 189
神戸簡判1975・2・20（尼崎牧会事件）
　　判時768-3 …………………………………… 369
水戸地判1977・2・17（百里基地訴訟）
　　判時842-22 ………………………………… 110
山口地判1979・3・22（殉職自衛官合祀訴訟）
　　判時921-44 ………………………………… 378
東京地判1982・1・26判時1045-24 …………… 227
大阪地判1982・3・24（箕面忠魂碑・慰霊祭訴
　　訟）判時1036-20 ………………………… 378

大阪地判1983・3・1（箕面忠魂碑・慰霊祭訴訟）
　　行集34-3-358 ……………………………… 378
京都地判1984・3・30（京都市古都保存協力税
　　事件）判時1115-51 ……………………… 368
東京地判1984・5・18判時1118-28 …………… 455
京都地判1984・6・29（西陣ネクタイ訴訟）
　　訟月31-2-207 ……………………………… 446
東京地判1986・3・20（日曜日授業参観事件）
　　行集37-3-347 ……………………………… 381
大阪地判1987・9・30判時1255-45 …………… 455
東京地判1991・6・21（修徳学園高校パーマ禁
　　止校則事件）判時1388-7 ……………… 523
神戸地判1993・2・22（神戸高専剣道受講拒否
　　事件）行集45-12-2108 ………………… 381
札幌地判1997・3・27（二風谷訴訟）
　　判時1598-33 ……………………………… 327
那覇地判1997・5・9判例集未登載 ………… 262
神戸地判2000・1・31（尼崎公害訴訟）
　　判時1726-20 ……………………………… 515
熊本地判2001・5・11（ハンセン病国賠訴訟熊
　　本地裁判決）判時1748-30 …… 182, 458
東京地判2001・6・13判時1755-3 …… 216, 426
札幌地判2002・11・11（小樽公衆浴場「外国人
　　お断り」事件）判時1806-84 …………… 343
東京地決2004・3・19（週刊文春事件）
　　判時1865-18 ……………………………… 414
福岡地判2004・4・7判時1859-125 ………… 380
東京地八王子支判2004・12・16（立川テント村
　　事件）判時1892-150 …………………… 405
名古屋地判2006・8・10判タ1240-203 …… 332
東京地判2006・8・28（葛飾事件）
　　刑集63-9-1846 …………………………… 405
東京地判2006・9・21（国旗・国歌斉唱予防訴
　　訟）判時1952-44 ………………………… 360
東京地判2008・2・29刑集64-2-59 ………… 521
岡山地判2009・2・24（自衛隊イラク派遣違憲
　　岡山訴訟）判時2046-124 ……………… 112
東京地判2009・7・28判時2051-3 ………… 422
京都地判2010・5・27判時2093-72 ………… 346
岐阜地判2010・11・10（関ケ原町署名簿事件）
　　判時2100-119 ……………………………… 179
東京地判2013・3・14判時2178-3 …………… 187
京都地判2013・10・7（京都朝鮮学園事件）
　　判時2208-74 ……………………………… 417
大阪地判2013・11・25判時2216-122 ……… 346
金沢地判2016・2・5判時2336-53 ………… 422
横浜地川崎支決2016・6・2判時2296-14 … 418
広島地判2017・7・19判例集未登載 ………… 487
大阪地判2017・7・28訟月66-3-335 …… 486, 487

仙台地判2019・5・28判時2413・2414-3……523
大阪地判2019・9・12判時2434-41…………521
横浜地判2019・9・26判時2465・2466-75……518
京都地判2019・11・29判例集未登載………417
那覇地判2020・6・10判時2473-93…………224
名古屋地判2020・6・4（犯罪被害者給付金不支給裁定取消請求訴訟）判時2465・2466-13
　…………………………………………511
名古屋地判2020・6・25判時2474-3…………484

金沢地判2020・9・18判例集未登載…………422
大阪地判2020・11・30判例集未登載………523
大阪地判2021・2・22判タ1490-121…………484
札幌地判2021・3・17判時2487-3………351, 506
札幌地判2021・3・29判例集未登載…………484
福岡地判2021・5・12判例集未登載…………484
京都地判2021・9・14判例集未登載…………484
岐阜地判2022・2・21（大垣警察市民監視事件）
　判例集未登載………………………………404

事項・人名索引

〈あ〉

愛国心……………………360
アイヌ民族………327, 343
アウンサンスーチー Aung San Suu Kyi (1945-) …458
アクセス権・反論権………393
芦田修正………51, 101, 238
芦田均 あしだひとし
　(1887-1959)…50, 101, 243
芦部信喜 あしべのぶよし
　(1923-1999)……………395
アダムズ方式……………205
安倍晋三 あべしんぞう
　(1954-)……………60, 380
アメリカ合衆国憲法
　…………27, 31, 32, 163, 463
アメリカ独立宣言 17, 26, 313
安全保障理事会……………92
安保闘争………………55, 57
安保法制……116, 119, 120, 419

〈い〉

「家」制度………54, 336, 344,
　　　348, 501, 502, 512
家永三郎 いえながさぶろう
　(1913-2002)………397, 488
イェリネック Jellinek, Georg
　(1851-1911)………67, 315
違憲状態……………203, 206
違憲審査基準(論)…301, 315,
　　317, 339, 397, 398,
　　415, 447, 453, 482
違憲審査権………………274, 480
違憲審査制………31, 33, 37,
　　128, 146, 271, 275, 291, 338
　——革命………37, 144, 147
萎縮効果
　………19, 320, 385, 399, 414
一院制………………………219
一般意思………24, 31, 215
一般的自由説……………314, 522
伊藤博文 いとうひろぶみ
　(1841-1909)………………42
伊東巳代治 いとうみよじ
　(1857-1934)………………42
委任立法……………………217

〈う〉

植木枝盛 うえきえもり
　(1857-1892)………………41
上杉慎吉 うえすぎしんきち
　(1878-1929)………………46
ウォルポール Walpole, Sir Robert, 1st Earl of Orford
　(1676-1745)………………30
ウォーレン Warren, Earl
　(1891-1974)………………37
鵜飼信成 うかいのぶしげ
　(1906-1987)……………271
浦和事件………………213, 287

〈え〉

営業の自由………………441
LRA(より制限的でない他の選びうる手段)の基準
　…………………400, 445
エンドースメント・テスト
　……………………………376

〈お〉

王位継承法…………………26
応答責任…………………241
大隈重信 おおくましげのぶ
　(1838-1922)………………42
大塚久雄 おおつかひさお
　(1907-1996)………………25
大津事件………44, 287, 289
——に属しない………254
岡口判事事件………289, 290
沖縄………96, 99, 256, 259
尾崎行雄 おざきゆきお
　(1858-1954)………………45
押しつけ憲法論……………51

犬養毅 いぬかいつよし
　(1855-1932)………………45
井上毅 いのうえこわし
　(1844-1895)………………42
違法収集証拠排除法則……466
イラク復興・米軍支援特措法
　…………………………111
インターネット
　………388, 414, 420, 521

オランプ・ド・グージュ
　Olympe de Gouges
　(1748-1793)………………29
オレンジ公ウィリアム William III (1650-1702)……26

〈か〉

海外派兵………………59, 96
会期制……………………224
会期不継続原則…………224
外見的立憲主義…32, 34, 41,
　　67, 90, 144, 246
外在的制約………………316
解釈改憲………………57, 95
会派………………………165
外面的精神活動…………352
下級裁判所………………279
閣議…………………234, 237
格差社会……………………60
学習権……………478, 484, 485
学習指導要領……………487
革新自治体…………58, 258
核兵器………………………96
閣法………………………219
学問研究の自由…………431
過失責任主義……………180
課税要件法定主義………248
家族形成権………………513
過度の広汎性ゆえに無効の法理…………………298, 399
金子堅太郎 かねこけんたろう
　(1853-1942)………………42
環境権………………58, 515
監獄法……………………331
監視………………426, 519
官制大権…………………233
間接差別禁止の法理……345
「官邸主導」……………212
寛容………364, 367, 370, 381

〈き〉

議院証言法………226, 227
議院内閣制……30, 144, 160, 207, 240, 242, 266
　一元主義型の――………208
　二元主義型の――………207
議院の自律権………225, 230

議員立法……… 219, 448, 449
議会主義……… 30, 34, 36, 37,
　　　143, 144, 145, 146, 209
議会制民主主義
　　　……………… 164, 168, 179
議会統治制……………… 144
議会による人権保障 146, 148
機関委任事務……………… 267
企業社会…………… 57, 358
岸信介 きしのぶすけ
　　　(1896-1987) ………57
貴族院…………… 43, 50, 219
規則制定権…………… 284, 287
基本権保護義務論……… 328
君が代…………… 85, 359
客観訴訟………… 263, 278
逆コース………… 54, 258
宮廷費…………… 83, 84
旧優生保護法……………… 523
教育委員(会)………… 183, 487
　　——の公選制……… 183, 487
教育基本法………… 54, 487
教育勅語………… 54, 356, 487
教育の機会均等…… 484, 488
教科書検定(制度)… 397, 487
教科書訴訟……………… 397
教授の自由……………… 433
強制加入団体……………… 326
行政協定…………… 97, 223
行政国家(化)…… 36, 209, 213
行政組織……………… 216
行政手続(法)……… 464, 467
行政立法……………… 216
供託金………… 167, 188
共謀罪(テロ等準備罪)
　　　……………… 410, 419
許可制………… 443, 445, 446
極東委員会…… 50, 54, 238
極東(国際)軍事裁判 … 48, 51
清宮四郎 きよみやしろう
　　　(1898-1989) ………53
緊急事態……………… 232
　　——条項……………… 133
　　——宣言……………… 132
緊急集会……………… 221
緊急勅令……… 43, 214, 217
均衡本質説………… 30, 208
近代憲法
　　　……… 10, 11, 333, 352, 424
近代国民国家……… 22, 23, 64

近代市民革命
　　　……… 23, 25, 64, 442, 458
近代立憲主義
　　　……… 11, 13, 128, 148, 238,
　　311, 327, 334, 352, 364, 500
欽定憲法………………42

〈く〉

具体的権利………… 481, 493
クック Coke, Sir Edward
　　　(1552-1634) ……… 25, 177
グローバル化 …6, 39, 69, 70,
　　71, 209, 115, 146, 319, 448
クロムウェル Cromwell,
　　Oliver (1599-1658) ……26
君主……………………75
　　——主権……………63
軍事的安全保障研究…… 432
「軍備なき自衛権」論…… 93

〈け〉

警察予備隊…… 55, 56, 94, 109
刑事収容施設法……… 332
刑事訴訟法
　　　…… 468, 469, 470, 471, 472
刑事免責……………… 493
刑法………………… 520
検閲…………… 395, 413
厳格審査(基準)…… 302, 341,
　　345, 400, 407, 415, 459, 524
厳格な合理性の基準
　　　………… 302, 323, 341,
　　345, 400, 445, 453
厳格分離……………… 373
研究成果発表の自由…… 433
元号…………………85
　　——法…………………85
元首………………… 75
憲政の常道………………46
現代型訴訟……………… 278
憲法…………………… 8
　　近代的意味の—— 9, 11, 28
　　形式的意味の——……10
　　固有の意味の—— ……9
　　実質的意味の——……10
　　——の最高法規性……12
　　立憲的意味の—— ……9
憲法改正……… 56, 59, 134
　　——権………………… 137
　　——限界説…… 53, 127, 137

　　——国民投票………… 135
　　——手続法…… 60, 135, 406
　　——の限界……… 52, 136
　　——の発議……… 221, 222
　　——無限界説…… 52, 137
憲法改正草案要綱………50
憲法研究会………………49
憲法裁判所
　　　……… 33, 37, 147, 163, 292
憲法制定権力
　　　……14, 17, 27, 53, 137, 138
憲法尊重擁護義務…… 12, 126
憲法忠誠………… 13, 37
憲法調査会………… 56, 60
憲法判断回避(の準則)
　　　……………… 109, 297
憲法変遷……………… 138
憲法保障………… 126, 292
憲法問題調査委員会………49
権利章典(アメリカ)………27
権利章典(イギリス)… 26, 32
権利説…………… 184, 189
権力分立…… 32, 128, 142,
　　　　　144, 145, 208
元老…………………42

〈こ〉

小泉純一郎 こいずみじゅん
　　いちろう (1942-)
　　　……………… 60, 380
公安条例…………… 58, 422
公開・対審の原則……… 272
公害…………… 58, 515
公共圏
　　制度的——…………… 154
　　——における公論形成・385
　　ネット——…………… 154
　　非制度的—— …… 40, 154
公共の福祉(論)…… 16, 300,
　　315, 322, 397, 404, 408,
　　410, 412, 416, 423, 444,
　　452, 459, 498
合憲限定解釈
　　　…… 297, 399, 407, 423
合憲性推定の原則…… 299, 301
皇室典範………… 43, 54, 76, 85
　　——特例法………………77
公職選挙法……… 167, 406, 408
公職追放………… 48, 54
硬性憲法

………… 10, 13, 14, 128, 138
皇族費…………………………83
公的行為…………………73, 81
高度経済成長……………………57
幸福追求権……………313, 464
公平原則………………………387
公務員……………330, 406, 497
公務就任権……………………322
合理性の基準…………………149
合理的関連性…………………524
　──の基準
　…………302, 397, 407, 409
合理的期間……………………203
合理的区別……………338, 503
国際貢献………………59, 113
国際人権規約…………309, 477
国際平和共同対処事態………120
国際連携平和安全活動………120
国際連合（国連）
　…………………92, 114, 309
　──憲章………38, 92, 102
国事行為………73, 78, 84, 242
国政調査権……………209, 225
国籍………186, 318, 343, 460
　──法………319, 349, 460
国体…………………46, 50, 355
　──の護持…………47, 51, 72
告知と聴聞……………463, 464
国民………………………17, 318
国民国家…………22, 23, 62
国民主権……16, 23, 28, 53, 62,
　64, 67, 68, 72, 143, 147,
　151, 177, 182, 184, 191,
　246, 255, 282, 322, 385,
　390, 391, 408
国民審査………………………282
国民代表………28, 36, 65, 66
国民投票………………………153
　拘束型──制度……………153
　諮問型──制度……………153
「国民内閣制」論………37, 210
国民発案………………………153
国務請求権……………181, 502
国務大臣………………43, 234
国務の総理……………232, 235
国立大学法人…………………438
護憲（憲政擁護）運動…………45
児島惟謙　こじまこれかた
　（1837-1908）………44, 289
55年体制……………………210

個人主義………………15, 510
個人情報保護法………516, 518
個人の自己実現………………411
個人の尊厳……………487, 508
個人の尊重………11, 15, 313,
　352, 500, 521, 523
戸籍法…………………………508
国家………………………………9
国家安全保障会議……………236
国家安全保障戦略
　………………117, 122, 432
国会……………………………212
　──の召集………79, 224
　──法………178, 225, 226
国会主権……………26, 29, 31
国会単独立法の原則
　………………………218, 262
国会事故調査委員会…………228
「国会中心」構想……………209
国会中心主義…………………232
国会中心立法の原則…………216
国家緊急権……………130, 133
国家刑罰権……………461, 464
国家公務員法……217, 406, 497
国家主権……………64, 67, 70
国家神道………………364, 371
国家と個人の二極構造
　…………………………22, 28
国家法人説……………………67
国旗・国歌……………86, 359
　──法………………86, 360
近衛文麿　このえふみまろ
　（1891-1945）………………48
戸別訪問………………………408
個別法律………………215, 262
婚姻適齢………………502, 503
婚姻の自由……………503, 522

〈さ〉

再軍備……………………………93
罪刑法定主義
　…………46, 269, 463, 473
（国権の）最高機関……209, 211,
　212, 233, 244
最高裁判所……………………279
　──長官……………………281
　──判事……………………281
最高法規…………………12, 126
　（憲法の）──性
　………………12, 126, 274, 338

　形式的──性………………12
　実質的──性………………12
再婚禁止期間
　………………345, 502, 503, 522
財政……………………………245
　──均衡条項………………247
　──国会中心主義
　……………………245, 246
　──法………………………248
　──民主主義
　……………245, 246, 252, 499
　──立憲主義………………246
在宅投票制度……181, 189, 295
最低賃金法……………………490
在日コリアン……323, 343, 416
再入国の自由…………………321
財閥解体…………………………48
裁判員制度……………285, 474
裁判運動………………18, 148, 272
裁判官の身分保障……281, 287, 288
（議員の）歳費受給権………230
佐々木惣一　ささきそういち
　（1878-1965）………………53
沢柳政太郎　さわやなぎまさ
　たろう（1865-1927）……429
参審制…………………………285
参政権……………………315, 322
三段階審査……………………303

〈し〉

シェイエス Sieyes, Emma-
　nuel-Joseph（1748-1836）
　………………………………27
自衛権………………………92, 104
　──解釈……………………101
　──行使の三要件…………103
自衛戦力……………………101, 110
自衛隊……………………56, 95
　──法…………………………56
GHQ案（マッカーサー草案）
　……………………49, 50, 51, 262
自衛力……………………………95
ジェファーソン Jefferson,
　Thomas（1743-1826）
　…………………………17, 26
ジェームズ2世 James II
　（1633-1701）………………26
ジェンダー
　……………336, 344, 413, 500

私学助成……………………254
私擬憲法………………………41
死刑………………………473
事件性の要件………………275
自己決定権…… 478, 513, 516,
　　　　　　　521, 523, 524
自己情報コントロール権
　………………………516, 519
自主立法権（条例制定権）
　………………………………268
事情判決の法理……… 203, 304
私人間効力
　……………327, 358, 379, 493
自然権
　…… 23, 28, 29, 308, 310, 450
自然状態………………………23
事前抑制
　…… **394**, 395, 413, 414, 420
思想の自由市場……… 385, 401
自治事務……………………267
自治体の多層構造…………265
自治体ポピュリズム 259, 266
実質的証拠法則……………280
執政………………………232
幣原内閣………………………49
GPS捜査…………… 466, 518
シビリアン・コントロール
　………………………………238
司法行政権…………… 284, 287
司法権………………………274
　──の限界………………276
　──の独立
　……………110, 178, 226, **286**
司法消極主義……… 144, 305
司法制度改革………………286
司法積極主義…… 37, 143, 305
司法の危機（司法反動）
　…………………… 58, 281, 287
市民的不服従………………129
指紋押捺…………… 321, 519
社会学的代表
　…………… 66, 158, 200, 229
社会契約論…………… 16, 23
社会権……… 256, 308, 311,
　　　　　315, 323, 476, 477
社会主義憲法…………………34
社会通念………… 344, 375, 412
社会的権力…………… 13, 327
社会党…………………………56
衆議院………………… 43, 219

──の解散…… 80, 209, 241
──の優越……………209
衆議院議員選挙法
　…………………… 43, 48, 192
住基ネット…………………517
宗教団体…… 372, 378, 379, 424
宗教的活動…………… 372, 374
宗教的結社の自由……………367
宗教的行為の自由……………366
宗教的人格権…… 367, 372, 379
宗教的中立性…… 374, 381, 382
宗教法人法…………… 367, 369
私有財産制…………………451
衆参同日選挙………………220
集団安全保障…………… 69, 92
集団的自衛権…… 92, 96, 97,
　　　　　　　116, 118, 119
自由委任……………………229
自由権
　……308, 310, 311, 315, 477
自由選挙……………………193
集団示威運動（デモ）
　……………388, 404, 419, 422
自由の指令……………………48
自由民権運動…………………41
住民自治…… 183, 255, 260, 261
自由民主党（自民党）
　………………………56, 59, 60
──日本国憲法改正草案
　…………………… 19, 60, 247
住民訴訟…… 263, 278, 372, 379
住民投票…… 215, 218, 261
　拘束型──………………261
　非拘束型──……………261
重要影響事態………………119
受益権……………… 181, 315
熟議民主主義………………154
主権…… 21, 22, 23, 28, 42, 50,
　　　　　62, 67, 69, 89
授権規範………………………17
主権的権利
　…… 165, 167, 184, 185, 186
取材源秘匿…………………393
取材の自由…………………391
首相公選論…………… 37, 211
出入国管理法………………519
主任の大臣…………………239
純粋代表（制）…… 28, 29, 36, **65**,
　　　　66, 68, 158, 160, 176, 229
常会………………………224

消極国家…………… 34, 462
消極目的…………… 445, 452
少数代表制…………………195
小選挙区制
　………… 36, 175, 195, 198, 211
小選挙区比例代表並立制
　………………… 155, 198, 200
象徴………………… 72, 73, 82
情報公開制度
　…………………256, 391, 401
条約………………… 223, 294
──の承認…… 221, 222, 223
──の締結…………233, 235
上諭…………………………52
将来効判決…………………304
条例………………………452
昭和天皇　しょうわてんのう
　　［裕仁／ひろひと］
　（1901-1989）………… 85, 87
叙勲…………………………86
ジョージ1世 George I
　（1660-1727）………………30
処分違憲……………………298
ジョン王 John（1167-1216）
　………………………………21
知る権利……… 170, 387, 388,
　　　　　　　390, 391, 401
知る自由…………… 390, 413
人格的利益説………… 314, 513
人権…………………… 308, 309
──のインフレ…… 311, 314
──の固有性………………310
──の裁判的保障…… 31, 37
──の不可侵性……………310
──の普遍性………………310
信仰の自由…………… 353, 366
人種差別撤廃条約…… 342, 416
新自由主義的分権政策……258
死んだふり解散……………244
神道指令……………… 48, 365
臣民の権利…………… 45, 177

〈す〉

吹田黙祷事件………… 287, 289
推知報道の禁止……………388
枢密院…………… 42, 50, 51
杉原泰雄　すぎはらやすお
　（1930-）……………………69
鈴木貫太郎　すずきかんたろう（1867-1948）………………47

鈴木善幸 すずきぜんこう
　（1911-2004）……………99
〈せ〉
生活保護………………………483
請願権の参政権的機能
　………………………… 177, 178
政教分離
　……… 84, 253, 263, 370, 381
制限規範………………………17
制限選挙（制）……… 43, 45, 192
政策的制約……………… 444, 452
青少年…………………………412
生前退位………………………77
生存権……………… 51, 476, 478,
　　　　　　　　　479, 486, 492
政治改革……… 155, 175, 198, 200
政治資金規正法………………169
政治スト………………………497
政治団体………………………169
政治的行為……………… 217, 406
性自認…………………………350
性的指向………………………350
性的マイノリティ……… 350, 511
政党…… 157, 160, 164, 166, 172
　　──国家…………………36
　　──条項…………… 161, 162,
　　　　　　　　　　　 164, 171
　　──助成法………………170
　　──内閣制………… 44, 46
　　──法人格付与法………173
　　──民主………… 152, 154,
　　　　　　　 157, 160, 175, 176
性同一性障害特例法…………511
正当な補償……………… 453, 455
制度後退禁止原則……………481
制度的保障……… 260, 318, 371,
　　　　　　　 435, 451, 502, 510
制度的民主主義………… 154, 157
成文憲法………………………10
性別役割分担意識
　………………………344, 506, 512
政令……………………… 217, 267
世界人権宣言…………………309
責任本質説………………30, 208
世襲……………… 72, 76, 84, 337, 348
積極国家（社会国家）
　………………………35, 215, 462
積極的差別是正措置（アファ
　ーマティブ・アクション）

………………………………335
積極目的……………… 445, 452
摂政……………………………81
絶対王政…………… 22, 25, 27
（思想・良心の自由の）絶対的
　保障………………………355
説明責任………………………241
選挙……………………………408
　──運動の自由…… 193, 408
　──制度……………… 182, 191
　──無効訴訟………………278
選挙権………………… 182, 184
　──の制度的性格…………189
　地方──……………………322
全国民の代表……… 65, 68, 69,
　　　　　　158, 168, 174, 183,
　　　　　　　　209, 214, 215
専守防衛………………………96
戦争……………………………100
　──違法化……………… 38, 91
1791年憲法（フランス）
　…………………… 28, 32, 65, 91, 127
1793年憲法（フランス）……28
煽動罪…………………………410
占領……………………………48
戦力……………………………101
「戦力＝近代戦争遂行能力」
　論……………………………94
「戦力に至らざる自衛力」論
　……………………… 95, 101
〈そ〉
ソヴィエト社会主義共和国連
　邦憲法（スターリン憲法）
　………………………………35
争議権……………… 58, 492, 496
相対的平等……………………338
租税……………………………248
　──法律主義……… 247, 248, 269
措置法律………………………215
尊属・卑属……………… 347, 348
存立危機事態…………………119
〈た〉
大学の自治……………… 430, 435
対公権力性…………… 12, 311, 328
対抗言論……………… 385, 389
ダイシー Dicey, Albert Venn
　（1835-1922）………………29
大衆組織政党…………………160

大嘗祭……………………………84
大正デモクラシー
　………………… 44, 45, 192, 233, 285
大選挙区制……………………195
大統領制………………………144
第二次安倍内閣
　………………… 103, 117, 282
大日本帝国憲法
　……… 8, 15, 32, 41, 67, 72,
　　　 131, 177, 192, 214, 219,
　　　 233, 246, 273, 279, 287,
　　　 308, 315, 330, 336, 353,
　　　 364, 384, 408, 429, 461,
　　　　　　　　　　 474, 501
代表………………………… 157, 203
　──の積極的規範意味
　……………………… 158, 174
　──の禁止的規範意味
　……………………… 158, 168, 174
代表民主制（間接民主制）
　…………… 67, 153, 157, 176,
　　　　　　　　　　 177, 184
高橋幸八郎 たかはしこうは
　ちろう（1912-1982）……25
滝川事件……………… 46, 429
滝川幸辰 たきがわゆきとき
　（1891-1962）……………430
多次元統合防衛力……………122
多数代表制……………………195
たたかう民主制 162, 355, 425
田中角栄 たなかかくえい
　（1918-1993）……………237
田中耕太郎 たなかこうたろう
　（1890-1974）…… 108, 277
弾劾……………………………240
　──裁判……………… 222, 276
　──裁判所…………… 279, 288
男系男子………………………76
男女共同参画社会基本法
　………………………………335
男女雇用機会均等法 345, 490
団結権…………………… 492, 494
団体交渉権……………… 492, 495
団体自治………………… 255, 260
〈ち〉
治安維持法………… 45, 46, 48,
　　　　　　 55, 131, 353, 355, 384
地域主権改革…………………259
地方公共団体…………………264

地方公務員法………… 406, 498
地方自治…………… 155, 255
　──の本旨………… 255
　──法……… 178, 183, 258
地方特別法…… 215, 218, 262
チャールズ1世 Charles I
　(1600-1649)…………… 25
チャールズ2世 Charles II
　(1630-1685)………… 246
中間審査……… 302, 341, 345
中間団体
　……… 23, 28, 327, 424, 500
抽象的違憲審査(制)
　………… 109, 147, 292, 293
抽象的権利…… 180, 481, 489
中世立憲主義………… 10, 21
中選挙区制………… 195, 198
超然内閣制…………… 44, 45
徴兵制………………… 96, 462
直接請求制度…………… 261
直接選挙………………… 194
直接的規制……………… 368
直接民主主義…………… 24
　──制の制度………… 153
直接民主制……………… 65, 67
沈黙の自由……………… 356

〈つ〉
通信傍受(法)……… 427, 467
通達課税………………… 249

〈て〉
定義づけ衡量…………… 400
抵抗権……… 17, 24, 26, 41, 128
帝国議会………… 43, 192, 214
帝国主義戦争…………… 91
敵意ある聴衆の法理…… 421
適正手続………… 271, 463
適正配置規制… 445, 446, 449
適性評価………… 358, 391
適用違憲………… 298, 459
デジタル庁……… 212, 235
寺西判事補事件… 289, 290
天皇機関説……………… 46
　──事件……………… 429
天皇主権………………… 42, 67

〈と〉
ドイツ基本法…… 35, 136, 162,
　228, 313, 355, 425, 476

ドイツ帝国憲法………… 32, 33
道州制…………………… 265
東条英機 とうじょうひでき
　(1884-1948)…………… 48
統帥権の独立…………… 44
統制権…………………… 495
同性婚………… 351, 506, 511
統治行為(論)… 107, 110, 111,
　243, 276, 305
投票価値の平等…… 193, 203
道路交通法……………… 423
トクヴィル Tocqueville,
　Charles Alexis Henri
　Crerel de (1805-1859)
　………………………… 285
特定秘密保護法
　……………… 358, 391, 419
特別意味説…… 340, 342, 347
特別会…………………… 224
特別権力関係…………… 330
特別裁判所……………… 279
特別の犠牲……………… 454
独立行政委員会…… 239, 280
独立命令… 43, 214, 217, 452
とらわれの聴衆…… 356, 401
トリーペル Triepel, Heinrich
　(1868-1946)………… 161

〈な〉
内閣……… 43, 231, 234, 249
　──の衆議院解散権
　………………… 80, 241
　──の助言と承認
　………………… 78, 242
　──の対国会責任…… 240
　──の法案提出権…… 232
　──法………… 234, 237
内閣官房………………… 235
内閣総辞職………… 238, 240
内閣総理大臣……… 233, 234
　──の指名……… 221, 222
「内閣中心」構想……… 209
内閣統治………… 209, 211
内閣府…………………… 235
内閣不信任(決議)… 220, 241
内閣法制局……………… 236
内在的制約
　…… 316, 444, 452, 462, 498
内心に反する行為の強制
　……………………… 359

内廷費…………………… 83
内面的精神活動…… 352, 354
中曽根康弘 なかそねやすひ
　ろ(1918-2019)…… 59, 380
ナシオン主権… 28, 29, 64, 68
なれあい解散…………… 243
軟性憲法………………… 14, 128

〈に〉
二院制…………… 202, 219
二元説………… 184, 189, 194
二元代表制……………… 265
二重の基準(論)……… 36, 39,
　149, 300, 301, 302, 341, 353,
　384, 398, 398, 421, 444
二大政党制………… 197, 211
日米安保条約
　──改定…………… 57, 98
　旧──
　……… 55, 96, 223, 277, 294
　新(現行)…………… 97, 419
　──をめぐる密約…… 98
日米安保体制
　……………… 57, 64, 96, 115
日米ガイドライン(日米防衛
　協力のための指針)
　………………………… 58, 99
　新──………………… 114
　新・新──…………… 119
日米相互防衛援助協定
　……………………… 56, 95
日米地位協定………… 97, 223
日本学術会議…………… 432
ニュー・ディール……… 36
人間宣言………………… 365
人間の安全保障………… 106

〈ぬ〉
抜き打ち解散…………… 243

〈ね〉
ねじれ国会
　………… 211, 222, 241, 250

〈の〉
農地改革………… 48, 54, 456

〈は〉
陪審制…………………… 285
破壊活動防止法

············· 55, 410, 425
白紙的委任················ 217
バーク Burke, Edmund
　(1729-1797) ············29
漠然性ゆえに無効の法理
　················· 399, 459
8月革命説············ 53
発信者情報開示············· 414
パートナーシップ
　················· 509, 511, 514
鳩山一郎 はとやまいちろう
　(1883-1959) ·········· 56, 95
半大統領制·············· 144
半代表(制)······ 29, 36, 66, 68,
　158, 174, 176, 194, 229
半直接制················· 66, 68

〈ひ〉

比較衡量(論)
　········· 301, 303, 393, 398,
　409, 421, 447, 453, 524
非核三原則······ 58, 96, 98, 100
樋口陽一 ひぐちよういち
　(1934-) ············ 69, 158
非軍事平和主義········ 89, 121
PKO(国連平和維持活動)
　················· 59, 114, 120
PKO等協力法·········· 113, 120
被収容関係(在監関係)···· 331
批准················· 223
非訟事件················ 272
被選挙権··············· 184, 185
ビスマルク Bismarck, Otto
　von (1815-1898) ········ 246
非嫡出子·········· 347, 349, 507
人一般の権利としての人権
　·········· 22, 26, 29, 32, 352
一人一票の原則······· 193, 202
一人別枠方式················ 204
日の丸················· 85, 359
秘密選挙················· 193
ピューリタン革命······· 25, 26
表現内容規制······ 395, 399, 409
表現内容中立規制······ 395, 399
表現内容に基づく規制・内容
　中立規制二分論········ 399

表現の自由·········· 383, 520
──の優越的地位
　················· 384, 399, 519
平等················ 333
　機会の──・結果の──
　················· 335
　形式的──・実質的──
　················· 334
平等選挙············· 192, 202
平賀書簡事件···· 110, 287, 289
比例代表制······· 36, 175, 195
　(拘束)名簿式──
　················· 167, 194

〈ふ〉

夫婦同氏制度········· 346, 504
武器使用············· 116, 121
武器輸出三原則········· 58, 96
福祉国家················ 453
不敬罪················ 54, 74
付随的違憲審査(制)
　········· 147, 292, 293, 295, 296
付随的規制········ 368, 381, 395
不戦条約············· 38, 91
「二つの法体系」論········· 96
(議員の)不逮捕特権········ 228
普通選挙(制)
　········ 34, 43, 46, 65, 192, 408
　男子──············· 192, 257
復興庁················ 235
不当労働行為············ 496
プープル(人民)主権
　··········· 28, 29, 64,
　68, 183, 184, 194, 260
不文憲法················ 14
部分社会の法理············ 278
プライバシー
　········ 321, 396, 414, 427,
　467, 508, 516, 521
ブラクトン Bracton, Henri de
　(?-1268) ··············· 21
フランス人権宣言
　··········· 9, 28, 142, 246,
　334, 384, 450
ブランデンバーグ基準
　················ 410, 417
武力攻撃事態
　················· 116, 119, 132
武力行使との一体化
　················· 114, 115, 120

プロイセン··············· 257
　──憲法·········· 32, 33, 246
プログラム規定
　········· 180, 470, 480, 482
プロパティ··············· 24
文民················· 51, 238
　──条項················ 238
文面審査················· 399

〈へ〉

ベアテ・シロタ Sirota (Gordon), Beate (1923-2012)
　················· 49
米軍等防護················· 121
ヘイト・スピーチ···· 256, 416
　──解消法················ 418
平和条約················ 55, 96
平和的生存権
　······ 93, 104, 111, 256, 515
弁護人接見交通権········ 468
ヘンリー8世 Henry VIII
　(1491-1547) ············ 22

〈ほ〉

保安隊················ 56, 94
防衛計画の大綱······· 117, 122
防衛庁················ 56
防衛費GNP1%枠·········· 58
包括的権利················ 313
法規················ 214
法人・団体················ 324
放送················ 387
法治主義················ 33
法定受託事務············ 267
報道の自由······ 387, 388, 391
法内容平等説(立法者拘束説)
　················· 338
法の支配········· 21, 33, 271,
　274, 279, 286
法律············· 214, 288, 451
　──による人権保障······ 31
　──の一般性・抽象性·215
　──の誠実な執行······ 235
　──の明確性············ 463
　──の留保······ 32, 33, 45,
　300, 309, 315, 364, 461
法律婚
　········503, 507, 509, 510, 514
法令違憲············ 298, 449, 459
ボダン Bodin, Jean (1530-96)

················ 22, 25, 62
ポツダム緊急勅令··········48
ポツダム宣言
······47, 52, 53, 63, 353, 357
ホッブズ Hobbes, Thomas
(1588-1679)···········23, 25
穂積八束 ほづみやつか
(1860-1912)···············46
ポピュリズム················39

〈ま〉

マグナ・カルタ
············21, 245, 285, 461
マス・メディア
············386, 391, 393, 419
マッカーサー MacArthur,
Douglas (1880-1964)
············48, 49, 51, 94
── 三原則(ノート)
············49, 94, 337
松本烝治 まつもとじょうじ
(1877-1954)···············49
松本四原則·················49
マニフェスト選挙··········211

〈み〉

未成年者·················178
美濃部達吉 みのべたつきち
(1873-1948)········46, 250
身分制·········22, 333, 458
宮沢俊義 みやざわとしよし
(1899-1976)
············53, 340, 344, 396
民意·········151, 191, 211, 220
── の国政への反映
············151, 157, 210
民事免責·················494
民主主義··············149, 151
民主党政権·················60
民法····485, 501, 502, 507, 520

〈め〉

メアリ Mary II (1662-1694)
···························26
明確性の法理(理論)
············298, 399
明白かつ現在の危険(の基準)
············302, 398, 400, 410
明白性の原則·········445, 453
名望家政党··················160

名誉(権)·······396, 414, 520
── 毀損······389, 411, 417
名誉革命····················26
命令(的)委任··· 65, 158, 183
(議員の)免責特権
············68, 69, 229

〈も〉

目的効果基準········ 372, 373,
377, 378, 379, 380
目的手段審査··············341
目的二分論······444, 446, 453
問責(決議)···········220, 241
モンテスキュー
Montesquieu, Charles
Louis de Secondat, Baron
de la Brede et de
(1689-1755)········30, 143

〈や〉

靖国神社
······364, 371, 375, 379, 380
「やむにやまれぬ政府利益」
(基準)·······302, 400, 524

〈ゆ〉

有事法制············116, 132
郵政解散·················244
ユニオン・ショップ協定
························494

〈よ〉

横田喜三郎 よこたきさぶろ
う (1896-1993)·······108
予算····················249
── 争議(プロイセン)
························246
── 提出権··············233
── 発案権··············251
吉田茂 よしだしげる
(1878-1967)·····50, 93, 243
ヨーロッパ人権条約·········38

〈ら〉

らい予防法··············182

〈り〉

リコール制······159, 183, 282
立憲主義·········21, 126, 130,
138, 148, 149, 338, 461

立憲平和主義················38
立憲民主主義··············149
立候補の自由(立候補権)
············185, 193
立法裁量······342, 346, 350,
409, 482, 504
立法事実(論)·······299, 449
立法不作為··············295
── の違憲確認訴訟····481
両院協議会··········220, 244
両性の本質的平等·········503
臨時会··················224

〈る〉

ルイ16世 Louis XVI
(1754-1793)···············27
ルソー Rousseau,
Jean-Jacques (1712-78)
············23, 24, 67, 215

〈れ〉

令状主義····428, 465, 466, 467
冷戦の終結·········59, 112
レッド・パージ········55, 357
レモン・テスト········37, 375
連合国最高司令官
············47, 48, 357
── 総司令部(GHQ)
············48, 72, 258, 357, 406
連座制··················187

〈ろ〉

労働基準法················490
労働組合··········424, 494
── 法
······48, 493, 494, 496, 497
ロック Locke, John
(1632-1704)
············24, 142, 313, 450
F・D・ローズベルト
Roosevelt, Franklin Delano
(1882-1945)·······36, 280
ロールズ Rawls, John Bordley (1921-2002)········129

〈わ〉

わいせつ表現··············411
ワイマール憲法·······35, 308,
318, 355, 450, 476

編者

本　秀紀　（もと・ひでのり）　名古屋大学教授

執筆者

愛敬浩二　（あいきょう・こうじ）早稲田大学教授
伊藤雅康　（いとう・まさやす）札幌学院大学教授
植松健一　（うえまつ・けんいち）立命館大学教授
植村勝慶　（うえむら・かつよし）國學院大學教授
大河内美紀（おおこうち・みのり）名古屋大学教授
塚田哲之　（つかだ・のりゆき）神戸学院大学教授
本　秀紀　（もと・ひでのり）　名古屋大学教授

憲法講義　第3版

2015年4月30日　第1版第1刷発行
2018年9月30日　第2版第1刷発行
2022年3月31日　第3版第1刷発行
2023年1月15日　第3版第2刷発行

編　者──本　秀紀
発行所──株式会社　日本評論社
　　　　　〒170-8474　東京都豊島区南大塚3-12-4
　　　　　電話03-3987-8621（販売：FAX －8590）
　　　　　　　03-3987-8592（編集）
　　　　　https://www.nippyo.co.jp/　振替　00100-3-16
印刷所──精文堂印刷
製本所──難波製本
装　丁──図工ファイブ

JCOPY　〈(社)出版者著作権管理機構　委託出版物〉

本書の無断複写は著作権法上での例外を除き禁じられています。複写される場合は、そのつど事前に、(社)出版者著作権管理機構（電話03-5244-5088、FAX03-5244-5089、e-mail: info@jcopy.or.jp）の許諾を得てください。また、本書を代行業者等の第三者に依頼してスキャニング等の行為によりデジタル化することは、個人の家庭内の利用であっても、一切認められておりません。

検印省略　©2022 Hidenori Moto
ISBN978-4-535-52563-4　　　　　　　　　　　　　Printed in Japan